KB150436

지금 **북극**은

제1권 북극, 개발과 생존의 공간

지금 북극은
제1권 북극, 개발과 생존의 공간

2020년 8월 25일 초판 1쇄 인쇄
2020년 8월 28일 초판 1쇄 발행

엮은이 배재대학교 한국-시베리아센터
글쓴이 김정훈, 한종만, 서현교, 라미경, 백영준, 이영형, 박상신, 박종관, Чистов И.И., 예병환,
　　　 원석범, Шадрин А.И., Шишацкий Н.Г., 배규성, 정성범, 서승현, 김자영, 이재혁
펴낸이 권혁재

편집 조혜진
출력 성광인쇄
인쇄 성광인쇄

펴낸곳 학연문화사
등록 1988년 2월 26일 제2-501호
주소 서울시 금천구 가산동 371-28 우림라이온스밸리 B동 712호
전화 02-2026-0541~4
팩스 02-2026-0547
E-mail hak7891@chol.net

ISBN 978-89-5508-416-0 94960

이 총서는 정부재원(교육부)으로 한국연구재단의 지원을 받아 출판되었음(NRF-2019S1A8A101759)
This Journal was supported by the National Research Foundation of Korea
Grant funded by the Korean Government(MOE)(NRF-2019S1A8A8101759)

지금 **북극**은

제1권 북극, 개발과 생존의 공간

학연문화사

서 문

21세기 들어 지구의 기후변화는 급속도로 진행하고 있다. 북극권의 빙하와 만년설의 해빙현상이 가속화되고 있으며, 이들 존재는 2050년 정도면 수명을 다할 것이라는 예측이 나오고 있다.

2020년 우리 삶의 공간인 동북아 지역의 여름은 이로 인해 직격탄을 맞고 있다. 여름 평균 기온보다 약 5°C 정도 높은 시베리아 상황은 상대적으로 차가운 기단을 남쪽으로 밀어내 한국과 중국 그리고 일본이 위치한 지역에서 태평양의 더운 기단과 직접적으로 대치하는 전선을 형성시켰다. 지루한 이들 간의 장기적인 세력 다툼은 거대한 물 폭탄을 만들고 동북아 지역의 일정 부분을 초토화 시켜 나가고 있다. 이러한 현상은 비단 동북아 지역만의 문제는 아니다. 유럽의 폭염 현상 또한 역대급으로 진행되어 팬데믹(COVID 19)현상과 겹쳐 유럽인들을 이중고에 몰아넣었다.

이에 더하여 미세 플라스틱으로 인한 북극권 동식물 생태 환경의 부정적 변화, 인접 가능성의 증가로 인한 개발가속화와 환경 문제 그리고 여러 사유로 발생하고 있는 이 지역 주민들의 생활공간 축소와 문화 변동 및 소멸 현상은 북극권 지역 자체만의 문제가 아닌 지구 공동체, 인류 전체에게 당면한 시급하고도 절실한 사안이다.

혹자는 이러한 기후변화 현상은 지구의 생명 과정의 일정한 주기 속에서 발생할 수 있는 당연한 것이라 주장하기도 한다. 그러나 한 가지 확실한 사항은 그것이 자연적인 상황 또는 인간에 의해 초래된 사항이든 간에 인류가 그 속도를 가속화 시키고 있다고 점이다.

그럼에도 불구하고 북극권, 특히 개발과 접근 가능성이 가장 높은 러시아 북극권의 활용은 여러 측면에서 효용가치가 매우 크다고 할 수 있다.

우선, 정치적 측면에서 볼 때 이 지역은 국제정치경제의 중심지가 아·태로 이동되면서 시베리아·북극권을 둘러싼 국가 간 경쟁 및 협력이 상존하고, 현재와 미래의 인류생존을 위한 공동개발 및 초국가적 행위자들의 시베리아·북극권 개발·보존에 관련된 제반행위가 발생하는 공간이기도 하다.

가장 현실적 상황으로 인식되고 있는 분야는 경제적 측면이다. 러시아 북극권은 천연자원과 에너지(석탄, 석유, 천연가스, 풍력, 수력, 원자력, 지열 등) 자원이 풍부하게 매장되어 있으며, 농림수산 자원의 보고이며, 지역 개발권 선점과 대륙과 대양을 연결시킬 수 있는 물류이동로의 활용, 그리고 이에 부합하는 인적자원 교류의 공간이기도 하다.

인류 생존 조건과 환경의 다양성 및 특수성을 인식하고 이해하는 문화적 측면에서도 가치가 매우 높다. 이 공간은 슬라브 문화와 시베리아 및 북극지역의 전

통 문화와 관습에 따라 살고 있는 다양한 원주민의 시공간적 문화를 아우르는 곳
이다. 아울러 원주민의 주거문화, 민족이동, 언어변화, 사회제도변화 등과 같은
문화공간으로써의 주요 연구대상 실험실이기도 하다.

동시에, 지구 공동체의 삶을 영위시켜 주는 생태 공간이다. 지구 온난화와
무분별한 개발의 위협 속에서 생물적 다양성과 온실효과 문제에 대한 인식 그
리고 지구상 몇 안 되는 산소공급원, 친환경 농업, CDM(Clean Development
Mechanism: CO_2 배출시장), 생태관광 등의 역할을 실행하고 있는 지역이다.

이상에서 언급한 내용들로 인해 북극권에 대한 국제적 관심과 이해는 급증하
고 있다. 그러나 아쉽게도 우리의 현실은 그리 긍정적이지 못하다. 지금까지의
북극에 대한 우리의 인식은 자원개발, 물류 등 주로 경제적 측면과 기초 및 자연
과학적 입장에서 전개되어 왔으며, 실질적으로 연구방향 및 접근 실태 역시 그 방
향으로 편도 되어 있는 것이 현실이다.

따라서 지정, 지경, 지문화 및 생태환경 등의 복합적 의미를 담고 있는 해당 공
간에 대한 종합적 이해의 근간이 우선적으로 필요하다. 이에 따라 배재대학교 한
국-시베리아센터는 2019년 한국연구재단의 '인문사회과학연구소지원사업'의 선
정을 계기로 러시아 시베리아 · 북극지역의 정치, 경제, 생태, 문화공간으로써의
분야별 연구와 각 공간들 사이의 상관관계에 대한 연구를 시도하고 있다. 이는 정

치, 경제, 사회적 의미에서 세계 각국이 권리를 선점하기 위해 치열한 경쟁을 벌이고 있는 러시아 시베리아·북극지역의 이해를 높이고, 4차 산업혁명의 시대에 한국의 성장동력 모색에 있어 새로운 정책방향을 본 연구지역과 함께 연계하여 제시함으로써 장기적으로 정치, 경제적 유익을 확보하는데 기여하고자 함이다.

그 연구과정의 첫 결실이 바로 이 지면을 통해 소개되는 '지금 북극은(제1권 북극, 개발과 생존의 공간)'이며, 앞으로 지속적인 연구 활동을 통해 총서 형태의 연속물로 일 년에 한 권 이상을 세상에 내보내고자 한다.

제1권은 총 18건의 기고 형태의 글과 논문을 담고 있으며, 크게 지정학, 지경학, 지문화 및 생태 환경 부분으로 분리되어 구성되어 있다. 우선 지정학 분야는 한국을 비롯한 러시아, 일본 및 북미의 캐나다의 북극정책을 중심으로 한 북극권에 대한 정치 및 정책적 분석 내용 등으로 형성되었다. 지경학 분야는 북극항로 개발, 내륙수운 및 쇄빙선 등과 같은 항로 및 물류개발과 임업 분야에 있어서의 한러 협력 가능성에 대한 모색을 시도하고 있다. 그리고 지문화 분야에서는 북극 소수민족의 법적 권리, 전통문화, 언어 및 현황에 대한 내용을 담고 있다. 마지막으로 생태 및 환경 분야에서는 기후변화에 따른 국제협력 및 거버넌스 그리고 생태환경의 현실적 실현 방안으로써의 한러 협력 방안에 대한 분석이 시도되었다.

물론, 몇 개의 글과 논문으로 구성된 서적 한권으로 지금 북극에서 벌어지고 있는 모든 것을 설명할 수는 없을 것이라 생각하며, 이로 인해 책 제목 앞에 연구진의 머리가 숙여지는 것은 당연하다. 그러나 어렵게 내딛은 이 '첫걸음'이 한반도의 성장 공간, 미래 인류공동체의 삶의 공간으로써 '북극'을 정확하게 이해할 수 있는 종합적인 연구결과물들의 창출로 귀결될 것이라는 점은 굳게 믿고 있다.

이러한 목표와 믿음이 북극공간을 지속가능한 개발 공간, 또는 북극의 생명과 상생하며 발전할 수 있는 공간으로 만들어 나가는 노력의 중요한 초석이 될 수 있기를 기대한다. 지금의 기후변화가 전적으로 사람들의 부주의에 기인된 것이든 지구 자체의 생명 과정 중 하나이든 그 과정이 위험하다면, 그것을 우리의 노력과 결의로 어느 정도 완화시킬 수는 있을 것이다.

끝으로 이 책 한권이 세상에 나오기까지 수고하신 모든 분들께 뜨거운 감사를 표한다. 열악한 연구 환경 속에서 묵묵히 자료를 분석하고 하나가 되어 결과물들을 창출해 낸 18명의 연구진, 그 과정에 적지 않은 조력을 지원한 조교들, 여러 가지 부담을 안고 출간에 적극적으로 동의해 주신 학연문화사 권혁재 대표님과 이 무더운 여름 더위를 극복하고 편집을 완성시켜 주신 학연문화사 편집진 모든 분에게 진심으로 머리 숙여 감사를 전한다.

2020년 8월 25일

배재대학교 한국-시베리아센터 소장 김정훈

목 차

part 1. 지정학

북극권 진출을 위한 해양공간 인문지리: 동해-오호츠크 해-베링 해

김정훈* · 한종만**

Ⅰ. 서론

북극권 접근 용이성이 확장되면서 공간으로의 진입에 관련된 지역에 대한 지정, 지경 및 인문 환경이 급격하게 변화하고 있다. 그로 인해 북극항로(북동항로, 북서항로, 북극점 경유 항로, 북극 랜드 브리지 항로)의 이용 가능성, 풍부한 연료 및 원료자원과 수산자원과 관광자원의 이용과 채굴이 용이한 상태로 변모, 북극권 국가뿐만 아니라 비북극권 국가(EU와 한중일 등)들의 북극에 대한 관심이 고조되고 있다.

동시에 국제사회에서 아태지역 경제권의 중요성이 강조되면서 북극권 진출의 통로 역할을 수행할 동해, 오호츠크해와 베링해에 이르기까지의 해양 공간에 대한 가치 역시 급부상하고 있다. 이 공간은 중국의 '일대일로'와 '신실크로드' 정책, 미국의 '인도태평양전략', 러시아의 '신동방정책', 일본의 우경화 정책, 북한의 비핵화 문제와 경제 제재 및 협력 그리고 한국의 '신북방정책' 등으로 인해 각국의 이해관계가 교차하는 지역이기도 하다. 최근 들어 한국과 일본의 갈등, 미일 동맹의 강화, 미국과 러시아의 북극권에서 군사훈련 강화와

※ 이 논문은『한국 시베리아연구』23권 2호에 게재된 것임
 * 배재대학교 러시아 · 중앙아시아학과 교수
** 배재대학교 러시아 · 중앙아시아학과 명예교수

재무장, 동해에서의 러시아와 중국의 군사훈련, 오호츠크해와 베링해에서의 중국 군함 출현 등 연구공간에서의 지정학적 요인이 증가하고 있다.

북극항로의 개방과 공항과 활주로 건설, 송유관, 가스관 개발, 광케이블, 철도와 도로 건설 이외에도 북극항로(북동항로, 북서항로 등)의 이용가능성과 사할린-콤소몰스크나 아무레-블라디보스토크 가스관 2012년 완공 및 남북러 가스관 사업의 실현 가능성 증대, 사할린으로부터 한국의 LNG 수입 증대[1] 등과 같은 연구지역의 개발 및 자원 공급로 역할로써의 지경학적 가치 역시 증가하고 있다. 아울러 동 연구지역은 한류성 수산자원의 보고지역으로 한국에서 필요한 수산물을 공급하는 데 절대적으로 중요한 해역[2]이기도 하다.

그러나 급속하게 진행되고 있는 지구온난화와 해수면 상승으로 인한 생물종 다양성과 영구동토층 파괴 위협, 연구공간의 주민 생활 등 생태 및 지문화적 문제발생 요인 역시 증가하고 있는 추세이다.

현실에 있어 한반도의 긍정적 발전을 가로 막는 장애요소[3]들이 존재하고 있으며, 이에 따른 평화구축, 북방진출과 유라시아 이니셔티브 확보 및 복잡한 환태평양 국제관계에 대비해야 되는 미래성장공간에 대한 대책모색의 필

---

1) 한종만, "러시아 현대화 전략의 가능성 및 시사점,"『슬라브학보』(한국슬라브학회) 제27권 4호, 2012, pp. 541-576; 이윤식,『남북러 가스관 사업의 효과, 쟁점, 과제』통일연구원, 2011, 12월; 윤성학, "남 · 북 · 러 가스관의 경제적 효과에 관한 연구,"『러시아연구』(서울대학교 러시아연구소) 22권 2호, 2012, pp. 249-279; 백훈, "남 · 북 · 러 가스관 사업의 정책적 접근,"『동북아경제연구』(한국동북아경제학회) 제23권 4호, 2011, pp. 93-123.

2) 이재혁, "시베리아의 수산자원과 관련 정책의 지방화,"『러시아의 중앙 지방관계와 시베리아의 지방화 탐색』, 2013, 엠-에드.

3) 에너지의 높은 수입 의존도, 자원/식량의 높은 수입 의존도, 물류비용의 증가 및 동북아 물류 허브 경쟁, 인구감소 추세에 반해 좁은 영토로 인한 상대적으로 높은 수준의 인구밀도, 복지, 양극화(개인/기업/산업/지역별)문제, OECD국가 중 낮은 행복지수, 식량문제(농/목/수산업), 생태 및 안보(북한의 지정학적 리스크) 등이 존재(한종만 외,『북극, 한국의 성장공간』, 배재대학교 한국시베리아센터 편. 2014, 명지출판사).

요성이 대두하고 있다. 이러한 상황에서 연구공간은 한국사회에 에너지 · 자원 확보/수입원/공급처의 다변화, 물류유통, 해양세력과 대륙세력으로의 확장, 생활공간의 확대, 해외 식량 기지의 확보(수산업 등), 환경과 생태에 대한 글로벌 이슈의 충족, 녹색성장의 토대, 남북한 통합 촉진과 북한경제 발전의 연착륙유도 등을 제공할 수 있는 미래 한국사회의 '기회의 공간'으로 작용할 수 있다고 생각한다. 이에 따라 본 연구를 통해 국제사회와 우리의 기대에 부합하는 미래의 한국사회를 건설하기 위한 선도적 준비로써 해당지역의 지정, 지경 지문화적 의미와 연구필요성 등을 제기해보고자 한다.

Ⅱ. 지역의 가치 및 연구경향 분석

[그림 1-1] 연구지역 개관도

본 연구의 지리적 범위는 북극권으로의 관문이라 할 수 있는 동해-오호츠크해-베링해 지역으로, 이는 한반도 미래발전의 원동력인 자원(개발)과 북극권

진출의 지정, 지경, 지문화적 핵심 공간이다. 이를 조금 더 구체적으로 살펴보면, 남북한, 러시아의 극동 연안지역(연해, 하바롭스크, 캄차트카 변강주, 마가단 주, 추코트카 자치구), 쿠릴열도를 포함한 사할린 주, 미국의 알류산 열도를 포함한 알래스카 주, 일본 홋카이도 이외에도 중국의 동북지역과 캐나다 북극권 지역이다.

동 지역은 무르만스크와 페트로파블롭스크-캄차츠키 구간 컨테이너 항로 신설 계획, 극동지역의 수산물을 북극해 항로 경유하여 공급하면 식량 안보 상황이 개선될 것으로 평가되고 있다. 특히 일본의 Tsugaru(쓰루가) 해협은 국내외 물류의 연결점으로, 홋카이도와 혼슈 아오모리(青森)현 사이에 위치해 동해와 태평양을 잇고 있으며(동서길이: 130km, 가장 깊은 곳: 450m 정도), 2015년 북극해 항로 이용 선박의 40%가 홋카이도 연안을 항행하고 있다. 이에 따라 2014년 여름, 일본 국토교통성은 북극해 항로 이용을 촉진하기 위한 관민 협의회 설립했다.

아울러 연구지역은 끊임없는 영토 관련 문제가 발생하는 지역이기도 하다. 미국과 러시아의 베링 해 국경문제(1990년에 미국과 러시아(당시, 소련)는 베링 해양 국경선의 협정조약 체결, 1991년에 미국은 이 조약을 비준한 반면에 러시아는 지금까지 비준하지 않은 상태) 이외에도 2차 세계대전의 결과로 인한 러시아와 일본의 쿠릴 열도 4개 섬 영토문제와 한일간의 독도 문제 등이 상존하고 있는 상황이다.

국내외적으로 북극연구의 경우 지정학, 에너지, 북극항로개발 연구는 활발하게 진행[4]되어 왔으나 연구공간과의 연계성 연구는 아주 미흡한 상태이며,

---

4) 홍성원, "북극항로의 상업적 이용 가능성에 관한 연구,"『국제지역연구』(한국외대 국제지역연구센터) 제13권 4호, 2010; 홍성원, "북극해 항로와 북극해 자원개발: 한러 협력과 한국의 전략,"『국제지역연구』Vol. 15, No. 4, 2012; 윤영미, "북극해 해양분쟁과

학술적 측면에서 배재대학교 한국-시베리아센터, 한양대학교 아태지역연구센터, 한림대학교 러시아연구소, 한국외국어대학교 러시아연구소에서 극동연방관구의 행정주체의 연구가 이루어지고 있으나 종합적/학제적 연구는 초보 수준에 머무르고 있다.

연구공간의 일부인 동해 및 환동해 지역연구는 '동북아시아지역단체연합(NEAR)'를 중심으로 지자체 협력 메커니즘을 구축하고 있으며, 한국해양수산개발연구원(KMI)의 환동해 연구시리즈와 경희대학교 '환동해지역연구센터'를 중심으로 동지역에 대한 협력 연구가 진행되어 왔다[5].

지정학적 역학관계의 변화 - 러시아의 북극해 국가전략과 대응방안,"『한국시베리아연구』(배재대학교 한국-시베리아센터) 제14권 2호, 2010년, pp. 1-42; 한종만 외,『러시아 북극권의 이해』(서울: 신아사, 12월), pp. 232-249; 황진회, "북극해 항로, 항로개척 역사와 최근동향,"『해안과 해양』(한국해안.해양공학회) Vol. 7, No. 1 (3월), 2014, pp. 64-68; 배규성, "북극권 쟁점과 북극해 거버넌스,"『21세기정치학회보』(21세기정치학회) 제20권 3호, 2010년 12월, pp. 457-478; 이영형, "러시아의 북극해 확보전략: 정책방향과 내재적 의미,"『중소연구』(한양대학교 아태지역연구센터) Vol. 33, No. 4, 겨울, 2009, pp. 103-129; 이성규,『북극지역 자원개발 현황 및 전망』, 에너지경제연구원, 3월, 2010; 김선래, "북극해 개발과 북극항로: 러시아의 전략적 이익과 한국의 유라시아 이니셔티브,"『한국시베리아연구』(배재대학교 한국-시베리아센터) 제19권 1호, 2015, pp. 36-64; 크리스토프 자이들러 지음/박미화 옮김.『북극해 쟁탈전 - 북극해를 차지할 최종 승자는 누구인가』(Seidler, Christoph, Aktisches Monoploy: Der Kampf um die Rohstoffe der Polarregion (München: Deutsch Verlag-Anstalt) (서울: 도서출판 숲), 2009; 한종만 외,『러시아마피야현상의 이해』(서울: 명지출판사), 2010; 이성우 · 송주미 · 오연선,『북극항로 개설에 따른 해운항만 여건 변화 및 물동량 전망』한국해양수산개발원, 12월, 2011; 이영형 · 정병선,『러시아의 북극진출과 북극해의 몸부림』(서울: 엠애드), 2011; 제성훈, 민지영,『러시아의 북극개발 전략과 한 · 러 협력의 새로운 가능성』. 전략심층지역연구, 13-08. 대외경제정책연구원, 12월, 2013; 한종만 외,『북극, 한국의 성장공간』배재대학교 한국시베리아센터 편. 명지출판사, 2014; 김석환, 나희승, 박영민,『한국의 북극 거버넌스 구축 및 참여 전략』전략심층지역연구 14-11. 대외경제정책연구원, 2014; 문진영, 김윤옥, 서현교,『북극이사회의 정책동향과 시사점』, 대외경제정책연구원, 2014. 등이 출판되었음.
5) 이동형, "환동해권 지방네트워크 실태와 발전방안 모색,"『아태연구』(경희대학교 국제

지역적 연구로 극동지역의 경우, 마가단 지역은 현재 몇몇 국책연구소(한국해양수산개발원과 대외경제정책연구원 등)에서 부분적으로 연구되고 있지만 오호츠크해와 베링해 연안지역 연구는 아직 전무한 상황[6]이며, 사할린의 경우, 경제와 자원개발 그리고 한인 문제 등을 중심으로 연구 활동이 이루어지고 있다[7].

국내에서의 오호츠크 해와 베링 해 지역에 대한 연구결과물은 수산분야[8]와 오호츠크 해의 캄차트카와 사할린에서 수산물 불법거래 등 지하경제와 마피아 현상 연구에 집중[9]되어 왔으며, 알래스카와 캄차트카 해역 그리고 사할린

지역연구원) 17권 3호, 2010, pp. 41-59; 김봉길 · 김인중, "환동해 경제협력의 필연성과 정책대안,"『아태연구』(경희대학교 국제지역연구원) 17권 3호, 2010, pp. 1-20; 한종만, "러시아 북극권의 잠재력,"『한국과 국제정치』(경남대학교 극동문제연구소) 제27권 제2호, 2011, pp. 183-215; 강태호,『북방 루트 리포트: 환동해 네트워크와 대륙철도』환동해 연구시리즈 1, (파주: 돌베개), 2014; 주강현,『환동해 문명사: 잃어버린 문명의 회랑』, 한국해양수산개발원(KMI) 환동해 연구시리즈 2 (파주: 돌베개), 2015.

6) 한종만, "국내 북극 관련 인문사회과학 연구 현황 및 과제," Polar Brief (극지연구소) No.12, 2016, pp. 3-9.

7) 이영형, "러시아 사할린 주의 자원생산 및 무역구조에 대한 경제지리학적 해석,"『Oughtopia, The Journal of Social Paradigm Studies』(경희대학교 인류사회재건연구원) Vol.25, No.2 (Summer), 2010, pp. 77-101; 한종만 · 박승의 · 이재혁 · 김정훈,『러시아 사할린 한인의 인적/물적 자원의 변천과정』(2012년도 동북아역사재단 연구지원과제 연구결과보고서; 동북아 2012-기획-1), 2012; 한종만, "러시아 사할린 주 인적자원의 과거, 현재, 미래,"『한국시베리아연구』(배재대학교 한국-시베리아센터) 제17권 2호, 2013, pp. 1-92.

8) 엄선희, "북극해 어업자원의 보존과 이용을 위한 국제 거버넌스 고찰과 정책적 시사점,"『수산정책 연구』제8권, 2010, pp. 34-64; 엄선희, "북극해 수산업을 둘러싼 국제동향,"『KMI수산동향』4월호, 2014, pp. 15-23; 이재혁, "북극해의 수산자원과 한국의 수산업,"『북극, 한국의 성장공간』한국-시베리아센터 편 (서울: 명지출판사), 2014, pp. 228-262; 정명화, "러시아 극동지역 수산분야에 대한 한 · 러 협력 동향,"『수산정책연구』3월, 2014, pp. 112-132.

9) 한종만 외,『러시아 조직범죄집단과 한국의 형사정책적 대응방안』(서울: 한국형사정책연구원), 2009; 한종만 외,『러시아 북극권의 이해』(서울: 신아사, 2010); 한종만, "북극권 베링해협 터널 프로젝트의 현황과 이슈"『사회과학연구』(배재대 사회과학연구

지역의 석유/가스에 대한 자원(이달석 · 문영석 2006, 이성규 2010)과 해양 복합운송망인 물류 이동에 대한 철도, 특히 베링해협 터널 프로젝트와 BAM철도의 연결가능성, 사할린과 BAM의 연결, 일본 홋카이도와 사할린 연계에 대한 교통분야에 대한 연구도 진행되었다.[10]

알래스카 지역 역사분야 연구는 현재 부분적으로 연구되고 있으나, 베링해 연안 지역 역사연구는 현재 시작단계에 머무르고 있다.[11] 미국지질조사국(USGS)은 알래스카에 세계 석탄 매장량의 17%, 세계 구리 매장량의 6%, 세계 납 매장량의 2%, 세계 금과 아연 매장량의 각각 3%, 세계 은 매장량의 2%, 희토류 광산 150여개 이상, 미국 목재 매장량의 17%, 미국 담수자원의 40%를 보유한 것으로 추정되며, 광물 자원 이외에도 알래스카 해역은 미국에서 가장 생산적이며 고부가가치의 상업적 수산 활동이 이루어지고 있으며 알래스카 상업적 수산물의 가치는 36억 달러로 추정되며, 수산식품산업은 약 58억 달러의 가치를 창출하고 있을 뿐만 아니라 7만 8,000여명의 일자리를 창출하고 있다.[12]

중국의 경우 장춘, 지린, 투먼을 통한 동해진출을 위한 계획과 중국서부 중

　소) 제30집, 2010, pp. 1-26; 한종만 외, 『러시아 마피야현상의 이해② 부패, 마약, 지역별 범죄조직』(서울: 명지출판사), 2011.

10) 한종만, "러시아의 교통정책과 베링해협 터널 프로젝트," 『철도저널』(한국철도학회) 제18권 3호, 2015, pp. 79-90; 심의섭, 리 루이펑, "베링해협 터널의 구상과 전개," 『한국시베리아연구』(배재대학교 한국시베리아센터) 19권 2호, 2015, pp. 73-102; 박종관, "러시아 교통물류 발전전략: 북극지역을 중심으로" 『슬라브학보』(한국슬라브 · 유라시아학회) 31권 1호, 2016, pp. 29-62.

11) Кинжалов, Р. В., Русская Америка (Москва: Мысль), 1994; 김정훈, "러시아의 잃어버린 북극영토: 루스까야 아메리카(Русская Америка)의 조립과정과 결말," 『북극, 한국의 성장공간』(서울: 명지출판사), 2014, pp. 164-200.

12) Perry, Charles M. and Bobby Andersen, New Strategic Dynamics in the Arctic Region: Implications for National Security and International Collaboration, *The Institute for Foreign Policy Analysis*, Feb. 2012.

앙아시아 및 남쪽지역을 북극권으로 연결한다는 중국싱크탱크의 종합적 연구가 활발하게 진행되고 있다.[13] 동해로의 출구전략은 중국의 신 실크로드 경제벨트와 '일대일로' 정책의 일환으로서 북동부지역 개발과 향후 북극항로와 연계될 것으로 전망된다. 실제로 중국은 창지투 개발과 대광역두만강개발에 적극적으로 투자하면서 나진항과 자루비노 항을 중국의 북극해 관문으로 간주하고 있으며, 이 지역의 인프라 정비는 물론 투자에 매우 적극적이다.

이와 관련하여 일본은 이미 일정 연구를 통해 2013년 발간된 북극의 거버넌스와 일본의 외교 전략이라는 정책 제안 및 연구 보고서를 발표하였고 주변국가 동향과 정치 경제 군사 환경 등 일본이 북극에서 취해야 할 방향성을 제시하기 시작하고 있다.[14] 동시에 일본에서는 연중 하절기에만 원활한 항해가 가능한 북극항로의 이용가치와 기존의 항로 수에즈 운하와의 비교 등에 관한 활발한 연구가 진행되고 있으며, 사할린, 일본 홋카이도, 라 페루즈(소야) 해협을 통과하는 북극항로의 관문인 오호츠크 해에 대한 연구도 있다.[15] 군사적 부분에 있어서도 일본은 미국의 핵확산 억제력의 약화와 중국에 대한 우려 방위 안보를 위한 미국과의 공조 등에 대한 연구도 진행하고 있다.[16]

---

13) 림금숙, 『창지투(長吉圖) 선도구와 북한 나선특별시, 러시아 극동지역 간 경제협력 과제』(서울: 통일연구원(KINU 정책연구시리즈 11-02), 2011; 이효진 · 김영선 · 이장규, "중국의 '신(新)실크로드 경제권' 추진 동향과 전망," 『KIEP지역경제 포커스』 Vol.8, No.45, 2014, pp. 1-13; 한종만, "러시아북극권 크라스노야르스크 국립사범대 국제교육포럼 참관 기행문," Russia-Eurasia Focus (한국외대 러시아연구소) 제348호, 2015, pp. 1-4.

14) 日本国際問題研究所, 『北極のガバナンスと日本の外交戦略, 2013(東京).

15) 植田博 · 合田浩之, "商業性から見た北極海航路," 『日本国際問題研究所』, 2013(東京), pp. 23-38.

16) 金田秀昭, "北極海とわが国の防衛," 『日本国際問題研究所』, 2013(東京), pp. 39-50 防衛白書, 防衛省 · 自衛隊, 2015.

이와 같이 일본은 오호츠크 해에 대하여 비교적 많은 연구를 진행해왔으며 그동안 미 · 일 동맹으로 북쪽 지역보다는 남쪽 해안에 대한 연구가 활발하였으나 최근 중국의 동해 진출로 인하여 긴장된 상태이며, 사할린 영토 식민정책 등과 행정지역 등의 문제에 관한 연구결과물도 상당량을 축적해 나가고 있다.

이외에도 연구지역과 관련해 한국과 일본의 독도, 한반도와 러시아의 녹둔도 영토문제 그리고 쿠릴 열도 4개 섬에 관한 러시아와 일본 그리고 미국과 러시아의 베링해협 국경문제 등 영토 및 국경에 관련된 지정학적 연구도 부분적으로 이루어지고 있다.[17]

연구공간에서 러시아는 2025년 극동바이칼 사회경제발전전략의 실행과 선도개발구역 지정, 블라디보스토크를 자유항 지정은 물론 동방경제포럼 개최 등 러시아 동부의 경제수도 역할 담당을 기대하고 있으며[18], 나진-하산 철도 광궤 연결과 나진항 임대사업과 관련된 남북러 3각 물류협력이 진행되었으나 북한의 핵 문제로 중단된 상황이지만 최근 한반도 평화 프로세스가 진행됨에 따라 다시 각광을 받을 개연성이 높다.

러시아는 2014년 3월 유엔 대륙붕한계위원회(UNCLCS)는 오호츠크 해 5만 2,000㎢를 인정받았으며[19], 러시아 북극권의 관문으로서 오호츠크 해가 바

---

17) 이기석, 이옥희, 최한성, 안재섭, 남영, 『두만강 하구 녹둔도 연구』 서울대학교출판 문화원, 2012; 홍완석, "남 쿠릴 4도'와 '독도' 영유권 분쟁 비교 연구," 제20차 한러 국 제학술회의, 한양대학교 아태지역연구센터, 10월, 2008, pp. 31-52; 남상구, "남쿠릴 열도 영토분쟁의 역사적 경위와 현황: 일본 정부 대응을 중심으로," 『영토해양연구』 Vol. 4, 2012, pp. 122-144; Kaczynski, Vlad, "US-Russian Bering Sea Marine Border Dispute: Conflict over Strategic Assets, Fisheries and Energy Resource," *Russia Analytical Digest*, No. 20, 2007, pp. 2-5.
18) 한종만, "러시아 극동 · 바이칼지역 사회경제 발전 프로그램과 한 · 러 경제협력의 시 사점," 『러시아연구』(서울대 러시아연구소) 제24권 2호, 2014, pp. 407-444.
19) RUSSIA BEYOND, "메드베데프 총리, 러시아 대륙붕 5만km 확장 정부결의안 서명"

렌즈 해처럼 중요한 지역으로 인정하고 있다. 특히 동북아권 국가와의 협력을 중요하게 생각하고 한·중·일이 오호츠크 해를 통해 북극으로의 이동이 가능해 짐에 따라 러시아는 무르만스크에서 캄차트카까지 컨테이너 화물선을 개통할 예정이며, 페트로파블롭스크-캄차츠키 항이 향후 북극물류의 허브 항으로 성공할 가능성이 증대하고 있다.

북한은 나선 경제특구의 지정, 북중러 국경지역에서의 관광협력은 물론 북동항로에 관심을 가지고 있으며,[20] 한국 역시, 2013년 6개 부서와 기상청 등이 참여한 북극기본계획안 이외에도 현재 강원, 울산, 포항을 포함한 경북, 부산 등에서 북극권과의 발전프로그램에 대한 연구를 진행하고 있다.

상기한 바와 같이, 북극권의 접근성이 높아가고 있는 상황에서 북극권에 대한 연구는 국내외적으로 매우 활발하게 진행되고 있는 상황이다. 그러나 이들 연구는 대부분 정치적, 경제 및 과학적 입장의 개별적 영역에서 진행되고 있어 지정, 지경 및 지문화적 문제들이 복합적으로 작용하는 공간으로서 종합적 차원에서의 가치와 분석 등이 필요하다고 생각한다.

특히, 우리의 입장에서 북극을 향하는 관문인 오호츠크 해 및 베링 해 연안 지역연구는 향후 대한민국의 미래성장 동력 지역인 북극에 접근하는데 있어 반드시 필요한 공간으로 이에 대한 선도적인 준비가 필요하다고 판단되기에 본 연구를 통해, 연구공간에 대한 인문·지리학적 접근에서 지역의 종합적 가치와 분석 내용과 방법 등을 모색해 보고자 한다.

2015. 8. 24. https://kr.rbth.com/news/2015/08/24/392087

20) 2013년 10월 8일에 북동항로를 경유하여 라이베리아 국적 〈HHL Hong Kong〉(Arct 4급)선이 러시아 우스티-루가부터 북한 나진항까지 일반화물 1,742톤을 운반되면서 나진항의 중요성이 부각됨(Northern Sea Route Information Office, 2014).

III. 연구분석 방법 및 내용

본 연구지역은 정치적, 경제적, 사회적, 자연환경적 및 인문환경 요소가 복합적으로 얽혀 있는 공간으로 선택과 집중 및 연계와 통합적 분석이 이루어져야 하는 공간이다. 이에 따라 연구방법에 있어서, 다음과 같은 세 가지 요소를 우선적으로 확인해야 될 필요가 있다고 생각한다.

첫째, 연구공간은 21세기 한반도뿐 아니라 해당국들의 미래를 결정할 자원개발과 북방항로 운용의 이해관계가 집중된 곳

둘째, 연구대상지역의 연계는 **시스템적 연구**(Systemic Approaches)를 요구, 즉 각 연구 주제는 관련국의 미래 발전 전략(청사진)에 의해 상호 긴밀하게 연계

셋째, 모든 연구 주제는 긴밀하게 연계된 지정학적, 지경학적, 지문화적 접근법들에 의해 복합적으로 연구되는 **통합연구**(Integrated Studies)

이를 실행해 나가기 위해서는 인문사회과학 내에서의 학제적(Interdisciplinary) 연구방법이 적용될 필요가 있다. 학제적 접근의 문제의식과 방법론은 그동안 지속적으로 인문사회과학영역에서 제기되어 왔으나 그 실현을 위해서는 구체적 제도화와 그 매개조직이 절대적으로 요구되며, 이러한 요구에 부응하고자하는 노력이 점증하고 있는 현상은 새로운 인문사회과학의 방향성을 보여주는 지표이기 때문이다. 전문화되고 국지화된 문제제기와 분석에 의해서는 제대로 그 지역의 성격과 가치 및 의미를 파악할 수 없으며, 이러한 까닭에 지역에 관련된 종합적으로 의미 있는 연구는 학제적 내지 통합적 인문사회과학의 접근에 의해 가능하다고 생각한다. 현대 세계가 경험하고 있는 급격한 세계질서의 재편과 이와 병행하는 행동 양식, 문화, 의식, 사상, 제도, 학문 등 사회 전반에 걸친 변화의 추세는 현대를 '무정부적 혼돈'의 시대로 특징지을 정도로 그 영향력이 광범위 하게 벌어지고 있다. 이러한 현대 사회의 일정 공간에 대한 지역연구는 특

정지역의 특수성과 보편성을 도출해 내는 학제 간 연구에 기초되어야 한다.

본 연구공간인 동해-오호츠크 해-베링 해에 관한 인문지리학적 분석은 역사, 지리, 경제, 외교, 국제법 등과 같은 다양한 분야의 검토를 토대로 한 학제 간 융합연구로 진행되어야 하며, 이를 통해 이해관계를 갖는 주요국의 정책적 입장이 우리나라에 미치는 시사점에 대한 도출이 가능할 수 있다고 판단된다. 이와 더불어 연구공간의 종합적 이해를 위한 지정학/지경학/지문화적 접근 방법, 여러 형태의 거버넌스(글로벌, 지역별, 국가별, 정치, 경제, 사회, 문화, 학문연구 등)분석과 연구공간의 글로벌리즘과 지역주의(Regionalism) 분석도 병행되어야 한다.

이를 토대로 한 연구공간에 대한 접근과 분석은 크게 4가지로 분류될 수 있다.

1. 지정학적 접근

• 연구공간의 지정학적 접근: 국제현상의 변화와 거버넌스에 대한 제고	
연 구 내 용	지역개발과 국제환경의 변화: 법적/정치적 측면
	영유권과 해양분할권의 정당성: UN해양법협약과 국제법상 지위 연구 영토 분쟁에 관한 국제법적 비교 연구 - 한국에 주는 시사점
	지속가능한 개발 정책
	- 북극이사회 정회원국(러시아, 미국, 캐나다)간, 영구옵서버 국가(한중일)간, 정회원국과 영구옵서버 등 국가간 거버넌스와 개별 국가의 정책비교 - 해양·환경보호 및 운항(Pola Code 등) 관련 주요 조약 검토 - 한국에 주는 시사점

지정학은 국가 힘과 공간의 상관관계를 다루고 있으며, 지리적 조건이 국제정치의 권력관계에 미치는 영향력을 분석하는 학문으로, 공간의 성격을 분석하는 토대가 될 수 있다. 공간의 성격은 국제관계에 기초해서 결정되며, 역으로 공간의 정치 및 경제 그리고 문화적 성격에 기초해서 국제관계의 긴밀성

여부가 결정되기에 지정학은 정치, 경제, 사회·문화 등 종합적인 요소를 통해 공간의 성격을 규명할 수 있는 연구기제이다.

이와 더불어 지정학은 국제정치경제 질서의 변화에 편승하여 국가안보는 물론, 경제, 사회·문화 그리고 환경 영역에 이르기까지 연구 범위를 확장시키는 경향을 나타내고 있으며 국제관계, 기술진보, 자원문제, 환경문제를 포함하는 사회경제적 차원까지 그 범위를 넓혀 가고 있는 동시에 각국의 지역주의 운동이나 소국의 정치행위에 대해서도 지정학적 의미를 부여하고 있다.

잘 알려져 있듯이 지정학의 연구 영역은 이민과 환경문제를 포함하는 사회적인 측면의 상호의존으로부터, 영토권, 국경문제, 지역경제, 자국의 경제 불공정 문제, 지하자원, 인구문제와 지역적 민족주의 문제 등과 같은 다양한 국제적 관계에까지 이른다. 이러한 이론적 기반을 토대로 하여 본 연구지역에 관련된 과거와 현재에 걸친 주변국 및 이해관계국의 긴장 또는 협력관계를 영유권 및 해양에 관한 국제분쟁을 토대로 분석해야 될 필요성이 있다.

우리에게 있어 동해는 북극진출을 위한 첫 출발선으로, 한일 양국 사이에는 어업 문제, 배타적 경제수역 경계 획정 문제, 해양조사 문제, 동해 및 동해 해저 지명 문제 등 다양한 해양 관련 문제들이 존재하고 있으며, 동해를 통한 북극항로 진출을 위한 중국의 정치지리학적 시도가 계속되고 있다.[21] 오호츠크 해 남단에 위치한 쿠릴열도는 오호츠크 해에서 태평양으로 이어지는 러시아 극동함대의 통로인 전략적 요충지로, 러시아와 일본의 분쟁지역인 동시에 미국의 지정전략의 대상지역이기도 하다.

베링 해는 우리나라 북극진출의 첫 북극해역으로, 19C 미국이 러시아로부

---

21) 이재혁, "동해의 정치지리학과 남·북·러 가스관 통과지 북한,"『시베리아 극동 ISSUE PAPER』(한림대학교 러시아연구소) 제3호, 2013, pp. 41-48.

터 알래스카를 할양한 이후 양국간 해양경계 획정의 분쟁지역이 되었으며, 당시 물개잡이에 참여하였던 프랑스, 영국, 독일, 일본, 스웨덴, 노르웨이 등의 이해관계가 충돌하였던 해역으로 1892년 국제중재판에 회부된 바 있는 공간이기도 하다.[22] 2011년 베링 해는 북극항공해상수색구조협정(2011)의 대상 해역이 된 북극의 북동항로 및 북서항로의 갈림길로서 실질적으로 북극 거버넌스가 적용되는 해역이다.

이러한 이유들로 인해 영유권과 해양분할권의 정당성, UN해양법협약과 국제법상 지위 연구, 연구공간의 영토 분쟁에 관한 국제법적 비교 연구 등과 같은 연구공간의 지역개발과 국제환경의 변화에 따른 거버넌스에 대한 분석 등을 통해 지정학적 측면에서 연구공간이 한국에 주는 시사점을 도출해 낼 필요성이 있다.

동시에 지정학적 측면에서 연구 공간의 지속가능한 개발 정책에 대한 분석 역시 시도되어야 한다. 즉, 북극 거버넌스의의 키워드인 환경보호와 지역발전에 초점을 두어, 북극과 북극활동 국가의 지속가능한 개발정책을 종합 분석함으로써, 우리나라 북극정책에 관련된 시사점을 모색해야 한다. 특히 자원 확보 및 환경보호 문제는 지리적 공간에 대한 지정학적 연구에서 중요한 의미를 지니고 있다. 자원이 부족한 우리나라는 중동의 대안으로 북극권을 대체적 에너지 수입원으로 고려할 수 있으며, 이는 우리나라 에너지안보에 큰 도움이 될 것이다. 또한 최근 북극해 중앙공해 비규제 어업 금지를 위한 국가간 협의가 이루어지고 있듯이 북극해의 생태계 및 어족자원의 보호 및 협력 또한 향후 우리나라의 협력을 위한 고려가 필요한 부분이다. 이는 자원 및 환경보호 차원에서 지리적 공간에 대한 연구가 활발해 질 수 있음을 의미하기에, 이와

---

22) 이재혁, "쿠릴열도의 한인 이주," 『사할린한인과 사회적기업을 통한 한러 경제협력』 (한림대학교 러시아 연구소), 2016, pp. 308-318.

같은 지정학적 연구방법과 목적에 따라 연구공간을 분석해 볼 필요가 있다.

2. 지경학적 접근

	• 연구공간의 지경학적 접근: 국제현상의 변화와 거버넌스에 대한 제고	
연구내용	지역개발과 국제환경의 변화: 갈등, 경쟁, 협력 관계	
	- 연구공간의 자원개발과 수송 루트에 대한 연구 　북극 자원개발에 따른 갈등의 범위, 심각성 및 시장에 의한 해결 가능성 - 자원기반, 자원 개발비와 시장운송비 등과 같은 북극 자원 개발의 효율성과 가격경쟁력 향상 방안 - 경제주체의 물류 및 자원개발의 갈등, 경쟁 협력 관계 - 경제주체의 수산업, 관광, 조선업, 기타 산업부문의 갈등, 경쟁, 협력관계 　북극 자원개발 및 이용에 관련한 한국의 정책과 경쟁, 협력의 입장에서의 중국과 일본의 정책 비교	
	지속가능한 개발 정책: 인문지리적 종합분석	
	- 북극항로에 관한 데이터베이스 구축 및 국제적 규범에 대한 분석 　수산 및 관광자원에 대한 분석 - 인적 자원 및 사회적 환경 분석 - 경제주체(중앙정부, 지방정부, 기업, 민간단체, 정주민 등)의 역동성: 북극 디아스포라(Arctic diaspora)와 New Newcomer 현상 - 한국에 주는 시사점	

　지경학이란 경제적인 관점에서 인간과 공간의 상호작용을 검토하는 학문으로 생산과 분배, 교환, 소비에 있어서 공간적 요소의 비중과 경제적 활동전개를 위한 인간의 지역 활동 등이 그 대상이며, 경제관계에 따르는 공간적 현실을 토대로 한다. 지경학의 분석 단위에는 주민의 생활수준, 자원의 매장, 비축현황 및 전략적 자원의 동원, 유통, 수출입과 같은 타 국가와의 경제적 연계구조 등이 포함된다. 따라서 지경학에서 인식해야 할 문제는 특정 공간의 경제구조에 더해서, 원료공급지의 지리적 분포, 소비지의 위치, 노동의 공급, 교통로 및 교통수단 등을 함께 고려해야 하기에 철도, 도로, 항만, 공항 등 복합물류(Complexed Logistics) 관점의 연구와 자원지대의 탐색 그리고 자원지대의 안정적 관리문제에 대한 접근이 필요하다.

동시에 지경학은 자원지대의 탐색 그리고 자원지대의 안정적 관리문제와 직접 연결되기에, 본 연구지역에 대한 자원(연료, 원료), 항로, 관광, 수산업, 산업부문과 인적자원의 활용 등을 중심으로 한 지경학적 접근을 통한 연구공간의 분석이 필요하다.

이러한 이유로 우선 연구 공간의 지역개발과 국제환경의 변화에 대한 지경학적 분석을 시도하여 연구공간 경제주체의 물류 및 자원개발의 갈등, 경쟁 협력 관계, 연구공간의 경제주체의 수산업, 관광, 조선업, 기타 산업부문의 갈등, 경쟁, 협력관계 및 한국에 주는 시사점을 도출해 내어야 한다.

지역개발과 국제환경의 변화: 갈등, 경쟁, 협력 관계
- 연구공간의 자원개발과 수송 루트에 대한 연구 내용은 북극 자원개발에 대한 러시아를 비롯한 관련국가의 개발 프로그램과 정책분석
- 지하자원의 보고지역으로 많은 연료자원과 희귀금속이 풍부한 공간
- 북극 원유와 가스개발 과정에서 나타날 효용성과 문제점의 분석 및 예측
- 자원기반, 자원 개발비와 시장운송비 등, 북극 자원 개발의 효율성과 가격경쟁력을 향상시킬 수 있는 방안에 대한 연구
- 북극 자원개발에 따른 갈등의 범위, 심각성 및 시장에 의한 해결 가능성
- 북극 자원개발 문제의 사적 협상(private bargaining)과 소송 및 입법
- 지경학적 가치, 아 · 태지역과 유럽지역을 연결하는 대륙간 가교의 역할을 담당할 수 있다고 볼 수 있음
- 러시아는 극동의 연안지역에 '자유항 제도', '선도개발구역' 등의 경제활성화를 시행하고 있고, 북극항로의 연결 망으로 구축하고 있음
- 북극항로와 러시아 내륙의 시베리아횡단열차(TSR)과 바이칼아무르횡단철도(BAM)와의 연계
- 베링터널의 건설 필요성 및 가능성
- 북동항로 개설 가능성 평가 및 한국의 참여 방안, 베링해협 터널 구상과 환경 분석 및 한국의 참여 방안 연구
- 북극항로의 항만 건설을 포함한 인프라 개발 전략에 대한 분석, 극동연안과 알래스카 지역의 항만 분석
- 러시아 북극해 - 베링 해 - 알래스카의 해상물류연구, 북극항로의 요금 체계, 쇄빙비용을 포함한 기타 서비스 비용에 대한 분석
- 북극항로 이용에 있어 동아시아와 EU 간 물동량의 불균형 해소에 대한 분석
- 북극 자원개발과 이용에 관련한 한국의 정책과 경쟁 및 협력의 입장에서의 중국과 일본의 정책 비교 등

상기한 내용을 바탕으로 연구공간의 수산, 관광, 생태 및 인적 자원 활용을 통한 지속가능한 개발 정책을 실현하는데 있어 필요한 다음과 같은 지경학적 측면에서의 인문지리적 종합분석도 시도되어야 한다.

- 주민 유출입 분석: 온난화와 기후변화로 인해 동토층의 파괴나 혹은 해수면의 상승으로 인한 생활공간의 축소와 열악한 자연환경 이외에도 신고전 경제학자들이 주장하는 지역간 소득격차에 기인됨
- 알래스카, 캐나다 유콘과 북서지역의 정주민 인구 순유입은 증가한 반면에 캄차트카, 사할린, 추코트카 자치구 정주민의 유출은 높은 수준임
- 러시아의 북극권 도시는 소련 시대 때 자원채굴과 전략적 이유 등으로 개발 등 인구유입 덕분으로 인구는 증가했지만 소련 붕괴 이후 정부보조금 삭감, 높은 물류비용(여객수송과 화물수송)과 물가 상승 등으로 거주비용이 증가하면서 인구유출(북 → 남 이주)이 늘어나면서 인구감소가 현저함.
- 추코트카 자치구의 인구수는 1989년 16만 4,000명에서 2011년에 70%나 감소한 5만 명으로 집계됐으며, 이 자치구의 주도 아나디르 시의 인구는 1989년 만 8,000명에서 2012년 만 3,500명으로 감소했지만 이 주도의 인구 점유비율은 11%에서 27%로 증가했음[23]
- 북극권 도시의 청년층이 교육과 일자리를 찾아 러시아연방의 남부지역(블라디보스토크, 하바롭스크 등) 혹은 모스크바나 혹은 상트 페테르부르크 지역으로 이동(동 → 서 이주 혹은 북 → 남 이주)이 가시화: 북극 디아스포라(Arctic diaspora)' 현상과 더불어 경제적 목적으로 북극으로 향하는 새로운 이주자(New Newcomer) 현상 심화
- 연구지역에 포함되는 캄차트카와 쿠릴지역의 잠재력으로서 자연자원은 세계에서 자연적으로 가장 '독특한' 지역으로서 관광잠재력, 즉 생태관광, 겨울 스포츠, 낚시, 사냥, 산행, 온천 등의 무한한 잠재력을 지니고 있음[24]
- 오호츠크 해의 풍력발전과 조력발전 잠재력[25]과 화산활동이 활발한 캄차트카의 지열 발전 잠재력이 매우 높은 지역
- 수산자원의 보고지역으로 베링 해와 오호츠크 해는 세계 4대 어장으로서 그 가치는 매우 높음
- 언급한 캄차트카 반도의 잠재력 중에 수산자원의 협력은 매우 활발히 이루어지고 있으며, 관광자원의 활성화도 부분적이나마 가시화 되고 있음[26]
- 최근 러시아와 일본은 남부 쿠릴열도에 대한 협의(2016년 6월)하였고, 러시아는 남부 쿠릴지역에 대한 일본과의 공동개발안을 제시하고 있는 상태

23) Heleniak, Timothy and Dimitry Bogoyavlensky, "Arctic Populations and Migration," *Norden, Arctic Human Development Report*, Regional Processes and Global Linkages, Nordic Council of Ministers 2014, pp. 53-104; Huotari, Jussi, "Arctic Roulette - will economic sanction open the door for Sino-Russian offshore operations in the High North," edited by Eini Laakson, "Special Issue on the Future of the Arctic," Baltic Rim Economies, No. 5, 2015, p. 20.

24) 이재혁, "러시아 극동지역의 관광자원과 한국 관광산업 개발 방안,"『한국시베리아연구』, 19권 2호, 2015, pp. 103-128.

25) 러시아 Hydro OGK는 2020년까지 사할린 섬에 근접한 오호츠크 해 지역에서 투구르스카야와 펜드지스카야에 각각 10GW의 용량을 지닌 조력발전선소의 건설을 계획하고 있으며, 잉여전력을 일본과 북미지역 수출 가능성이 있음 한종만, "러시아의 교통정책과 베링해협 터널 프로젝트,"『철도저널』(한국철도학회) 제18권 3호, 2015, p. 88. 참조.

26) 한종만, "러시아 극동지역 캄차트카 반도 지역연구"『한국시베리아연구』(배재대학교

3. 지문화적 접근

	• 연구공간의 지문화적 접근: 국제현상의 변화와 거버넌스에 대한 제고	
연구내용	지역개발과 국제환경의 변화: 갈등, 경쟁, 협력 관계	
	- 연구공간의 원주민 현황과 사회적 문제 - 원주민의 언어 생태학적 접근 - 문화지리적 분석	
	지속가능한 개발 정책: 소멸 또는 보존	
	- 소수민족 어문화 및 생활 문화의 심층 분석 - 민족정체성과 민족 의식세계 연구 - 자연 및 사회 환경변화에 따른 정주민의 문화적 역동성에 대한 분석 - 해당국, 원주민 사회 및 국제사회 전략 및 대응에 대한 분석 필요 - 한국에 주는 시사점	

　　지문화학은 공간과 사회문화적 요소의 상관관계를 연구대상으로 하며, 주로 인간의 사회문화적 사고가 공간에 투영되면서 나타나는 현상과 인간의 행위를 자극하는 사회문화적 요소가 공간에 투영되면서 나타나는 현상을 다룬다. 지문화학의 주요 연구영역은 크게 셋으로 분리할 수 있다. 첫째, 민족 간 갈등의 원인과 결과이다. 민족이라는 개념은 집단의식(민족의식)을 계기로 하여 생겨나며, 민족은 같은 문화(전통, 생활방식, 전설 등)를 소유한 인간집단 또는 문화공동체를 의미한다. 둘째, 언어 사용권의 확장에 관련된 민족의 정체성 문제로, 언어는 민족을 분류할 때 주된 기준으로 이는 언어가 민족구성원간의 의사소통을 가능하게 하며 또한 사람의 사고방식과 심성을 가장 잘 드러내는 도구이기 때문이다. 셋째, 문화로, 이는 는 환경과 생태와도 밀접한 관계를 맺고 있다. 자연환경과 그 공간의 생태는 문화공동체의 지역 또는 타 지역에도 영향을 줄 수 있기 때문이다. 21세기 인류의 미래 발전 및 성장공간

한국-시베리아센터), 제6집, 2003, pp. 15-38.

으로 각광을 받게 될 연구공간의 문화적 요소에 대한 연구는 그동안 그리 활발하게 전개되지 않은 실정이다.[27] 그러나 최근 들어 연구 공간 일부 소수민족에 대한 언어적 접근과 생활문화에 대한 연구가 최근 시작되고 있다[28].

이누이트, 축치, 알류트, 코략, 아이누, 에스키모 등 여러 소수민족이 거주하고 있는 연구공간은 자원개발, 북극 항로의 접근성 증가, 지구 온난화 등으로 인해 생활공간 및 다양한 문화와 언어의 존속이 위태로운 상태이다. 다민족국가의 경우, 종족의 소멸은 언어의 소멸과 더불어 해당 다민족문화의 소멸을 뜻하며, 토착 언어가 소멸되거나 축소되고 획일화되는 과정은 우리들의 자연인지체계와 이에 부응하는 민속지식이 소멸되고 있음을 의미한다. 기후온난화와 개발로 인해 연구공간 원주민들의 토지와 숲이 사라지고, 강과 바다의 소멸, 그들 각각에게 부여되었던 역사적이고 민속적인 명칭의 소멸은 이들 언어와 문화에 대한 생태학적 전략 연구에 대한 필요성이 제기되고 있다.

---

27) 국내의 작업 중 김태진, "러시아어와 아이누어 명사에 대한 일고,"『언어학연구』(한국중원언어학회) 제17호, 2010, pp. 45-69 에서는 사할린 지역 아이누족 언어의 유형학적 특징만을 소개하고 있고, 강덕수, "에벤크어와 한국어의 구조적-어휘적 유사성 연구."『언어와 언어학』(한국외국어대학교 언어연구소) 제62권, 2014, pp. 1-23; 김태진, "러시아 시베리아 지역 언어에 대한 고찰 - 소수민족 언어를 중심으로 -,"『언어학연구』(한국중원언어학회) 제23호, 2012, pp. 31-53; 김태진, "러시아 북극권 소수 민족 언어연구 -코미어(коми язык)를 중심으로 -,"『한국시베리아연구』(배재대학교 한국-시베리아센터) 제16권 1호, 2012, pp. 271-294; 김태진, "러시아 시베리아지역 소멸위기 언어에 대한 고찰 - 네네츠어를 중심으로 -,"『한국시베리아연구』(배재대학교 한국-시베리아센터) 제17권 2호, 2013, pp. 1-26. 에서는 주로 에벤크어, 네네츠어와 코미어의 문법적 체계와 특징을 기술하고 있음.

28) 엄순천,『잊혀져가는 흔적을 찾아서: 퉁구스족(에벤키족) 씨족명 및 문화연구』, 서울, 2016; 곽진석, "시베리아 코략족 기근신화의 구조와 의미에 대한 연구,"『동북아 문화연구』(동북아시아 문화학회) 제42권, 2015, pp. 75-86; 김민수, "시베리아 에벤크족의 세계 모델과 강(江),"『한국시베리아연구』(배재대학교 한국-시베리아센터) 제30권 1호, 2015, pp. 29-56.

지역개발과 국제환경의 변화: 언어, 문화와 사회
- 연구공간의 원주민의 현황과 그들이 안고 있는 사회적 문제 등에 대한 분석
- 우선적으로 민족 문화의 근원이 되는 언어 생태학적 접근 필요, 언어의 생태적 조건은 삶의 생태적 조건과 아주 밀접하게 연관
- 언어가 문화와 사회를 담고 있는 집단적 의식 구조의 결정체이기 때문에, 북극권의 본 연구공간을 이해하는 데 언어의 이해는 필수적 요인, 이들의 언어를 단순히 유형학적 연구에 국한하는 것이 아니라 이들 언어에 담겨져 있는 그들만의 의식과 사고 체계를 분석하면, 본 연구공간을 보다 심층적으로 이해할 수 있을 것임
- 먼저 언어적 측면에서 소수민족의 유형적 특성을 분석하고, 이들의 언어자료를 현지에서 입수하여 DB화와 기초어휘 목록 작성
- 민속지식의 문화다양성에 입각한 '언어생태전략'이라는 측면에서 '언어'를 대상으로 한 언어의 전통적 가치 또는 지식의 생존력과 그 문화적 환경 분석
- 해양생태전략, 산림생태전략, 자원생태전략 등 다양한 생태전략이 있기 때문에 그동안 연구 공간에서 거론되지 않거나 간과되었던 인문학적 언어생태전략 역시 가능할 것 이며, 이는 언어의 생태적 조건은 삶의 생태적 조건과 아주 밀접하게 관련되어 있기 때문

연구지역은 주로 국가전략차원에서 지하자원과 교통(물류)에 대한 연구가 주를 이루고 있으며 문화 지리적 측면에서는 그동안 큰 주목을 받지 못해왔으나, 문화 지리적 요소가 해당 지역이 갖는 지정학적 성격을 변화시킬 수 있고 연구 지역에 거주하는 민족들의 정체성에도 영향을 끼칠 수 있기 때문에 이 연구지역의 지문화적 접근은 반드시 필요하다. 이를 바탕으로 지역개발과 국제환경의 변화에 따른 연구공간의 지문화적인 측면에서 지속 가능한 개발 정책의 모색을 조금 더 심도 깊게 시도해 보아야 한다.

지역개발과 국제환경의 변화: 언어, 문화와 사회
- 연구공간에 거주하고 있는 소수민족 어문화 및 생활을 통한 심층 분석은 이 지역의 정치, 경제, 사회에 대한 피상적 수준의 이해를 더 깊게 해 줄 수 있는 중요 방법
- 동시에 연구 공간의 원주민들의 비정치적 영역, 즉 문화에 대한 언어적 분석, 음식언어, 의식언어, 주술언어, 종교언어의 분석을 통해 생활 전반에 깊숙이 박혀있는 이들 민족의 의식세계 파악
- 연구지역은 소수민족으로 불리는 많은 원주민 그룹이 그들만의 독특한 문화적 고리를 이루면서 생활, 최근 북극지역이 다른 국가들의 경제적 이익에 맞물려 이들 소수민족의 언어, 문화 생활양식을 무시하고 자원을 개발하려고 하는 측과 이 지역의 독특한 민족 문화의 통합성을 유지하려는 측과 날카로운 대립의 장으로 부상하고 있음
- 동시에 자연 및 사회 환경변화에 따른 정주민의 문화적 역동성에 대한 분석도 필요

- 연구공간에는 수많은 소수민족이 자기 고유의 언어와 문화를 보유하고 있으며, 이중에 상당수의 민족은 고유 민족어와 러시아어를 공용어로 사용하는 이중언어체계, 또는 주류 사회의 언어 지배당한 상태(영어 또는 일본 어 등)에서 변이 또는 소멸되는 과정 하에 있음
- 이들의 언어와 사회문화변화의 변화에 대한 종합적 연구는 앞으로 우리나라가 러시아를 비롯한 소수민족 거주 지 개발 과정에 있어서의 협력에 있어 적지 않은 기여를 하게 될 뿐 아니라 인류 공동의 문제인 소수민족 연구 에 대한 새로운 학술적인 방향성을 제시하게 될 것으로 기대, 이를 위해서는 연구공간의 해당국, 원주민 사회 및 국제사회 전략 및 대응에 대한 분석 필요
- 만약 이 연구공간의 소수민족들이 문화의 통합성을 보존하기 위해 전략적 위치에서 지도자적 역할을 한다면 이들이 설정한 우선순위(예를 들면, 모국어 유지, 생존관행의 보호, 원주민 자결원칙의 강화 등)들은 연구공간 뿐만 아니라 전 세계 원주민들의 문화적 다양성 보전에 큰 영향을 미칠 것

4. 생태적 접근

• 연구공간의 생태적 접근: 국제현상의 변화와 거버넌스에 대한 제고	
연 구 내 용	**지역개발과 국제환경의 변화: 개발, 보존**
	- 지구 온난화와 무분별한 개발의 위협 속에서 생물종 다양성과 온실효과 문제 - 어장 및 생태환경에 대한 현황 분석 및 보존 방법에 대한 모색 - 해수면 상승과 영구동토층 파괴로 인한 사회문화적 상관관계 분석 - 북극개발이 가속화되고 북극항로의 이용량 증대로 인한 북극해 오염 가능성과 유출사고 발생 위험성 증가 - 해양안전과 환경보호와 관련, 의무 안전기준의 완성과 이행이 북극 주민과 생태계 보호
	지속가능한 개발 정책: 보존, 상생 및 공영
	- 생태계에 기반을 두는 지속가능한 개발, 청정개발메커니즘(CDM: Clean Development Mechanism, CO2 배출시장, 생태관광 등의 역할과 의미 분석 - 환경보호와 자원 개발과 관리의 필요성과 밸런스 - 연구공간과 관련된 NGO를 비롯한 초국가적 환경정책 - 연구공간의 자연지리와 인문지리 분석

연구공간의 생태적 의미는 지구 온난화와 무분별한 개발의 위협 속에서 생물종 다양성과 온실효과 문제에 대한 인식 그리고 생태계에 기반을 두는 지속가능한 개발, 청정개발메커니즘(CDM: Clean Development Mechanism), CO2 배출시장, 생태관광 등의 역할과 분석이다.

지구 온난화가 급속도로 진행되고, 북극개발이 가속화되어 북극항로의 이용량 증대로 인한 북극해 오염 가능성과 유출사고 발생 위험성이 증가하고 있

다. 따라서 이로 인한 해수면 상승과 영구동토층 파괴로 인한 사회문화적 상관관계의 분석이 시급한 상황이다.

또한 선박에서 배출되는 블랙카본 배출량이 빙하에 미치는 영향, 고래 등 해양 포유류와 선박의 충돌, 선박 등 해상활동으로 인한 소음이 해양 포유류에 미치는 부정적 효과 등에 대한 모니터링 역시 필요하다. 동시에 북극권 진입의 용이성이 높아지면서 연구지역과 관련된 해양안전과 환경보호와 관련, 의무 안전기준의 완성과 이행에 대한 국제적 협력 방안 등의 모색도 시급하다.

아울러 북극 주민과 생태계 보호에 관련하여, 연구공간의 자연지리와 인문지리 연구, 북극해 어장의 상업적 이용과 원주민들의 자급적 어업활동에 대한 분석, 북극 생태계와 원주민 보호를 위한 특별보호구역 및 지정해로 설정에 관한 타당성 분석, 북극 환경과 생태계 연구 및 보호 정책에 있어서의 한국의 참여 방법을 창출해 내는 사안도 필요하다. 한반도 환경변화에 직간접적인 영향을 미치는 연구공간의 중요성에 대한 분석도 시도되어야 한다. 일례로, 한국은 1960년대 중반부터 베링 해에서의 명태 잡이에 참여한 바 있으나 미국과 러시아의 배타적 경제수역 선포 등으로 1993년 이후 조업이 제한되고 있다.

향후 한국이 북극권에서 효과적인 실리를 추구하기 위해서는 우선 북극에서의 기술과 경험을 갖춘 북극권 과학/생태연구의 주요국으로 인정을 받아야 하며, 이를 통해서만이 추후 연구공간 자원 개발을 위한 국제공동노력에 참여가 가능할 것이다. 2015년 11월 30일부터 파리에서 개최되는 제21차 기후변화 당사국 총회(COP21)를 기점으로 배출량 감축 의무는 더욱 강화될 것으로 판단되며 현재까지 170여개 국가가 자발적 기여방안(INDC: Intended Nationally Determined Contributions)을 제출했으며 우리나라도 2030년 배출전망치(BAU: Business As Usual) 대비 37% 감축이라는 감축목표와 기후변화 적응대책 등을 포함한 INDC를 2015년 6월 30일 제출한 바 있다[29]. 앞으로 이러한 배출량 감축안과 탄소배출권거래시장의 활성화 및 CDM의 구축 등으로 나타나는 산업구조 재편과 갈등과정에 많은 정책적 배려와 제도적 구축이 필요한 실정이며, 실질적인 녹색성장의 교두보를 조성해야만 한다[30].

이는 단지 북극권에만 해당하는 사항이 아닐 것이며, 이에 접근할 수 있는 관문, 즉 연구지역에도 적용되는 필수적 요소라 할 수 있을 것이다. 그렇기에 연구공간에 관련된 환경보호와 자원 개발과 관리의 필요성 간 밸런스, 초국가적 환경협력 가능성 모색과 NGO의 역할과 과제 등의 모색에도 선도적이고 적극적 자세가 필요하다고 생각한다.

IV. 결론

이상에서 연구 공간의 지정학, 지경학 및 지문화와 생태학적 가치와 분석 필요성을 살펴보았다. 이러한 접근들은 물론 개별 영역의 분석이 먼저 시행되어야 할 것이다. 그러나 이 결과물들에 관련된 내용들은 반드시 학제간 융합 연구과정을 통해 종합적으로 분석되어야 한다. 이러한 과정을 통함으로써 비로소 동지역의 종합적 이해의 틀과 인문사회적 정책 모색의 토대가 제공될 수 있다고 생각하기 때문이다.

---

29) 청와대, "박 대통령, 파리서 신기후체제 선도국 입지 다진다," 『정책브리핑』 2015년 11월 27일.
30) 녹색성장 전략은 글로벌녹색성장연구소(GGGI: Global Green Growth Institute)는 서울 정동 본부에 소대하고 있으며, 재원은 녹색기후기금(GCF), 기술은 녹색기술센터(GTC)가 담당하고 있다.

이를 위해서는 먼저 연구 공간에 접하고 있는 주변국의 정책과 전략 그리고 인류 공동의 자산으로써의 연구 공간을 정치, 경제, 환경 및 사회 분야 등 각 전공에 해당하는 분야의 특성을 파악하고 문제점을 분석하고 해석하는 작업을 우선적으로 시도해야 한다.

다음 단계에서 선행적으로 연구된 내용의 결과물들의 상호관계 및 작용을 파악하여 인문지리적 종합 결과물을 도출하여 잠재적인 한국의 성장동력 공간으로써의 활용가치와 그에 따른 정책 수립 등의 토대를 수립해야 한다. 그 연구방법은 인문학 및 사회과학의 학문적 융합을 통해 전개되어야 한다. 즉, 자연지리적 요소(지형, 기후, 식생 등), 정치·경제 공간적 요소(정치체제, 군사력, 경제상황, 지하자원 등), 문화 공간적 요소(지역별 원주민과 그들의 사회문화 요소 등) 등을 분석하여, 공통점, 유사성, 일반성, 특수성을 탐색하고 다수의 사실 및 현상으로부터 개념이나 법칙 그리고 이론 및 일정의 거버넌스를 추출해 내어야만 한다.

이러한 과정은 자원 및 새로운 경제활동을 보장할 수 있는 분야를 창출해내고 공간을 확보하고자하는 한국 정부와 자원의 개발 및 자원시장의 다양화, 북극권 항로와 항만의 개발을 적극적으로 추구하고 있는 연구공간(러시아, 미국, 일본)과의 관계에 있어 보다 적극적이고 안정적인 정책의 추진 및 유리한 고지를 선점할 수 있는 중요한 토대로 활용되어질 수 있다고 생각한다.

향후 북동 및 북서항로의 주요거점 지역으로 부상할 연해주와 하바롭스크 변강주, 사할린 주와 캄차트카 변강주의 주요 항구 및 철도 등은 복합물류(Complexed Logistics) 협력 시사점을 제공하고 있다. 또한 현재 '새로운 북극'과 관련해서 중심지역으로 떠오르고 있는 연구공간은 중요 사안으로 전통적 이슈인 북극 원유와 가스 등 자원개발과 북극 거버넌스 그리고 새롭게 부상하고 있는 북극해 해운 잠재성, 북극해 환경보호 및 생물자원 및 비공식적 거버넌스 기제 등으로 종합해 볼 수 있다.

이에 따라 상기한 내용을 중심으로 현재 북극권 진출의 교두보인 연구지역에서 진행 중인 개발의 환경 및 사회적인 측면을 조명하고, 또한 이 과정에서 발생하고 있는 인문사회적 요소를 분석하고 종합하는 작업은 연구공간에 대한 새로운 학술적 접근법과 종합적 지식의 틀을 제공할 뿐 아니라, 미래 한국의 성장공간에 대한 국제 사회에서의 불확실성을 밝히고 이해의 간극을 좁혀 인문사회적 분야의 혁신적인 정책이 나올 수 있는 근간을 제공해 줄 수 있을 것으로 기대된다. 동시에 이와 같은 작업들이 미래 한국사회 성장동력의 공간으로써의 가능성과 활용성을 파악할 수 있는 토대를 제공하여 남북한 통합과정 그리고 북방진출과 유라시아 이니셔티브 확보 및 복잡한 환태평양 국제관계에 대비해야 되는 한반도의 미래설계에 청신호를 밝히는데 이바지 할 수 있기를 기대해 본다.

〈참고문헌〉

Heleniak, Timothy and Dimitry Bogoyavlensky, "Arctic Populations and Migration," *Norden, Arctic Human Development Report*, Regional Processes and Global Linkages, Nordic Council of Ministers 2014.

Huotari, Jussi, "Arctic Roulette - will economic sanction open the door for Sino-Russian offshore operations in the High North," edited by Eini Laakson, "Special Issue on the Future of the Arctic," *Baltic Rim Economies*, No. 5, 2014.

Kaczynski, Vlad, "US-Russian Bering Sea Marine Border Dispute: Conflict over Strategic Assets, Fisheries and Energy Resource," *Russia Analytical Digest*, No. 20, 2007.

Perry, Charles M. and Bobby Andersen, New Strategic Dynamics in the Arctic Region: Implications for National Security and International Collaboration, *The Institute for Foreign Policy Analysis*, Feb. 2012.

Кинжалов, Р. В., Русская Америка (Москва: Мысль), 1994.

金田秀昭, "北極海とわが国の防衛,"『日本国際問題研究所』, 2013(東京).

防衛白書, 防衛省・自衛隊, 2015.

植田博・合田浩之, "商業性から見た北極海航路,"『日本国際問題研究所』2013(東京).

日本国際問題研究所,『北極のガバナンスと日本の外交戦略, 2013(東京).

강덕수, "에벤키어와 한국어의 구조적-어휘적 유사성 연구,"『언어와 언어학』(한국외국어대학교 언어연구소) 제62권, 2014.

강태호,『북방 루트 리포트: 환동해 네트워크와 대륙철도』환동해 연구시리즈 1, (파주: 돌베개), 2014.

곽진석, "시베리아 코랴크족 기근신화의 구조와 의미에 대한 연구,"『동북아 문화연구』(동북아시아 문화학회) 제42권, 2015.

김민수, "시베리아 에벤크족의 세계 모델과 강(江),"『한국시베리아연구』(배재대학교 한국-시베리아센터) 제30권 1호, 2015.

김봉길, 김인중, "환동해 경제협력의 필연성과 정책대안,"『아태연구』(경희대학교 국제지역연구원) 17권 3호, 2010.

김석환, 나희승, 박영민,『한국의 북극 거버넌스 구축 및 참여 전략』, 전략심층지역연구 14-11.
　　대외경제정책연구원, 2014.

김선래, "북극해 개발과 북극항로: 러시아의 전략적 이익과 한국의 유라시아 이니셔티브,"『한국
　　시베리아연구』(배재대학교 한국-시베리아센터) 제19권 1호, 2015.

김정훈, "러시아의 잃어버린 북극영토: 루스까야 아메리카(Русская Америка)의 조립과정과 결
　　말,"『북극, 한국의 성장공간』(서울: 명지출판사), 2014.

김태진, "러시아 북극권 소수 민족 언어연구 -코미어(коми язык)를 중심으로 -,"『한국시베리아
　　연구』(배재대학교 한국-시베리아센터) 제 16권 1호, 2012.

김태진, "러시아 시베리아 지역 언어에 대한 고찰 - 소수민족 언어를 중심으로 -,"『언어학연구』
　　(한국중원언어학회) 제 23호, 2012.

김태진, "러시아 시베리아지역 소멸위기 언어에 대한 고찰 - 네네츠어를 중심으로 -,"『한국시베
　　리아연구』(배재대학교 한국-시베리아센터) 제 17권 2호, 2013.

김태진, "러시아어와 아이누어 명사에 대한 일고,"『언어학연구』(한국중원언어학회) 제 17호,
　　2010.

남상구, "남쿠릴열도 영토분쟁의 역사적 경위와 현황: 일본 정부 대응을 중심으로,"『영토해양연
　　구』Vol. 4, 2012.

림금숙,『창지투(長吉圖) 선도구와 북한 나선특별시, 러시아 극동지역 간 경제협력 과제』(서울:
　　통일연구원(KINU 정책연구시리즈 11-02), 2011.

문진영, 김윤옥, 서현교,『북극이사회의 정책동향과 시사점』, 대외경제정책연구원, 2014.

박종관, "러시아 교통물류 발전전략: 북극지역을 중심으로)『슬라브학보』(한국슬라브 · 유라시
　　아학회) 31권 1호, 2016.

배규성, "북극권 쟁점과 북극해 거버넌스,"『21세기정치학회보』(21세기정치학회) 제20권 3호,
　　2010년 12월.

백훈, "남 · 북 · 러 가스관 사업의 정책적 접근,"『동북아경제연구』(한국동북아경제학회) 제23
　　권 4호, 2011.

심의섭, 리 루이평, "베링해협 터널의 구상과 전개,"『한국시베리아연구』(배재대학교 한국시베
　　리아센터) 19권 2호, 2015.

엄선희, "북극해 수산업을 둘러싼 국제 동향,"『KMI수산동향』4월호, 2014.

엄선희, "북극해 어업자원의 보존과 이용을 위한 국제 거버넌스 고찰과 정책적 시사점,"『수산정
　　책 연구』제8권, 2010.

엄순천,『잊혀져가는 흔적을 찾아서: 퉁구스족(에벤키족) 씨족명 및 문화연구』, 서울, 2016.

윤성학, "남 · 북 · 러 가스관의 경제적 효과에 관한 연구," 『러시아연구』 (서울대학교 러시아연 구소) 22권 2호, 2012.

윤영미, "북극해 해양분쟁과 지정학적 역학관계의 변화 - 러시아의 북극해 국가전략과 대응방 안," 『한국시베리아연구』 (배재대학교 한국-시베리아센터) 제14권 2호, 2010년.

이기석, 이옥희, 최한성, 안재섭, 남영, 『두만강 하구 녹둔도 연구』 서울대학교출판문화원, 2012.

이동형, "환동해권 지방네트워크 실태와 발전방안 모색," 『아태연구』 (경희대학교 국제지역연구 원) 17권 3호, 2010.

이성규, 『북극지역 자원개발 현황 및 전망』, 에너지경제연구원, 3월, 2010.

이성우 · 송주미 · 오연선, 『북극항로 개설에 따른 해운항만 여건 변화 및 물동량 전망』 한국해 양수산개발원, 12월, 2011.

이영형, "러시아 사할린 주의 자원생산 및 무역구조에 대한 경제지리학적 해석," 『Oughtopia, The Journal of Social Paradigm Studies』 (경희대학교 인류사회재건연구원) Vol. 25, No. 2 (Summer), 2010.

이영형, "러시아의 북극해 확보전략: 정책 방향과 내재적 의미," 『중소연구』 (한양대학교 아태지 역연구센터) Vol. 33, No. 4, 겨울, 2009.

이영형, 정병선, 『러시아의 북극진출과 북극해의 몸부림』 (서울: 엠애드), 2011.

이윤식, 『남북러 가스관 사업의 효과, 쟁점, 과제』 통일연구원, 2011, 12월.

이재혁, "동해의 정치지리학과 남 · 북 · 러 가스관 통과지 북한," 『시베리아 극동 ISSUE PAPER』 (한림대학교 러시아연구소) 제3호, 2013.

이재혁, "러시아 극동지역의 관광자원과 한국 관광산업 개발 방안," 『한국시베리아연구』, 19권 2 호, 2015.

이재혁, "북극해의 수산자원과 한국의 수산업," 『북극, 한국의 성장공간』 한국-시베리아센터 편 (서울: 명지출판사), 2014.

이재혁, "시베리아의 수산자원과 관련 정책의 지방화," 『러시아의 중앙 지방관계와 시베리아의 지방화 탐색』, 엠-에드, 2013.

이재혁, "쿠릴열도의 한인 이주," 『사할린한인과 사회적기업을 통한 한러 경제협력』 (한림대학 교 러시아 연구소), 2016.

이효진, 김영선, 이장규, "중국의 '신(新)실크로드 경제권' 추진 동향과 전망," 『KIEP지역경제 포 커스』 Vol. 8, No. 45, 2014.

정명화, "러시아 극동지역 수산분야에 대한 한 · 러 협력 동향," 『수산정책연구』 3월, 2014.

제성훈, 민지영, 『러시아의 북극개발 전략과 한 · 러 협력의 새로운 가능성』 전략심층지역연구,

13-08. 대외경제정책연구원, 12월, 2013.

주강현,『환동해 문명사: 잃어버린 문명의 회랑』, 한국해양수산개발원(KMI) 환동해 연구시리즈 2 (파주: 돌베개), 2015.

크리스토프 자이들러 지음/박미화 옮김.『북극해 쟁탈전 - 북극해를 차지할 최종 승자는 누구 인가』(Seidler, Christoph, *Aktisches Monoploy: Der Kampf um die Rohstoffe der Polarregion* (München: Deutsch Verlag-Anstalt) (서울: 도서출판 숲), 2009.

한종만 외,『러시아 마피야현상의 이해② 부패, 마약, 지역별 범죄조직』(서울: 명지출판사), 2011.

한종만 외,『러시아 북극권의 이해』(서울: 신아사, 12월).

한종만 외,『러시아 조직범죄집단과 한국의 형사정책적 대응방안』(서울: 한국형사정책연구원), 2009.

한종만 외,『러시아마피야현상의 이해』(서울: 명지출판사), 2010.

한종만 외,『북극, 한국의 성장공간』배재대학교 한국시베리아센터 편. 명지출판사, 2014.

한종만, "국내 북극 관련 인문사회과학 연구 현황 및 과제," Polar Brief (극지연구소) No. 12, 2016.

한종만, "러시아 극동 · 바이칼지역 사회경제 발전 프로그램과 한 · 러 경제협력의 시사점,"『러시아연구』(서울대 러시아연구소) 제24권 2호, 2014.

한종만, "러시아 극동지역 캄차트카 반도 지역연구"『한국시베리아연구』(배재대학교 한국-시베리아센터), 제6집, 2003.

한종만, "러시아 북극권의 잠재력,"『한국과 국제정치』(경남대학교 극동문제연구소) 제27권 제2호, 2011.

한종만, "러시아 사할린 주 인적자원의 과거, 현재, 미래,"『한국시베리아연구』(배재대학교 한국-시베리아센터) 제17권 2호, 2013.

한종만, "러시아 현대화 전략의 가능성 및 시사점,"『슬라브학보』(한국슬라브학회) 제27권 4호, 2012.

한종만, "러시아북극권 크라스노야르스크 국립사범대 국제교육포럼 참관 기행문," Russia-Eurasia Focus (한국외대 러시아연구소) 제348호, 2015.

한종만, "러시아의 교통정책과 베링해협 터널 프로젝트,"『철도저널』(한국철도학회) 제18권 3호, 2015.

한종만, "북극권 베링해협 터널 프로젝트의 현황과 이슈"『사회과학연구』(배재대 사회과학연구소) 제30집, 2010.

한종만, 박승의, 이재혁, 김정훈,『러시아 사할린 한인의 인적/물적 자원의 변천과정』(2012년도 동북아역사재단 연구지원과제 연구결과보고서; 동북아 2012-기획-1), 2012.

홍성원, "북극항로의 상업적 이용 가능성에 관한 연구,"『국제지역연구』(한국외대 국제지역연구센터) 제13권 4호, 2010.

홍성원, "북극해 항로와 북극해 자원개발: 한러 협력과 한국의 전략,"『국제지역연구』Vol. 15, No. 4, 2012.

홍완석, "'남 쿠릴 4도'와 '독도' 영유권 분쟁 비교 연구," 제20차 한러 국제학술회의, 한양대학교 아태지역연구센터, 10월, 2008.

황진회, "북극해 항로, 항로개척 역사와 최근동향,"『해안과 해양』(한국해안.해양공학회) Vol. 7, No. 1 (3월), 2014.

RUSSIA BEYOND, "메드베데프 총리, 러시아 대륙붕 5만km 확장 정부결의안 서명" 2015. 8. 24. https://kr.rbth.com/news/2015/08/24/39208

우리나라 남·북극 기본계획 통합방안과 평가

서현교*

Ⅰ. 서론

지구 육지의 9.2%를 차지하는 남극대륙[1]은 세계에서 가장 춥고 혹독한 기상조건, 낮은 강수량을 가진 청정자연지역으로 세상에 처음 알려진 것은 200년 전이다. 1819년 영국의 윌리엄 스미스(William Smith) 선장[2]이 세계 최초로 남극대륙을 발견하여 세상에 알리고, 노르웨이 아문센이 1911년 12월에 세

※ 이 논문은 극지연구소의 정책연구사업인 "극지연구소 정책지원 및 연구결과 확산 체계강화"(PE19540)의 지원을 받아 작성되었으며, 『한 국시 베리아연구』 24권 1호에 게재된것

* 現 한국북극연구컨소시엄(KoARC) 사무총장, 극지연구소 정책부 소속, 연구기술직(책임기술원), 세종대 겸임교수

1) 남극대륙 면적은 1,380km2로 전체 면적의 99%가 평균 두께 2,160m의 얼음으로 덮여 있음. 지구 담수의 70%를 차지하는 남극 얼음은 남극대륙과 대륙 주변 해안에 빙상(ice sheet), 빙하(Glacier), 빙붕(Ice-shelf), 빙산(Iceberg) 형태로 존재함. 남극 빙하는 지구 담수의 70%에 해당하는 3,000km³임. 박수진 외, 『국가남극정책 추진전략에 관한 연구』(한국해양수산개발원(KMI) 기본연구보고서, 2012) pp. 1-2.

2) 1819년 2월 영국 윌리엄 스미스 선장(1790-1847)이 남아메리카 대륙을 탐험하려다가 바람에 밀려 남위 62도 남세틀랜드 군도까지 탐험하고 귀국하여 이를 사람들에게 알렸으나 믿지 않자 그해 10월 다시 남극탐험 후 남극펭귄과 바다사자 등의 증거자료를 가져와 '새로운 땅의 괴물들(the undisputed monsters of this new land)'이라는 내용이 신문에 발표되면서 남극이 세상에 알려짐.
웹사이트 http://northeastheroes.org/william-smith/(검색일: 2020.1.30) 참조. 이 자료에 근거하여 2019년이 윌리엄 스미스 선장이 남극을 최초 발견한 지 200주년이 되는 해임.

게 최초로 남극점을 정복한 후 많은 탐험가들이 남극점 및 남극대륙을 탐험하였으나, 일부 지역을 제외하면 아직까지 미지의 대륙으로 남아있다.

남극은 흙곰팡이, 지의류, 이끼류, 펭귄, 물개 등 일부 동·식물과 남극대구, 이빨고기, 크릴 등의 해양생물로 구성된 독특하고, 변화에 대해 민감한 생태계로 구성되어 있다. 즉, 북극과 마찬가지로 남극의 생태계는 다른 생태계보다 인간의 활동에 기인한 변화에 대한 적응이나 저항의 가능성을 기대하기 어려운 취약성(Vulnerability)을 가지고 있어 사후 조치로는 회복이 어렵고, 환경보호나 생태계 보존 등에 대한 사전예방적 조치가 필요한 지역이다.[3] 그리고, 인간의 활동이 아직까지 거의 미치지 않은 청정지역으로 기후변화에 따른 환경변화를 극명하게 보여 주는 '기후변화 연구 최적지'로 평가받고 있으며, 남극 빙하밑의 호수(일명 빙저호)가 발견되면서, 미지의 빙저호 생태계에 대한 관심이 높아지고 있다. 또한, 금, 은, 우라늄, 석유, 천연가스, 메탄수화물(가스하이드레이트) 등 광물 및 에너지자원이 풍부한 것으로 추정된다. 이 남극에 대해 국제사회는 남극조약체제[4]에 의거 국제법상 규율되는 남극조약지역[5]으로 관리하

---

3) 최철영, 『남극조약 체제의 국내입법 방향연구』 (한국법제연구원 연구보고서, 2000-03, 2000), p. 8.

4) 남극조약체제는 남극조약, 남극조약에 따라 시행 중인 조치, 남극조약과 관련하여 발효 중인 별도의 국제문서와 그러한 문서에 따라 시행 중인 조치를 포함하는 개념임, 즉, 1959년 남극조약(AT), 1964년 남극동식물보존을 위한 합의규칙, 1972년 남극물개보존협약(CCAS), 1980년 남극해양생물자원보존협약(CCAMLR), 1991년 환경보호에 관한 남극조약의정서(Madrid Protocol) 및 부속서, 남극조약협의당사국(ATCP)에 합의된 강제 권고(Measure) 등을 총칭함. 이용희, "남극조약체제상 환경보호제도에 관한 고찰", 『해사법연구』, 24(3) (한국해사법학회, 2012), p. 1.

5) '남극조약지역'은 남극조약 제6조 (Article VI)에 규정된 남위 60° 이남 지역(남극대륙, 주변 도서 및 해역을 포함)으로 정의되며, '남극해양생태계'와 관련한 남극지역은 남극해양생물자원보존협약 제1조 1항에 정의된 남위 60°와 남극수렴선(Antarctic Convergence) 사이 지역이 추가로 포함됨. 남극조약 원문 웹사이트 참조 https://

고 있다. 특히, 1940년대 이후 남극에 본격적으로 과학기지가 건설되면서, 연구탐사를 위한 월동대와 기지 유지인력 정도가 현재 남극에 상주하고 있다.

남극조약의 체결 배경은 남극의 영유권이 가장 큰 발단이었다. 영국, 호주, 프랑스, 노르웨이, 아르헨티나, 뉴질랜드, 칠레 등 7개국은 이 남극대륙에 대해 구역별로 영유권을 주장해 왔으며, 그 영유권 면적을 모두 합하면 남극대륙 전체 면적의 85%에 달하고, 일부 지역은 중복된다. 이 영유권 주장은 1940년대에 표면화되어 주장국 간 마찰로 이어졌다. 동시에 남극은 당시 미소 냉전의 볼모가 될 수 있다는 우려도 제기되었다.[6]

이런 상황에서 '남극조약'에 대한 최초 제안은 과학계에서 대두되었다. 1957년부터 2년간 국제과학연맹(ICSU)[7]이 주관하고, 12개국 67개 남극기지를 기반으로 약 5,000여 명의 과학자가 남극에서 우주, 자기학, 빙하학, 기상학, 지진학, 해양학, 해양생물학 등에 대한 연구로 참여한 국제지구관측년(IGY: International Geophysical Year)'의 성공적 수행을 이뤘으나, 남극에서 풀어야 할 문제가 여전히 많고, 이러한 문제 해결을 위한 정치적 리더기구의 필요성의 공감대를 형성하였다. 이를 계기로 1958년 국제과학연맹(ICSU)은 남극 과학에 대한 국제적인 협력과 조율을 위한 비정부 과학기구인 '남극연구과학위원회'(SCAR)[8]를 구성하였으며, 당시 미국 아이젠하워 대통령이 남극 영유권 문제,

---

documents.ats.aq/ats/treaty_original.pdf;(검색일: 2020. 1. 30) 남극해양생물자원보존협약 원문 웹사이트 참조 https://www.ccamlr.org/en/organisation/camlr-convention-text#I(검색일: 2020. 1. 30)

6) 박수진 외, op. cit., p. 1.

7) 국제과학연맹(ICSU: International Council of Scientific Unions)은 2018년 사회과학이사회(the International Social Science Council)와 합병되어 국제과학이사회(International Science Council)로 변경. 관련 웹사이트 참조: https://council.science/about-us(검색일: 2020. 1. 30)

8) 남극연구과학위원회(Scientific Committee on Antarctic Research)는 웹사이트 참조

과학활동 등을 포함한 남극 관련 이슈를 해결하기 위한 별도의 국제회의를 제안하여, 1959년 미국 워싱턴에서 미국, 러시아 등을 포함한 12개 원초서명국이 참여한 '남극조약'의 체결로 이어졌다.[9] 그래서, 남극조약 제1조에 따라 남극지역은 평화적인 목적을 위해서만 이용될 수 있고, 군사기지와 군사훈련, 무기실험 등은 금지되었다.[10] 또한 조약 4조에서는 이 조약의 어떤 규정도 남극지역에서의 영토 주권은 물론 어떤 활동도 영토 주권의 청구권으로 인정되지 않는다고 명시하였다. 이에 따라 7개국의 영유권 주장은 국제법적으로 동결되었다.[11] 그리고, 조약 9조에서 '과학활동의 자유'를 기반으로 하여 조약가입국을 협의당사국과 비협의당사국으로 나누고, 협의당사국은 조약가입 후 과학기지 설치 · 운영, 또는 과학연구탐사대 파견 등의 실질적인 과학활동을 수행하는 것으로 당사국 조건을 제한하여, 협의당사국들은 과학활동에 기반한 배타적 권리를 가지고 남극조약 이슈를 매년 열리는 남극조약협의당사국회의(ATCM)에서 다루고 있다.[12] 현재 당사국과 비협의당사국의 현황은 아래 〈표 1-1〉과 같다.

---

https://www.scar.org/(검색일: 2020. 1. 30)

9) 남극조약은 총 14개의 조문으로 구성되어 있으며, 남극지역의 평화적 목적을 위한 활용과 군사 활동(또는 군사시설 설치 및 군사훈련 활용) 금지, 과학조사의 자유 보장과 이를 위한 국제협력, 남극영유권 주장 동결, 핵폭발(핵실험)이나 방사능 폐기물 처분 금지 등의 규정이 담겨 있음. 남극조약의 세부 내용은 웹사이트 참조: https://documents.ats.aq/ats/treaty_original.pdf(검색일: 2020. 1. 30)

10) 다만, 과학 연구조사나 과학기지 보급지원 등을 위한 군의 활동 또는 군장비 사용은 금지되지 않음. 일례로, 세종기지 인근에 칠레 공군기지 및 해군기지에 과학활동 및 보급 지원을 위해 칠레군이 상주하고 있음.

11) 남극조약협의당사국회의(ATCM)는 매년 국가 영문명칭 순(ABC 순)으로 연차회의를 개최하고 있으며, 우리나라는 외교부 주관으로 1995년 서울에서 이 회의를 개최한 바 있음. 웹사이트 참조 http://www.mofa.go.kr/www/wpge/m_4006/contents.do(검색일: 2020. 1. 30)

12) 비협의당사국은 남극조약을 가입하였으나, 실질적인 과학활동 조건을 충족치 못한 국가들임.

〈표 1-1〉 남극조약협의당사국 29개국과 비협의당사국 25개국

남극조약협의당사국			남극조약비협의당사국
남극조약 원초 서명국 (12개국)	남극조약에 따른 영유권 주장동결국 (7개국)	아르헨티나, 호주, 칠레, 프랑스, 뉴질랜드, 노르웨이, 영국	오스트리아, 벨로루스, 캐나다, 콜롬비아, 쿠바, 덴마크, 에스토니아, 그리스, 과테말라, 헝가리, 아이슬란드, 카자흐스탄, 북한, 말레이시아, 모나코, 몽골, 파키스탄, 파푸아뉴기니, 포르투갈, 루마니아, 슬로바키아, 스위스, 터키, 베네수엘라, 슬로베니아
	그 외 국가 (5개국)	미국, 러시아, 일본, 남아공, 벨기에	
추가 가입국 (17개국)	브라질, 불가리아, 중국, 체코, 에콰도르, 핀란드, 독일, 인도, 이탈리아, 한국, 네덜란드, 페루, 폴란드, 스페인, 스웨덴, 우크라이나, 우루과이		
협의당사국 총 29개국			비협의당사국 총 25개국

남극조약 체결 이후 과학연구, 관광 등 인간의 남극활동이 점차 빈번해지고 남극조약지역의 자연환경과 생태계가 훼손되면서, 남극 환경오염 및 환경과 생태계에 대한 위해행위에 대응하기 위한 노력은 지속적인 법제도의 발전으로 이어졌다. 그 첫 단추로 1959년 남극조약에 이어 1964년 남극동식물보존을 위한 합의 규칙(The Agreed Measures for the Conservation of Antarctic Fauna and Flora)[13]에 이어, 1972년 남극물개보존협약(CCAS: Convention for the Conservation of Antarctic Seals)[14], 1980년 남극해양생물자원보존협약(CCAMLR: Convention for the Conservation of Antarctic Marine Living

---

13) 이 합의규칙 내용은 1991년 채택된 마드리드의정서 제2부속서 남극동식물보존(CONSERVATION OF ANTARCTIC FAUNA AND FLORA)과 제5부속서 구역보호와 관리(AREA PROTECTION AND MANAGEMENT)에 포함되었음. 그러나 합의규칙의 당사국은 남극조약협의당사국이고 부속서는 CEP가 관할이고, 폐지한다는 명문의 규정이 없기 때문에 동 합의규칙은 여전히 유효한 상태임.
부속서 내용은 남극조약 홈페이지 참조: https://www.ats.aq/e/ep.htm(검색일: 2020. 1. 30)
14) CCAS의 원문은 웹사이트 참조: https://documents.ats.aq/recatt/Att076_e.pdf(검색일: 2020. 1. 30)

Resources)[15], 1988년 남극광물자원활동규제협약(CRAMRA: Convention on the Regulation of Antarctic Mineral Resource Activities)[16] 등을 통해 주제별 보호조치가 취해지거나 논의되었다. 이같은 남극조약체제 내에서 환경보호 노력은 1991년 환경보호에 관한 남극조약의정서(Madrid Protocol to the Protection of the Antarctic Environment: 이하 마드리드의정서) 채택과 1998년 동 의정서가 발효되면서, 남극환경 및 생태계 보호를 포괄적으로 규율하는 남극환경보호제도가 본격 출범되었다.[17]

〈표 1-2〉 남극조약체제 채택과 우리나라의 가입 현황(2019.6.1.현재)

조약명칭	서명	발효	한국가입	가입국
남극조약[18] (Antarctic Treaty)	1959.12.	1961.6.	1986.11.	54개국 (29개 협의당사국, 25개 비협의당사국) 우리나라 협의당사국지위 1989년 획득
남극조약 환경보호의정서[19] (Madrid Protocol)	1991.10	1998.1	1998.1	40개 회원국

---

15) CCAMLR 원문 및 관련 내용은 웹사이트 참조: https://www.ccamlr.org/en/organisation/camlr-convention(검색일: 2020. 1. 30)

16) CRAMRA는 1988년 채택된 이래 동 협약에 대한 남극조약협의당사국들의 지지가 부진하여 발효되지 못하였고, 추가 조치도 마련되지 못함. 더욱이 마드리드의정서가 동 협약상 제반규정 이행을 위한 조치를 포함하고 있고, 남극조약협의당사국으로부터 지지를 받고 있기 때문에 CRAMRA는 사실상 폐기된 것으로 평가되고 있음.
CRAMRA 원문은 웹사이트 참조: https://www.state.gov/documents/organization/15282.pdf(검색일: 2020. 1. 30)

17) 이영진, "남극 및 주변해역에서 환경보호와 신남극조약체제", 『법학연구』, 22(1), (충북대학교 법학연구소, 2011), p. 134.; 이용희, op. cit., pp. 3-4.

18) 남극조약 및 남극물개보존협약 회원국 현황은 웹사이트 참조:
https://www.ats.aq/devAS/ats_parties.aspx?lang=e(검색일: 2020. 1. 30)

19) 남극조약환경보호의정서 회원국 현황은 웹사이트 참조
https://www.ats.aq/devAS/cep_authorities.aspx(검색일: 2020. 1. 30)

남극해양생물 자원보존협약[20] (CCAMLR)	1980.5.	1981.4.	1985.3	36개 회원국 (25개 위원회국가와 11개 가입국)
남극물개보존협약 (CCAS)	1972.6.	1978.3.	미가입	16개 당사국
남극광물자원 활동규제협약 (CRAMRA)	1988.6.	미발효	-	

　남극 환경보호 이슈와 함께 남극조약협의당사국회의에서 현재 논의되는 주요 이슈로는 남극 기후변화와 환경에 영향, 남극에서 인간활동의 영향과 환경 복구, 남극 동식물 보존과 외래종 유입 대응, 남극 생물자원탐사(Biological Prospecting), 관광활동, 인프라의 친환경적인 구축과 관리, 연구협력 등이다. 이러한 남극 이슈 논의과정에서 발언권 강화 및 유리한 지위를 확보하기 위해 각국은 남극기지 운영과 함께 활발하게 연구활동을 수행하고 있다.[21]

　한편, 북극의 법체계가 남극과는 다르게 형성되고 있는데, 이는 북극과 남극이 극한지역이라는 비슷한 환경과 사회구조를 갖고 있는 것으로 생각되지만 실상은 다르기 때문이다. 첫째로 남극은 바다로 둘러싸인 대륙인 반면 북극은 북극권 국가들의 영유권이 지배하는 대륙으로 둘러싸인 바다라는 점이다. 둘째, 북극은 남극과 같이 환경적 조건은 비슷하나 남극보다는 상대적으로 덜 가혹한 자연 · 기후 조건을 가져 이누이트, 사미 등 원주민이 오래전부터 생활터전으로

---

20) CCAMLR 회원국/가입국 현황은 웹사이트 참조
　　https://www.ccamlr.org/en/organisation/members(검색일: 2020. 1. 30)
21) 현재 남극에서 세계 30개국이 36개 하계과학기지와 40개의 월동과학기지를 운영하고 있음. Council of Managers of National Antarctic Programs(COMNAP), *ANTARCTIC STATION CATALOG* (COMNAP Secretariat, Christrchurch, New Zealand, 2017), p. IX.; 관련 웹사이트 https://www.comnap.aq/Members/Shared%20Documents/COMNAP_Antarctic_StationCatalogue.pdf(검색일: 2020. 1. 30)

거주하여 왔고, 북극권 국가 국민들과 함께 자국의 북극영토에서 살고 있다는 점이다. 즉, 원주민과 거주민이 없는 남극과 달리 북극은 북극권 국가의 영토와 북극공해가 함께 존재하고 있고, 원주민과 전통적인 생활방식과 문화, 북극권 거주민의 산업 및 상업활동, 역사와 문화, 정치적 이해관계가 혼재되어 있다.

이와 같은 북극의 자연·사회·문화·정치·경제적 환경을 종합하면 이를 고려한 통합적인 규범의 형성이 어려운 게 현실이며, 이에 국제사회는 남극과는 다른 법제도 측면에서 서로 다른 접근방식을 취해왔다. 즉, 남극에서는 앞서 제시한 대로 영유권 주장을 동결하고, 과학적·평화적 이용과 환경보호를 목적으로 하는 남극조약체계가 확립된 데 반해, 북극에서는 통일된 조약 대신 국제협력에 기초한 북극이사회 중심의 제도 규정과 북극권 국가의 국내법 체계, 양자협정, 국제협약 등이 공존하고 있다. 따라서 각국이 남극조약체제 이행을 위한 법제도 마련과 이에 근거한 정책 수립을 하는 반면, 북극의 영유권, 해양경계획정, 항해 안전성, 환경·해양오염 등 다양한 이슈를 다루는 데 있어 북극권 국가의 국내법이나 북극 범위까지 포괄하는 국제협약 등에 의존하고 있다. 북극 관련 조약으로는 1911년 "북태평양 물개보호조약"(North Pacific Sealing Convention)[22], 1920년 "스발바르 조약"(Svalbard Treaty)[23], 1973년 "북극곰 보호협정"(Agreement on the Conservation of Polar Bears)[24] 등 생물자원의 지

---

22) '북태평양물개보호조약'의 원조약명은 "Convention between the United States and Other Powers Providing for the Preservation and Protection of Fur Seals" 임. 원문은 웹사이트 참조 https://www.loc.gov/law/help/us-treaties/bevans/m-ust000001-0804.pdf(검색일: 2020. 1. 30)

23) '스발바르 조약' 원문은 웹사이트 참조 http://library.arcticportal.org/1909/1/The_Svalbard_Treaty_9ssFy.pdf(검색일: 2020. 1. 30)

24) '북극곰 보호협정' 원문은 웹사이트 참조 http://pbsg.npolar.no/en/agreements/agreement1973.html(검색일: 2020. 1. 30)

속가능한 관리 및 관할권 문제에 관한 국제협약들이 일부 체결된 후, 1980년 대 말까지 국제규범이 확립되지 않았다. 그리고 북극해 해양수역과 해양경계 획정, 해양오염 등에 대해서는 1982년 유엔해양법협약[25], 그리고 북극해에서의 항해안전성과 선박기인 오염, 항해선박 안전기준(Polar Code[26]) 등에 대해서는 IMO[27] 협약이 적용되는 등 보다 포괄적 범위의 국제협약이나 북극권 국가 간 의 양자협정 등에 의존해 왔다.[28] 그러다 북극이사회(Arctic Council)에서 북극 공해상 수색구조(SAR: Search and Rescue) 협력 협정(2011)[29], 북극 유류유출 오염 대비 및 대응 협정(2013)[30], 북극 과학협력강화협정(2017)[31] 등의 강제 규 범을 체결하였고, 가장 최근에는 북극 공해상 비규제어업 방지 협정(2018)[32]이

---

25) United Nations Convention on the Law of the Sea, 1982 (UNCLOS)

26) 'Polar Code'는 극지해 운항선박 안전기준으로 선박으로부터의 해양환경보호 강화를 위해 IMO가 체결한 국제협약이고 2017년 1월 발효되었음. Polar Code에 대한 자세한 내용은 웹사이트 참조: http://www.imo.org/en/MediaCentre/HotTopics/polar/Pages/default.aspx(검색일: 2020. 1. 30)

27) International Maritime Organization (국제해사기구)

28) 김기순, "남극과 북극의 법제도에 대한 비교법적 고찰", 『국제법학회논총』 55(1) (대한 국제법학회, 2010). pp. 14-15, p. 19.

29) 영문명은 "AGREEMENT ON COOPERATION ON AERONAUTICAL AND MARITIME SEARCH AND RESCUE IN THE ARCTIC"이며 관련 내용은 웹사이트 참조 https://oaarchive.arctic-council.org/handle/11374/531(검색일: 2020. 1. 30)

30) 영문명은 "AGREEMENT on Cooperation on Marine Oil Pollution Preparedness and Response in the Arctic"이며, 관련 내용은 웹사이트 참조 https://oaarchive.arctic-council.org/handle/11374/529(검색일: 2020. 1. 30)

31) 영문명은 "Agreement on Enhancing International Arctic Scientific Cooperation" 이며 관련 내용은 웹사이트 참조: https://oaarchive.arctic-council.org/handle/11374/1916(검색일: 2020. 1. 30)

32) 영문명은 "The Agreement to Prevent Unregulated High Seas Fisheries in the Central Arctic Ocean"이며 미, 캐, 러, 덴(그린란드), 노르웨이 등 북극권 5개국과 한, 중, 일, 아이슬란드, EU 등 총 10개국이 원초서명국으로 참여하여 2018년 체결됨. 관련 내용은 웹사이트 참조

우리나라를 포함해 비북극권까지 포함하는 협정이 체결되는 등 북극의 특정 지역이나 특정 활동을 대상으로 하는 국제규범이 형성되고 있다. 우리나라의 경우는 남극에 대해 법적 근거에 기반하여 남극 기본계획을 수립하고 있으나, 북극에 대해서는 아직은 법적인 기반 없이 정책이 수립되고 있다.

이에 북극 기본계획의 법적인 기반 확보와 남극과 북극으로 나누어져 수립되고 있는 국가 기본계획을 '극지'라는 공통가치를 목표로 하는 통합계획인 극지활동진흥기본계획의 출범을 위해, 2016년 안상수 국회의원 대표발의로 극지활동 진흥법(안)이 국회에 제출되었으나, 현재 법사위에 계류 중이다.[33] 그리고 정부는 2018년 7월 북극활동진흥기본계획을 수립하였는데 이 기본계획의 추진과제로 '극지활동진흥법 제정'을 통해 극지종합계획(극지활동진흥기본계획) 수립을 포함시켰으며, 해양수산부는 향후 미래 30년의 한국의 남북극 정책을 통합한 극지정책의 장기청사진으로 '2050 극지비전'[34]을 2018년 12월에 공식 선언하는 등 정부와 국회가 우리나라의 남북극 정책통합을 위한 노력을 하고 있다.

이처럼 남북극 통합정책 추진 동향과 관련해 국내외의 관련 선행 연구를 분석한 결과, 먼저 우리나라 극지정책을 대상으로 하는 기존 연구들은 대부분 남극과 북극에 대한 통합정책이 아닌 개별로 접근하였다. 그리고 우리나라 남

---

https://www.ejiltalk.org/the-2018-agreement-to-prevent-unregulated-high-seas-fisheries-in-the-central-arctic-ocean-a-primer/(검색일: 2020. 1. 30)

33) 극지활동 진흥법(안)은 현재 남북극 별도로 수립되는 기본계획을 통합한 '극지활동 진흥기본계획'의 수립(제6조), 한국해양과학기술원(KIOST)의 부설기관인 '극지연구소'를 독립기관으로 법인화하는 '한국극지연구원'의 설립(제15조), 극지활동 진흥(제8조-제14조) 등을 주요 내용으로 함. 동 법안의 세부 내용은 웹사이트 참조 http://likms.assembly.go.kr/bill/billDetail.do?billId=PRC_K1A6R1H2S0Z1P1G7I2W7D0C9N8D2G9(검색일: 2020. 1. 30)

34) '2050 극지비전' 원문은 웹사이트 참조 http://www.koreapolarportal.or.kr/data/etc/vision2050.pdf(검색일: 2020. 1. 30)

극정책에 대한 선행 연구들은 남극의 개별협약 및 특정 이슈에 대한 정책대응 연구가 대부분이다. 최재용 외 (2004)는 남극환경영향평가 정책 시행을 위해 관련 국제 동향을 살펴보고 한국의 환경영향평가 현황을 분석하여 남극에서 환경영향평가 수행을 위한 절차와 방법을 제안했다.[35] 김기순(2008)은 남극의 환경 비상사태에서 발생하는 책임제도에 대한 분석을 통해 책임부속서 (Liability)의 개선방안을 제언하였다.[36] 이용희(2012)는 국제법상의 남극 환경보호 및 보존을 위한 제도적 조치에 대해 살펴본 후 발생할 수 있는 문제점 및 우리나라의 대응방향을 제시하였다.[37] 남극 이슈에 대한 종합적인 분석연구로 최철영(2000)은 남극조약체제의 핵심 내용과 주요 국가의 국내입법 내용을 분석하여 전반적인 내용을 포괄하는 국내입법 방향을 제시하였다.[38] 박수진 외 (2012)는 남극조약체제 이행을 위해 국내법제를 구축한 주요국의 사례를 분석하고, 우리나라 남극정책의 현황과 문제점을 제기한 후, 설문조사 결과를 기반으로 한 남극정책 추진전략을 제안하였다.[39] 한편, 김기순(2010) 은 남극과 북극의 국제법제를 비교분석하여 관광, 환경비상사태 책임 등의 남극의 추가제도 필요성과 북극의 자원개발과 환경보호 포함한 제반문제를 포괄하는 각각의 구속력 있는 법제도의 필요성을 제기하였으나, 남북극 통합법제 및 통합정책으로서 합의점까지는 다루지 못하였다.[40] 이처럼 남극이슈를

---

35) 최재용 외, "우리나라의 남극 환경영향평가제도 정착을 위한 연구", Ocean and Polar Research 26(2)(한국해양과학기술원, 2004), pp. 155-163.
36) 김기순, "남극환경보호의정서의 책임부속서에 관한 연구",『안암법학』27, 2008, pp. 605-650.
37) 이용희, op. cit., pp. 1-30.
38) 최철영, op. cit., pp. 1-182.
39) 박수진 외, op. cit., pp. 1-289.
40) 김기순, "남극과 북극의 법제도에 대한 비교법적 고찰",『국제법학회논총』, 55(1)(대한국제법학회, 2010), pp. 13-53.

분석하여 법적인 개선 방안을 제시하는 연구가 주를 이루었고, 남극연구활동 진흥기본계획 자체에 대한 분석이나 연구는 없었다. 국내 북극정책 연구로 서현교(2019)는 북극정책기본계획(2013-2017)과 북극활동진흥기본계획(2018-2022)을 유형화하여 북극정책 모형을 수립한 후, 이 모형을 기반으로 국내 전문가 설문조사 결과를 바탕으로 한 북극활동진흥기본계획 4대 정책과제의 우선순위를 재배치하고, 우리나라 북극정책 우선순위를 제시하였다. [41] 김정훈 · 백영준(2017)은 한국의 과학, 경제 등 분야별 북극정책 추진 성과를 분석하였다. [42] Valeriy P. Zhurave(2016)과 Aki Tonami (2016)는 우리나라 북극정책 출범의 배경과 분야별 과제에 대한 비판적인 분석과 전망을 제시하였다. [43] 서현교(2018)는 우리나라 북극정책 출범 역사를 조망하고, 한중일 북극정책 비교를 통한 3국간 공통점과 정책 발전방향을 서술하였다. [44]

해외 연구사례를 살펴보아도 남북극정책을 통합한 극지정책(Polar Policy) 연구 사례는 없으며, 국내 연구사례와 같이 전반적인 남북극 정책, 또는 남북극의 특정 이슈에 대해 연구 · 분석을 하고 있다. 국가별 북극정책 분석사례로 Peter J. May 외 (2005)는 정치적 환경이 정책 과제(Components) 구성

---

41) 서현교, "한국의 북극정책 과제 우선순위에 대한 평가와 분석", 『한국시베리아 연구』, 23(1)(한국-시베리아센터, 2019), pp. 43-70.

42) 김정훈, 백영준, "한국과 일본의 북극 연구 경향 및 전략 비교", 『한국시베리아연구, 21(2)(한국 시베리아연구, 2017), pp. 111-146.

43) Valeriy P. Zhuravel, "China, Republic of Korea, Japan in the Arctic", *Arctic and North*(No.24., 2016) pp. 99-126. ; Aki Tonami, "Arctic Policy of South Korea", *Asian Foreign Policy in a Changing Arctic The Diplomacy of Economy and Science at New Frontiers*(Palgrave macmillan, 2016). pp. 73-92.

44) 서현교, "우리나라의 북극정책 역사 성찰과 발전 방향", 김정훈 외, 『러시아 북극공간의 이해: 서북극권과 서시베리아의 지정, 지경 및 지문화적 접근』(북극학회, 학연문화사, 2018), pp. 497-507.

에 미치는 영향 이론을 확대하여 미국과 캐나다의 북극정책 이슈에 대한 상호 비교를 통해 분석하였다. [45] Pavel Baev (2012)는 러시아가 북동항로 및 북극 자원개발정책의 경제적 이해관계와 주도권 관점에서 북극 무르만스크 등 북극권 기반 군사정책 강화의 배경과 현대화 현황을 소개하였다. [46] Rob Huebert(1995)는 캐나다 북극 해사(Maritime) 정책이 어떻게 형성되었는지를 외적 요인(주변국의 환경오염 영향, 국경침범 등) 등의 사례와 연계하여 설명하였다. [47] Njord Wegge(2012)는 EU내에서 북극정책 형성 과정을 내부적 수준(Internal level), 국가 수준(State Level), 시스템 수준(Systematic Level)에서 분석했다. [48] Rob Huebert(2009)는 미국이 북극 알래스카의 지리정치적 환경, 에너지안보 및 자원개발, 환경·기후변화 등의 이슈가 대두되면서, 북극 군비 증강 등의 북극정책이 강화되고 이웃나라인 캐나다에 영향 관계를 지목하였다. [49] Ma Xinmin (2019)은 2018년 발표된 중국의 북극정책백서 내용에 기반하여 북극의 법제 및 규범에 대한 중국의 시각과 중국의 북극에서 위상(Status), 중국의 북극 이슈의 참여를 위한 정책들과 입장 등을 정리하였다. [50]

---

45) Peter J. Mays 외, "Policy Coherence and Component-Driven Policymaking: Arctic Policy in Canada and the United States", *The Policy Studies Journal*, (Vol. 33, No. 1, 2005), pp. 37-63.

46) Pavel Baev, "Russia's Arctic Policy and the Northern Fleet Modernization", *Russia/NIS Center*, 2012, pp. 1-20.

47) Rob Huebert, "Polar vision or tunnel vision: The making of Canadian Arctic waters policy", *Marine Policy*, (Vol. 19, 1995), pp. 343-363.

48) Njord Wegge, "The EU and the Arctic: European foreign policy in the making", *Arctic Review on Law and Politics*. (Vol. 3, 2012), pp. 6-29.

49) Rob Huebert "United States Arctic Policy: The Reluctant Arctic Power", *SPP Briefing Papers*(The School of Public Policy at University of Calgary, Volume 2/Issue 2, 2009), pp. 1-27.

50) Ma Xinmin, "China's Arctic policy on the basis of international law: Identification,

이와 함께, 국가별 남극정책 연구로는 V. V. Lukin(2014)은 러시아의 남극정책을 남극조약체제와 현재 러시아 남극활동과 연계하여 제시하였다.[51] Rohani Mohd Shah 외(2015)는 남극에서 과학 및 외교적 측면에서 말레이시아 남극정책을 조망하였다.[52] Nengye Liu 외(2018)은 중국의 남극 로스해 해양보호구역(MPA) 지정 이슈에 대한 입장 분석과 함께 남극 거버넌스에서 중국의 미래 역할을 탐색하였다.[53] 남극에서 주제별 정책 연구로 Kevin A. Hughes 외(2016)은 남극에서 외래종 유입 방지 정책 개발과 이행 현황을 평가하였다.[54] Nuraisyah Chua Abudllah 외 (2015)는 남극 관광정책 분석의 일환으로 남극에서 관광운영자와 남극조약당사국의 남극관광 책임 이슈를 다루었다.[55] Kevin A. Hughes 외(2018)는 남극조약회의나 남극연구과학위원회(SCAR) 등을 기반으로 남극환경보호 정책 이행을 위한 연구예산 확보 기회와 연계된 과학자와 정책결정자 간 소통의 강화가 '남극환경보호'와 정책 개발을 증진시킬 것이라고 전망하였다.[56] 이처럼 국내외적으로 남북극을 별개로 하여 조약

goals, principles and positions", *Marine Policy*, (Vol. 100, 2019), pp. 265-276.

51) V. V. Lukin, "Russia's current Antarctic Policy", *The Polar Journal*, (Vol 4, No. 1, 2014), pp. 199-222.

52) Rohani Mohd Shah 외, "Malaysia Strategies in Sustaining its Antarctic Endeavours", *Procedia - Social and Behavioral Sciences*(Vol. 202, 2015), pp. 115-123.

53) Nengye Liu 외, "China's changing position towards marine protected areas in the Southern Ocean: Implications for future Antarctic governance", *Marine Policy*(Vol. 94, 2018), pp. 189-195.

54) Kevin A. Hughes 외, "Evaluation of non-native species policy development and implementation within the Antarctic Treaty area", *Biological Conservation*, (Vol. 200, 2016), pp. 149-159.

55) Nuraisyah Chua Abdullah 외, "Antarctic Tourism: The responsibilities and liabilities of tour operators and state parties", *Procedia - Social and Behavioral Sciences* (Vol. 202, 2015), pp. 227-233.

56) Kevin A. Hughes 외, "Antarctic environmental protection: Strengthening the links

과 규범에 대한 정책적 · 법적 분석을 시도한 연구가 주를 이루고 있고, 남북극 정책이나 계획을 상호 연계하거나 통합하려는 시도는 없었다. 이에 본 연구는 먼저 우리나라 남극 기본계획의 수립 배경과 내용을 조망하고, 우리나라 북극 정책에 관한 선행연구를 통해 도출된 '북극정책 모형'과 해양수산부가 2018년 발표한 '2050 극지비전' 등을 기반으로 남극기본계획과 북극기본계획 비전과 각 세부과제를 재 분류하여 종합한 '극지종합계획안'을 제안하고자 한다.

Ⅱ. 우리나라 남극정책 출범 배경과 역사

우리나라의 공식적인 남극활동 역사는 1970년대부터 시작되었다. 1978년 제1차 크릴조업 조사선을 남극해에 파견하여 1988년까지 총 8차례에 걸쳐 남극 수산자원 개발을 위한 시험조업을 하였고, 시험조업 기간 중이던 1985년 남극해양생물자원보존협약(CCAMLR)에 가입했다. 그리고 1986년에는 세계 33번째로 남극조약(Antarctic Treaty)에 가입했으며, 1988년 남극 킹조지섬에 남극세종과학기지를 건설하고 첫 월동대를 파견했다. 이듬해인 1989년에는 남극과학활동을 발판으로 남극조약협의당사국(ATCP) 지위를 세계 23번째 로 획득했으며, 1990년 남극연구과학위원회(SCAR) 정회원국이 되었다. 그리고 1995년에는 제19차 남극조약협의당사국회의(ATCM)을 서울에서 개최하였다. 1998년에는 남극 환경보호를 강제화한 환경보호에관한남극조약의정서 (일명 마드리드의정서: Mardrid Protocol)[57]가 발효되었고, 같은 해에 우리나

---

between science and governance", *Environmental Science & Policy*(Vol. 83, 2018), pp. 86-95.

57) 환경보호에관한남극조약의정서(마드리드의정서) 원문은 웹사이트 참조:

라가 이 의정서에 가입했다. 이처럼 남극조약체제를 구성하는 남극조약과 마드리드의정서, 남극생물자원보존협약(CCAMLR) 가입을 하고 남극조약협의 당사국 지위를 가진 우리나라는 국내적으로 '남극조약'과 '마드리드 의정서' 대한 준수 · 이행을 의무화하는 법체계 마련의 필요성에 공감하여, 2004년 외교부를 주관 부처로 하여 범부처 남극활동및환경보호에관한법률58)을 제정하였다. 이 법의 제 21조는 남극연구활동진흥기본계획의 수립 및 시행을 명시하고 있으며 동 법 시행령 26조에 남극연구활동진흥기본계획의 수립과 시행령 27조에 연도별 시행계획 수립을 명시하고 있다. 이같은 국내법적 근거를 기반으로 하여 정부는 2006년 우리나라 첫 남극정책에 해당하는 제1차 남극연구활동진흥기본계획(2007-2011)을 수립하였다.59)

이 1차 기본계획은 남극활동및환경보호에관한법률60)에 의거해 과학기술부와 해양수산부가 공동으로 2006년 5월 국가과학기술위원회에 제출하여 심

---

http://eng.me.go.kr/home/web/policy_data/read.do?menuId=10260&seq=35(검색일: 2020. 1. 30)

58) 남극활동및환경보호에관한법률은 총칙, 남극활동의 허가, 남극환경의 보호, 남극활동감사원의 지명 및 활동(지도 및 감독), 남극활동결과의 보고 및 시정명령, 남극연구활동의 진흥, 벌칙 등 6장 27개 조문으로 구성되어 있음.

59) 과학기술부, 해양수산부,『제1차 남극연구활동진흥기본계획』(국가과학기술위원회 제출본 2006). p. 4.

60) 남극활동및환경보호에관한법률 제21조 1항에 "정부는 남극에 관한 연구활동의 진흥을 위하여 5년마다 다음 각호의 사항이 포함된 남극연구활동진흥기본계획을 수립하여야 한다"고 되어 있으며, 동법 시행령 26조에는 "해양수산부장관은 법 제21조 1항에 따라 관계중앙행정 기관의 장의 의견을 들어 5년마다 남극연구활동진흥기본계획을 수립하여야 한다"고 명시되어 있음. 관련 웹사이트 참조:
(법률) http://www.law.go.kr/lsInfoP.do?lsiSeq=204765&efYd=20181016#0000(검색일: 2020. 1. 30)
(시행령) http://www.law.go.kr/lsInfoP.do?lsiSeq=203260&efYd=20180417#0000 (검색일: 2020. 1. 30)

의를 통해 확정되었다. 동 계획은 '남극활동역량 축적기'로서 '지속가능한 진흥을 위한 극지연구활동의 활성화와 세계화 도모'를 목표로, 아래 〈표 1-3〉과 같이 4대 부문의 16대 추진과제가 제시되었다. 즉, 정부는 제1차 기본계획을 추진하며, 장보고과학기지 건설 착수, 세종기지 친환경 운영설비 확충, 아라온 건조 및 성공적인 남극 연구 · 보급항해 임무 수행 등과 같은 인프라 확충 · 운영, 세종기지 인근 펭귄마을을 우리나라가 관리하는 남극특별보호구역(ASPA)으로 지정, 국제프로그램(IPY: 국제극지의 해) 사업 참여와 국내학연협력 등과 남극연구지평 확대 등의 성과를 거뒀다.

〈표 1-3〉제1차 남극연구활동진흥기본계획(2007~2011) 체계도[61]

추진목표: 지속가능한 진흥을 위한 극지연구활동의 세계화 도모		
부문	추진방향	추진내용(16대 과제)
연구인프라 확충	현지 중심형 연구기반 조성	• 남극 연구시설 확충 • 남극 연구활동 지원을 위한 수송체계 구축 • 극지연구소의 연구조직 전문화 및 기능 강화
극지기초과학 (p-사이언스) 연구 강화	투자 증대 및 전략적 연구 수행	• 극지 지질 및 지구물리 연구 • 극지 생물 연구 • 극지 기후 · 해양 연구 • 극지 동토 및 빙하 연구 • 극지 대기 및 우주환경 연구
응용기술 실용화 역량 축적	우선순위에 따른 활용능력 강화 및 개발 역량 축적	• 수산자원 탐사 및 이용기술 확보 • 생물유전자원 이용기술 개발 • 해저광물자원 조사 • 극지 항로개설 및 공학기술 연구 • 환경 보호활동 강화
네트워킹 강화	협력 강화 및 저변 확대	• 산 · 학 · 연 공동 연구체계 구축 • 국제 협력 강화 • 남극 및 연구활동에 대한 대국민 홍보 강화

이 1차 기본계획의 후속계획으로 교육과학기술부, 외교통상부, 농림수산식

---

61) 과학기술부, 해양수산부, op, cit., p. 13.

품부, 환경부, 국토해양부는 2013년 제2차 남극연구활동진흥기본계획(2012-2016)을 확정하여 5개년 사업을 추진하였다. '남극활동 도약기'로 정의된 2차 계획 기간에는 글로벌 남극연구 인프라 구축과 우수성과 창출을 목표로 하여, 남극장보고과학기지 건설이 가장 대표적인 인프라 구축 성과였고, 남극 대륙 내 코리안 루트(K-route) 개척과 아라온 및 세종기지 기반 기초 · 융복합 연구 수행, 국내외 협력 강화 등도 성과로 기록되었다. 동 기본계획의 비전, 목표 및 세부계획은 아래 〈표 1-4〉와 같다.

〈표 1-4〉 제2차 남극연구활동진흥기본계획(2012~2016) 체계도[62]

목표	글로벌 남극연구 인프라 구축과 우수 성과 창출	
세부목표	인프라 및 남극활동 지원체제 선진화	남극연구활동의 글로벌 수준 도약
(8대) 중점과제	친환경 연구인프라 구축 · 운영	글로벌 이슈대응을 위한 남극 기후변화 연구
	연구활동 지원체제 정비 및 협력기반 강화	극지연구영역 다변화를 위한 남극대륙 연구
	대국민 인식제고 및 전문인력 양성	실용 가능한 응용연구 및 미답지 조사
	지속가능한 연구기반 마련을 위한 환경 보호활동 강화	극지 융 · 복합 연구 및 극한지 공학 기술개발

이 2차 기본계획의 후속계획으로 미래창조과학부, 외교부, 환경부, 해양수산부는 2017년 4월에 제3차 남극연구활동진흥기본계획(2017~2021)을 확정하였다. 1차 및 2차 계획이 아라온 건조 및 장보고 기지 건설 등과 인프라 구축 중심이었다면 3차 기본계획은 구축된 연구인프라의 본격적인 활용을 통한 성과 창출과 장보고 기지를 기반으로 남극점을 향한 내륙진출로(일명 코리안

---

62) 교육과학기술부 외, 『제2차 남극연구활동진흥기본계획(2012-2016)』, 2013, p. 11.

루트, K-route) 개척의 지속과 빙저호(남극 빙하 밑의 호수) 탐사, 남극 로스해
(Ross Sea) 해양보호구역(MPA)[63]을 대상으로 한 생태계 연구, 장보고과학기지
인근 암반 활주로 등 항공인프라 구축을 주요 계획으로 설정하고 현재 추진 중
이다. 이 3차 기본계획의 비전과 목표 및 추진과제는 아래 〈표 1-5〉와 같다.

〈표 1-5〉 제3차 남극연구활동진흥기본계획(2017~2021) 체계도[64]

비 전	인류공동의 현안해결에 기여하는 남극연구 선도국
(3대) 목표	■ 기후변화, 생태계 보존 등 글로벌 이슈에 대응 ■ 안전하고 지속가능한 남극연구활동 지원기반 구축 · 운영 ■ 남극 과학연구 및 거버넌스에서 우리나라의 리더십 제고
(3대) 전략	추진과제(7대 세부과제)
남극연구 지평확대	① 남극연구를 통한 글로벌 환경변화의 예측 · 대응 ② 남극 내륙진출과 미지 · 미답의 연구영역 개척 ③ 실용화 · 상용화 및 4차 산업혁명에 대응할 융 · 복합 연구 추진
남극연구 지원기반 선진화	④ 남극활동 안전시스템 및 연구인프라 고도화 ⑤ 남극연구 진흥을 위한 인적역량 강화 및 국민저변 확대
남극 거버넌스 리더십제고	⑥ 남극 과학연구 분야의 국제협력을 통한 파트너십 강화 ⑦ 남극 환경보호 및 연구협력의제 발굴 · 선도

---

63) 남극조약협의당사국회의(ATCM)와 남극해양생물자원보존위원회(CCAMLR)는 2004
    년부터 남극해 전 해역을 9개 권역으로 나누어 해양보호구역(Marine Protected Area:
    MPA) 설정을 기획함. 그리고 CCAMLR는 2009년 영국이 제안한 사우스오크니제도
    남측 대륙붕(South Orkney Islands Southern Shelf)의 94,000km2 면적의 해역에 첫
    MPA를 지정하여 수산업 활동 일체를 금지한데 이어, 2016년 10월 남극 장보고과학기
    지 인근 로스해(Ross Sea)을 세계 최대 규모의 공해상 해양보호구역으로 지정함으로
    향후 남극해의 MPA 지정이 가속화될 것으로 전망됨. 미래창조과학부 외, 제3차 남극
    연구홀동진흥기본계획(2017-2021)(국가과학기술심의회 제출본, 2017) p. 9. ; 웹사이
    트 참조 https://www.ccamlr.org/en/science/marine-protected-areas-mpas(검색일:
    2020. 1. 30)
    · 남극해 MPA 9개 계획권역: https://www.ccamlr.org/en/science/mpa-planning-
    domains(검색일: 2020. 1. 30)
    · 사우스오크니제도 해역: MPA: http://www.mpatlas.org/mpa/sites/5283/(검색일:
    2020. 1. 30)
64) 미래창조과학부 외, op, cit., p. 15.

III. 우리나라 남·북극 기본계획 비교 및 특징

이처럼 우리나라의 공식적인 남극정책은 남극활동및환경보호에관한법률에 기반하여 5년 마다 수립되는 '남극연구활동진흥기본계획'이다. 그리고, 북극정책은 해수부 주도의 범부처 계획인 2013년 수립된 '북극정책기본계획'과 2018년 수립된 '북극활동진흥기본계획'[65]이다. 이 남·북극 기본계획을 비교하면 아래 〈표 1-6〉과 같다.

〈표 1-6〉 우리나라 남·북극 기본계획 특징 비교

	남극연구활동진흥기본계획	북극활동진흥기본계획
주관부처	외교부, 환경부, 해양수산부	해양수산부
참여부처	범부처	범부처
관련 조약/협정	남극조약, 남극환경보호의정서 (마드리드의정서) 남극해양생물자원보존협약 등	북극 공해상 비규제어업 방지협정, 스발바르 조약 북극 과학협력강화협정, 북극 공해상 수색구조 협력 협정 등
국내 법적 기반	남극활동및환경보호에관한법률	
주제/범위	과학연구에 초점: 과학연구, 외교(국제협력), 기반구축 등	정치, 경제, 과학, 외교 등 전범위: 과학연구, 외교(국제협력), 경제·산업, 기반구축 등
수립연혁	총 3차: - 1차 남극연구활동진흥기본계획('07~'11) - 2차 남극연구활동진흥기본계획('12~'16) - 3차 남극연구활동진흥기본계획('17~'21)	총 2차: - 북극정책기본계획('13~'17) - 북극활동진흥기본계획('18~'22)
목표 (비전)	우리나라의 남극 환경보호 및 연구활동 진흥이 목적 (남극연구선도국)	우리나라의 북극 과학외교 강화 및 국익 확보가 목적 (극지선도국)
정부 간 국제기구/ 회의	남극조약협의당사국회의(ATCM), 남극환경보호위원회(CEP), 남극해양생물자원보존위원회(CCAMLR) 등	북극이사회(Arctic Council) 및 관련 워킹그룹(WG) 등

---

65) '북극활동진흥기본계획'의 세부 내용은 웹사이트 참조
http://www.kdi.re.kr/policy/ep_view.jsp?idx=179137&&pp=100&pg=2(검색일: 2020. 1. 30)

이 〈표 1-6〉에서 같이, 남극연구활동진흥기본계획은 외교부, 환경부, 해양수산부가 주관부처이며, 북극활동진흥기본계획은 해양수산부가 주관한다.[66] 각 기본계획의 관련 조약으로 남극의 경우 남극조약, 남극환경보호의정서, 남극해양생물자원보존협약 등이 있으나, 북극의 경우 북극 공해상 비규제어업 방지 협정, 스발바르 조약, 북극이사회에서 체결된 북극 과학협력강화협정 등이 있다. 또한 기본계획 수립의 법적 기반으로 남극연구활동진흥기본계획은 남극활동및환경보호에관한법률이 있으나, 북극활동진흥기본계획은 법적 기반이 없다.

기본계획이 다루는 범위를 살펴보면, 연구 중심인 남극 기본계획은 연구계획과 과학외교적 활동계획, 그리고 연구를 위한 기반구축과 운영이 주를 이루고 있는데 1차부터 3차 기본계획까지 과제를 구분하는 방식이나 과제들을 포괄하는 전략이 일정 틀을 유지하지 않은 채 계속 바뀌어왔다. 반면, 북극 기본계획은 연구활동 및 연구인프라 구축은 물론, 경제·산업활동, 글로벌 이슈 대응 국제기구 활동 및 이슈 대응 등 그 범위가 남극보다 훨씬 포괄적이었고 과제를 구분하는 4대축도 위치만 바뀌었을 뿐, 그 형태를 유지하고 있다. 수립 연혁은 두 기본계획 모두 5년 단위로 남극이 총 3회, 북극이 총 2회에 걸쳐 수립되었다. 기본계획의 목표도 남극의 경우 환경보호 및 이를 위한 연구활동 진흥이 목적이라면, 북극은 과학외교 강화 및 국익 확보가 목적이다. 또한 관련 정부 간 국제회의는 남극의 경우는 남극조약협의당사국회의, 남극환경보호위원회, 남

---

66) '남극활동및환경보호에관한법률'에서는 정부가 남극연구활동진흥기본계획을 수립한다고 명시하고 있음. 그러나 동법의 다른 조항에서 외교부가 남극활동 결과보고, 남극활동 허가, 남극토착물의 포획, 남극환경영향평가서 접수 등 남극활동의 책임주관부처로 명시되어 있음. 다만 남극연구활동기본계획은 해양수산부 산하기관인 극지연구소가 우리나라 남극과학연구를 주도하는 점을 감안하면, 해양수산부가 동 기본계획 수립을 사실상 주도하고 있음

극해양생물자원보존위원회 등이며, 북극은 북극이사회가 대표적이다.

다음으로, 북극정책 모형을 기반으로 3차에 걸쳐 수립된 남극 기본계획 세부
계획을 분류하여 보면 다음과 같다. 먼저 서현교(2019)[67]가 우리나라 북극 기본
계획을 유형화하여 수립한 북극정책 모형과 4대 축은 아래 [그림 1-2]과 같다.

[그림 1-2] 우리나라 북극정책 모형

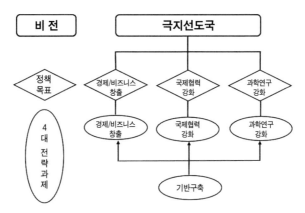

* 서현교(2019) p. 53. [그림 1] 참조

이 [그림 1-2]에서 제시된 것처럼 북극정책 모형의 4대 분류축은 국제협력
강화, 과학연구 강화, 경제·비즈니스 창출, 기반 구축이다. 여기서 '국제협력
강화'는 우리나라 국가 위상강화를 위한 외교활동이나 국제기구 협력 및 국제
규범 형성 노력, 글로벌 이슈에 대한 공동 협력 및 참여 등을 포괄한다. 둘째
'과학연구 강화'는 과학연구 활동 및 관련 국제공동연구, 과학연구를 위한 연
구인프라 구축, 과학 관련 국제기구 내에서의 국제협력 활동이 이 분류에 포
함된다. 셋째, '경제·비즈니스 창출'은 산업과 연관된 산업 및 경제활동이나

---

67) 서현교(2019), op. cit., p. 53.

경제이익을 창출하는 공학 · 의학 관련 연구 등이 포함된다. 넷째 '기반구축'은 전문인력 양성이나 대국민 홍보, 극지활동의 법적 및 제도적 기반 구축 등이 이 분류에 포함된다. 이러한 4대 축에 따라 제1차부터 제3차까지 수립된 남극 연구활동기본계획의 세부 추진과제를 분류하면 아래 〈표 1-7〉과 같다.

〈표 1-7〉 북극정책 모형 4대 축을 기준으로 한 '남극연구활동기본계획' 세부 추진과제 분류표

북극정책 모형 4대 축	제1차 기본계획('07-'11)	제2차 기본계획('12-'16)	제3차 기본계획('17-'21)[68]
국제협력 강화	· 네트워킹 강화 內 1개 과제: 국제협력 강화	· 인프라 및 남극활동 지원체제 선진화 內 연구활동 지원체제 정비 및 협력기반 강화(외교부 주관 남극 이슈 대응 및 남극활동 관련 사업) 등 1개 과제	· 남극 거버넌스 리더십 제고 內 1개 과제: '[7]남극 환경보호 및 연구협력의제 발굴 선도' (남극 거버넌스 이슈 발굴 및 논의 주도)
과학연구 강화	· 연구인프라 확충 內 3개 과제 : 남극연구시설 확충, 남극 연구활동 지원을 위한 수송체계 구축, 극지연구소의 연구조직 전문화 및 기능 강화 · 극지기초과학(p-사이언스) 연구 강화 內 6개 과제: 극지지질 및 지구 물리연구, 극지생물연구, 극지기후 · 해양연구, 극지동토 및 빙하연구, 극지대기 및 우주환경연구 · 네트워킹 강화 內 1개 과제: 산학연 공동연구체계 구축 · 응용기술 실용화 역량 확충 內 환경보호활동 강화(기지 주변 환경 · 생태계보전 마련) 등 1개 과제	· 인프라 및 남극활동 지원체제 선진화 內 2개 과제: 친환경 연구인프라 구축 · 운영, 연구활동 지원체제 정비 및 협력기반 강화(산학연 협력 활성화), 지속가능한 연구기반 마련을 위한 환경 보호활동 강화 등 2개 과제 · 남극연구활동의 글로벌 수준 도약 內 2개 과제: 글로벌 이슈대응을 위한 남극 기후변화연구, 극지연구영역 다변화를 위한 남극대륙연구 등 2개 과제	· 남극연구 지평확대 內 2개 과제: [1]'남극연구를 통한 글로벌 환경변화의 예측 · 대응', [2] '남극 내륙진출과 미지 · 미답의 연구영역 개척' · 남극연구 지원기반 선진화 內 1개 과제: [4]'남극활동 안전시스템 및 연구인프라 고도화' · 남극 거버넌스 리더십제고 內 2개 과제: [6]'남극 과학연구 분야의 국제협력을 통한 파트너십 강화(협력거점 설치, 해외센터 운영, 국제공동연구)', [7] '남극 환경보호 및 연구협력의제 발굴 선도(남극환경변화 감시 및 연구: 기지 친환경 관리 등)'

(68) 7대 세부과제 중 하나인 '[7]남극 환경보호 및 연구협력의제 발굴 선도'에는 "남극 거버넌스 이슈 발굴 및 주도"와 "남극환경보호활동 및 연구, 기지 친환경 관리"라는 서로 다른 계획이 같이 묶여 있어 이를 나눠 〈표 1-7〉에 제시하여, 당초 남극 기본계획의 7개 세부과제가 8개로 증가함

북극정책 모형 4대 축	제1차 기본계획('07-'11)	제2차 기본계획('12-'16)	제3차 기본계획('17-'21)[68]
경제 · 비즈니스 창출	· 응용기술 실용화 역량 확충 內 4개 과제: 수산자원 탐사 및 이용기술 확보, 생물유전자원 이용기술개발, 해저광물조사, 극지 항로개설 및 공학기술 연구	· 남극연구활동의 글로벌 수준 도약 : 극지연구영역 다변화를 위한 남극대륙연구(극지 기능유전체연구를 통한 신약, 진단/치료기술 개발 등), 실용가능한 응용연구 미답지 조사, 극지 융복합 연구 및 극한지공학 기술개발 등 3개 과제	· 남극연구 지평확대 內 1개 과제: ③'실용화 · 상용화 및 4차 산업혁명에 대응한 융 · 복합 연구 추진'
기반 구축	· 네트워킹 강화 內 1개 과제: 남극 및 연구활동에 대한 대국민 홍보 강화	· 인프라 및 남극활동지원체제 선진화 內 2개 과제: 연구활동 지원체제 정비 및 협력기반 강화(극지관련 제도정비 및 연구기관 역량 강화), 대국민 인식제고 및 전문인력 양성	· 남극연구 지원기반 선진화 內 1개 과제: ⑤'남극연구 진흥을 위한 인적역량 강화 및 국민저변 확대'

이 <표 1-7>에서 북극정책 모형이 제시한 분류기준인 4대 축을 기반으로 1차 기본계획부터 3차 기본계획까지 각 세부 추진과제를 분류한 결과, 과학연구 강화 추진과제가 가장 많은 것으로 나타났다. 그리고 국제협력 강화, 기반구축, 경제비즈니스 창출은 상대적으로 세부 추진과제수가 적은 것으로 나타났다. 또한, 국제협력 강화 부문에서는 남극조약 체제와 관련한 우리나라 외교적 대응 차원에서 매차 기본계획마다 1개의 세부 추진과제가 포함되어 있음을 알 수 있다. 이와 같이 남극연구활동진흥기본계획에 제시된 세부과제들이 북극정책 모형의 4대 분류축을 기준으로 분류되었고, 이미 북극정책 모형의 4대 축에 따라 분류된 북극 기본계획의 세부과제들과도 상호 연계될 수 있음을 유추할 수 있다. 이는 다음의 Ⅳ 장에서 제시하고자 한다.

IV. 남·북극 기본계획 통합방안

남북극 기본계획을 통합하는 첫 단계로 남북극 각 기본계획이 추구하는 지향점인 '비전'에 대한 비교가 필요하다. 남극의 경우, 가장 최근에 수립된 '제3차 남극연구활동진흥기본계획(2017-2021)'의 비전은 '인류공동의 현안해결에 기여하는 남극연구 선도국'이다. 가장 최근의 북극 기본계획인 '북극활동진흥기본계획(2018-2022)'의 비전은 '극지활동 선도국'이다. 즉, 북극 기본계획에서는 북극활동 선도국을 지향하고, 남극 기본계획에서는 남극 연구선도국을 지향하므로, 남북극 기본계획 모두 '극지선도국(Leadership Country)'을 지향하고 있다는 공통점이 있다. 다만, 남극 기본계획에서는 남극조약체제에 따른 과학연구가 중심이므로 '연구선도'로 비전의 범위를 제한하였음에 반해, 북극 기본계획에서는 앞서 설명한대로 경제, 거버넌스, 과학 등 다양한 주제를 포괄하고 있으므로 특정 범위로 한정하지 않고 '극지선도국'으로 표현하였다. 그래서 이 두 기본계획을 통합할 경우에 비전은 숲 범위를 포괄하는 북극 기본계획의 '극지선도국'으로 설정하는 것이 타당하다. 더욱이, 해양수산부는 2018년 12월에 남극연구활동진흥기본계획과 북극활동진흥기본계획으로 분리되어 수립되고 있는 국가계획을 '극지'라는 공통가치로 통합하는 극지기본계획 수립 기반 마련과 향후 30년의 한국의 극지정책 장기청사진인 '2050 극지비전'에서도 '2050년 극지선도국가'를 비전으로 설정하였다. 이러한 결과를 근거로 할 때, 우리나라의 최근 국가 극지비전은 '극지선도국'으로 수렴될 수 있다.

다음으로 주제 범위를 고려할 때, 남극 기본계획은 주로 과학연구에 초점이 맞춰진 데 비해, 북극 기본계획은 과학연구 외에도 항로, 조선, 원주민 등 정치, 경제, 사회적인 주제를 다루고 있으므로, '남극의 기본계획'을 더 포괄적인 '북극 기본계획'으로 포함시키는 게 더 타당하다. 그래서, 첫 번째 통합방식으로 앞서 〈표 1-7〉에서 제시된 '우리나라 북극정책 모형'의 4대 축을 기준으로 가장 최신의 남·북극 기본계획인 2017년 제3차 남극연구활동진흥기본계획의 7개 세부과제[69]와 2018년 북극활동진흥기본계획의 30개 세부과제를 수평으로 재배열한 후 통합하면 아래 〈표 1-8〉과 같다.

〈표 1-8〉 북극정책 모형 4대 축을 기준으로 분류·통합된 남북극 기본계획 세부과제

북극정책 모형 4대 축	제3차 남극연구활동기본계획('17-'21)	북극활동진흥기본계획('18-'22)
국제협력 강화	· 남극 거버넌스 리더십 제고 內 1개 세부과제 : 7남극 환경보호 및 연구협력의제 발굴·선도(남극 거버넌스: ATCM, CCAMLR, 등에서 이슈 발굴 및 논의 주도)	· 북극이사회 협력 강화: 內 4개 세부과제 : ⑪북극이사회 규범화 대응체계 구축, ⑩북극이사회 협력사업 추진, ⑫한국북극아카데미 정례화, ⑬북극이사회 전문가 네트워크 운영 · 국제협의체 참여 확대 內 3개 세부과제 : ⑭북극써클 및 북극프론티어 참여확대, ⑮북극협력주간 개최, ⑯북태평양 북극컨퍼런스 운영 · 북극파트너십 구축 기반 마련 內 1개 세부과제 : ⑰ 북극 교류협력 플랫폼 구축
과학연구 강화	· 남극연구 지평확대 內 2개 세부과제 : 1남극연구를 통한 글로벌 환경변화의 예측·대응, 2 남극 내륙진출과 미지·미답의 연구영역 개척 · 남극연구 지원기반 선진화 內 1개 세부과제 : 4남극활동 안전시스템 및 연구인프라 고도화 등 1개 과제 · 남극 거버넌스 리더십제고 內 2개 세부과제 : 6남극 과학연구 분야의 국제협력을 통한 파트너십 강화(협력거점 설치, 해외센터 운영, 국제공동연구), 7남극 환경보호 및 연구협력의제 발굴·선도(남극환경변화 감시 및 연구, 기지 친환경 관리)	· 북극 환경 관측활동 강화 內 3개 세부과제 : ⑱북극환경 통합관측, ⑲아북극권과의 환경네트워크 구축, ⑳과학분야 양자·다자 간 핵심 협력기반 확대 · 북극 기후분석과 미래 환경 대응 內 1개 세부과제: ㉑북극기후 분석 및 미래변화 예측 · 연구활동 기반 확충 內 3개 세부과제: ㉒극지환경 재현 실용화협력관 건립, ㉓제2 쇄빙연구선 건조 추진, ㉔극지 연구인프라 공동활용체계 구축
경제·비즈니스 창출	· 남극연구 지평확대 內 1개 세부과제: 3실용화·상용화 및 4차 산업혁명에 대응하는 융·복합 연구 추진	· 북극 진출 협력기반 마련 內 2개 세부과제 : ①북극경제이사회(AEC) 협력 강화, ②조선 수주 확대 및 북극 신산업 발굴 지원 · 북극항로 개척 등 해운물류 협력 內 4개 세부과제 : ③북극항로 이용 활성화 지원, ④북극물류 인프라 및 복합물류 네트워크 구축 참여, ⑤북극권 운송 참여 및 북극항로 시범운항 추진, ⑥북극해 안전운항 연구 및 북극항로 해운정보센터 운영 · 에너지·자원 개발 협력 內 1개 세부과제: ⑦북극권 에너지·자원 개발 협력 · 수산 협력 內 2개 세부과제: ⑧북극해 수산자원조사 및 국제협력, ⑨수산물류가공 복합단지 조성 추진

---

69) 본 논문의 〈표 1-5〉 참조

북극정책 모형 4대 축	제3차 남극연구활동기본계획('17-'21)	북극활동진흥기본계획('18-'22)
기반 구축	·남극연구 지원기반 선진화 內 1개 세부과제: ⑤남극연구 진흥을 위한 인적역량 강화 및 국민저변 확대	·제도적 기반 및 청사진 마련 內 1개 세부과제 : ㉕극지활동진흥법 제정 및 미래 청사진 마련 ·전문인력 양성 內 2개 세부과제: ㉖인력양성 기반 강화, ㉗북극연구컨소시엄 활성화 ·북극 홍보 강화 內 3개 세부과제: ㉘북극정보 고도화사업 추진, ㉙북극 과학·문화 대국민 홍보 강화, ㉚극지타운 조성

이 〈표 1-8〉에서의 남북극 기본계획의 각 세부과제를 각 축을 기준으로 묶는다고 가정했을 경우, 남극연구활동진흥기본계획의 세부과제들은 과학연구과제 비중이 높고 나머지 3개 축을 기준으로 모두 1개씩 과제가 포함된 반면, 북극활동진흥기본계획은 4개 축 분류기준 모두 세부과제들이 고루 분산되어 있음을 알 수 있다. 또한 북극이 정치, 경제(산업), 과학 등 다양한 이슈를 포괄하고 있는 반면 남극은 과학연구 중심이므로, 정부 정책 과제에서도 북극연구활동진흥기본계획의 세부과제가 30개인 반면, 남극연구활동진흥기본계획은 7개였다. 따라서 남북극 기본계획을 통합할 경우 과학분야는 남·북극의 세부과제들이 비슷한 비중을 차지할 것으로 보이나, 다른 분야는 북극의 세부과제들이 많은 비중을 차지하고 있다. 앞서 북극정책 모형의 4개 축으로 나눈 세부과제 내용을 비교해보면, 국제협력 강화 부문에서는 남북극 기본계획 모두 정부 간 국제기구 활동을 중심으로 글로벌 이슈 대응 및 회의 참가, 이슈 발굴 및 대응 등의 활동이 추진과제로 제시되어 있다. 다만, 북극 기본계획에서는 전문가 네트워크 운영이나 협력 플랫폼 운영, 국가와 민간이 함께 하는 국제회의 참가 등 협의체 참여 확대를 위한 지원 활동도 포함되어 있어 남극 기본계획보다 더 광범위하다. 두 번째, 과학연구 강화 부문에서는 과학연구 및 모니터링 활동 외에도 과학연구 지원을 인프라(쇄빙연구선, 실용화협력관 등) 구축 등의 기반 확충도 공통으로 포함돼 있다.

특히, 환경 및 기후변화 통합 관측 등 남극과 북극의 공통사업도 포함되어 있어 양 기본계획을 통합할 경우 시너지를 낼 것이다. 세 번째, 경제·비즈니스 창출 부문에서는 남극 기본계획에서 4차 산업혁명과 실용화 대응 융복합 연구 추진이 중심인 반면, 북극에서는 실질적 산업경제활동 즉, 조선 수주 및 신산업 발굴 지원, 북극물류 및 인프라, 에너지 자원 개발, 수산 협력 등 광범위한 분야와 내용을 담고 있다. 남극 부문에서는 극지연구소를 중심으로 바이오연구 및 실용화가 추진되고 있으며, 또한 우리나라가 1970년대 남극 크릴에 대한 첫 시험 조업 후, CCAMLR 회원국으로서 어획 쿼터를 할당받아 남극 크릴과 메로(이빨고기) 등의 수산업 및 관리활동을 하고 있다.[70] 이같은 활동을 대상으로 하는 세부 계획이 '경제·비즈니스 창출' 부문에서 추가되어야 할 것이다. 즉, 남극수산생물자원의 지속적인 관리 및 수산업 강화 방안 등의 경제(산업)과 연계된 주제는 향후 통합기본계획 수립 시 세부 기본과제로 확충할 필요가 있다. 다만 남극조약 및 마드리드의정서 등 남극 국제규범에 따라 북극에서와 같은 다양한 분야의 활동을 하는 데에는 제약이 많아 세부과제 추가에 한계가 존재한다고 할 수 있다. 넷째, '기반구축'에서는 남극 기본계획과 북극 기본계획 모두 인적역량 강화(전문가 양성)와 대국민 홍보 및 저변 강화 등의 공통 세부과제들을 포함하고 있다. 그래서 기반구축에서도 두 기본계획을 통합하여 추진하면 기반구축과 관련된 세부계획에서 정책 시너지를 창출할 것으로 기대된다.

남북극 기본계획의 두 번째 통합방식으로, 2018년 해수부가 남북극의 각 기본계획을 포괄하면서 국가 장기 극지청사진의 내용을 제시한 '2050 극지비전' 상의 7대 정책 방향을 기준으로 제3차 남극연구활동진흥기본계획과 북극활동

---

70) 2017년 기준 우리나라는 남극에서 34,500톤의 크릴을 어획함. 한국 통계청, 『2017년 어업생산동향조사』, 2018, p. 6.

진흥기본계획의 세부과제들에 대한 재분류를 하여 통합을 검토하였다. 먼저, 7
대 정책 방향은 아래 〈표 1-9〉와 같이 '극지의 지속가능한 개발과 자원의 합리
적 이용', '극지와 상생하는 미래신산업 육성', '극지환경보호를 위한 국제사회
노력에 동참', '북극 원주민 등 지역사회와의 교류 확대', '극지로부터 기후변화
에 선제적 대응 정책 추진', '극지연구 혁신과 실용화 성과 창출', '연구인프라 확
충과 전문인력 양성' 등이다.

〈표 1-9〉 2050 극지비전 '7대 정책방향'을 기준으로 분류 · 통합된 남 · 북극 기본계획 세부과제

'2050 극지비전' 7대 정책방향	'제3차 남극연구활동진흥기본계획'(2017-2021)과 '북극활동진흥기본계획'(2018-2022) 상의 세부과제
1. 극지의 지속가능한 개발과 자원의 합리적 이용	· 북극 진출 협력기반 마련 內 2개 세부과제: ①북극경제이사회(AEC) 협력 강화 및 ②조선 수주 확대[71] · 북극항로 개척 등 해운물류 협력 內 3개 세부과제: ③북극항로 이용 활성화 지원, ④북극물류 인프라 및 복합물류 네트워크 구축 참여, ⑤북극권 운송 참여 및 북극항로 시범 운항 추진 · 에너지 · 자원 개발 협력 內 1개 세부과제: ⑦북극권 에너지 · 자원 개발 협력 · 수산 협력 內 2개 세부과제: ⑧북극해 수산자원조사 및 국제협력, ⑨수산물류가공 복합단지 조성 추진
2. 극지와 상생하는 미래 신산업 육성	· 북극 진출 협력기반 마련 內 1개 세부과제: ②북극 신산업 발굴 지원
3. 극지환경보호를 위한 국제사회 노력에 동참	· 북극이사회 협력 강화 內 4개 세부과제: ⑩북극이사회 협력사업 추진, ⑪북극이사회 규범화 대응체계 구축, ⑫한국북극아카데미 정례화, ⑬북극이사회 전문가 네트워크 운영(북극) · 북극파트너십 구축 기반 마련 內 1개 세부과제: ⑰북극 교류협력 플랫폼 구축 · 국제협의체 참여 확대 內 3개 세부과제: ⑭북극써클 및 북극프런티어 참여확대, ⑮북극협력주간 개최, ⑯북태평양 북극컨퍼런스 운영 ----------------------------------- · 남극 거버넌스 리더십 제고 內 1개 세부과제: [7]남극 환경보호 및 연구협력의제 발굴 · 선도(ATCM, CCAMLR, 등에서 이슈 발굴 및 논의 주도)

---

71) 세부과제 2의 '조선 수주 확대와 북극 신산업 발굴 지원'에서 "조선 수주 확대"는 신산
업이 아닌 기존의 경제/산업 파트에 해당되므로 '극지의 활용과 자원이 이용'에 배치
하고 , "신산업 발굴 지원"은 4차 산업혁명 등 연구혁신과 실용화 내용에 해당되므로
극지비전 7대 정책방향에서 '미래 신산업 육성' 부문으로 배치함.

'2050 극지비전' 7대 정책방향	'제3차 남극연구활동진흥기본계획'(2017-2021)과 '북극활동진흥기본계획'(2018-2022) 상의 세부과제
4. 북극 원주민 등 지역 사회와의 교류 확대 및 신뢰 구축	無 (과제 제목 자체로 직접 해당되는 세부과제는 없으나 '극지환경보호를 위한 국제사회 노력에 동참' 등 일부 세부과제 내용에서 동 정책방향과 연계 가능, 남극에는 해당사항 없음)
5. 극지로부터의 기후변화에 선제적 대응 정책 추진	·북극 환경 관측활동 강화 內 3개 세부과제: ⑱북극 환경 통합관측, ⑲아북극권과의 환경네트워크 구축, ⑳과학분야 양자·다자 간 핵심 협력기반 확대 ·북극 기후분석과 미래 환경 대응 內 1개 세부과제: ㉑북극기후 분석 및 미래변화 예측 ---------- ·남극연구 지평확대 內 2개 세부과제: ①남극연구를 통한 글로벌 환경변화의 예측·대응, ②남극 내륙진출과 미지·미답의 연구영역 개척(남극) ·남극 거버넌스 리더십제고 內 2개 세부과제: ⑥남극 과학연구 분야의 국제협력을 통한 파트너십 강화(협력거점 설치, 해외센터 운영, 국제공동연구), ⑦남극 환경보호 및 연구협력의제 발굴·선도(남극환경변화 감시 및 연구, 기지 친환경 관리) ·남극연구 지원기반 선진화 內 1개 세부과제: ④남극활동 안전시스템 및 연구인프라 고도화
6. 극지연구 혁신과 실용화 성과 창출	·북극항로 개척 등 해운물류 협력 內 1개 세부과제: ⑥북극해 안전운항 연구 및 북극항로 해운정보센터 운영 ---------- ·남극연구 지평확대 內 1개 세부과제: ③실용화·상용화 및 4차 산업혁명에 대응한 융·복합 연구 추진
7. 남극 내륙 제3 과학기지 등 연구인프라 확충과 전문인력 양성	·연구활동 기반 확충 內 3개 세부과제: ㉒극지환경 재현 실용화협력관 건립, ㉓제2 쇄빙연구선 건조 추진, ㉔극지 연구인프라 공동활용체계 구축 ·제도적 기반 및 청사진 마련 內 1개 세부과제: ㉕극지활동진흥법 제정 및 미래 청사진 마련 ·전문인력 양성 내 2개 세부과제: ㉖인력양성 기반 강화, ㉗북극연구컨소시엄 활성화 ·북극 홍보 강화 內 3개 세부과제: ㉘북극정보 고도화사업 추진, ㉙북극 과학·문화 대국민홍보 강화, ㉚극지타운 조성 ---------- ·남극연구 지원기반 선진화 內 1개 세부과제: ⑤남극연구 진흥을 위한 인적역량 강화 및 국민저변 확대

'극지비전 2050'의 7대 정책방향을 기준으로 제3차 남극연구활동진흥기본계획과 북극활동진흥기본계획상의 세부과제들을 〈표 1-9〉와 같이 분류한 결과, 7대 정책방향 중 5대 정책방향에서는 남북극 기본계획 세부과제들이 공통으로 포함되었다. 첫째의 '극지의 지속가능한 개발과 자원의 합리적 이용'에서는 북극의 경제활동 창구인 '북경제이사회'를 통한 북극진출 협력기반 마련,

북극항로 활용과 물류 참여, 항만과 같은 북극권 인프라 구축 참여, LNG수송 쇄빙선과 같은 특수선박 해외수주 확대, 북극권 해저지층·에너지자원 탐사를 위한 내빙선 '탐해 3호 건조'와 러시아 북극 Arctic LNG-2 참여 검토 등의 '북극 에너지·자원 개발 협력', '북극 수산업 참여 및 블라디보스토크에 수산물류가공 시설 조성' 등의 실질적인 북극권 경제활동 참여·협력과 기반 구축이 포함되었다. 다만, 남극 기본계획상의 세부 계획 중에 '지속가능개발과 자원의 합리적 이용'에 포함되는 세부계획은 없었다. 세 번째에 위치한 '극지환경보호를 위한 국제사회 노력에 동참'에서는 실제 과학연구 수행을 제외하고, 남북극 관련 국제기구에서 정부 간 노력과 정부 간 회의 참가 및 대응이 주된 과제들로서 북극이사회나 남극조약협의당사국회의, 남극해양생물자원보존위원회(CCAMLR) 등과 같은 정부 간 회의 대응과 의제 발굴 및 주도, 그리고 정부와 전문가 집단이 교류하는 국제 컨퍼런스인 '북극서클' 및 '북극 프런티어' 참가 및 대응, 매년 12월 개최되는 '북극협력주간'과 같은 국내 회의 개최 등이 포함되었다.

다섯 번째의 '극지로부터의 기후변화 선제적 대응정책 추진'에서는 남·북극의 기후변화 및 환경변화 연구와 변화 예측, 연구협력 의제 발굴, 남극 내륙 진출 진출과 미답지 개척, 연구협력거점 및 해외센터 운영 등 실질적 연구와 연구과제 발굴, 공동연구를 위한 협력거점 구축과 공동연구를 위한 국제협력, 그리고 유·무형 연구인프라 구축으로 실용화협력관 건립, 제2쇄빙연구선 건조 및 인프라 공동활용체계 구축, 남극활동 안전시스템 및 연구인프라 고도화 등이 포함되었다. 여섯 번째의 '극지연구 혁신과 실용화 성과 창출'에서는 북극해에서 '항행안전을 위한 국제공동 연구' 추진, 그리고 북극항로 정보 운송시장 분석과 정보교류를 위한 '해운정보센터' 구축·운영' 등이 포함되었고, 남극 부문에서는 남극 생물자원 활용 바이오 연구와 극한지 장비 로봇 관련 기술개발 등이 중심인 '실용화 · 상용화 및 4차 산업혁명에 대응한 융복합 연구 추진' 과제가 포함되었다.

일곱 번째의 '연구인프라 확충 및 전문인력 양성'에서는 전문인력 양성에서는 '북극연구 컨소시엄'(KoARC)의 북극 정책의 싱크탱크로 육성 남 · 북극 전문인력 양성이나 국민 홍보 · 저변 확대 등이 포함되었다.

한편, 두 번째의 '극지와 상생하는 미래신산업 육성'에서는 북극 부문에서 4차 산업혁명 기술의 북극 적용검토와 극한지 건설과 에너지 개발용 기술 · 소재 · 재료 · 장비 개발 등의 '신산업 발굴 지원'이 포함되었으나, 남극 기본계획에서는 해당 세부과제가 없었다. 더욱이 여섯 번째의 '북극 원주민 등 지역사회와의 교류 확대 및 신뢰 구축'에서는 남북극 기본계획의 세부과제 중 제목을 기준으로 직접 해당되는 과제는 없었고, 북극 기본계획에서 국제협력 강화 중의 '한국북극아케데미 정례화'를 통한 일부 북극 원주민 학생 초청이나 북극 이사회 협력사업 중에 북극원주민 협력과제 수행 등이 일부 연계되어 있는 수준이다. 결국 현재 남북극 기본계획상의 세부과제들을 기준으로 볼 때, '극지와 상생하는 미래 신산업 육성', '북극 원주민 등 지역사회와 교류 확대 및 신뢰 구축' 등의 2개 정책방향이 7대 정책 방향의 한 축으로 자리 잡기 위해서는, 이 두 정책방향을 목표로 하는 세부과제들이 추가되거나, 7대 정책방향의 재검토가 필요하다고 할 수 있다.

마지막 세 번째 통합방식으로, 서현교(2019)[72]가 국내 전문가 설문조사를 위해 설계한 '극지 미래 20대 도전과제'를 기준으로 하여 제3차 남극연구활동진흥기본계획의 7대 세부과제와 북극활동진흥기본계획의 30대 세부과제를 내용상 상호 연계하여 도식화하면 아래 [그림 1-3]와 같다.

---

72) 서현교(2019), op. cit., p. 57. 〈표 6〉 참조.

[그림 1-3] '극지에 대한 미래 20대 도전과제'와 '남북극 기본계획 세부과제'간 연계도

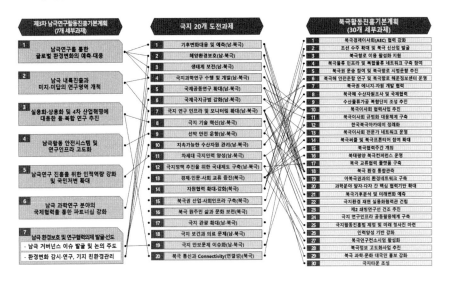

이 [그림 1-3]의 결과를 살펴보면, 극지에 대한 미래 20개 도전과제 중에 최근에 수립된 남북극 세부과제와 연계되지 않는 '극지관광 확대'이나 '극지 보건 및 의료' 등의 도전 과제가 있음을 알 수 있다. 따라서 통합 기본계획에서는 미래 도전과제를 사전에 대비하는 세부과제 또는 세부사업 개발이 필요하다고 하겠다. 또한 그림의 가운데 배치된 '20개 도전과제'와 좌우의 '남북극 기본계획의 각 세부과제' 간에 내용상 연계된 것을 기반으로 하여 상호 연결을 시도하였다. 따라서 각 20개 도전과제 해결을 위한 해당 세부과제라고 하기에는 부족한 점이 있다. 그럼에도 이 그림은 향후 남북극 기본계획 수립 시, 도전과제를 상위 요소로 놓고 이를 해결하기 위한 하향식(Top-down) 사업 단위 성격으로서, 기본계획의 세부과제를 개발하고 수행할 수 있다는 장점과 함께 구체적인 도전문제 해결형 과제로 운영할 수 있을 것이다.

V. 결론

정부의 남북극통합기본계획 추진과 관련해, 해외연구사례를 살펴본 결과 남북극을 통합한 극지정책을 추진하거나 이를 분석한 연구사례가 거의 없었고, 남북극 실정에 맞게 각각의 차별화된 전략을 구사하였으며, 이에 남북극 차별화 정책에 대한 연구분석을 한 연구사례가 대부분이었다. 따라선 이런 점을 고려할 때 통합기본계획의 추진은 전략적으로 재검토가 필요하며, 또한 아직 우리나라가 극지분야 활동이나 연구에서 아직도 선진국과의 격차가 있는 점을 고려하여 통합기본계획에 대한 추진이 이러한 격차를 줄일 수 있는 지 여부도 고려되어야 할 사안이다.

이런 관점들이 고려된 후 통합기본계획이 추진된다고 할 때, 본 논문은 현재 상황과 수립된 계획들을 기반으로 하여 통합방안의 아이디어를 제시하였다. 먼저 우리나라의 남극정책으로 대표되는 '남극연구활동진흥기본계획'은 1950년대부터 국제사회가 남극의 보호와 과학활동을 위해 체계화한 국제규범의 틀에 대한 대응과 협력을 위해 제정된 남극활동및환경보호에관한법률에 기반하여 수립된 법정 국가계획이다. 반면, 북극활동진흥기본계획은 남극과 같은 국제법적 틀이 아닌 북극권 국가 간의 반폐쇄적인 거버넌스 체계인 '북극이사회'라는 외교적인 포럼에 공식 참여하면서, 이에 대응하고 협력하기 위해 정부가 수립한 비법정 기본계획이다. 이처럼 우리나라의 남북극 기본계획은 출발 성격부터가 다르지만 아직까지 남북극 기본계획이 원거리이자 혹한기후의 미답지역에서 과학연구 및 연구인프라 구축이 각 기본계획의 중심에 자리 잡고 있다. 또한, 정부 간 국제기구 대응과 협력, 그리고 관련 극지활동을 지원하기 위한 제도 기반구축과 인력양성, 대국민 인식제고 등이 공통과제로 제시되어 있다. 이와 함께 북극에서 경제활동 참여가 이제 막 도약 시기에 접어들었고, 남극에서도 수산업과 같은 일부 경제활동과 함께 극지바이오 산업을 주제로 한 연구가 진행되고 있어 우리나라의 극지경제활동 분야가 더욱 확대될 것으로 예상된다. 그래서 기본계획을 통합할 경우 정책적 시너지가 창출될 것이며, 더욱이 극지활동진흥기본계획에서 두 기본계획의 통합이 세부과제에 포함된 만큼 앞으로 정부에서 계속 통합계획 추진을 할 것이다.

그러나, 남극연구활동진흥기본계획은 법정계획이고 북극 기본계획은 비법정계획이어서 두 기본계획 간의 통합이나 북극 기본계획 추진의 당위성 및 기반을 제공하기 위해서는 관련 국내법 제정이 시급하다. 이에 남·북극 통합기본계획을 담은 극지활동진흥법이 이미 국회에 제출되어 있으나, 현재 법사위에 계류된 상태이며, 해양수산부도 '2050 극지비전' 선언을 통해 장기적인 차원의 남북극 통합정책의 의지를 표출하였다. 이같은 배경하에서 본 연구는 향후 우리나라 남북극 통합기본계획 수립의 학문적 기반을 제공하기 위해 우리나라 남극 기본계획 출범의 국제적 배경과 연혁 그리고 3차까지 수립된 기본계획의 내용을 분석하였다. 그리고 가장 최근의 남극 기본계획인 제3차 남극연구활동진흥기본계획과 가장 최근의 북극 기본계획인 북극활동진흥기본계획을 통합하는 시도를 하였다. 첫 번째로 선행연구에서 수립된 '우리나라 북극정책 모형'을 기준으로 두 기본계획의 세부과제들을 분류하여 나열하였으며, 두 번째로는 해수부가 2018년 수립한 '2050 극지비전의 7대 정책방향'을 기준으로 하여 두 기본계획의 세부과제를 분류하여 분석하였다. 그리고 마지막으로는 '극지에서의 미래 20개 도전과제'를 기준으로 세부과제를 분류하였다.

먼저, 우리나라 북극정책 모형이 제시한 4대 축을 기준으로 남북극 기본계획을 통합할 경우 과학분야는 남북극 분야가 비슷한 비중을 차지할 것으로 보이나, 국제협력 강화, 경제·비즈니스 창출, 기반 구축 등 다른 부문에서는 정치, 경제, 산업 등 당면 과제들이 훨씬 다양한 북극 기본계획의 과제들이 많은 비중을 차지할 것으로 보인다. 이는 남극연구활동진흥기본계획이 과학연구 중심이어서, 이같은 분석 결과는 당연한 결과라 할 수 있다. 두 번째로 2050 극지비전 상의 7대 정책방향을 기준으로 남북극 기본계획의 세부과제를 재분류하였다. 그 결과 7대 정책방향 중 5대 정책방향, 즉 △'극지의 지속가능한 개발과 자원의 합리적 이용', △'극지환경보호를 위한 국제사회 노력에 동참', △'극지로부터의 기후변화에 선제적 대응 정책 추진', △'극지연구 혁신과 실용화 성과 창출', △'남극 내륙 제3 과학기지 등 연구인프라 확충과 전문인력 양성' 등에는 남북극 기본계획상의 해당 세부계획들이 고루 포함되었다. 한편, 나머지 2개 정책방향 중 '극지와 상생하는 미래신산업 육성'에는 남북극 기본계획을 합하여 1개 세부과제만이 직접 포함되었으며, '북극 원주민 등 지역사회와의 교류 확대 및 신뢰 구축'에는 남북극 기본계획의 세부과제 중 제목만을 기준으로 직접적인 해당 과제가 없었으나, 북극이사회 협력사업 추진 등 다른 정책방향에 포함된 북극원주민 연계 사업이 일부 해당됨을 확인하였다. 따라서 통합 기본계획이 향후 추진된다면 7대 정책방향에 맞게 다양한 세부과제들이 개발되거나, 또는 현재 제시된 세부과제들이 편중되지 않고 포함될 수 있도록 7대 정책방향에 대한 검토가 수정이 필요하다고 할 수 있다. 마지막 세 번째 통합방식인 '극지에 대한 미래 20개 도전과제'를 중심으로 세부과제를 나열했을 때, 상당 부분의 내용이 연계되어 있음을 확인하였다. 이는 극지에 대한 도전과제 해결형 형태로 세부과제를 개발하고 추진·평가할 수 있다는 장점을 확인하였다.

이상의 3가지 통합방식 즉, '북극정책 모형의 4대 축'과 '2050 극지비전의 7대 정책방향', 그리고 '극지의 미래 20개 도전과제' 모두 남북극 기본계획 통합을 위한 이상적인 분류기준을 제시하고 있다고는 할 수 없으나, 향후 남북극 기본계획 통합을 위한 아이디어를 제시했다는 측면에서 의미가 있다고 할 수 있다. 또한 과학분야의 경우를 예로 들면, 남북극의 세부과제를 통합하여 수행할 경우, 기후·환경변화나 극한환경 연구에서 남북극에 대한 개별 성과 및 데이터를 상호 공유하고 협력하여 성과의 시너지를 기대할 수 있으므로, 남극과 북극의 이분적법 세부과제 수립이 아닌 통합적 관점으로 세부과제들이 개발되어야 할 것이다. 이는 남극과 북극으로 구분하여 세부계획을 개발하기보다 '극지'라는 용어로 통합 세부과제를 제안하는 방식이 될 것이다. 그리고 만약 통합극지계획이라는 용어로 기본계획이 수립될 경우 '극지경제분활동 분야 계획'은 자칫 우리나라가 남극에서도 경제활동 강화라는 계획으로 국제사회에 우려를 낳을 수 있어 사전에 충분한 검토가 요구된다. 또한 2050 극지비전의 7대 정책방향을 기준으로 남북극 기본계획의 세부과제를 구분해 본 결과를 검토한 결과, 7대 정책방향의 내용 자체가 더 정교하게 용어가 다듬어지고 상호 배타성을 명확히 갖도록 개선된다면, 남북극 통합기본계획의 기준틀로서 더 큰 의미를 갖게 될 것이다.

이와 함께 극지통합계획이 수립될 경우, 평화적인 목적의 이용을 추구하는 남극에 대해서 한국이 개발정책 추진이라는 오해와 경계심을 국제사회에 심어줄 수 있으므로, 계획 수립 시 세밀한 연구분석과 충분한 검토가 필요하다.

끝으로, 이같은 남북극 통합계획이 실현되기 위해서는 관련 법률 제정이라는 조건이 선행되어야 한다. 즉, 극지 과학연구를 비롯하여 정치, 외교. 경제(산업), 문화 등 다양한 방면에서 비약적인 발전을 통한 국익확보 및 국가위상을 제고하기 위해, 정부가 극지 중장기 계획을 체계적이고 안정적으로 수립할 수 있는 법적 기반 마련이 절실하다고 하겠다. 또한 통합기본계획을 추진하기 전에, 중국과 일본, 유럽 등 비북극권국가들과의 극지정책 비교를 통해 우리나라 극지정책 개선방향에 대한 시사점을 도출하는 후속 연구가 필요할 것이다.

〈참고문헌〉

김기순, "남극과 북극의 법제도에 대한 비교법적 고찰", 『국제법학회논총』, 대한국제법학회, 55(1), 2010.

김기순, 『남극환경보호의정서의 책임부속서에 관한 연구』, 안암법학 27, 2008.

김정훈, 백영준, "한국과 일본의 북극 연구 경향 및 전략 비교" 한국-시베리아센터, 『한국 시베리아연구』, 21(2), 2017.

박수진, 이창열, 김윤화, 『국가남극정책 추진전략에 관한 연구』, 한국해양수산개발원(KMI) 기본연구보고서, 2012.

서현교, "한국의 북극정책 과제 우선순위에 대한 평가와 분석", 『한국 시베리아연구』, 한국-시베리아센터, 23(1), 2019.

서현교, "우리나라의 북극정책 역사 성찰과 발전 방향", 김정훈 외, 『러시아 북극공간의 이해: 서북극권과 서시베리아의 지정, 지경 및 지문화적 접근』, 북극학회, 학연문화사, 2018.

이용희, "남극조약체제상 환경보호제도에 관한 고찰", 『해사법연구』, 한국해사법학회, 24(3), 2012.

이영진, "남극 및 주변해역에서 환경보호와 신남극조약체제", 『법학연구』, 충북대학교 법학연구소, 22(1), 2011.

정갑용, "남극환경보존체계에서 국제법연구", 박사학위 논문, 경희대학교, 2003.

최재용, 최준규, 최준영 (2004), "우리나라의 남극 환경영향평가제도 정착을 위한 연구", 『Ocean and Polar Research』, 한국해양과학기술원, 26(2), 2004.

최철영, 『남극조약 체제의 국내입법 방향연구』, 한국법제연구원 연구보고서, 2000-03, 2000.

과학기술부, 해양수산부, 『제1차 남극연구활동 진흥 기본계획』, 국가과학기술위원회 제출본, 2006.

교육과학기술부, 외교통상부, 농림수산식품부, 환경부, 국토해양부, 『제2차 남극연구활동진흥 기본계획(2012-2016)』, 2013.

미래창조과학부, 외교부, 환경부, 해양수산부, 『제3차 남극연구활동진흥기본계획('17-'21)』, 국가과학기술심의회 제출본, 2017.

한국 통계청, 『2017년 어업생산동향조사』, 2018.

남극활동및환경보호에관한법률(법률 15787호, 2018. 10. 16. 일부 개정), 외교부(국제법규과) 등

남극활동및환경보호에관한법률 시행령(대통령령 29685호, 2019. 4. 16. 일부개정), 외교부(국제법규과) 등

Aki Tonami, Arctic Policy of South Korea, *Asian Foreign Policy in a Changing Arctic- The Diplomacy of Economy and Science at New Frontiers*, Palgrave macillan, 2016.

Council of Managers of National Antarctic Programs(COMNAP), *ANTARCTIC STATION CATALOG*, COMNAP Secretariat, Christrchurch, New Zealand, 2017.

Kevin A. Hughes, Andrew Constable, Yves Frenot 외, "Antarctic environmental protection: Strengthening the links between science and governance", *Environmental Science & Policy*, Volume 83, 2018.

Kevin A. Hughes, Luis R. Pertierra, "Evaluation of non-native species policy development and implementation within the Antarctic Treaty area", *Biological Conservation*, Volume 200, 2016.

Ma Xinmin, "China's Arctic policy on the basis of international law: Identification, goals, principles and positions", *Marine Policy*, Volume 100, 2019.

Nengye Liu, Cassandra M. Brooks, "China's changing position towards marine protected areas in the Southern Ocean: Implications for future Antarctic governance", *Marine Policy*, Volume 94, 2018.

Njord Wegge, "The EU and the Arctic: European foreign policy in the making", *Arctic Review on Law and Politics*. Volume 3, 2012.

Nuraisyah Chua Abdullah, Rohani Mohd Shah 외, "Antarctic Tourism: The responsibilities and liabilities of tour operators and state parties", *Procedia - Social and Behavioral Sciences*, Volume 202, 2015.

Pavel Baev, "Russia's Arctic Policy and the Northern Fleet Modernization", *Russia/NIS Center*, 2012.

Peter J. May, Bryan D. Johns 외, "Policy Coherence and Component-Driven Policymaking: Arctic Policy in Canada and the United States", *The Policy Studies Journal*, Volume 33, No. 1, 2005.

Rob Huebert, "United States Arctic Policy: The Reluctant Arctic Power", *SPP Briefing Papers*, The School of Public Policy at University of Calgary, Volume 2/Issue 2, 2009

Rob Huebert, "Polar vision or tunnel vision: The making of Canadian Arctic waters policy", *Marine Policy*, Volume 19, 1995.

Rohani Mohd Shah, Zaliha Hj Husin 외, "Malaysia Strategies in Sustaining its Antarctic Endeavours", *Procedia - Social and Behavioral Sciences*, Volume 202, 2015.

Valeriy P. Zhuravel, "China, Republic of Korea, Japan in the Arctic", *Arctic and North*, No. 24, 2016

V. V. Lukin, "Russia's current Antarctic Policy", *The Polar Journal*, Volume 4, No. 1, 2014.

2050 극지비전 http://www.koreapolarportal.or.kr/data/etc/vision2050.pdf

극지활동 진흥법(안)

http://likms.assembly.go.kr/bill/billDetail.do?billId=PRC_K1A6R1H2S0Z1P1G7I2W7D0C9N8D2G9

북극활동진흥기본계획 http://www.kdi.re.kr/policy/ep_view.jsp?idx=179137&&pp=100&pg=2

북극 공해상 수색구조(SAR) 협력 협정

https://oaarchive.arctic-council.org/handle/11374/531

북극 유류유출오염 대비 및 대응 협정

https://oaarchive.arctic-council.org/handle/11374/529

북극 과학협력강화협정

https://oaarchive.arctic-council.org/handle/11374/1916

북극공해 비규제어업 방지협정

https://www.ejiltalk.org/the-2018-agreement-to-prevent-unregulated-high-seas-fisheries-in-the-central-arctic-ocean-a-primer/

북극곰 보호협정 http://pbsg.npolar.no/en/agreements/agreement1973.html

스발바르 조약 http://library.arcticportal.org/1909/1/The_Svalbard_Treaty_9ssFy.pdf

북태평양물개보호조약 https://www.loc.gov/law/help/us-treaties/bevans/m-ust000001-0804.pdf

환경보호에관한남극조약의정서 http://eng.me.go.kr/home/web/policy_data/read.do?menuId=10260&seq=35

환경보호에관한남극조약의정서(마드리드의정서) 부속서 https://www.ats.aq/e/ep.htm

남극물개보존협약(CCAS) https://documents.ats.aq/recatt/Att076_e.pdf

남극연구운영자위원회(COMNAP) https://www.ccamlr.org/en

국제사회 남극 월동기지 및 하계기지 위치도

https://www.comnap.aq/Members/Shared%20Documents/COMNAP_Antarctic_Station_Catalogue.pdf

남극연구과학위원회(SCAR) https://www.scar.org/

남극 해양보호구역(MPA) https://www.ccamlr.org/en/science/marine-protected-areas-mpas

남극해 MPA 9개 계획권역 https://www.ccamlr.org/en/science/mpa-planning-domains

남극 사우스오크니제도 해역 MPA http://www.mpatlas.org/mpa/sites/5283/

'Polar Code' http://www.imo.org/en/MediaCentre/HotTopics/polar/Pages/default.aspx

영국 '윌리엄 스미스' 선장 남극 첫 발견기록 웹사이트

http://northeastheroes.org/william-smith/

남극조약 영어 원문 https://documents.ats.aq/ats/treaty_original.pdf

남극해양생물자원보존협약(CCAMLR) https://www.ccamlr.org/en/organisation/camlr-
convention-text#I

우리나라 남극조약회의 개최

http://www.mofa.go.kr/www/wpge/m_4006/contents.do

남극광물자원활동규제협약(CRAMRA)https://www.state.gov/documents/organization/15282.pdf

국제과학연맹(ICSU) https://council.science/about-us

북극해 해빙(解氷)에 따른 한국의 북극정책

라미경*

1. 들어가며

북극해 얼음이 예상보다 빠른 속도로 소멸하면서 북극해 지역의 항로 이용 가능성이 높아지고 있다. 북극권의 지표면 온도는 꾸준히 증가해 왔다. 그런데 1990년대 이후부터 온난화의 진행 속도가 급격히 빨라지고 있다. 북극지역은 기후변화에 가장 민감하게 반응하고, 환경파괴에 따른 영향이 가장 심각하게 나타나는 지역이다. 이에 북극해 연안국 정부와 환경단체들은 지구 온난화에 따른 기후변화와 자원개발에 따른 환경오염을 경계하고 있다.[1]

북극 지역의 온도가 상승하는 데에는 여러 가지 원인을 들 수 있다. 저위도 지역의 따뜻한 공기가 대기에 의해 극지방으로 이동하고, 고온 해수가 해양 순환에 의해 북극해로 유입됨으로써 북극의 온도가 상승한다. 다른 원인으로 해빙 감소를 들 수 있다. 태양에너지를 반사하던 해빙(海氷)이 녹아내리면 태양에너지 흡수율이 높아지고, 이로 인해 다시 주변 지역의 빙하가 녹는 현상이 가속화되는 것이다. 1970년대 750만 제곱킬로미터였던 해빙 면적은 30여

※ 이 논문은 『북극연구』 17호에 게재된 것임

* 배재대학교 한국-시베리아센터 연구교수

1) 김예동, 서원상, "북극권 석유자원 현황 및 개발 전망," http://www.arctic.or.kr/?c=1/3 &cate=2&idx=290 (검색일: 2019.9.3.)

년 동안 300만 제곱킬로미터가 사라졌으며, 2012년 9월에는 400만 제곱킬로미터 이하로 감소했다. 이러한 급격한 감소는 과거 1,500년 동안 최근 20~30년 사이에 집중된 현상이다.[2]

북극권 접근 용이성이 확장되면서 연구공간의 지정, 지경 및 인문 환경의 급격한 변화가 일어나고 있으며, 동시에 국제사회에서 아태지역 경제권의 중요성이 강조되면서 북극권 진출의 통로 역할을 수행할 동해, 오호츠크 해와 베링 해에 이르기까지의 해양 공간에 대한 가치 급부상하고 있다.

이와 함께 연구지역은 중국의 '일대일로'와 '신 실크로드' 정책, 미국의 '인도태평양전략', 러시아의 '신동방정책', 일본의 우경화 정책, 북한의 비핵화 문제와 경제 제재 및 협력 등으로 인해 각국의 이해관계가 교차하는 공간이 되어가고 있다.[3]북극의 해빙이 감소되자 이를 둘러싼 북극권 국가는 물론 세계 주요국들이 북극에 매장된 자원에 깊은 관심을 집중하고 있다. 북극해를 선점하기 위한 영유권 쟁탈전이 첨예하게 대립되고 있다.

최근 우리정부는 북극관련, 제3차 한-러시아 북극협의회와 노르웨이 오슬로에서 한-노르웨이 북극 관련 연구기관 간 협력 MOU 체결(갱신 · 부속서 교환 포함) 행사 개최하였다. 러시아는 북극이사회 8개 회원국 중 가장 중요한 협력대상국 중 하나로, 우리나라와는 북극항로, 조선, 북극과학 등 다양한 분야에서 협력 중이다. 또한 노르웨이는 북극이사회 8개 회원국 중 하나로 북극이사회 및 북극경제이사회 이사국이자, 북극 원주민 사무국 소재지 국이며, 북극 관련 핵심 국제회의인 '북극 프런티어' 개최국으로서 우리나라와 북극 관련 협력 잠재력이 매우 큰 국가이다.

---

2) 김백민, "북극해 온난화에 따른 해빙감소,"http://www.arctic.or.kr/?c=1/3&cate=1&idx=284 (검색일: 2019.9.1)
3) 김정훈, "북극진출로의 지문화학적 연구의 필요성,"『북극연구』, 제16권, 2019, p.20.

따라서 이 글의 목적은 북극해 해빙을 둘러싼 각국의 이해관계가 얽히고 있는 시점에서 한국정부의 북극정책에 대한 방향을 제시하고자 하는데 있다.

2. 북극의 해양공간과 북극항로의 특징

북극에 대한 정의는 다양하나, 보통 북위 66.5도 이북지역 또는 영구동토층의 한계선을 지칭(면적 : 약 2,100만㎢, 지구 지표면의 약 6%)한다. 기후 측면에서는 7월 평균기온이 10℃ 이하인 곳을 통칭(북극해의겨울 평균기온은 영하 35℃~영하 40℃ 정도, 여름철 기온은 대체로 0℃ 내외)한다.

북극해는 북미 및 유라시아 대륙으로 둘러싸인 해양을 지칭 북극해는 세계 5대 대양의 하나로 면적이 1,400만㎢(지중해의 약 4배)이며 전 세계 바다면적의 약 3%를 차지한다. 평균 수심 1,200m, 최대 수심 5,400m이며 겨울철에는 대부분이 얼음으로 덮이나, 여름철에는 30% 수준으로 결빙해역이 축소된다. 전체 해역 중 약 82%(1,147만㎢)가 연안국의 영해 및 EEZ로 구성되어 있고, 공해는 약 18%인 253만㎢으로 추정된다.

전체 해역면적의 53%를 차지하는 대륙붕에는 막대한 양의 화석연료와 광물자원이 매장되어 있으며, 주변해역의 어족자원도 풍부하다. 전 세계 미발견 석유의 13%, 가스의 30%가 매장되어 있는 것으로 추정(美 지질연구소 '08)된다. 북극해 및 북태평양 등 인근 어장의 연간 총 어획고는 전 세계 약 40%(FAO '11)이며, 해수온도 상승으로 한류성 어족의 새로운 서식지로 부상하고 있다.

지구 온난화가 가속화됨에 따라 해빙(海氷)면적은 급감하고 있으며, 금세기 내에 북극권 결빙지역이 사라진다는 전망도 하고 있다. '12년 북극해 해빙(海氷)면적은 340만㎢ 수준('79년 위성관측 이래최소), 다년빙(多年氷) 비중도 60%('85)에서 40%('12) 수준으로 감소하고 있다.

온난화로 인한 북극의 변화는 석유, 가스 및 미네랄에 대한 더 많은 탐사를 가능하게 할 것이다. 영구 동토층이 녹는 온난화는 육상 탐사 활동에 어려움을 초래할 수 있다. 북극의 석유 및 가스 탐사 및 관광 (크루즈 선박)이 증가하면이 지역의 오염 위험이 높아진다. 얼음 덮인 물에서 기름 유출을 청소하는 것은 다른 지역보다 더 어려울 것이다. 주로 얼음 덮인 물에서 기름 유출을 청소하는 효과적인 전략이 아직 개발되지 않았기 때문이다.[4]

북극지역 석유, 가스 탐사자원량은 러시아 West Siberian Basin과 East Barents Basin, 그리고 미국 Arctic Alaska에 집중되어 있다. 러시아는 북극해 연안국 가운데 가장 적극적으로 북극지역에서 자원개발 사업을 전개하고 있다. 이미 육상매장지역에서는 파이프라인을 통해 석유, 가스가 국내는 물론 해외로 수출되고 있다.

북극을 연구하는 학자나 북극을 처음 접하게 되는 일반인들에게 북극이나 북방항로 북극항로를 구분하는 것은 쉽지 않다. [그림 1-4]에 나타나듯이 북극항로는 북동항로와 북서항로 그리고 북극점 경유 항로를 일컫는다.

러시아는 공식적으로 북동항로의 노선을 다음과 같이 밝히고 있다. 동부 노선 북방항로(NSR: Northern Sea Route)의 해역은 서쪽의 노바야 제믈랴(Но́вая Земля́)제도의 동부해안 '미스 젤라니아 곶(Cape Mys Zhelania)'과 마토치킨(Matochkin)해협, 카라(Kara) 해협, 유고르스키 샤르(Yugorski Shar) 서부 경계선부터 자오선 기준으로 동쪽으로 미국의 해양국경선과 평행선을 이루는 베링해협과 데쥬네프 곶(Cape Dezhnev)까지이다. 북방항로 해역 구

---

4) CRS Report, "Changes in the Arctic: Background and Issues for Congress,"Updated August 23, 2019. https://fas.org/sgp/crs/misc/R41153.pdf (검색일: 2019.9.11.)

간은 카라해, 랍테프 해, 동시베리아해, 축치해를 통과한다.

[그림 1-4] 러시아 북극항로

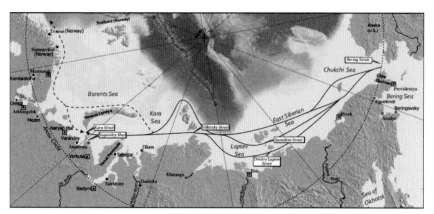

출처: https://www.researchgate.net/figure/Map-of-the-Russian-and-Norwegian-Arctic-coasts-showing-the-NSR-solid-line-and-its_fig1(검색일: 2019년 8월 19일)

이 구간은 서쪽 유고르스키 샤르(Yugorskiy Shar)해협과 카르스키예 보로타(Karskiye Vorota)를 통과하거나 혹은 미스 젤라니아 곶 주변에 위치한 노바야 제믈랴 제도의 북쪽을 통과하여 동쪽 베링해협으로 이어진다. 북방항로 구간의 길이는 약 3,000해리이지만 실제 길이는 얼음 상황과 이 노선의 다양한 신축성의 선택에 따라 달라질 수 있다. 이 노선의 연간 항행 시즌은 얼음의 상황에 따라 유동적이며, 보통 7월 초부터 11월 중순까지 가능하다. 북방항로는 역사적으로 러시아연방의 국가 운송로로서 국제법, 국제협정, NSR 러시아연방법, 기타 연방과 법적규제에 따라 운용되고 있으며, 러시아의 북부 내해, 영해, 배타적 경제수역(EEZ)으로 간주되고 있다. 현재 러시아는 북방항로를 통과하는 선박의 사전 허가권, 통과/이용비용, 쇄빙선[5]과 파일로트 지원을 요

5) 쇄빙선(Ice Breaker Vessel)은 빙해역에서 타선의 지원 · 구원 · 조사 등의 목적을 위해

구하고 있다.[6]

북극해를 지나는 북극항로는 수에즈 운하를 경유하는 현재 항로보다 거리가 짧아 항해일수와 물류비를 크게 단축할 수 있다는 장점이 있다. 북동항로(NEP: Northeast Passage)는 출발지나 목적지 항에 따라 수에즈운하보다 20-40% 거리를 단축시킨다. 북동항로를 이용한 운항은 쇄빙선 이용료를 포함할 경우 운항원가가 수에즈운하를 이용하는 것보다 최소 25%에서 최대 160%까지 증가하는 것으로 나타나고 있다. 북극항로의 과다한 통행료 기준은 항로 절감으로 인한 선박운영비용 절감효과를 상쇄하여, 선사의 원가 부담을 가중시키고 나아가 운임에 영향을 끼치게 될 것이므로 북극항로의 활용 가능성을 낮게 하는 요인이 된다.

따라서 러시아는 북극해의 해빙으로 인한 상시운항이 가능한 시기까지는 쇄빙선의 이용료를 대폭 인하하여 북극항로의 활성화를 모색할 필요가 있다.

북동항로의 특징은 항로에 얼음이 존재하고 기후변화로 인한 유빙으로 얼음의 움직임이 더욱 가변성을 띠고 있다는 점이다. 또한 현재의 해빙상황으로는 연중 상시 항해가 어렵기 때문에 쇄빙선박이 본격적으로 운항되기까지는 쇄빙선을 활용해야 한다. 따라서 쇄빙 능력을 높이면서 보다 빠른 속도를 낼 수 있는 선박의 개발과 유빙과의 충돌에 대비해 선체의 견고성을 높이기 위한 선체의 문제, 그리고 극한 환경에 견디기 위한 선박기자재 문제 등이 북동항

적극적으로 빙행을 할 수 있는 구조와 기능을 가지고 있는 선박으로 북극해와 같은 영하 40℃ 이하의 빙해 환경에 맞춰 설계된다. 쇄빙선은 용도에 따라 빙해역에 수로를 만들어 다른 선박의 항행을 유도하는 유도쇄빙선과 단독으로 개별적으로 활동을 추진하는 단독쇄빙선으로 구분되며, 북극해를 항행하는 선박은 이들 쇄빙선과 함께 수척의 빙해선박이 선단을 이루어 해상수송을 담당하고 있다.

6) 한종만, "러시아 북극권 지역에서의 자원/물류 전쟁: 현황과 이슈," 『한국 시베리아 연구』, 제18권 1호, (배재대학교 한국-시베리아센터, 2014), pp. 7-8.

로의 상업적 이용을 활성화하기 위한 주요 과제가 된다.[7]

북동항로 동부구간은 바렌츠 해와 카라해를 구분하는 노바야 제믈랴 섬부터 추코트카 반도의 최북단 데쥬네프(Dezhnev) 곶까지 3,000 마일은 얼음으로 덮여 있기 때문에 쇄빙선의 호위 없이 북극해 구간의 항행은 불가능하다. 따라서 북동항로를 운항하는 외국 선박은 좋은 기상조건에서는 자체 항행이 가능하지만의 동절기에는 러시아의 도선서비스가 안전운항에 매우 중요하며, 필요 시 도움을 요청할 쇄빙선의 존재는 북동항로의 안전운항과 활성화에 매우 중요하다.

러시아는 1959년 세계 최초로 원자력을 추진력으로 사용하는 쇄빙선 '레닌'을 건조하였고, 이어 2007년에는 핵추진 쇄빙선 '승전 50주년 기념호(50 Let Pobedy)'를 건조했다. 현존하는 원자력 쇄빙선 중 가장 큰 것은 '승전 50주년호(50 Let Pobedy)'이다. 길이 159m, 폭 30m, 배수량 2만 5000톤 규모인 이 쇄빙선은 2.8m 두께까지의 얼음을 깨고 나아갈 수 있으며, 7만 5000마력의 힘을 지니고 있다. 최대 21. 4 노트로 항해하며 138명이 탑승할 수 있다.

3. 한국의 북극정책 추진 경과

우리나라가 처음 1978년 크릴 어획과 조사를 위해 남극 바다에 처음 진출한 지 40 여년이 되었다. 1988년 남극에 우리나라 최초로 세종과학기지를 설립하여 극지연구를 시작한지 30년이 되는 해이기도 하다. 1986년 세계에서

---

7) 예병환, "쇄빙선을 이용한 러시아 북극항로 활성화 방안," 『북극연구』, 제16권, 2019. pp. 24-25.

33번째로 남극조약에 가입하였고, 2014년에는 제2남극과학기지인 장보고기지를 세웠다. 2002년에는 북극에 다산과학기지를 개소했고, 2013년에는 북극이사회 옵서버국가의 지위를 획득했다. 2009년에 건조된 쇄빙연구선인 '아라온호'는 우리나라 극지역량을 한 단계 높였다. 2018년 1월 세종과학기지 준공 30주년을 기념해 문재인 대통령은 지난 30년의 극지정책의 성과를 미래 세대에 계승하자는 메시지를 전했다. 그리고 2018년 12월 해양수산부는 7대 정책목표와 19개 도전과제를 내용으로 하는 향후 30년간의 '2050 극지비전'을 수립했다. 이를 통해 현재 '남극연구활동진흥기본계획'과 '북극활동진흥기본계획'으로 나눠져 시행되고 있는 국가계획을 '극지'라는 공통된 가치를 기반으로 통합적으로 수행하기 위한 기반을 마련했다

우리나라는 2004년 '남극활동 및 환경보호에 관한 법률' 제정을 시작으로 2007년부터 '남극연구활동진흥기본계획'을 5년마다 수립하고 있으며, 2013년부터는 북극정책기본계획과 '북극활동진흥기본계획'을 통해 북극정책을 추진하고 있다. 이러한 성과에 힘입어 2016년에 한국해양수산개발원이 실시한 극지 분야 해양력 평가에서 우리나라는 극지활동 수행중인 53개 평가 대상국 중 11번째로 높은 평가 점수를 획득했다. 이처럼 우리나라는 최초로 극지에 진출한 이후 지난 40년 간 책임 있는 극지연구 및 정책 추진을 위한 협력 파트너로서 역할을 수행해 왔으며, 짧은 극지 진출의 역사에 비해 단기간에 세계 주요 극지국가와 어깨를 나란히 하고 있다.

우리나라의 선진 조선 기술력을 북극에 적용한 대표적인 사례로는 대우조선해양이 세계 첫 쇄빙 LNG선을 러시아에 인도한 사례가 있으며, 권오익 대우조선해양 상무는 자체 개발한 첨단기술을 소개했으며, 향후 20년 내에 LNG가 주요 선박추진연료로 부상할 것으로 전망한 바, 대우조선해양에서 건조하는 차세대 쇄빙LNG선에는 디지털화, 연결성이 강조된 스마트 솔루션 기술이

적용될 것이라고 밝히고 있다. 이외에도 현재 북극해에 적용될 우리나라 최초로 합성개구레이더(SAR)가 부착되어 있는 다목적실용위성 5호(KOMSAT-5)가 활용되어 날씨에 상관없이 전천후로 지구 관측이 가능한 사업으로 북극 운항, 얼음 및 적설 관측, 수색 및 구조 활동 등에 많이 기여를 할 수 있을 것으로 기대된다.

우리나라는 2013년 북극이사회 정식 옵서버 지위 획득 후 첫 북극정책기본계획을 수립했으며, 지난 5년간 제1차 기본계획의 대부분 과제들을 수행해 왔다. 2018년 수립된 두 번째 북극정책기본계획은 북극 미래와 기회를 여는 극지 선도국가로 우뚝 서는 것을 목표로 하고 있다.[8]

기본계획은 '북극의 미래와 기회를 여는 극지 선도국가'를 비전으로 △북극권과 상생하는 경제협력 성과 창출 △책임 있는 옵서버로서 북극 파트너십 구축 △인류 공동과제 해결을 위한 연구활동 강화 △북극정책 추진을 위한 역량 강화의 4대 전략을 마련해 2022년까지 추진할 예정이다.

주요 내용을 살펴보면 우선 북극권과 상생하는 경제협력 성과 창출을 위해 신북방정책의 '9개다리'(9-Bridges) 협력을 북극권까지 넓혀 러시아 조선소 현대화 협력 등을 통해 조선 수주를 확대해 나가기로 했다. 9개다리는 △가스 △철도 △항만 △전력 △북극항로 △조선 △일자리 △농업 △수산 등 9개 분야 산업분야를 의미한다.

북극경제 활성화를 위해 2014년 설립된 북극경제이사회 협력사업 추진으로 북극권 비즈니스 기회를 창출할 계획이다. 북극항로 시범운항 추진, 러시아 북극항로-내륙수로 이용 복합운송 물류루트 개발 등 해운·물류 분야에 진출하고, 북극항로 활성화에 대비해 '북극항로 해운정보센터' 구축·운영을 추

---

8) 김민수외 3인, "KMI 동향분석," vol. 104, 2018.

진한다.

러시아와 북극 LNG-2 프로젝트 협력, 물리탐사연구선 '탐해3호' 건조 등 북극권 에너지·자원 개발 협력을 추진하고, 수산물류가공 복합단지도 조성할 계획이다. 북극 연안국과 공동으로 에너지·광물 및 수산자원 조사를 실시해 과학적 검증과 파트너십 구축도 병행한다.

책임 있는 옵서버로서 북극 파트너십 구축을 위해 북극권의 핵심적인 국가 간 협의체인 북극이사회와의 협력을 강화한다. 올해 북극서클 지역포럼을 서울에서 개최하고, 내년부터는 북극프론티어 회의에 한국세션 설치를 추진하는 등 국제협의체 참여를 확대한다. 우리나라의 대표적인 국제행사인 '북극협력주간'(매년 12월 개최)을 세계적 수준으로 발전시키기 위한 상시사무국 설치도 추진한다.

4. 나오며: 정책제언

그동안 우리가 가장 취약한 부분이었던 국제협력 분야를 강화하기 위해 북극이사회 워킹그룹에 적극 참여하고 양자협의를 대폭 강화하는 등 책임 있는 옵서버 국가로서 역할을 수행하고 있다. 최근 체결된 북극공해상 비규제 어업방지협정에 한국이 처음 협상 단계부터 참여한 것은 대표적인 성과로 볼 수 있다.

첫 번째, 국제협력은 모든 북극권 국가뿐만 아니라 옵서버 국가들의 중요한 북극 정책 중 하나이다. 하지만 내부적으로 우리나라의 제도적 기반 확보를 위해 극지활동을 정부가 추진하고 있는 정책과 연계하여 북극진출을 강화해 나가야 할 것이다. 또한 북극권 및 비북극권 국가와의 북극문제 해결을 위한 국가 간 협력모델로서의 역할을 강화하고, 더불어 대국민 북극 인식 제고 및 참여 확대 플랫폼으로서의 균형 있는 내실화 도모 추진이 필요하다.

두 번째, 북극의 거버넌스 변화에 대응한 동향파악, 국제협력, 북극시장진출, 과학협력 등의 전 방위적 대응을 기반으로 하는 북극정책의 추진을 위해 현재 국회에 계류 중인 '극지활동진흥법' 제정이 시급히 이루어져야 한다. 아울러 북극 거버넌스이사회 동향을 지속적으로 모니터링 해나가야 할 것이다. 러시아, 캐나다 등 북극국가와 미국의 북동항로를 둘러싼 이견과 갈등이 여전히 불씨로 남아 있다. 또한 중국의 적극적인 북극 진출 행보를 부정적으로 보는 시각이 확대될 가능성도 존재한다. 북극을 중심으로 강대국의 경쟁이 치열해지게 되면, 우리나라의 옵서버 역할이 위축될 수도 있기 때문이다.

마지막으로 북극권 국가와 북극원주민 단체와의 북극진출에 대한 공감대 확보가 전제되어야 한다. 이러한 측면에서 해양수산부와 한국해양수산개발원(KMI)이 북극원주민을 주요 대상자로 운영하는 프로그램을 적극 홍보해야 한다.[9] 즉 '북극아카데미'와 아시아 유일의 북극협력 플랫폼인 '북극협력주간' 개최, 북극이사회 워킹그룹과의 협력사업, 북극 연구프로그램간 양자협력과 성과, 북극연구인력 교류사업 등 우리나라가 북극의 지속가능한 개발에 기여하기 위해 추진하는 북극협력 사업성과를 알릴 필요가 있다. 2018년 10월 북극규범 최초로 서명 당사국으로 참여한 '중앙북극해 공해상 비규제어업 방지협정(CAO 협정)'을 계기로 향후 북극질서 형성 과정과 관련 규범제정에 적극적으로 참여하는 것도 북극권 국가와의 공감대를 넓힐 수 있는 방안이 될 것이다.

---

9) 김민수외 6인, "KMI 동향분석," vol. 120, 2019.

〈참고문헌〉

김민수 외 3인, "KMI 동향분석," vol. 104, 2018.

김민수 외 6인, "KMI 동향분석," vol. 120, 2019.

김백민, "북극해 온난화에 따른 해빙감소,"

http://www.arctic.or.kr/?c=1/3&cate=1&idx=284 (검색일: 2019. 9. 1)

김정훈, "북극진출로의 지문화학적 연구의 필요성,"『북극연구』, 제16권, 2019.

예병환, "쇄빙선을 이용한 러시아 북극항로 활성화 방안,"『북극연구』, 제16권, 2019.

한종만, "북극권의 진출로 오호츠크 해와 베링 해 지역연구: 지속가능한 개발협력과 시사점,"
　　　『한국 시베리아 연구』, 제23권 1호, 2019.

CRS Report, "Changes in the Arctic: Background and Issues for Congress,"Updated August
　　　23, 2019.

https://fas.org/sgp/crs/misc/R41153.pdf (검색일: 2019.9.11.)

한국과 러시아의 북극개발 협력 가능성 모색

김정훈* · 백영준**

Ⅰ. 서론

러시아 정부는 북극항로와 주변지역의 자원을 적극적으로 개발하기 위해서 2014년 8개의 북극 거점지구를 지정했다. 그 8개의 거점지구 중에서 가장 활발한 활동을 보이는 지역이 야말로-네네츠 거점지역으로 러시아에서 생산되는 천연가스의 약 80% 정도(전 세계 매장량의 약 5분의 1)를 담당하고 있다.

동시에 이 지역은 현재 국제사회에서 큰 관심이 집중되고 있는 북극항로와 북극개발의 중심이 되고 있으나, 이 지역과 연관된 한국, 중국, 일본의 각종 전략과 정책 방향성은 다르게 나타나고 있다.

러시아와 상당 부분에 있어 이해관계가 부합하는 중국은 '일대일로' 차원의 '빙상실크로드(Polar Silk Road)'를 공식화하고 직접적으로 '야말 LNG'에 투자하고 있다. 그러나 한국과 일본은 미국의 러시아 경제제재에 직접적으로 포함되는 국가는 아니기는 하지만 미국의 영향을 강하게 받고 있는 상황이다. 이들 두 국가의 경우에 있어서도 '야말 LNG' 투자의 접근 상황에도 차이점이 나타나고 있다. 한국은 러시아에 LNG수송선만 수주하는 상태에서 '야말 LNG'

※ 이 논문은 전자저널 『북극연구』 19호에 게재된 것임
 * 배재대학교 교수, 한국-시베리아센터 소장
** 시베리아연방대학교 한국센터, 전임강사

에 직접 참여하지 않고 있지만,[1] 반면에 일본은 '야말 LNG'에 직간접적인 투자 형태로 프로젝트에 참여해 오고 있다.[2]

이에 따라 본 글에서는 일본의 대러시아 접근방법과 '야말 LNG'참여 방법을 분석하고자 한다. 이는 향후 이루어질 북극개발 과정에서의 한국과 러시아와 간의 협력 방법과 가능성을 모색하는 데 있어 적지 않은 영향을 줄 것으로 기대한다.

II. 러시아의 북극전략과 '야말 LNG'

21세기에 접어들면서 기후변화, 영토와 영해 문제, 자원 및 물류와 유통 등 여러 가지 요인으로 인해 북극에 대한 국제적인 관심 고조되고 있는 상황에서, 북극권에 가장 넓은 영토와 영해를 보유하고 있는 러시아는 북극권 개발을 국가의 중요한 정책의 하나로 내세우고 있다. 이의 일환으로 푸틴 대통령은 2013년 8월 2일 '2020년까지의 러시아연방공화국의 북극권 개발과 국가안보 확보 전략 2020'(СТРАТЕГИЯ развития Арктической зоны Российской Федерации и обеспечения национальной безопасности на период до 2020 года, 이하 '북극권 개발전략 2020'으로 칭함)'을 승인하였으며, 이는 2008년 9월 18일 메드베데프 전 러시아 대통령에 의해 인준된 '2020년까지와 미

---

1) Chosonbiz, "대우조선해양, LNG운반선 1척 수주…"올해 목표 32% 달성"" 2019. 6. 12https://biz.chosun.com/site/data/html_dir/2019/06/12/2019061201644.html (검색일: 2020. 2.20)

2) Chiyoda Corporation, "ヤマルLNGプロジェクト (第1系列、第2系列、第3系列)" https://www.chiyodacorp.com/jp/projects/yamal-nenets.html (검색일: 2020. 2.20)

래의 북극권 내 러시아연방공화국 국가정책 원론(Основы государственной политики Российской Федерации в Арктике на период до 2020 года и дальнейшую перспективу, 이하 '북극권 국가정책원론 2020'으로 칭함)'을 토대로 작성되었다.[3]

〈표 1-10〉 '북극권 개발 전략 2020'의 주요 목표:[4]

∨ 사회 및 경제적 개발: 에너지, 천연자원을 위한 거점 개발
∨ 군사 안보: 기존의 군사시설 유지 및 새로운 군사시설 확충
∨ 환경: 북극지역의 기후변화와 인위적인 오염에 대비/소수민족 대책
∨ 정보 및 통신: 러시아 국내외에서의 북극권 통합정보시스템 구축
∨ 과학기술: 북극권에 필요한 모든 연구보장
∨ 국제협력: 북극권 관련 국가들과의 win-win 할 수 있는 상호 협력적 활동 지향

〈표 1-10〉에서 나타난 것과 같이 러시아의 '북극권 개발전략 2020'은 북극권에 관련된 거의 모든 부분을 포함하고 있다. 이는 '북극권 개발전략 2020', '북극권 국가정책원론 2020' 등과 같은 러시아의 계획의 수립과 공포는 성공적인 실행여부와 상관없이 북극지역에 대한 러시아의 국가적인 관심을 나타내는 지표라고 인식된 상태에서 설계되었으며, 즉, 러시아가 북극권 지역에서 견고한 주권을 확립하는 것을 국가적 목적으로 하고 있음을 의미한다.

'북극권 개발전략 2020'의 원래의 계획은 2단계로 구성되어 있다. 그 첫 번째 단계는 2013 ~ 2015년까지로 북극에 관련된 법적, 정치적 그리고 경제적인 종합적인 개발 토대를 구축하는 것이며, 두 번째 단계는 2015 ~ 2020년까

---

3) 백영준, "북극 개발전략 2020 원문번역(1)", 『북극연구』, Vol. 3호, 2015, p. 77.
4) 백영준, "북극 개발전략 2020 원문번역(2)", 『북극연구』, Vol. 4호, 2015, pp. 162-183. 의 내용을 참고해서 정리한 것임.

지 북극항로의 발전을 위한 가이드라인 완료, 인접국가들과의 국제법적인 보장, 북극 환경문제, 소수민족문제, 북극권역 내의 사고 시 대응문제에 대한 대책 마련 등을 주요 내용으로 하고 있다. 그러나 '2014년 우크라이나 사태'로 촉발된 미국의 경제제재로 인해 계획 실현에 차질을 빚게 되었으며, 러시아 정부는 결국 전략을 수정하여 2017년 8월 31일 러시아 정부는 기존의 '북극권 개발전략 2020'을 2025년까지 연장하는 법안을 지정했다.[5]

'러시아 에너지전략 2035'에 따르면, 러시아 에너지부는 향후 러시아의 기존 천연자원(석유) 매장지의 연간 생산량은 약 23% 정도 감소할 것이며, 이에 해당하는 부족분을 북극권의 자원매장지 개발을 통해서 보충할 계획을 가지고 있다고 발표했다.[6] 이를 통해 러시아 에너지부는 원유 생산을 현 수준(5억 2,500만 톤, 2015년 기준)으로 유지하려고 하고 있다.

'북극권 개발전략 2020'계획이 공포될 시점에서, 당시 현행 법령에 기준하여 북극권 자원개발에 참여할 수 있는 기업으로 '로스네프트(Роснефть)', '가즈프롬(Газпром)'과 '가즈프롬네프트(Газпромнефть)' 등의 국영기업이 해당되었다. 당시 '로스네프트' 사는 북극권 대형 인프라 개발 및 자원 개발 계획이 있는 야말-네네츠 거점지역에는 탄화수소 매장량이 풍부한 바렌츠 해, 페초라 해, 카라 해, 야말 반도 및 기단 반도 등이 포함되어 있다고 발표했다.

그러나 위에서 언급한 바와 같이 2014년 우크라이나 사태와 미국의 경제제재, 세계 경기 둔화로 인해 2015년부터 이어지고 있는 저유가 체제 그리고 멀지 않은 미래로 예측되는 기존에 개발된 천연자원의 고갈이 예상됨에 따라서 러시아는 북극권 지역의 자원개발에 박차를 가하려고 노력하고 있지만 단독

---

5) 러시아 정부 문서 사이트: http://government.ru/docs/29164/ (검색일: 2019년 12월 7일)
6) 이주리, "러시아 에너지전략-2035'와 시사점", 『세계에너지시장인사이트』(제15-37호), 2015, pp. 3-13.

으로 북극해 대륙붕 자원개발을 하기에는 자본과 기술력이 부족하다는 현실적인 문제들에 직면하고 있다.

이를 극복하기 위한 방안으로, 러시아는 최첨단의 기술력과 막대한 자본이 필요한 북극권의 해양 시추보다 육지 시추를 선호하고 있는 추세이다. 이 과정에서 '야말 LNG'가 적극적으로 추진되게 되었으며, 노보텍 사가 러시아 정부로부터 이 지역의 개발을 위임받아 '야말 LNG'의 컨소시움을 통해서 투자를 받게 되었다. 2017년에 완료된 컨소시움의 회사와 지분 비율은 노바텍 50.1%, 토탈(Total) 20%, 중국국제석유공사(CNPC) 20%, 실크로드 펀드(Silk Road Fund) 9.9%이다.

이렇게 시작된 '야말 LNG' 프로젝트의 가시적인 성공 현상에 러시아는 자신감을 가지게 되었으며, 그 후속 사업으로 이어지고 있는 2022-2023까지 기단반도의 '알틱 LNG 2(Арктика СПГ 2)' LNG 프로젝트 컨소시엄 사업에도 박차를 가하고 있다.

Ⅲ. 일본의 북극개발 전략과 '야말 LNG' 프로젝트에 참여

일본의 국제문제연구소는 2013년 일본의 외무성으로부터 프로젝트를 수주 받아 "일본의 북극 거버넌스와 일본의 외교전략"이라는 보고서를 작성했다.[7] 이 보고서에 의거해 일본은 북극권에서 영향력을 강화하기 위한 다음과 같은 전략을 구축했다.

---

7) 김정훈, 백영준, "북극해 에너지 자원, 북극의 거버넌스와 일본의 역할", 『북극연구』 6호, 2016, pp. 136-150.

<표 1-11> '일본의 북극 거버넌스와 일본의 외교전략'의 주요 내용

∨ 북극 환경 유지에 필요한 기술개발: 예를 들어 구조신호체계 혹은 차가운 바다에서 기름 유출 등 이 되었을 때 방제기술 등
∨ 인재 육성: 일본극지연구소 기관을 통해서 북극 조건에서 일할 수 있는 전문인력을 양성.
∨ 이해관계가 있는 국제기구의 수장으로 일본인 대표 선출 지원: 예를 들어, 국제해사기구(IMO), 국제해양법재판소(International Tribunal for the Law of the Sea) 등
∨ 투자: 북극지역 내 자원 개발 및 인프라 구축에 투자를 통한 영향력 강화

이러한 전략 하에 일본정부는 에너지 수입처의 다각화와 지하자원의 메이저회사 육성 등을 정부주도로 지원하고 있으며, 다음과 같은 북극개발 사업에 참여하고 있다:

1) 플랜트 건설: 닛키(Nikki), 치요다공업건설(Chiyoda Corporation)

플랜트건설 분야에서 유명한 닛키는 치요다공업건설 및 프랑스의 토탈의 테크닙 FMC(TechnipFMC)와 함께 LNG 생산설비의 설계/조달/건설(EPC) 분야를 하청 받아 현재 운영 중

2) 제어시스템 및 안전계측 시스템 공급: 요코가와전기(Yokogawa Electric)

요코가와전기의 자회사인 '요코가와 유럽 솔류션즈'는 '야말 LNG' 프로젝트에서 사용되는 제어시스템과 안전계측 시스템을 납품 중

3) 파이넌스: 국제협력은행(JBIC)

JBIC는 융자금액 2억 유로의 외국직접융자, 이는 LNG 프로젝트의 EPC에 관련된 계약자금의 일부를 대출(대부)한 것으로 2016년 5월에 러일 수뇌회담에서 아베총리가 푸틴대통령에게 제시한 제 8째 항목 협력 계획의 구체화 목적

4) LNG수송서비스: 미츠이상선(MOL)

MOL은 3척의 ARC7의 쇄빙형 LNG선과 4척의 일반 LNG선 등 총 7척을 투

입하여 북극에서 LNG수송서비스를 수행 중, ARC7타입은 단독으로 해빙 가능하여 북극해 운행이 가능한 선박으로 여름에는 베링해협을 통해서 일본으로 LNG를 수송하며 겨울에는 북극해의 빙하가 두꺼워지기 때문에 유럽을 경유 운항

5) 기상정보제공서비스: 웨더 뉴스(Weather News)

웨더 뉴스는 일본의 회사로 기상정보와 해빙정보 제공서비스를 제공, 동시에 플랜트 건설용의 설비류, 기재류의 현장까지의 수송계획을 추진 중

6) 캄차카의 LNG 환적 센터 사업: 마루베니(Marubeni), 미츠이상선

2017년 12월에 노바텍과 본 사업 검토에 관련된 양해각서 조인, 이는 북극해 경유로 수송한 LNG를 캄차카 반도에서 환적해서, 일본을 포함한, 아시아의 각 지역에 운반하려는 구상으로 수송비용이 높은 ARC7선박으로부터 통상의 LNG선박으로 환적해서 보다 수송비용을 감소하는 것을 목표[8]

상기한 바와 같이, 일본이 직간접적으로 '야말 LNG'에 참여할 수 있었던 요인 중 하나는 일본의 지속적이고 일관성 있는 대 러시아 정책에 있다. 일본은 러시아와 지속적인 대화를 통해 기존 협약에 추가적인 상태로 사업영역을 확장해 나가고 있다. 이와 같은 과정을 통하여 결정되는 협정을 통해 인적교류, 기술교류, 투자 등 여러 분야에서 상호 협력을 촉진시켜 나가고 있기에, 타국이 일본과 러시아의 협력을 저지하거나 방해하기 어려운 상태이다.

또한 일본은 1970년대 오일쇼크, 2011년 후쿠시마 원자력 발전소 사고 이후 일본은 에너지 수입의 다각화를 정부정책으로 가지고 있으며, 이러한 정책

---

8) 加藤資一, "「最果ての地」＝ヤマルの開発に挑む日本企業", 2018. 5. 9. http://yuken-jp. com/report/2018/05/09/yamal/ (검색일: 2020. 2. 10)

을 관철시키기 위해서 지속적인 노력을 기울이고 있다.

IV. 일본의 '알틱 LNG 2' 프로젝트 참가 방향성과 의도

일본은 러시아 야말-네네츠 거점지구의 '야말 LNG'의 가시적인 성과에 힘입어, '알틱 LNG 2' 프로젝트 사업에도 참여할 계획이다. 2019년 7월 22일 발표된 노보텍의 자료에 의하면 '알틱 LNG 2' 프로젝트의 총 지분구성은 노보텍 60%, 토탈 10%, Japan Arctic LNG 10%, 중국석유천연기집단(CNPC) 10%, 중국해양석유집단(CNOOC) 10%로 구성되어 있다.[9] 일본의 Japan Arctic LNG는 미츠이물산(25%)과 일본석유천연가스금속과물자원기구(JOGMEC)(75%)가 공동출자한 회사로 설립일은 2019년 5월이며, 네덜란드 암스테르담에 소재하고 있다.

'알틱 LNG 2' 프로젝트 사업과 마찬가지로 노보텍이 주도하고 있는 '알틱 LNG 2' 프로젝트는 야말로-네네츠 자치구의 기단반도에서 시행될 것으로, 사업을 통해 연간 660만톤의 천연가스액화설비 3개소(연간 생산량 1980만톤 예상)를 건설하는 프로젝트이다. 2018년 12월 31일 시점에서 이 지역의 천연가스 매장량은 1조 1,380억㎥, 액체탄화수소 매장량은 5,700만 톤으로 추정되고 있다.

이 사업을 통하여 표출되고 있는 일본의 북극개발 전략의 주요 특징을 다음과 같이 정리해 볼 수 있다. 첫째, 일본의 러시아 가스 개발 사업의 참여는 국

---

9) 齋藤寛, "アルクティックLNG2」プロジェクト、JOGMECや三井物産などへの事業権益売却が完了", JETRO, 2019. 07. 23. https://www.jetro.go.jp/biznews/2019/07/f39c5a2586e21f15.html (검색일: 2020. 2.10)

가의 주도 하에 이루어지고 있다. 둘째, 지분출자방식의 투자이기는 하지만, 탐사, 개발, 생산에 직접적으로 참여할 수 있는 가능성을 열어두고 독자적인 공급망을 구축하고자 하려는 노력을 기울이고 있다. 셋째, 북극개발 과정을 적극적으로 활용하여, 국제 시장에서 영향력을 행사할 수 있는 메이저 급 일본 정유사를 육성해 나가고자 한다. 마지막으로, 일본의 러시아 북극 개발전략은 중장기적인 측면에서 진행되고 있으며, 그 과정에서 러시아와 각종 협정을 체결함으로써 협력의 당위성을 창출하여 북극에서 영향력을 행사할 수 있는 지위를 확보해 나가는 것을 목적으로 하고 있다.

V. 결론

지금까지 러시아의 북극전략과 대한민국과 여러 측면에서 유사한 입장에 처해 있는 일본의 북극 개발전략을 살펴보았으며, 이것이 한국에 주는 시사점에 대해 간략하게 정리해 보고자 한다.

한국과 일본은 국제사회에서 미국과의 협력과 연대를 우선시하고 있다는 유사점을 보유하고 있다. 동시에 두 국가 모두 자연이 빈약한 산업국으로 안정적인 에너지를 확보해야 한다는 점에서 공통점이 있다. 또한 국내외의 여러 요소로 인해 새로운 경제 공간을 창출해 내어야 한다는 점, 역시 유사점이라 할 수 있을 것이다. 이러한 공통점들이 인류의 미래 성장공간이라할 수 있는 북극공간, 그 중에서도 개발 및 활용이 가시적인 단계에 접어들고 있는 러시아의 북극공간에 적용될 때에는 다소 확연한 차이를 나타내고 있다.

대표적인 사안으로, 일본은 러시아와의 관계에 있어 한국에 비해 상대적으로 중장기적인 북극개발 계획을 설정하고 있으며 정권이 바뀌어도 일관성을 가지고 추진해 나가고 있다. 반면에, 한국은 상대적으로 중단기적인 계획을 취하고 있으며, 심한 경우에는 정권의 향방에 따라 그 방향성에 지대한 영향을 받을 수 있다는 개연성이 존재한다는 점이다. 즉, 북극개발의 전략 수립 및 실행의 측면에 있어 한국은 일본에 비해 일관성 및 지속성에 있어 다소 취약한 상태에 처해 있다.

물론 한국의 경우, 일본에 비해 안보 및 정치적으로 더욱 복잡한 환경에 취해 있는 것도 사실이다. 그럼에도 불국하고, 일본의 사례에서 나타나듯이 중장기적인 측면에서 러시아와 협력을 할 수 있는 투자 및 개발을 활성화 할 수 있는 조약을 적극적으로 모색하고 체결해 나가야 하며, 직접적인 투자가 어려운 경우에는 해외 펀딩 등을 통한 간접적이고 우회적인 방법을 동원해 타국이 개입할 수 없는 장치를 만들어 보는 것도 필요하다고 생각한다. 즉 그 과정에서 일본의 대 러시아 전략을 벤치마킹해서 한국상황에 적합한 방법을 모색하는 것도 한 방법이 될 수 있을 것이다.

이외에도 상대적으로 국제정치 및 경제의 영향력을 덜 받을 수 있는 북극의 자연 및 인문 환경 문제에 관해 국제사회에서 러시아와 보다 더 적극적인 협력 체제를 구축해 나가는 것 역시 필수적인 사안이라 생각한다. 현재, 북극개발 과정의 경제적 혹은 국제사회의 리스크 등을 셈하거나 논하는 것은 바로 다가오는 미래 사회에 대한 늦장 대응이라 할 수 있을 것이다. 다른 사항들은 몰라도 북극권이 어떠한 형태로든 '미래 인류의 성장공간'으로 우리에게 다가올 것만은 확실하기 때문이다.

〈참고문헌〉

김정훈, 백영준, "북극해 에너지 자원, 북극의 거버넌스와 일본의 역할", 『북극연구』 6호, 2016.

백영준, "북극 개발전략 2020 원문번역(1)", 『북극연구』, Vol. 3호, 2015.

백영준, "북극 개발전략 2020 원문번역(2)", 『북극연구』, Vol. 4호, 2015.

이주리, "러시아 에너지전략-2035'와 시사점", 『세계에너지시장인사이트』(제15-37호), 2015.

러시아 정부 문서 사이트: http://government.ru/docs/29164/ (검색일: 2019년 12월 7일)

加藤資一, "「最果ての地」=ヤマルの開発に挑む日本企業", 2018. 5. 9. http://yuken-jp.com/report/2018/05/09/yamal/

齋藤寬, "アルクティクLNG2」プロジェクト 、JOGMECや三井物産などへの事業権益売却が完了", JETRO, 2019. 07. 23. https://www.jetro.go.jp/biznews/2019/07/f39c5a2586e21f15.html

Chosonbiz, "대우조선해양, LNG운반선 1척 수주…"올해 목표 32% 달성"" 2019. 6. 12https://biz.chosun.com/site/data/html_dir/2019/06/12/2019061201644.html

Chiyoda Corporation, "ヤマルLNGプロジェクト（第1系列、第2系列、第3系列)" https://www.chiyodacorp.com/jp/projects/yamal-nenets.html

일본의 북극정책 우선순위과제 분석과 시사점

서현교*

I. 서론-일본의 북극정책 역사

일본의 북극정책 역사는 북극연구에서 비롯되었다.[1] 1990년 비정부 국제 북극과학연구집단인 국제북극과학위원회(IASC)에 정식 가입하고, 같은 해 일본국립극지연구소(NIPR) 내에 북극연구센터가 정식 출범하면서 시작되었다. 다음 해인 1991년 노르웨이령 스발바르 군도(Svalbard Archipelago) 니알슨 (Nyalesund) 국제과학기지촌[2]에 일본이 아시아 최초로 북극 과학연구기지를 개소하며 일본의 북극연구가 본궤도에 올랐다.

1993년 일본의 선박해양재단(現 일본해양정책연구소: OPRI[3])이 국제북

※ 이 논문은 『북극연구』 17호에 게재된 것임

* 극지연구소 정책부 소속, 극지정책 전공(박사), 연구기술직, 現 한국북극연구컨소시엄 (KoARC) 사무총장, 前 한(KOPRI)-노르웨이(NPI) 극지연구협력센터장, 前 세종기지 월동대 총무(부대장급), 언론사 과학전문기자/저술가, 일본 동경 UN본부 산하 UNU/ IAS 초빙연구원 등 역임.

1) 서현교, "중국과 일본의 북극정책 비교 연구", 『한국시베리아 연구』, 21(1)(한국-시베리아센터, 2018), pp. 131-136 기반 작성.

2) 니알슨 국제기지촌에 설치되어 운영 중인 각국 연구기지 현황은 웹사이트 참조: https://kingsbay.no/research/research_stations/

3) 선박해양재단(The Ship & Ocean Foundation)은 해양정책연구재단(OPRF: Ocean Policy Research Foundation)을 거쳐 일본해양정책연구소(OPRI: The Ocean Policy Research Institute)로 변경됨.

극해프로그램(INSROP)[4]을 통해 러시아 북쪽의 북극해를 지나는 북동항로(NSR)의 상업적 활용에 대한 기술적 타당성을 평가하는 첫 국제 공동 프로젝트를 수행하였다. 이어 JANSROP(1993~1994)[5]라는 일본 북극해 프로그램을 추진하여 NSR의 상업적 타당성을 평가하였다. 2007년 일본 정부는 내각에 일본종합해양정책본부(現 본부장은 아베 신조 총리, 이하 정책본부)를 설치하여, 이 정책본부를 중심으로 북극정책 총괄 및 결정을 하는 체제를 구축하였다. 2009년에는 일본은 북극이사회 옵서버 가입신청서를 제출하여 잠정(Ad-hoc) 옵서버 국가가 되었다.

2010년에는 외무성 내에 해양실장을 팀장으로 하는 북극 테스크포스팀을 조직하여 북극 이슈에 대한 범부처 대응을 시작했다. 이와 함께 2011년 일본 국립극지연구소(NIPR). 일본해양지구과학기술기구(JAMSTEC)[6], 북해도 대학 등을 중심으로 '북극환경연구 컨소시엄(JCAR)'[7]을 조직하고 NIPR내 사무국을 두어 일본 자국 내 전문가 네트워크 구축 기반을 마련하였다. 2012년에는 일본 문부과학성이 지원하는 대형 과학연구프로그램인 'GRENE' 내에서 '북극 기후변화연구 프로젝트'(2011-2016)를 출범시켰다.[8]

2012년 일본 해양분야 싱크탱크인 해양정책연구재단(OPRF)이 북극에 대한 9대 정책제언을 담은 '북극의 지속가능한 이용을 위한 추진시책'을 발표하

---

4) International Northern Sea Route Programme의 약자, 6년(1993~1999) 간의 프로그램.
5) Japan Northern Sea ROute Programme의 약자. 1기와 2기로 나뉘어 최종 2004년까지 진행된 프로그램
6) JAMSTEC(Japan Agency for Marine-Earth Science and Technology) 관련 내용은 웹사이트 참조: https://www.jamstec.go.jp/e/about/
7) JCAR(Japan Consortium for Arctic Environmental Research) 관련 내용은 웹사이트 참조: https://www.jcar.org/english/
8) GRENE (Green Network of Excellence) 프로그램 내에 "Arctic Climate Change Research Project"를 출범시킴. 웹사이트 참조: https://www.nipr.ac.jp/grene/e/

여 일본의 북극정책 토대를 제공하였다. 이어 2013년 4월 정책본부는 제2차
해양기본계획을 발표하였는데, 북극에 대한 정책이 처음으로 공식화되었다.[9]
이 2차 기본계획에는 북극에 대한 과제로 △전 지구적 측면에서 기후변화에
따른 북극의 해빙감소 및 환경변화에 대한 이해와 예측을 위한 관측 연구,
△북극해 해빙변화에 따른 북극항로 활용가능성과 안전항해 연구, △북극 환
경 보존, △국제협력 및 중재(Coordination) 역할 등 4대 전략과제를 제시하
였다.

이후 2013년 5월 스웨덴의 북극 탄광 도시인 키루나(Kiruna)에서 북극이사
회 각료회의에서 일본은 우리나라, 중국 등과 함께 북극이사회 정식옵서버 지
위를 획득하였다. 그 후 일본 외무성은 북극이사회 및 일본의 북극 이슈를 대
표하는 북극 대사를 정식 임명하고, 북극 이슈에 대한 종합적이고 체계적인
대처를 위해 부처 '연락회의'를 구성하여 정책본부를 중심으로 국토교통부 등
10개 부처가 참여하는 범부처 협의체가 발족되었다.

그리고, 2015년 10월 정책본부는 앞서 해양기본계획의 각 전략과제를 중심
으로 하여 일본의 북극정책(Japan's Arctic Policy)을 발표하였다.[10] 이 북극
정책은 일본이 북극만을 대상으로 발표한 최초의 정책으로, '연구개발', '국제
협력', '지속가능한 활용'이라는 3개의 축을 기준으로 7대 정책과제[11]를 제시

---

9) 일본의 제1차 해양기본계획이 2008년 발표됐으나, 북극을 다루지 않았고 2013년 발
표된 제2차 기본계획부터 북극 정책을 다루기 시작하였음.

10) 김정훈, 백영준, "한국과 일본의 북극 연구 경향 및 전략 비교" 한국-시베리아센터,
『한국 시베리아연구』, 21(2), 2017. p.136. 참조; 일본의 북극정책(2015)의 구체적인
내용은 웹사이트 참조:
https://www8.cao.go.jp/ocean/english/arctic/pdf/japans_ap_e.pdf

11) '일본의 북극정책'(2015)에 제시된 7대 정책과제는 △북극의 연약한 환경생태계의 충
분한 고려 및 이슈에 해결에 공헌, △글로벌 관점에서 북극 이슈 해결에서 일본의 과
학기술 활용, △기후 및 현황변화 영향에 대한 경제적·사회적 동의 추구, △북극 자

하였다.

2018년 5월에 정책본부는 제3차 해양기본계획(2018-2022)을 발표하였는데, 이 기본계획에 북극정책은 '관측 및 연구 활동 추진을 통한 글로벌 이슈 해결을 통한 일본의 국제지위 향상', '국제규칙 형성에 대한 적극적인 참여', '일본의 국익에 이바지하는 국제협력 추진'을 감안하여 앞서 3개 축과 관련한 제반 정책을 중점 추진한다고 명시하였다. 또한 북극정책 추진이 해양기본계획의 주요 정책으로 책정되어 해양기본계획에 처음으로 북극정책 부문이 독립항목으로 제시되는 등 기본계획 내에서 주요 정책으로 자리매김이 되었다.[12]

이 3차 기본계획에 담긴 북극정책 방향은 북극에서 관측 및 연구 활동을 통한 글로벌 이슈 해결로 일본의 국가 위상 제고, 국제규범 형성에 적극 참여 및 일본의 국익에 부합하는 국제협력 추진과 북극의 지속가능한 활용 등 앞서 일본의 북극정책 3개 축을 기반으로 세부 시행계획을 제시했다. 첫째, '연구개발'에서는 최첨단 위성 개발 및 관측기지, 관측선 등을 활용한 북극관측 강화, 북극권 국가의 연구·관측거점 확보, 연구자 파견을 통한 국제공동연구와 인재육성, ArCS 프로젝트[13] 추진 및 성과 창출, 양자 과학기술협정에 기반한 극지연구 등 과학기술협력 등을 제시했다. 둘째, '국제협력'에서는 △북극해에서 유엔해양법협약에 기초한 항행의 자유를 포함한 국제법

원개발 및 북극항로 등의 경제기회 추구, △북극에서 법치주의 보장과 평화적 방식의 국제협력 추진, △북극원주민의 권리 및 전통적인 경제·사회 기반의 지속성 존중, △북극의 안전 고려 및 기여 등임.

12) 웹사이트 참조 https://www8.cao.go.jp/ocean/english/plan/pdf/plan03_gaiyou_e.pdf

13) ArCS는 '북극의 지속가능성을 위한 도전'(ArCS: Arctic Challenge for Sustainability)의 약자이며, 이 프로젝트의 구체적인 내용은 웹사이트 참조: https://www.arcs-pro.jp/en/

상 원칙이 존중되도록 양자 및 다자회의 참가, △북극과학장관회의, 북극써 클(Arctic Circle Assembly), 북극 프런티어(Arctic Frontiers), 한중일 북극 회의 등 국제회의의 틀을 최대한 활용한 양자·다자협력 확대 △북극이사 회 내에서 활동 강화와 옵서버 국가 역할 확대를 포함한 북극이사회 운영방 안 논의에 적극 참여 등을 제시했다. 셋째, '지속가능한 활용'에서는 일본 해 운기업 등의 북극항로 활용(예: 야말 LNG 수송)을 위한 제반환경 정비, 북극 에서 경제활동 확대를 위해 일본경제계의 북극경제이사회(Arctic Economic Council), 북극써클 등 국제포럼 적극 참여 지원, 북극지역의 기후변화 노력 에 공헌 및 파리 기후변화협정과 SDGs(지속가능목표)의 적적한 일본 자국 내 실시 등을 제시했다.

한편, 제3차 해양기본계획을 발표하면서 정책본부는 일본의 해양상황감시 (MDA) 능력 강화를 위한 향후의 활동 방침'을 발표하여 북극해를 MDA의 대 상으로 인식하고, 북극해를 장래 일본의 신규 해상항로로 활용될 가능성과 함 께 정보 수집의 필요성을 강조하였다. 즉, 일본의 북극항로 항행 안전을 위해 북극의 안보에 관한 정보 수집 활동의 당위성을 정책상에 포함시켰다. 이 같 은 내용에 대해 프로젝트팀은 제3차 해양기본계획의 3대 특징으로 '횡단(세부 과제 간 검토)과 통합', '고유와 종합', '중점과 계속'이라고 진단하며, 이같은 관 점에서 북극정책을 분석하여 그 결과를 제언하였다. 본 연구에서는 기존의 국 내외 연구를 살펴보면 대부분 3차 기본계획까지 분석된 내용이 대부분이고, 올해 발간된 북극정책 프로젝트팀의 보고서 내용을 분석한 논문은 게재되지 않았다. 이에 본 연구에서는 올해 북극정책 프로젝트팀이 제언한 보고서를 중 심으로 그 핵심 내용들을 분석하고 시사점을 제시하였다.

Ⅱ. 日 북극정책 '3대 축'에서 우선순위 과제

2018년 발표된 일본의 제3차 해양기본계획에 북극정책이 사상 첫 독립항목으로 제시되면서 주요정책으로 자리매김하였으나, 그 내용은 여전히 2015년 발표된 북극정책 내용을 답습하고 있다. 더욱이 북극정책의 세부계획이 평면적으로 제시되 정책의 우선순위가 제시되어 있지 않았다. 이에 2018년 5월 정책본부는 2015년 발표된 '일본의 북극정책'을 점검하고 향후 10년을 내다보는 입장에서 대책 마련을 위해 민간연구팀으로 △해양상황감시(MDA)[14] 프로젝트팀(국경상황 포함), △해양플라스틱 프로젝트팀과 함께 △북극정책 프로젝트팀을 같은 해 7월 구성하였다. 이 3개 연구팀은 각각 최신 동향보고 및 조속 추진이 필요한 세부정책 제언을 담은 보고서를 이듬해인 2019년 6월 보고하여 종합해양정책본부가 채택하였다.

북극정책 프로젝트팀은 일본이 북극 이슈의 주요국으로 그에 걸맞은 지위를 확보하기 위해 일본의 북극정책 3개 축인 연구개발, 국제협력, 지속가능한 활용 간 상호관계를 명확히 하고, 북극정책과 해양정책 간의 공통관계를 인식하면서, 일본의 국익실현을 위한 중점적으로 우선 추진해야 하는 정책과 지속적으로 장기간에 걸쳐 실시해야 할 정책을 구분하여 보고서에 담았다.

먼저, 이 보고서에서 북극에 대한 주요국 동향으로 미국, 러시아, 중국, 캐나다 등 4개국에 대한 정책 동향을 분석하였다. 미국은 제1차 북극과학장관회의 개최, '중앙북극해 공해상 비규제어업 방지협정'[15] 체결 주도, 트럼프 정부

---

14) MDA: Maritime Domain Awareness
15) '중앙 북극해 공해상 비규제어업 방지 협정' 관련 주요 내용은 외교부 보도자료 참조 (웹사이트):
    http://www.mofa.go.kr/www/brd/m_4080/view.do?seq=368635

의 북극 기후변화에 따른 해빙면적 감소에 대한 경시, 국무부 내 북극담당특별대표(북극대사) 지정 폐지 등의 정책을 취하고 있다고 분석하였다. 그러나 미국 해안경비대(USCG)의 북극정책[16]은 트럼프 정부 하에서도 그 기조를 유지하고 있다고 덧붙였다. 두 번째, 러시아에 대해서는, 러시아가 강조하는 북극 관심사로 안전보장 확보, 대륙붕 경계 획정, 북극항로 관리, 자원개발 등 4개 이슈를 꼽았다. 특히 북극항로에 대한 사전허가제, 러시아 쇄빙선 에스코트 및 도선사의 승선 요구, 천연자원 수송에서 러시아 선적 이용 의무화하는 규제를 실시하고 있고, 자원대국 유지를 목표로 야말지역 LNG 프로젝트 등을 적극적으로 추진하고 있다고 소개하였다. 중국에 대해서는 2018년 북극정책 백서에서의 북극항로를 주요 경제 통로로 활용하는 '빙상 실크로드 정책'과 올해 제2 설룡호 출항[17], 자원개발 관련 야말 LNG 프로젝트 지분 참여 등을 주요 동향으로 분석하였다. 캐나다에 대해서는 2016년 말에 발표된 캐나다 북극정책에서 북극인프라 개발, 북극권 지역주민과 지역사회 강화, 지속가능한 경제개발, 과학 지식 및 전통지식 존중, 북극권 환경보호를 주요 과제로 제시한 점에 주목하였다.[18] 이 같은 주요국의 최근 동향과 자국의 북극정책을 점검하여 3개 축의 상호관계 규명과 일본의 국익을 고려한 우선추진 과제를 제시하였다.

---

16) 미국 해안경비대 북극정책은 자료 참조: USCG, Arctic Strategic Outlook, April. 2019
17) 제2 설룡호 출항 관련 내용은 웹사이트 참조:
    https://www.scmp.com/news/china/diplomacy/article/3018394/chinas-new-icebreaker-snow-dragon-ii-ready-antarctica-voyage
18) 일본은 우리나라 북극정책이나 관련 활동에 대한 언급은 없음.

1. '지속가능한 활용' 축에서 우선추진과제 '북극항로 대응'

일본은 2018년 7월 해운기업 '상선 미쓰이'가 러시아 북극항로를 활용하여 일본 최초의 LNG운반선 운항을 개시하고, 그 후 지속적으로 북극해를 활용하자는 움직임이 민간기업에서 나타나고 있으며 북극항로를 활용한 일본 항구 기항 등의 실적을 갖고 있다고 평가했다. 그리고, 항로는 일본-유럽 간 국제물류에서 장기적으로 수에즈 운하를 경유하는 항로와 항공수송, 철도수송 외에 새로운 선택 루트가 되어 수송 방법의 다양화를 꾀할 수 있다고 전망했다. 다만 현재 북극항로가 본격화될 움직임이 없는 것은 1년 내내 운항가능한 상용항로가 아니고, 항로의 기상 및 해상상황 문제, 해빙정보나 쇄빙 에스코트 선박 등의 인프라 문제, 러시아의 정치 및 규제 관련 문제, 북극항로 활용 시 다른 항로 대비 고비용 문제를 이유로 꼽았다. 그럼에도 무역량의 99.6%를 해상수송이 담당하는 일본의 경제 상황에서 북극항로는 미래 매력적인 잠재성을 갖기 때문에 향후에 국제물류 수송방법 다양화를 통한 일본의 경제권익 확보 차원에서 중요한 의미를 가진다고 프로젝트팀은 진단했다.

이러한 진단 결과를 바탕으로 프로젝트팀은 3개 축 중 '지속가능한 활용' 부문에서 우선 추진이 필요한 부문으로 '북극항로 운항지원시스템'을 선정했다. 프로젝트팀은 정부에 금년 중에 북극 최적항로 운항을 탐색하기 위한 운항지원시스템을 구축하고, 일본 관련 기업들에 이를 주지시킬 것을 권고하였다. 또한 이 시스템이 유익하기 위해서는 일본의 고도 위성데이터 활용과 과학활동으로 얻은 성과를 기반으로 해빙분포 예측능력이 중요하므로, 쇄빙연구선을 통한 북극 관측 등 연구 활동을 착실하게 추진하여 예측능력 향상을 도모하고 이를 통한 성과를 운항지원시스템에 반영해야 한다고 하였다. 또한 동 시스템에 반영될 내용은 개개 선박의 수송을 위한 단기 예측 및 북극항로 활용 및 북극 투자 촉진 관점에서 중장기적인 북극해 해빙상황 예측을 제시해 나가는 것도 중요한 요소라는 점을 유의해야 한다고 밝혔다.

이와 함께 국토교통성이 2014년 해운업계, 화물주, 행정기관을 구성원으로 하는 '민-관 연계협의회'를 설치하고 북극항로 활용을 추진하기 위한 정보 공유를 도모해왔다. 프로젝트팀은 일본의 연구개발 강점을 북극항로 활용이라는 경제권익 실현으로 이어지도록 하기 위해 정부가 동 협의회에 관련 연구기관의 참여를 권고하도록 하였다. 즉, 연구기관이 수집하는 특정데이터 중 기업이 활용하고 싶은 데이터, 나아가 기업이 활용하기 쉽도록 가공된 데이터가 제공되는 것이 '북극항로 활용 활성화'에서 중요한 점이라면서 정부가 연구기관과 기업 간 접점을 마련하는 것에 의미가 있다고 했다. 또한 북극항로에서 운송된 물자와 관련해 검토가 필요하므로, 2019년 이후에 물류사업자에게도 본 협의회에 참여를 요청하도록 제언하였다. 이와 함께 북극항로를 활용하였을 때, 물자에 대한 진동 및 온도변화 등에 대한 영향 데이터도 향후 항로 활성화에 매우 유용하므로, 정부가 그러한 데이터의 수집을 착수할 것을 조언했다.

한편, 북극항로는 결국 민간기업이 활용하는 것이므로, 그런 관점에서 민간기업이 모여 실질적 정보교환의 장이 되도록 본 협의회의 환경 정비가 정비의 필요성을 제시하였다. 예를 들어 해양산업과 자원산업 간 연계를 강화하는 틀로서 '해양산업 테스크포스'가 출범되어 조선업, 해운업, 엔지니어링업, 석유천연가스 자원개발회사 등의 해양산업 관련 민간기업 간 정보교류의 장으로 활용되고 있는데, 협의회가 북극 산업에서 이러한 기능을 담당해야 한다는 것이다.

그리고 프로젝트팀은 일본의 북극항로 활용을 촉진하는 데 있어 북극항로 항행의 자유 확보가 중요하다는 점을 전제하였다. 그래서 국제법에 따른 북극항로 항행 자유를 확보하기 위해 북극항로에 대한 러시아의 규제 동향을 주목하고, 이로 인한 일본해운기업의 피해가 발생할 우려가 있는 경우, 관련 국제법 등에 따른 대응을 러시아에 요구해 나가야 한다고 주문했다. 이와 함께 미국 알래스카 북쪽 해역과 캐나다 북극을 지나는 북서항로에서도 항행의 자유를 확보하기 위해 관련하여 미국과 캐나다가 어떠한 논의나 국가적인 정책 실행을 하고 있는 지에 대해서도 주목할 것을 조언했다.

2. '연구개발' 축에서 우선추진 과제 'ArCS 후속 프로젝트 개발'

북극의 환경변화가 글로벌 지구온난화에 영향을 미칠 가능성이 있다는 점을 전제하여, 급속한 기후변화 및 환경변화를 보이는 북극에 대한 관측을 추진하는 것은 전 세계의 과제이자 일본의 과제로 제시하면서, 북극의 해양 및 기상관측을 실시해오고 있는 점, 북극의 환경변화가 일본을 포함한 중위도 지역의 기후에 미치는 영향, 북극의 기후변화 증폭 메커니즘을 밝혀온 일본의 연구성과에 주목하였다. 특히 일본의 연구개발기술도 국제적으로 높은 평가를 받고 있으며, 예컨대 온난화 요인 중 하나인 블랙카본에 대해 일본에서 개발된 고밀도 블랙카본 측정 장치를 활용하여 해외연구기관과 공동관측을 하고 있다는 점을 프로젝트팀이 제시하였다. 이러한 연구개발 강점은 일본이 국제협력 활동을 추진하는 데 큰 힘이 되고, 일본의 북극과학 연구개발에 대한 국제연구계의 평가 및 기대가 크므로, 북극의 환경변화 관련 연구를 주도하는 역할을 해야 한다고 제안했다.

구체적으로, 일본 정부가 현재 북극지역 대형 프로젝트인 ArCS 프로젝트가 2019년 종료되고, 후속 프로젝트를 북극의 환경변화가 중위도 지역에 주는 영향은 물론, 북극의 기후변화가 북극 환경 및 원주민과 거주민에 주는 영향까지 폭넓은 관점에서 추진해야 한다고 적시하였다. 그러한 연구개발을 위해 자율형 무인탐사기(AUV)를 활용한 국제적인 북극지역 관측계획 참여나 미개척 북극지역 국제탐사 플랫폼으로서 북극연구선의 관측 활동이 중요하므로, 이러한 관측 활동의 구체적인 내용을 검토할 경우 폭넓은 관련 부처와 의견교환을 통해 관련 부처가 연계 추진하는 장을 마련할 것을 조언했다. 또한 2018년 10월 체결된 '중앙 북극해 공해상 비규제어업 방지협정'과 관련해 협상 초기부터 일본이 적극적으로 참여하였고, 협정에 따른 북극해 공해 생태계 조사 활동이 국제적으로 개시되면 조사 활동을 적극적으로 참여해야 한다고 제언했다.

3. '국제협력' 축에서 우선추진과제 '제3차 북극과학장관회의 개최'

프로젝트팀은 일본의 각료들이 북극 관련 국제회의에 참석하여 국제활동을 한 점을 성과로 제시했다. 먼저 2018년 10월 고노 타로 외무대신이 일본의 외무대신으로는 처음으로 아이슬란드 레이캬비크에서 개최된 북극써클 총회(Arctic Circle Assembly)에 참석하여, 일본의 정책과 국제협력의 중요성을 세계에 알렸다고 했다. 그리고 같은 달 독일 베를린에서 열린 제2차 북극과학장관회의[19]에 시바야마 마시히코 문부과학대신이 참가하였고, 동 회의에서 일본이 아이슬란드와 공동으로 2020년 동경에서 3차 회의를 아시아 최초로 개최

---

19) 북극에 관한 연구 및 과학의 국제협력을 강화하고, 정책 결정에 활용해 나가는 것을 목적으로 2016년 9월 워싱턴 D.C에서 제1차 북극과학장관회의가 개최되었고, 2차 회의는 2018년 10월 독일 베를린에서 개최됨. 직전에 열린 제2차 북극과학장관회의 관련 내용은 웹사이트 참조: https://ec.europa.eu/research/index.cfm?pg=events&eventcode=187D5765-E38F-9AFC-958DA987ECDD0613

하기로 결정되는 등 각료급 회의에서 일본의 위상이 제고되고 있음을 강조하였다.

프로젝트팀은 이처럼 국제협력을 강화해 나가는 것이 일본이 북극을 둘러싼 이슈 대응의 주요 주체로서 지위를 확보하는 데 중요한 디딤돌 역할을 한다고 평가하면서 2020년 '제3차 회의 개최'를 직접적인 담당부처인 문부과학성만의 의제로 해서는 안 된다고 조언했다. 즉, 북극정책 관계부처들이 동 회의에 기여를 고려하면서 정부 내에서 연계 및 정보공유를 해야 한다고 하였다. 또한 2020년 동 회의에 앞서 다양한 북극관계의 국제적 틀인 북극이사회, 북극써클, 북극 프런티어 및 '아워오션 회의'[20]와 같은 해양관련 국제회의, 또한 일본 내 북극 활동을 소관하는 관계부처는 관련 활동을 추진할 때에 제3차 북극과학장관회의에 대한 기여를 염두해야 한다고 조언했다. 나아가 지속가능개발목표(SDGs)에 대해 각국 정상급 수준에서 재검토를 하게 되는 2019년 UN총회를 고려해 일본 해양분야에서 높은 수준의 과학기술을 전파해 나가야 한다고 충고했다. 그리고 관계부처는 정부 내 설치된 '북극해 이슈 대응 관계부처 연락회의'에서 북극과학장관회의 관련 활동에 대해 보고하고 정부 내 협력 및 정보공유를 확보해 나갈 것을 제언했다. 이상의 내용을 요약하면 아래 〈표 1-12〉과 같다.

---

20) 영문명은 'Our Ocean Conference'로 정부, 재계, 지식인/전문가, NGO 등이 모여서 해양문제에 대해서 협의하는 국제회의임. 2014년 미국에서 1차 회의 개최 후 2차 회의는 칠레, 3차 회의는 미국, 4차 회의는 EU, 5차 회의는 인도네시아에서 개최되었고, 올해 6차 회의는 10월 노르웨이에서 개최 예정. 자세한 내용은 웹사이트 참조: https://ourocean2019.no/

〈표 1-12〉 북극정책 3대 축에서 우선순위 과제와 내용

북극정책 3대 축	우선순위 과제	주요 내용
지속가능한 활용	북극항로 대응	·북극항로 운항지원시스템 구축 ·연구성과 기반 예측능력 향상 도모 및 성과를 운항시스템에 반영(시스템은 단기 및 중장기 해빙변화 예측능력 보유 필수) ·북극항로 민-관 연계협의회에 연구기관 및 물류 사업자 참여 및 동 협의회가 민간기업 간 정보교류의 장이 되도록 기능강화 필요 ·국제법상 항행자유 확보 노력: 러시아 정책과 규제동향 파악, 북서항로에 대한 미/캐 동향 주시
연구개발	ArCS 후속 프로젝트 개발	·북극의 기후변화가 북극 환경 및 원주민과 거주민에 주는 영향과 북극의 환경변화가 중위도 지역에 주는 영향 규명 등의 연구 활동 주도 ·AUV나 북극연구탐사선 활동 관계부처 간 의견조율을 통한 연계추진 및 조율 ·'중앙 북극해 공해상 비규제어업 방지협정' 후속으로 국제사회 조사 착수 시, 조사 활동 적극 참여
국제협력	3차 북극과학장관회의 개최 준비	·문부과학성 외에 다른 관련부처의 기여(부처 간 협력 및 정보공유, 관련 회의를 활용한 기여) ·UN총회에서 일본의 북극 과학기술 전파 ·'북극해 이슈 대응 관계부처 연락회의'에서 북극과학장관회의 개최에 대한 협력 및 정보공유

Ⅲ. 정책 간 '연계성'과 '계속 과제'

1. 부서 간 협력체계 및 정책 간 연계성

현행 조직상에서 '일본종합해양정책본부', 민간 전문가로 구성된 자문기구인 '참여회의', 그리고 이 정책본부의 사무국 역할을 담당하고 있는 '종합해양정책추진사무국' 등 3개 기관이 통합적이고 종합적인 관점에서 일본의 북극정

책을 집행할 수 있도록 목표의 명확화, 중점정책 선택, 정책의 통합적 실시 등에 있어 각 기능을 충실히 할 것을 주문했다.[21] 또한 현시점에서 추진일정에 제시된 '해외연구기관 등에 대한 40명의 청년연구원 파견', '해외 10개소의 국제연계거점 정비' 등이 기재된 것처럼, 관계부처 각각의 정책에 대해서 향후에도 이러한 구체적인 목표를 기재하도록 충실화하도록 주문했다.

그리고, 북극정책을 효율적으로 추진하기 위해 해양정책 내 주요 정책과도 상호 연계성이 검토되어야 한다고 주장했다. 특히, 과학기술분야 수월성, 인재육성, 연계산업 발전 등 3가지 분야의 추진 강화는 북극정책 관점에서도 상호 연계하면서 추진될 필요하다고 하였다. 첫째, 과학기술 분야에서 수월성이 확보된다면 그에 대한 대가수익의 관점이나 일본의 국제사회 위상 제고 측면에서 중요하다고 하였다. 이는 북극 과학기술분야의 수월성 확보 추진의 명분이 될 수 있는 정책이다. 두 번째로, 자주적이고 자립적인 선박의 건조 및 운항과 같은 분야의 인재육성을 통해 해양산업을 발전시켜 해양입국 유지 기조를 이어가는 정책은 북극항로 운항 기술 보유 선원 등의 인재육성과 연계될 수 있다. 세 번째로 조선 및 선박용 기술 개발이 해양 활용을 촉진하기 위한 필수 기반산업이자 일본 경제성장에 이바지하는 점을 감안하여, 북극산업에서도 이 같은 경제적 기여 관점에서의 검토가 필요하다고 했다. 일례로 쇄빙선박 건조기술이나 북극해(빙해)에서 안전활동 지원을 위한 과학기술로 요약되는 '빙해기술' 분야에서 일본이 빙해기술 관련 고급 지식을 보유하고 있다고 프로젝트팀은 평가하면서, 이러한 극지 과학기술들이 개발되어야 한다고 주문했다.

---

21) 웹사이트 참조: http://monthlymaritimekorea.com/news/articleView.html?idxno=2205

또한, 북극정책의 다양한 분야 및 상황에 대한 기동적 및 전략적인 정보 공유를 위해, 일본의 북극정책의 전체상을 종합적으로 파악하고 이해할 수 있는 '종합정보 플랫폼'을 내각부 홈페이지에 2019년 안에 구축할 것으로 제언하였다. 그리고 일본국립극지연구소(NIPR)과 일본해양연구개발기구(JAMSTEC)와 같은 정부 외 기관의 관련 정보도 포함시켜야 한다고 주문했다.

2. '계속 추진'이 필요한 과제

프로젝트팀은 상기의 우선 추진 과제 외에도 3차 해양기본계획에서 제2부 북극정책 추진에서 수많은 조치가 기재되어 있음을 강조하면서 이들 조치도 계속적으로 추진해야 한다는 점을 명확히 하였다. 특히, 북극해 해빙 추이를 고려하면서 북극항로 운항을 가능케 하는 선원 등의 인재육성에 대해서는 일본의 쇄빙연구선 '시라세'에 승선시켜 빙해 상에서 경험을 쌓을 기회를 마련해주는 것도 고려하면서 정부가 계획성을 갖고 지속 추진해 줄 것을 주문했다.

지속가능한 활용 축에서 제시된 '북극항로 운항지원시스템'에 대해서는 일본 민간기업의 요구사항을 항상 인식하면서 지속적인 개선을 주문했다. 그리고 북극항로 운항 선박개발을 위해 빙해수조 상에서 실험이 필수적인데, 일본 공공기관 및 민간 모두 빙해수조를 보유하고 있는 점을 고려해, 민간의 요청해 부응해 공공기관과 민간이 상호 협력으로 빙해수조 및 기반기술 수준을 지속적으로 향상시켜 나갈 것을 조언했다. 이상으로 북극정책 관련 부서 간 연계성 및 계속추진 과제 내용을 요약하면 아래 〈표 1-13〉와 같다.

〈표 1-13〉 부서간 연계성 항목 및 계속추진 과제

항 목	내 용
관련 부서간 통합 및 종합적 정책 수립/추진	·종합해양정책본부-자문회의-종합해양정책추진사무국 간 통합적이고 종합적인 정책 수립 및 추진 노력 ·목표의 구체화 예) 해외 10개소의 국제연계거점 정비 ·과학기술분야 수월성, 인재육성, 연계산업(빙해기술) 발전 등의 정책을 북극정책 반영 및 연계 ·'북극정책 종합정보 플랫폼'을 내각부 홈페이지에 구축하고 NIPR 및 JAMSTEC의 관련 정보도 추가
계속 추진 과제	·우선추진 과제 제외한 조치 ·인재육성: (예) 북극항로 운항 전문능력 보유 '선원' 육성 위한 극지쇄빙연구선 '시라세' 승선 교육 ·북극항로 운항지원시스템의 민간 요청을 반영한 지속적 개선

이상과 같이 북극정책에서 우선과제를 제언하고, 부서 간 연계성 및 계속 추진과제를 제언한 북극정책 프로젝트팀은 아래와 같은 대학, 연구소 및 민간 전문가들로 고루 구성되었으며, NIPR 및 JAMSTEC 전문가도 각각 1명씩 포함되었다. 이 프로젝트팀 구성원과 소속 및 직위, 역할을 아래 〈표 1-14〉에 제시하였다.

〈표 1-14〉 '북극정책 프로젝트팀' 참여 전문가 명단

이름	소속 및 직위	역할
가네하라 아츠코	조치대학교 법학부 교수	북극정책 프로젝트 총괄 책임
스기모토 마사히코	주식회사 NTT 데이터 특별전문역	참여연구원
다카시마 마사유키	합동회사 TMC 컨설팅 대표 前 미쓰비시상사 대표이사, 부사장, 집행이사	참여연구원
마에다 유코	JAMSTEC 감사, 주식회사 셀뱅크 이사	참여연구원
에노모토 히로유키	NIPR 부소장	외부 자문관
사쿠마~	해운업체 '상선 미쓰이' 그룹리더	외부 자문관
하라다 다이스케	독립행정법인 석유천연가스 금속광물자원기구 (JOGMEC) 담당조사역	외부 자문관

IV. 결론

일본은 2018년 제3차 해양기본계획을 수립·발표하면서, 그 안에 북극정책을 별도의 독립항목으로 다루면서 주요 정책으로 강화했다. 그럼에도, 2015년 발표한 북극정책과 내용이 흡사하고, 정책상 우선순위가 없다는 점, 또한 정책이 개별적으로 추진되어 연계정책을 통한 시너지를 기대할 수 없다는 점 등의 문제점이 도출되었다. 그래서 이런 문제를 보완하고 향후 10년을 대비하기 위해, 정책본부는 2018년에 민간, 대학, 연구소 전문가들을 프로젝트팀으로 조직하여 1년여간 동안 북극정책에 대한 검토와 우선순위, 그리고 정책 시너지를 낼 수 있는 방안을 담은 정책자문 보고서를 제출토록 하여 올해 채택하였다. 그 결과를 그림으로 요약하면 아래와 같다.

이 보고서의 요점을 분석해보면, 다음의 [그림 1-5]에서와 같이 북극정책인 3대 축인 '지속가능한 활용', '국제협력', '연구개발' 부문에서 각각의 개별 정책을 추진하면서도, 상호 영향이나 관계를 주고받게 함으로써 정책상의 시너지를 낼 수 있도록 구도화를 제언하였다는 점이다. 이는 정책 내 개별 계획이나 정책이 각기 추진되는 데에서 더 나아가 북극정책을 구성하는 개별 정책들을 상호 통합 및 종합적으로 체계화했다는 점에서 의미가 크다.

개별 정책으로 '북극의 지속가능한 활용' 축에서는 프로젝트팀은 미래 북극 항로 상설활용에 대비하여 일본의 과학기술 강점에 기반한 해빙변화 예측시스템을 구축하도록 조언한 사항과 러시아의 북극항로 규제 및 정책 변화에 대한 동향 파악에 주목하였다. 우리나라의 경우, 극지연구소(KOPRI)가 현재 북극 해빙변화 연구를 별도 연구조직을 구성하여 연구 중이나 아직 항로 활용을 기업 지원에서 해빙변화 예측기술로의 단계에 이르지는 못한 상태로, 이 부문에 대한 연구 강화가 필요한 대목이다. 따라서 이러한 연구개발에 더욱 집중해야 하며, 러시아의 북극항로 정책이나 규제 동향에 대한 연구를 지속하여, 필요 정보를 정부에 제공하여 정부 차원의 북극항로 대응과 산업계 활동을 위한 지원이 이뤄질 수 있도록 해야 한다.

[그림 1-5] 일본 '북극정책 프로젝트팀;이 제시한 '일본의 북극정책 추진계획' 요약[22]

'연구 활동' 축에서 일본의 대표적인 정부 대형 북극 프렌차이즈 프로그램인 'ArCS 프로젝트'의 후속 프로젝트를 개발하여 성과 유지와 함께 및 국제사회 및 일본 기후변화에 기여하는 다목적 형태로 추진하라는 조언한 사항을 주목할 만하다. 제한된 예산 하에서 소규모의 단위 과제들을 개별 수행하기보

---

22) 日本 北極政策PT(Project Team), 総合海洋政策本部参与会議意見書-北極政策, 2019. p. 19 참조

다 선택과 집중 전략으로 한 개의 대형 프로젝트를 국가 프로젝트로 브랜드화하여 국제사회에 각인시키고, 이에 대한 성과를 집중관리하며 중기 과제로 체계화 및 성과 유산을 후속 프로젝트로 이어가려는 일본 정부의 노력을 우리도 고려해볼 만하다.

더욱이 부처별로 북극정책의 세부계획에 대한 '보다 구체적인 목표'를 제시해야 한다는 제언에도 주목해야 한다. 연구정책을 수립할 때 기후변화 예측을 예로 들자면 모델개발이나 규명 등의 다소 모호한 용어를 사용하기 보다는 어떤 성능의 어떤 모델을 활용하여 어느 부문을 어느 수준까지 규명해서 예측률이 제시되는 구체적인 목표 제시가 이뤄져야 한다. 이와 함께 쇄빙연구선이나 AUV 운영 등 극지연구 인프라에 대해서도 부처 간 협의를 통한 운영 효율성 강화 및 중복성 방지 등을 꾀하여 운영 성과의 극대화를 이루려는 노력도 벤치마킹해야 할 요소이다.

'국제협력' 축에서는 내년에 제3차 북극과학장관회의를 아이슬란드와 공동개최함에 있어, 범부처가 미리 대응하여 협력하고, 정보를 공유하며, 국제회의에서 이에 대한 일본 정부의 전파 노력 주문은 우리나라 북극정책 관련 부처인 해수부, 외교부, 과기정통부, 북방경제협력위원회, 산업부 등이 작년에 수립된 북극활동진흥기본계획[23]을 각기 추진해갈 때 검토해야 할 사항이다. 부처별로 각기 정책을 개별적이고 평면적으로 추진해서는 시너지를 기대할 수 없다.

---

23) 북극활동진흥기본계획 관련 세부내용은 해수부가 2018년 7월 발표한 북극활동진흥기본계획 보도자료 (웹사이트) 참조: http://www.kdi.re.kr/policy/ep_view.jsp?idx=179137&&pp=100&pg=2;
북극활동진흥기본계획에 대한 주요 요약은 서현교, "우리나라 북극정책 과제 우선순위에 대한 평가와 분석", 『한국 시베리아연구』, 한국-시베리아센터, 23(1), 2019. pp. 50-51. 참조.

특히, 이번 일본 북극정책 프로젝트팀이 중점을 둔 우선순위 정책을 구체적으로 제시한 같이 우리나라도 2018년에 수립된 북극활동진흥기본계획에 대해 정부가 기업-대학-연구소 등의 전문가를 활용하여 이러한 정책 우선순위를 제언토록 하는 정책보고서 집필 프로젝트 추진이 필요하다. 예컨대, 북극연구를 수행하는 대학, 연구소, 기업 등을 회원기관이 참여하는 한국북극연구컨소시엄(KoARC; 사무국 극지연구소)이 현재 운영되고 있어 이러한 정책 싱크탱크 역할을 수행에 적합할 것으로 판단된다.

그리고, 북극정책을 해양정책과의 연계성으로 과학기술 수월성, 인재육성, 해양산업 발전을 지목하면서, 관련한 북극정책의 해당 계획을 같이 고려할 것을 주문했다. 이런 관점에서 보면, 북극활동진흥기본계획에서도 과학기술, 인재육성, 산업발전의 내용이 세부 계획으로 포함되어 있다. 따라서 그 내용이 국가 전반의 과학기술 수월성 확보나 특정 분야의 인재육성, 그리고 해양/극지산업으로 파급효과가 보다 세부적으로 제시되거나 연계하여 고려되는지를 분석해보면, 북극정책 실행력 강화나 시너지 등을 더욱 내실화할 수 있을 것이다.

이와 함께, 우리나라도 일본과 같이 '중앙 북극해 공해상 비규제어업 방지 협정'에 원초서명국으로 참여하였다. 그래서 관련하여 국제사회에서 조사 활동이 시작되면 정부는 관련 연구기관과 함께 주체적으로 조사 활동에 주도적으로 참여하여 북극해 수산자원 관리 참여와 함께 이에 따른 미래 수산자원 지분 확보에 대비해야 한다.

마지막으로 북극정책에 대해 일본도 올해부터 내각부 홈페이지에 공개하여 정보공유를 추진한다는 점을 감안하여, 해수부도 북극정책을 수립한 후, 정부 홈페이지에 공개하여 국내외 그 내용을 공유하고, 극지연구소나 한국해양수산개발원(KMI) 등의 관련 북극연구 현황이나 활동 등의 내용도 포함시켜 소위 '북극정책 종합정보플랫폼'을 구축하는 것에 대한 검토가 필요하다.

〈참고문헌〉

김정훈, 백영준, "한국과 일본의 북극 연구 경향 및 전략 비교", 한국-시베리아센터, 『한국 시베리아연구』, 21(2), 2017.

서현교, "중국과 일본의 북극정책 비교 연구", 『한국 시베리아연구』, 한국-시베리아센터, 22(1), 2018.

서현교, "우리나라 북극정책 과제 우선순위에 대한 평가와 분석", 『한국 시베리아연구』, 한국-시베리아센터, 23(1), 2019.

해양수산부 외, 『북극활동진흥진흥기본계획』, 2018.

USCG, Arctic Strategic Outlook, April 2019.

日本 北極政策PT(Project Team), 総合海洋政策本部参与会議意見書-北極政策, 2019

일본 북극환경연구 컨소시엄(JCAR) www.jcar.org/english (검색일: 2019.9.13.)

니알슨 국제기지촌에 설치된 해외연구기지 목록: https://kingsbay.no/research/research_stations/ (검색일: 2019.9.15.)

일본해양지구과학기술기구(JAMSTEC) https://www.jamstec.go.jp/e/about/(검색일: 2019.9.13.)

일본 GRENE(Green Network of Excellence) 프로그램 https://www.nipr.ac.jp/grene/e/ (검색일: 2019.9.15.)

일본의 북극정책(2015) https://www8.cao.go.jp/ocean/english/arctic/pdf/japans_ap_e.pdf(검색일: 2019.9.15.)

일본 제3차 해양기본계획(2018-2022)

https://www8.cao.go.jp/ocean/english/plan/pdf/plan03_gaiyou_e.pdf (검색일: 2019.9.15.)

일본 ArCS 프로젝트 https://www.arcs-pro.jp/en/ (검색일: 2019.9.14.)

제2차 북극과학장관회의

https://ec.europa.eu/research/index.cfm?pg=events&eventcode=187D5765-E38F-9AFC-958DA987ECDD0613 (검색일: 2019.9.15.)

아워오션 컨퍼런스(Our Ocean Conference) https://ourocean2019.no/ (검색일: 2019.9.14.)

중앙 북극해 공해상 비규제어업 방지협정: http://www.mofa.go.kr/www/brd/m_4080/view.do?seq=368635 (검색일: 2019.9.15.)

제2 설룡호 출항

https://www.scmp.com/news/china/diplomacy/article/3018394/chinas-new-icebreaker-snow-dragon-ii-ready-antarctica-voyage (검색일: 2019.9.15.)

러시아 북극지역의 안보환경과 북극군사력의 성격

이영형* · 박상신**

I. 들어가는 말

북극해의 혹독한 겨울이 러시아 북부지역 국경안보 역할을 담당해 왔지만, 지구 온난화 현상으로 인해 북극에서 야기되는 다양한 안보환경이 러시아의 안보정책을 변화시켰다. 러시아가 안보환경 조성을 위해 북극지역 군사력 강화조치를 취하면서 국제적으로 커다란 반항의 기운이 감돌기 시작했다. 국제무대에서 신 냉전이라는 용어가 사용되기 시작했다. 미국 해군협회(Navy League)의 월간잡지 SEAPOWER가 2007년 10월에 "The Cold War?: US, Canada, Russia, Denmark, rush to stake Arctic Claims"를 이슈로 다루었고,[1] 러시아의 신문 Kommersant 역시 2008년 8월에 "Cold War Goes North" 제목의 글에서 2007년 8월 러시아 국기가 북극에 설치된 사실에 대한 미국과 기타 북극권 국가의 반항을 정리하면서 새로운 냉전의 가능성을 전하기도 했다. 2008년 9월 러시아의 북극정책인 ≪2020년과 그 이후까지의 러시아 북극

※ 이 논문은 『한국 시베리아 연구』 24권 1호에 게재된 것임
 * (사)중앙아시아개발협력연구소, 이사장
** (사)중앙아시아개발협력연구소, 사무총장

1) Navy League of the United States, "The Cold War?: US, Canada, Russia, Denmark, rush to stake Arctic Claims," *SEAPOWER* (October 2007).

정책 요강≫이 발표된 직후, 2009년 1월 공표된 미국의 신북극지역지침(New Arctic Region Directive), 2009년 7월에는 캐나다의 북방전략을 담고 있는 <캐나다의 북방전략: 우리 북극, 우리 유산, 우리 미래>란 제목의 보고서 등이 발표되었다. 이러한 시기를 전후하면서 북극해를 둘러싼 갈등 양상이 군사력 경쟁으로 이어지고 있는 듯하다.

서방과 러시아 관리들은 북극의 안보가 서로의 군사력 증가에 의해 위협받고 있다고 주장하고 있다.[2] 워싱턴 D.C에 본사를 둔 북극연구소(The Arctic Institute)가 북극연구 자료를 시리즈로 정리해 홈페이지에 올리고 있다. 북극연구소의 연구위원인 파벨 데뱌트킨(Pavel Devyatkin)이 2018년에 러시아의 북극전략과 군사안보관계를 집중적으로 조사하고 있다.[3] 러시아가 북극지역에 새로운 군사시설을 개보수 및 증축하는 내용 등에 대해 정리하고 있다. 이러한 시기를 전후하면서 한국에서 북극 군사력 문제를 조사하는 연구 보고서들이 발표되기 시작했다.[4] 그러나 국내 선행연구 대부분이 경

---

2) D. Nicholls, "British forces to step up Arctic deployment to protect Nato's northern flank from Russia," The Telegraph (February. 17, 2019); Rbc. ru, "Лавров назвал главу Минобороны Британии «министром войны»," (фев. 16, 2019), https://www.rbc.ru/politics/16/02/2019/(검색일: 2020.1.8).

3) P. Devyatkin, Russia's Arctic Strategy: Military and Security (Part II) (Washington, D.C: The Arctic Institute, 2018).

4) 북극 군사력 문제를 다루고 있는 주요 논문은 다음과 같다. 심경욱, "러시아 북극군 강화의 전략적 함의,"『合參』제80호 (서울: 합동참모본부, 2019), pp. 37-46; 배진석, "북극해의 군사적 동향과 해군의 준비,"『軍事評論』제434호 (대전: 합동군사대학교, 2015), pp. 173-197; 백성호, "북극항로 시대 해군의 역할과 해군력 발전에 관한 연구,"『Strategy 21』제17권 제3호 (서울: 한국해양전략연구소, 2014), pp. 223-257; 백성호, "북극항로 개척에 따른 해군의 역할 및 미래해군 요구전력 연구,"『海洋研究論叢』제45집 (진해: 해군사관학교, 2014), pp. 255-283; 김덕기, "북극해의 전략적 가치와 러시아의 전략적 접근,"『Strategy 21』제15권 제1호(서울: 한국해양전략연구소, 2012), pp. 229-268.

제안보(북극항로와 북극해의 경제적 가치 등)에 초점이 맞추어져 있고, 군사안보 문제가 일부 가미하는 수준에서 정리되고 있다. 북극군사력 문제에 한정된 조사 결과물은 미미한 수준에 불과하다. 따라서 러시아의 북극군사력 문제에 초점이 맞추어진 본 글은 선행연구와의 차별성을 지닌다고 할 수 있을 것이다.

　본 글은 러시아의 북극개발 및 북극군사력 강화 움직임이 신냉전을 자극하는지에 관련된 문제를 다룬다. 러시아의 북극정책이 북극권 국가들로부터 신냉전 분위기를 자극한다는 비난에 직면해 있지만, 러시아의 관점에서 본다면 패권적 움직임과 거리가 있어 보인다. 러시아의 북극정책이 북극지역 개발과 비군사적 영역의 안보에 더 많은 관심을 갖고 있으며, 이를 위해 군사력 증강이 이루어지고 있음을 밝히려 한다. 본 글은 연구방법론을 별도의 장으로 나누어 설명하지 않고, 내재적 접근 방법에 기초해서 러시아의 북극정책이 갖는 의미를 국경보호 및 경제안보를 위한 선택, 그리고 공존과 협력을 위한 선택이라는 관점에서 해석하고 있다. 이러한 결과를 도출하기 위해 서방이 우려하고 있는 러시아의 북극군사화 현상을 먼저 조사하고, 러시아의 북극군사력이 갖는 의미를 러시아 정부가 제시하고 있는 각종 문건을 통해 답하고 있다. 본 글은 다음과 같이 구성된다. 제2장에서 러시아의 북극개발정책을 설명하고, 제3장에서 러시아의 안보환경과 북극군사력 정비 문제를 다룬다. 그리고 제4장에서는 러시아의 북극군사력이 갖는 의미를 국경보호 및 경제안보를 위한 선택, 그리고 공존과 협력을 위한 선택이라는 관점에서 해석하고 있다.

Ⅱ. 러시아의 북극개발 정책

1. 러시아의 북극공간에 대한 인식

러시아 영토의 북부지역이 북극해와 길게 연결되어 있다. 러시아 북극의 전체영토는 약3백만 ㎢(러시아 전체영토의 18%)이다. 이에는 약250만 명이 거주하는 육지영토 220만 ㎢가 포함된다. 이러한 인구는 러시아 전체인구(146.8백만)의 2% 미만이고, 북극 전체인구(460만)의 54% 이상이다. 2014년 5월 2일의 러시아 대통령령 No.296에 따라 러시아의 북극지역 영토가 정해졌다. 이 문건에 따르면 러시아의 북극지역에는 극동연방지구 주체 2곳이 포함되었다. 사하공화국(야쿠티아) 일부와 추코트카 자치구 전체가 포함된다. 역시 북극영토에 무르만스크州, 네네츠 및 야말-네네츠 자치구, 코미공화국의 ≪보르쿠타(BopkyTa)≫Воркута 도시지구가 포함된다. 그리고 노릴스크 도시지구, 아르한겔스크市 지방자치단체가 포함되는 아르한겔스크州 영토 일부, 북극해에 위치한 토지 및 섬 등이 포함된다.[5]

러시아 북극영토는 북극 해안지대를 따라 24,140㎞에 뻗어 있으며, 러시아 해안지대는 북극해 해안선의 53%를 차지하며, 바렌츠 해(Barents Sea), 카라 해(Kara Sea), 랍테프 해(Laptev Sea) 및 동시베리아 해(East Siberian Sea)로 이어져 있다. 러시아 북극해는 카라 해의 노바야 제믈랴(Novaya Zemlya), 랍테프 해의 세베르나야 제믈랴(Severnaya Zemlya), 동시베리아 해의 시베리아 섬(New Siberian Islands) 등 여러 군도를 갖고 있다. 북극에서 가장 가까

---

5) Е.Назипова, "Полномочия Минвостокразвития России расширены на Арктическую зону Российской Федерации," https://minvr.ru/press-center/news/21131/(검색일: 2019.12.30).

운 러시아 지역은 루돌프(Rudolf) 섬의 북쪽 해안에 있는 플리겔리 곶(Cape Fligely)이다. 이 곶은 극에서 불과 911㎞ 떨어져 있다. 이러한 러시아의 북극 영토는 3개의 주요 하천 시스템에 의해 관리되고 있다. 카라 해 서쪽의 예니세이 강(Yenisey River), 랍테프 해 동쪽의 레나 강(Lena River), 동시베리아의 콜리마 강(Kolyma River)이 그들이다. 이들 강은 1년 중 일정기간 동안 얼어 있지만, 이들이 중요한 교통로가 되며, 이 강을 따라 쇄빙기능을 가진 특수 함대가 지역사회와 도시에 접근하고 있다.

러시아 행정구역들 중에서 북극해에 직접 맞닿고 있는 주체들은 유럽에서부터 카렐리야공화국~무르만스크주~아르한겔스크주~네네츠자치구~야말-네네츠자치구~타이므르(돌가노-네네츠)자치구~사하공화국~추코트카자치구 등이다. 그리고 북극해와 직접 맞닿고 있지는 않지만, 코미공화국의 일부가 북극에 포함된다. 북극해의 서부지역 바깥쪽 해역에 바렌츠 해가 있고, 북극해 항로상에 카라 해, 랍테프 해, 동시베리아해, 그리고 축치 해(Chukchi Sea) 등이 있다. 북동항로에는 수많은 항만이 있다. 총72개에 달하는 러시아 북극해 항만들 중에서 대표적인 항만들은 다음과 같다. 북동항로의 유럽지역에서부터 카라해~랍테프해~동시베리아해~축치해~베링해로 이어지는 노선을 중심으로 주요 항만을 정리하면 다음과 같다. 무르만스크(Murmansk), 아르한겔스크(Arkhangelsk), 암데르마(Amderma), 딕슨(Dikson), 두딘카(Dudinka), 이가르카(Igarka), 한탕가(Khatanga), 틱시(Tiksi), 페벡(Pevek), 프로비데니야(Provideniya) 등이다.

상기 러시아 북극공간은 탈냉전 이후, 그리고 지구 온난화 현상과 함께하면서 그 중요성이 커져가고 있다. 다양한 형태로 제기되는 국경안보, 자원개발과 북극항로 운항에 관련된 경제안보 등 여러 문제가 러시아 중앙정부를 북극으로 유도하고 있다. 북극은 폐쇄된 공간에서 개방된 공간으로, 군사안보에서 다차원적 안보문제를 자극하는 공간으로 거듭나고 있다. 북극해 공간이 태평양으로 이어지기 때문에 자원개발 및 북극항로 개설과정에서 중요한 의미를 지니게 되었고, 이러한 이유로 인해 다양한 형태로 제기되는 안보문제에 대응해야 되는 새로운 과제를 던져주고 있다. 북극을 둘러싼 공간이 북극해 자원개발과 북극항로 개설에 따르는 기회와 도전의 무대로 변화되면서, 아시아 · 태평양 국가들의 관심을 자극하는 중요한 공간으로 부각되고 있다.

2. 러시아의 북극개발정책

러시아의 북극정책은 여러 공식문서에 분산되어 있다. 2000년대 초 이래로 기존 교리가 자주 개정되었다. 푸틴 대통령에 의해 2001년 북극지역에 대한 국가 정책의 기본 논리가 승인되었다.[6] 이 정책은 북극에서의 모든 활동이 최대한의 방어 및 안보문제에 관계되고 있음을 명백히 밝히고 있다. 러시아 군대는 러시아와 동맹국에 대한 침략위협을 막기 위해 해상핵무기의 안정적 관리를 우선시해야 했다. 이 초기전략은 뒤 따르는 문서보다 군사문제에 훨씬 더 집중되었다.

러시아는 북극해 일부와 북극점에서 800여㎞ 떨어진 프란츠 요제프 제도(Franz Josef Land) 및 빅토리아 섬을 묶어 국립공원으로 만드는 계획을 2007년 8월 14일 승인했다. 면적은 북극해의 5만1200㎢와 프란츠 요제프 제도 1만 6134㎢ 등을 합쳐 약 7만㎢(남한 면적의 약 70%)에 이른다. 2007년 8월 20일 부동항 무르만스크가 약 3만 달러에 쇄빙선을 타고 북극을 항해하는 여행 상품을 내놓았다.[7] 러시아는 2008년 9월에 사상 처음으로 본토 이외의 가장 북

---

6) "Основы государственной политики Российской Федерации в Арктике," Одобрены на заседании Правительства РФ(протокол от 14 июня 2001г. №24, раздел III, п.1).
7) 이영형 · 정병선, 『러시아의 북극 진출과 북극해의 몸부림』(서울: 엠애드, 2011), p. 68.

쪽 초소가 있는 북빙양 해안의 한 섬에서 ≪북극해에서의 러시아 국가이익 보호에 관하여(О защите национальных интересов Российской Федерации в Арктике)≫라는 주제로 국가안보회의를 개최했다. 안보회의는 북극이 앞으로 가장 중요한 러시아의 전략자원기지가 될 것이며, 프란츠 요제프 제도를 전진기지로 삼아 북극의 영유권을 지켜 나가겠다고 밝혔다.

메드베제프(D. Medvedev) 대통령은 국가안보회의에서 중요한 국가적 과제로 북극을 21세기 러시아의 자원기지로 전환시키며, 북극의 러시아 국경을 획정 짓는 법률을 채택하여 북극에서 러시아의 이익을 보장받는 것이라고 강조했다. 메드베제프 대통령이 2008년 9월 러시아의 북극정책인 ≪2020년과 그 이후까지의 러시아 북극정책 요강≫을 승인했다. 이 문서는 2007년 북극 탐험 직후에 나온 가장 주목할 만한 북극전략 문건이다. 이 문건은 북극을 평화로운 협력의 영역으로 유지할 것을 제안하고 있다. 동시에 북극을 "평화와 협력의 영역"과 "군 안보의 영역"으로 간주한다고 했다. 2001년의 정책에 비해 2008년의 전략은 군사충돌 예상보다 안보협력에 더 많은 관심을 갖고 있다. 이는 러시아 북극 군사정책이 안보를 통한 평화지대 달성에 기초되고 있음을 의미하는 것이다. 2008년 9월 승인된 러시아의 북극정책은 북극지역에 군사안보를 보장하기 위해 개선된 군대를 설립하고 지역의 기존 국경경비대를 강화할 것을 촉구했다.[8] 2010년 10월 4일, 러시아 해군사령관 비소츠키(V. Vysotsky) 제독은 러시아는 북극에서 "1인치를 포기하지 않을 것"이라고 했다.[9] 이와 함께, 세르듀코프(A. Serdyukov) 당시 국방장관은 2011년 7월 16

---

8) H. Exner-Pirot, "How Gorbachev shaped future Arctic policy 25 years ago," *Anchorage Daily News*(October. 1, 2012).

9) C. Campbell USCC policy analyst, Foreign affairs and Energy, *China and Arctic : Objective and Obstacles* (U.S.-China Economic and Security Review

일 북극에 2곳의 여단을 창설할 계획임을 밝혔다.[10]

2013년 2월 푸틴 대통령이 새로운 북극개발전략과 국가안보규정을 승인했다. 이는 2008년 전략의 확장으로 군사안보 우선권과 관련해 러시아의 국가이익 보호가 북극정책에서 여전히 중요시되었다. 영토 및 인구보호, 그리고 중요시설 보호를 위한 통합안보시스템 구축이 우선시되었다. 북극에서의 국가안보를 위해 북극에 선진 해군 및 공군 등과 같은 군의 존재가 요구되었다. 추가적인 목표로 러시아 쇄빙선 함대 개발, 항공서비스 및 공항네트워크 현대화, 현대 정보 및 통신인프라 구축 등이 포함되었다.[11] 그리고 2017년 3월 29일 푸틴 대통령과 메드베제프 총리가 아르한겔스크주에 속한 프란츠 요제프 제도를 방문했다. 북극정책에 대한 관심을 국제사회에 전달하고 있는 것이다.

모스크바에서 북동쪽으로 약2500㎞ 떨어진 야말-네네츠 지역이 자원개발로 몸살을 앓고 있다. 순록과 함께 살아 온 원주민 네네츠 족의 생존이 위협받고 있다. 나딤(Надым)시의 유전과 가스전에서 발하는 거대한 불기둥이 하늘로 치솟고 있다. 나딤시와 그 주변부는 러시아에게 북극해 개발의 전초기지이고, 주변국에는 자원 확보를 위한 전장으로 변하고 있다. 자원쟁탈전과 영유권 분쟁으로 러시아는 전략폭격기, 핵잠수함, 대륙간탄도미사일(SLMB)을 북극해 지역에 재배치하였다. 러시아의 북극해 정책이 계속되고 있는 이유는 북극해에 매장된 해양자원 개발과 관리, 북극항로 국제화에 따르는 국익증대, 그리고 해양출구 확보를 통한 북극해 강국건설 등에서 찾아질 것이다. 북극

Commission Staff Research Report(April 13, 2012). https://web.archive.org/web/20121002153049/(검색일: 2019.12.23).

10) M.Bennett, "Russia, Like Other Arctic States, Solidifies Northern Military Presence," *Foreign Policy Association*(July. 4, 2011).

11) P.Devyatkin, op. cit.

해 항로 개발은 단기적으로 러시아 북극해 연안의 석유, 천연가스, 원목 등 자원개발과 수송을 위해서, 그리고 장기적으로는 유럽과 아시아, 북미 서해안을 연결하는 최단 해운항로를 개발하는 데 초점이 맞추어져 있다.

러시아는 북극해에서 외국군함의 통과를 제한하는 조치를 취해 왔다. 보리소프(Y. Borisov) 부총리는 2018년 7월 27일 개최된 국제극동해양회의에서 러시아 국기가 달린 선박만이 북해항로를 따라 탄화수소를 운송 및 보관할 수 있는 특별 권한을 얻을 수 있다고 했다.[12] 그 이후 몇 개월 동안 러시아 관리들이 북극에 대한 러시아의 권리를 되풀이 해 왔다. 이 모든 것은 러시아의 군사 인프라 구축 및 첨단화와 북극지역에 군사능력을 강화하는 과정에서 발생했다.[13] 2019년부터 외국군함은 러시아에 통보해야만 북해항로를 이용할 수 있다.[14] 러시아의 일간지 Izvestia의 2019년 3월 6일자 보도 내용에 따르면, 외국의 군함(military vessels)은 북해항행 계획을 45일 전에 러시아에 알리고 러시아 도선사(pilot)를 탑승시켜야 한다. 통행이 거부될 수 있으며, 북해항로를 따라 무단으로 이동하는 경우 러시아에 의해 선박의 억류 또는 파괴와 같은 긴급조치가 취해질 수 있다. 그리고 새로운 규칙에 따라 결빙(結氷) 상황이 좋지 못할 경우, 러시아 쇄빙선만이 외국선박에 서비스를 제공할 권한을 갖는다.[15]

---

12) "Перевозить углеводороды по Северному морскому пути разрешат только судам под флагом РФ," *Интерфакс*, июль. 27, 2018; https://www.interfax.ru/russia/(검색일: 2019.12.27).

13) N. Aliyev, "Russia's Military Capabilities in the Arctic," https://icds.ee/(검색일: 2019.12.25).

14) "С 2019 года военные корабли смогут ходить по Севморпути только уведомив РФ," ноябрь. 30, 2018, *Интерфакс*; https://www.interfax.ru/russia/640154(검색일: 2019.12.27).

15) А. Козаченко, Б. Степовой, Э. Байназаров, "Холодная волна: иностранцам создали правила прохода Севморпути," *Известия*, март. 6, 2019.

러시아의 북극개발정책은 행정부 조직 및 활동의 변화를 초래했다. 2019년 2월 26일 푸틴 대통령이 서명한 대통령령 ≪러시아연방의 북극지역 개발에 대한 행정개선에 대해서≫16) 제1조에서 북극개발을 강화하기 위해 기존의 〈극동개발부〉 명칭을 〈극동 및 북극개발부〉로 변경하고, 러시아연방의 북극개발영역에서 국가정책 및 법적장치에 관련된 추가기능을 위임하고 있다.17) 북극개발정책이 극동개발과 연계되어 추진되도록 하고 있으며, 북극개발을 위해 군사안보 영역의 개발이 동시에 추진되고 있다. 북극개발과 안보협력구조가 유럽지역과 아시아지역으로 구분되는 모습을 보이고 있으며, 유럽지역의 북극개발정책은 북서부연방자구에서 담당하고 시베리아 및 극동연방지구가 포함되는 아시아지역에서의 안보 및 개발정책은 〈극동 및 북극개발부〉가 주로 담당하도록 하고 있다.

Ⅲ. 러시아의 안보환경과 북극 군사력 정비

1. 안보환경에 대한 인식

지구 온난화 현상으로 인해 북극해를 통해 인적 및 물적 교류가 가능해지게

---

16) ≪О совершенствовании государственного управления в сфере развития Арктической зоны Российской Федерации≫.
http://pravo.gov.ru/proxy/ips/?docbody=&prevDoc=102468714&backlink=1&&nd=102522732 (검색일: 2019.12.30).

17) Е.Назипова, "Полномочия Минвостокразвития России расширены на Арктическую зону Российской Федерации," *Министерство Российской Федерации по развитию Дальнего Востока и Арктики*, февраль. 26, 2019; https://minvr.ru/press-center/news/21131/(검색일: 2019.12.30).

되었고, 북극해가 국제정치주체들의 관심대상지로 부각되고 있다. 이러한 현상이 러시아로 하여금 다양한 형태의 안보문제에 고민하도록 했다. 전통적인 군사안보 문제에 더해, 인적 및 물적 교류가 이루어질 수 있는 환경이 만들어지면서 나타나는 다양한 형태의 비정치적인 안보문제에 대응해야 만 했다. 북극을 통해 제기되는 다차원적 안보문제를 해결하기 위해서는 북극해 해빙에 따르는 여러 문제를 조사하고 이에 대응할 수 있는 군사과학기술이 필요했다. 북극해는 잠수함 탐지와 운영을 복잡하게 하는 독특한 수질 조건을 갖고 있다. 수잔 홀로이드(Suzanne Holroyd)는 다음과 같은 이유를 제시하고 있다. 첫째, 여러 온도층으로 인한 염분의 차이로 음향굴절이 발생한다. 둘째, 북극해의 얼음판이 깨어지면서 나는 소리가 음향차단 현상 등 청각장치를 혼란스럽게 한다. 셋째, 얼음 자체가 해상대잠수함전 등에서 장애가 된다.[18] 소련과 현재의 러시아는 북극 해양의 이러한 조건에 맞는 잠수함과 관련 시설을 준비해야 했다.

소비에트 시대 이래로 모스크바는 북극 영토를 주로 안보와 경제적 가치라는 두 가지 측면에서 생각해 왔다. 2000년 이후 러시아는 북극지역에서의 군사적 존재를 재확인하고, 북극자원에 대한 통제력을 확보하고, 아시아와 유럽 사이를 횡단하는 데 수에즈(Suez) 운하 노선보다 약2주가 단축되는 전략적 북부해운통로에 접근하려 노력해 왔다. 모스크바는 러시아가 북해항로에 대한 독점권을 가지고 있다고 믿고 있다. 최근에는 북극지역 기후 변화로 인해 천연자원을 중심으로 한 경제프로젝트의 성공적인 실현, 그리고 북해항로를 이용한 교통개발 현실화 가능성이 증가되고 있다. 이러한 경제적 혜택을 고려한

---

18) S. M. Holroyd, U.S. *and Canadian Cooperative Approaches to Arctic Security* (Santa Monica: The RAND Corporation, 1990), pp. vi-vii.

다면, 러시아가 북극에서 군사적 입지를 강화하는 이유를 짐작하고 이해할 수 있을 것이다. 군수산업을 책임지고 있는 러시아 부총리 유리 보리소프(Yuri Borisov)는 북극이 러시아 관심영역의 일부이며, 모스크바는 그 영토에 대한 영향력을 포기하지 않을 것이라고 했다.[19] 모스크바는 러시아의 안보보장을 위해 북극 인프라 개발 계획을 다양한 측면에서 추진하고 있다.

러시아의 북극개발은 북극해 자원을 개발하고, 북극해를 항해하는 선박을 보호하는 것이다. 북극에는 석유와 가스자원뿐만 아니라, 광물·수산 및 생물 공학 자원이 있다. 막대한 양의 금, 다이아몬드, 백금, 은, 구리, 아연, 니켈, 코발트, 납 등이 매장된 것으로 알려지고 있다. 다양한 자원을 가진 북극지역을 관리하려는 러시아의 움직임은 다른 북극권 국가보다 활발하다. 러시아의 북극정책은 자원 확보 및 개발권을 비롯하여 북극항로에 대한 관리 문제로 이어진다. 전술된 바와 같이, 북극에는 에너지 자원을 비롯한 다량 및 다종의 자원이 매장되어 있고, 북극항로는 태평양과 대서양을 최단거리로 연결시켜주는 물류항로로 주목받고 있다. 따라서 러시아를 비롯한 북극권 국가들의 자원 확보 경쟁이 치열할 뿐만 아니라, 북극항로 이용 문제를 놓고 갈등관계가 지속되고 있다. 북극권에 상당수의 러시아 군사기지가 설치 및 운영되고 있으며, 이러한 기지는 군사 및 경제안보를 위한 선택이다.

지구 온난화 현상이 북극항로를 개통시키고 있다. 대서양에서 태평양까지 러시아의 시베리아 북부해안을 지나가는 북동항로는 서쪽의 무르만스크에서 동쪽의 베링해협까지 연결되는 길이 약 2,200~2,900 마일인 해상 수송로이다. 러시아의 공식발표에 따르면, 북동항로의 서쪽은 노바야젬랴 섬이고, 동쪽 끝은 베링해협 이북이다. 극동지역에서 유럽까지(부산에서 영국 런던까

---

19) "Борисов: Россия в Арктике "своего не упустит"," *ТАСС*, март. 3, 2019.

지) 수에즈운하(Suez Canal)나 파나마운하(Panama Canal)를 거치는 경우보다 운항 거리를 40% 이상(7000여㎞) 단축시키는 것으로 조사되면서 새로운 물류항로로 주목받고 있다. 거리 단축에 따르는 이익뿐만 아니라, 항로 운항의 안정성 측면에서도 긍정적으로 평가받고 있다. 수에즈나 파나마운하를 통하는 항로는 운하를 통과할 수 있는 선박의 크기가 제한되고 있을 뿐만 아니라 운하가 위치한 중동지역의 정치적 불안정에 따르는 위협이 존재하고 있지만, 북동항로는 정치적 불안정에 따른 항로의 위험성이 그만큼 줄어든다. 따라서 북동항로 개설에 따르는 경제적 기대효과가 국제적으로 공유되고 있다.

결국, 러시아의 북극정책은 북극에 대한 러시아 정부의 인식적 바탕위에서 시작되었다. 군사 및 경제안보를 포함하는 다차원적 안보문제에 초점이 맞추어져 있다. 러시아의 북극공간이 국제무대에 개방되면서 북극을 통해 러시아 영토로 유입되는 군사안보 영역의 위협요인을 극복 및 제거하는 문제가 가장 중요시되었다. 그리고 군사안보에 기초해서, 북극에 매장된 다양한 자원 확보 및 북극항로를 통한 경제적 수익성 확보 문제 역시 중요하게 다루어지는 안보 문제이다. 북극지역에 대한 러시아의 안보인식은 군사안보에 초점이 맞추어지는 것이 아니라 경제안보(자원 확보, 북극항로 개척) 등 비군사적 안보에 가중치가 주어진 듯하다. 비군사 영역에서 제기되는 안보환경 조성을 위해 군사력이 집중 배치되는 그러한 모습을 보인다고 할 수 있다.

2. 러시아의 북극군사력 정비

러시아의 북극전략을 설명할 때 가장 민감하게 논의되는 주제가 북극군사력 문제이다. 2007년 8월 러시아는 냉전종식 이후 처음으로 북극해에서 전략 폭격기와 북부함대 순찰활동을 재개했다. 또한 러시아는 북극의 해군능력 향상을 위해 상당한 투자를 계속해 왔다. 러시아의 4개 함대들 중에서 북부함대는 가장 많은 수의 쇄빙선과 잠수함을 보유하고 있다. 러시아 군은 2008년 6월에 북부함대 잠수함의 작전반경을 늘릴 것이라고 했다.[20] 러시아는 노르웨이와 덴마크 영토 근처에서 해상순찰을 확대하고, 잠수함 함대의 작전반경을 늘리고, 얼음 속 수중 훈련을 시작했다. 그리고 2011년 중으로 북극해안건설을 위해 330억 달러를 지출할 계획을 갖고 있었다.[21] 2012년을 전후한 당시, 6척의 핵 쇄빙선 외에도 19척의 디젤 극지 쇄빙선이 준비되었다.[22] 핵 쇄빙선에는 세계에서 가장 큰 핵 쇄빙선 「승리 50년」이 포함되었다.[23]

　[그림 1-6]은 소련시절인 1980년대와 2010년대 러시아의 북극군사력 배치 상황을 보여주고 있다. 잠수함, SSBN, 항공모함, 라거선(lager ships), 보조 함정, 항공기, 전투기, 해군, 헬리콥터 등에서 소련과 러시아 군대의 비교 수치를 보여주고 있다. 북극에 배치된 러시아의 군 조직은 1980년대 소련시절의 그것보다 훨씬 낮은 수준에 머물러 있음을 보여준다. 2010년을 전후한 당시의 상황으로 본다면, 러시아가 적대적인 냉전시기로 되돌아가려는 것이 아니라, 북극에서의 신냉전 분위기를 조성하는 것이 아니라, 북극에서 군사적 존재감을 유지시킴으로써 북극지역에서 제기되는 다양한 안보위협 상황을 극복하기 위한 방어용 안보정책을 추진하고 있음을 보여준다.

20) A. Blomfield, "Russia plans Arctic military build-up," *The Telegraph* (June. 11, 2008).

21) F. Weir, "Russia's Arctic 'sea grab'," *Christian Science Monitor* (August. 14, 2011).

22) C. Restino, "Icebreaker fleet in U.S. lags behind," *The Arctic Sounder* (Jaunary. 13. 2012).

23) M. Laruelle, *Russia's Arctic Strategies and the Future of the Far North* (New York: M. E. Sharpe, Inc., 2014).

[그림 1-6] 1980년대와 2010년대 북극에서의 소련 및 러시아 군대 현황

THE RUSSIAN ARMED FORCES IN THE ARCTIC		USSR in 1980s	Russia in 2010s
	Submarines	172	30
	of them SSBN	39	7
	SSBN in permanent patrol	10~12 (6~7 in Arctic)	1~2
	Aircraft carriers	2	1
	Lager ships	74	17
	Auxiliary vessels	200	33
	Aircrafts	400	100
	Helicopters	—	40

https://www.thearcticinstitute.org/wp-content/uploads/2018/01/Russian-armed-forces-Arctic_chart.png

  푸틴은 2014년에 무르만스크에 기반을 둔 북부함대 합동전략사령부(Joint Strategic Command)를 창설했다 했다. 북부함대는 콜라만(Kola Gulf)의 무르만스크州 무르만스크市 동북부 지역 세베로모르스크(Severomorsk)에 본부를 두고 있다.[24] 북부함대는 러시아 총 해상전력의 3분의 2를 차지하고 있으며, 약80척의 작전함을 보유하고 있다. 2013년 당시 이곳에 약35척의 잠수함, 6척의 미사일 순양함, 표트르 대제(Peter the Great) 기함이 포함되었다.[25] 2014년에 북극권에서 대규모 전투 훈련을 실시했다. 동년 7월에 북쪽의 우주선 발사기지에서 신형로켓을 실험 발사했다. 2014년 9월에는 북해함대 소속 대형 함정 3척과 유조선 1척이 세베로모르스크 항을 떠나 동시베리아 북쪽 북극해의 노보시비르스크 제도로 항행했고, 동년 11월에는 북극전체를 아우르는 러시아 함대 창설이 강조되었다. 푸틴 대통령이 대륙붕 전 지역의 수호를

---

24) R. Weitz, "Russia: The Non-Reluctant Arctic Power," *Second Line of Defense* (February. 12, 2011).
25) Laruelle, op. cit.

당부하면서 북극지역 군함기지 통합시스템 조성을 명령했다.[26] 2014년 추정 치에 따르면, 러시아의 해상핵무기 중 81%가 북부함대에 소속된 잠수함에 할당되었다. 러시아는 북극에서 자신의 이익을 보호할 모든 준비가 되어 있다고 했다.

2015년에 「승리 S-400(S-400 Triumf)」대공미사일이 북극 해안에 배치되었고, 공중요격으로부터 군사인프라를 보호하기 위해 「판치르-S(Pantsir-S)」대공미사일 부대가 배치되었다. 또한 노바야 제믈랴(Novaya Zemlya)에는 바스티온 시스템(Bastion system)을 갖춘 해안 미사일 부대가 설치되었다. 북극해와 일부 대륙지역의 섬에서는 해안로켓부대, 대공미사일 및 로켓 포대 등이 24시간 전투 임무를 수행하고 있다. 2015년에 잠수함 「유리 돌고루키(Yuri Dolgoruki)」가 북극에 배치되었고, 전략핵잠수함 알렉산더 「네브스키(Alexander Nevski)」는 북극횡단수송을 완료했다. 러시아는 13개의 공군기지와 10개의 레이더 관측소를 재건했다. 러시아는 북극에 20개의 국경전초기지와 10개의 통합 응급구조 센터를 설치할 계획을 갖고 있었다.[27] 2015년과 2016년 사이에 러시아 극지방의 6곳[28]에 군사기지가 설치되었다. 방공 및 항공우주군의 군사기지, 군사비행장, 부대 및 전투진지가 건설 또는 재건되었다. 2017년에는 2018년까지 기동 군을 위한 나머지 인프라 시설의 재건 및 비행장 네트워크 개선이 계획되었다.[29] 북극항로를 따라 항공관제소, 레이더 및

---

26) 이영형, "러시아의 북극 진출과 북극권 영유권 분쟁,"『Russia-Eurasia FOCUS』제319호 (용인: 한국외국어대학교 러시아연구소, 2015).

27) M. Kupfer, M. Bodner, "Hot Air, Cold War: How Russia Spooks Its Arctic Neighbors," *The Moscow Times*(May. 18. 2017).

28) Alexandra Land, Novaya Zemlya, Sredny Island, Kotelny Island, Wrangel Island, Cape Schmidt.

29) В.Ю.Мишин, Болдырев Виталий Евгеньевич, "Военно-стратегическая

우주정찰기가 설치되어 활동하고 있음은 자연스럽다.

러시아 국방부가 특수부대인 자동소총여단이 순록썰매와 스노-보트(snow boat) 등을 이용해 훈련하고 있는 모습을 공개하고 있다. 자동소총여단 정찰부대원들은 개썰매를 타는 방법을 배우고 있으며, 스노-보트를 이용해 이동성을 확보할 수 있는 다양한 방법을 습득하고 있다. 최근 몇 년 동안 러시아는 북극에서의 군사훈련을 늘리고 군사기지를 개설 또는 재개했으며, 쇄빙선을 건조했으며, 지역통제력 강화를 위해 고급레이더 기지를 설치했다. 일부 언론인들은 푸틴대통령이 신냉전을 북극전선에서 열었다고 했다.[30] 선정주의(Sensationalist) 언론인들은 러시아의 군사 활동이 전쟁을 준비하거나 북극을 정복하고 있다고 주장하고 있다.[31] 미국의 제26대 국방장관을 지낸 제임스 매티스(James Mattis; 재임 2017.1.20~2018.12.31)는 러시아가 북극에서의 입지강화를 위해 공격적인 행보를 취하고 있다고 했다.[32] 매티스(J.Mattis)의 이러한 주장은 설리번(Sullivan) 상원의원이 강조하는 미국의 북극전략 논리와 맥을 같이한다.[33]

2017년 중 시베리아 해와 랍테프 해 사이에 위치한 코텔니(Kotelny)섬과 아르한겔스크주의 알렉산드라(Alexandra)섬에 군사기지가 설치되었다. 그리고

составляющая российской политики в Арктике: состояние, проблемы, перспективы," *Ойкумена*, №2(2016), p. 149; https://cyberleninka.ru/article/(검색일: 2020.1.2.).

30) S.Ahmari, "Putin Opens an Arctic Front in the New Cold War," *Wall Street Journal*, (June. 11, 2015).

31) H.Holloway, "Russia moves to conquer the Arctic: Putin's troops prep for very Cold War," *Daily Star* (February. 20, 2017).

32) R.Gramer, "Here's What Russia's Military Build-Up in the Arctic Looks Like," *Foreign Policy*, January. 25, 2017. 2019년 7월 23일 마크 에스퍼(Mark Esper)가 27대 국방장관으로 임명되었다.

33) A.Osborn, "Putin's Russia in biggest Arctic military push since Soviet fall," *Reuters*, January. 31, 2017; https://www.reuters.com/article/(검색일: 2019.12.26.).

2018년에 알렉산드라 섬과 코텔니 섬에 독특한 전천후 비행장 건설이 계속되었다.[34] 2019년 4월, 쇼이구(S.Shoigu) 국방장관은 앞으로 몇 달 안에 북극함대가 368개의 최신무기와 군사 장비를 공급받게 될 것이며, 연말까지 러시아 현대무기의 59%가 이곳에 배치될 것이라고 했다.[35] 북부함대는 2019년에 북극에서 활동하기 적합한 T-80BVM 탱크를 갖춘 독립소총여단을 새롭게 정비할 계획이다.

러시아는 본토 해안전체와 무르만스크 지역에서 극동까지의 섬에 대규모 시설물을 건설하는 등 북극지역 군사력 강화를 위해 노력해 왔다. 2014년 이후 약 710,000㎡ 면적에 500개 정도의 시설이 들어섰다. 그 중에는 알렉산드라 랜드(Alexandra Land)에 있는 나구르스코(Nagurskoe) 군사기지에 89개의 건물과 구조물, 노보시비르스크 제도의 코텔니 섬에 위치한 기지에 250개가 넘는 건물과 구조물, 브랑겔 섬(Wrangel Island)과 케이프 슈미트(Cape Schmidt)에 85개의 구조물이 건설되었다.[36] 쇼이구 국방장관은 2019년 3월 11일 개최된 국회국방위원회에서 2012년 이후 북극에 475개의 군사인프라 시설이 건설되었음을 밝혔다. 6년 만에 코텔니 섬, 알렉산드라 섬, 브랑겔 섬과 케이프 슈미트 지역에 475개의 건물이 들어섰다.[37]

러시아는 북극해 전역에 원자력 추진 쇄빙선을 비롯해 40척의 쇄빙선을 갖고 있다.[38] 〈프로젝트 22220〉에 따라 2021년까지 새로운 쇄빙선 3척(Arktika,

---

34) О.ВОРОБЬЕВА, "≪Иван Грен≫ пройдёт проверку в Арктике," *Красная звезда, октябрь*. 29, 2018; http://redstar.ru/(검색일: 2020.1.1).

35) Ю.Гаврилов, "Ракеты в снегах. В поселке Тикси развернут дивизию ПВО," *Российская газета. Федеральный выпуск*, № 94(7852), апрель. 26, 2019.

36) А.ТИХОНОВ, "Амбициозные задачи нужно ставить перед собой всегда," *Красная звезда*, ноябрь. 6, 2018; http://redstar.ru/(검색일: 2020.1.4).

37) "Минобороны построило в Арктике уже 475 объектов военной инфраструктуры," *ТАСС*, март. 11, 2019; https://tass.ru/armiya-i-opk/6204831(검색일: 2020.1.4.).

38) Kupfer and Bodner, op. cit.

Sibir, Ural)이 함대에 배치될 전망이다. 북극항로 또는 북극해항로의 국경서비스는 북극성급 쇄빙선이 담당하고 있다.[39] 푸틴 대통령이 북동항로 핵추진 쇄빙선대 운영과 지역인프라 개발을 책임질 운영 주체로 로스아톰(ROSATOM)을 지정했다.[40] 러시아 원자력 쇄빙선은 이미 3m의 얼음도 쇄빙할 수 있는 능력을 갖고 있다. 북극해 항로 얼음의 평균두께가 2±1m인 점을 감안한다면, 러시아의 쇄빙선은 북극해 어느 지역이든 얼음을 깨고 각국 선박을 인도할 수 있는 수준에 이르렀다. 러시아는 군사화 된 쇄빙선에 관심을 갖고 있다. 상트페테르부르크(Saint Petersburg)에 있는 해군조선소는 〈프로젝트23550〉에 따라 북극지역을 위한 아이스 클래스 순찰선(ice-class patrol ships)을 주문 받았다. 초계임무와 상용선박 보호를 위해 건조되는 이 함선은 예인선·쇄빙선·순찰선의 특성을 갖게 되며, Klub-K 미사일 시스템과 A-190 함포로 무장될 것이다. 이러한 기능을 가진 최초의 아이스급 쇄빙 초계함인 이반 파파닌(Ivan Papanin)이 2020~2021년 건조를 완료하고, 2023년에 북극해의 러시아 해군에 이양될 전망이다.[41] 그리고 2020년을 전후한 시기에 두 번째 아이스급 초계함정인 니콜라이 주보프(Nikolay Zubov)의 기공식이 이루어질 전망이다.

북해항로 영공안전을 위해 설계된 새로운 공군부대는 2019년 사하공화국의 틱시(Tiksi)에 배치될 계획으로 준비되었다.[42] 페트로파블로프스크-캄차츠키

39) А.Карпов, "Стратегия США в Арктике: не деньгами, так оружием," *ИА REGNUM,* март. 1, 2019; https://regnum.ru/news/polit/2583549.html(검색일: 2020.1.4).

40) T.Nilsen, "Rosatom names head of newly established Northern Sea Route directorate," *ArcticToday,* July. 25, 2018; https://www.arctictoday.com/(검색일: 2020.1.6).

41) В.Демченко, "Крепость по имени Арктика," *Еженедельник ≪ЗВЕЗДА≫,* июнь. 26, 2018.

42) Ю.КОЗАК, "Безопасность в Арктике – наша приоритетная задача," *Красная звезда,* март. 13, 2019.

(Petropavlovsk-Kamchatsky)에 있는 옐리죠보(Yelizovo) 국제공항에 기반을 둔 제317혼합항공연대가 동부지역 국경안보에 참여하게 될 것이다.[43] 2020년을 전후한 시기에 북극에 있는 많은 비행장이 가동될 것이며, 항공모함을 포함한 모든 유형의 항공기를 수용할 수 있도록 준비되고 있다.[44] 북해항로는 Il-38N 돌고래 잠수함 항공기에 의해 매일 순찰되고 있다. 동일 항공기가 북해항로 인근의 수상선과 잠수함 활동을 통제하며 잠수함 배치에 관여하게 될 것이다.[45] 2019년 6월에는 북극지역에서 기후 및 환경을 예측하고 모니터링(monitoring)할 수 있는 최초의 위성 「북극-M」이 가동될 수 있도록 준비되었고, 북극해 감시 능력을 높이기 위해 드론(Drone) 기술을 활용하고 있다. 드론은 최대100㎞ 떨어진 선박을 식별하고 관련 정보를 수집할 수 있는 능력을 지니고 있다.[46]

Ⅳ. 러시아의 북극군사력이 갖는 의미

1. 국경보호 및 경제안보를 위한 선택

모스크바의 북극군사력 강화 움직임은 경제적, 지리적 및 냉전적 요인에 의

---

43) А.Рамм, А.Козаченко, Е.Дмитриев, "Полчаса до полюса: скоростные истребители взяли Арктику под контроль," *Известия*, январь. 30, 2019.

44) О.ПОЧИНЮК, "Арктический ракурс морской авиации," *Красная звезда*, март. 11, 2019.

45) А.Рамм, А.Козаченко, "Разведка морем: Ил-38Н заступили на боевое дежурство в Арктике," *Известия*, май. 27, 2019.

46) Л.Самарина, "Глава "Калашникова": концерну есть что предложить для нацпроектов," https://tass.ru/interviews/6160957(검색일: 2020. 1. 1).

해 영향을 받고 있다. 2009년 5월의 〈러시아연방 국가안보전략2020〉은 북극에서의 군사정책을 분석하는 중요한 문건들 중에서 하나이다. 국가안보전략에서 안보위협을 정의하고 러시아를 보호하기 위한 조치를 구체화하고 있다. 경제발전과 에너지 안보가 이 전략에서 중요한 위치를 차지하고 있다. 러시아가 북극을 전략적 자원지대로 고려한다는 점을 감안할 때, 이러한 현상이 자연스러워 보인다. 국가안보전략은 또한 북극에 군대창설을 제안한다. 북극에서의 안보활동은 전통적인 군사위협 문제를 비롯한 비전통적인 위험으로부터 러시아를 보호하는 것에 두고 있다.

러시아의 북극 안보전략에서 군사안보에 관련된 내용이 상대적으로 축소되고 있음은 사실이지만, NATO 등 외부의 군사안보 위협 문제에 관심을 갖지 않을 수 없다. 러시아와 NATO의 군사력은 냉전 이후 크게 줄었지만 여전히 상당한 군사력을 가지고 있다. 미국은 또한 북극에서의 군사적 입지강화를 위한 계획을 준비해 왔다.[47] 러시아 전문가에 따르면, 미국 핵 잠수함의 존재와 미국이 개발하고 있는 해상미사일방어시스템은 북극에서 러시아의 탄도미사일을 차단하고 선제공격을 가할 수 있는 자원으로 활용될 가능성도 있다.[48] 모스크바는 서방과 기타 세력이 러시아의 북해항로와 북극의 경제자원을 박탈할 계획이라고 우려하고 있다. 이러한 안보위협 요인을 차단하기 위해 러시아는 북극지역에서 억제수단의 일환으로 군사입지를 강화하고 있다.[49] 러시아는 북극에서 실시되는 많은 군사훈련과 장비설치를 북극에 대한 도전 훈련

47) Megan Eckstein, "Navy May Deploy Surface Ships to Arctic This Summer as Shipping Lanes Open Up," *USNI News*, January. 8, 2019; https://news.usni.org/2019/01/08/(검색일: 2020.1.10).

48) В.Н.Конышев и А.А.Сергунин, *Арктика в международной политике: сотрудничество или соперничество?* (Moscow: RISI, 2011), p. 39.

49) Aliyev, op. cit.

으로 인식되는 NATO의 군사 활동에 대한 대응으로 간주하고 있다.[50] 북극에서의 군사훈련과 군사시설 건설은 러시아가 다른 북극권 국가들과의 전쟁을 준비하고 있음을 의미하지는 않는다.

러시아의 국가안보 및 북극개발전략은 이전 버전에 비해 훨씬 덜 거친 용어를 사용하고 있다. 최근의 북극전략 논문은 군사력을 NATO와 균형을 맞추는 대신 경제안보, 밀수, 테러 및 불법이민 방지에 중점을 두고 있다. 이러한 우선순위는 북극에서의 러시아 안보목표가 전략적 자원기지로서의 북극산업보호와 관련이 있음을 의미한다. 북극개발관련 2008년과 2013년 문건은 그 내용구성에서 차이를 보인다. 시간이 지남에 따라 전략보고서 및 논문은 전통적인 군사안보에 대한 암시가 더 적다. 그럼에도 불구하고 러시아 국방부는 새로운 위험에 대응하기 위해 북극에 군사시설 개발을 꾸준히 요구해 왔다. 북극에서의 국가안보 위협은 종종 모호한 것으로부터 파생되기 때문이다.[51] 2014년 러시아 군사독트린은 평상시에도 북극이 러시아의 국익을 보호해야 하는 지역으로 관심을 갖도록 정리되고 있지만, 방위능력의 공격력 증가보다는 일반적인 군사력 복원을 요구하는 방향으로 정리되고 있다. 정부가 승인한 문서는 NATO와 러시아의 경쟁을 강조하는 어조에서 경제발전을 바탕으로 하는 덜 거친 어조로 옮겨 간 것으로 보인다.

북극에서 행해지는 러시아의 안보행동주의는 새로운 공격능력을 개발하기보다 안보능력을 유지하려는 욕구로 해석된다. 경각심을 자극하는 수사(修辭)가 미국의 설리번(D. Sullivan) 상원의원(알레스카州)으로 하여금 러시아

---

50) А.Никольский, П.Козлов, "На учения НАТО в Скандинавии Россия ответила внезапной проверкой авиации и ПВО," *Ведомости*, май. 25, 2015.

51) "Шойгу: широкий спектр угроз России формируется в Арктике," *РИА Новости*, февраль. 25, 2015.

북극군사력 증강을 표시하는 지도를 작성하도록 했고, 이러한 결과물이 2017년 미국 상원에서 러시아의 공격적 행위에 대응하는 북극전략 수립을 촉구하는 데 이용되었다. 그러나 중요한 사실은 러시아가 방어를 위해 세운 많은 시설(군사비행장과 더 많은 수의 수색구조 기지)이 공격적인 군사시설로 설명되고 있다는 것이다.[52) 러시아의 많은 군사시설이 실용적이고 협조적이라는 점을 인정하는 것이 중요해 보인다.

[그림 1-7] Dan Sullivan이 발표한 러시아 북극군사력 현황

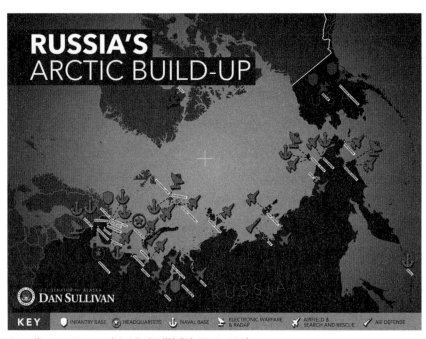

https://foreignpolicy.com/2017/01/25/(검색일: 2019.12.25.)

---

52) R. Gramer, "Here's What Russia's Military Build-Up in the Arctic Looks Like," *Foreign Policy*(January. 25. 2017).

북극에 매장된 자원 개발과 북극항로 이용이 러시아의 경제안보에 중요한 의미를 지니게 되었다. 지구 온난화 현상 등으로 인해 북극이 경제발전 기지로 변화됨에 따라 러시아는 북극을 안보 영역에서 관리하고 있다. 북극을 관리할 수 있는 통신 및 레이더 감시 시스템을 개선하고 있다. 러시아 군은 북극 전역의 자원과 해상운송에 대한 통제 및 감시를 강화하기 위해 장거리 레이더 시스템과 드론 기지를 개발하고 있다.[53] 설리번 상원의원과 같은 비평가들은 그러한 시설의 건축물들을 군사정찰에 맞추어 해석하지만, 실제로는 평화로운 수색구조 활동에 필수적이다. 수색구조 정거장은 북극지역에서 외국 및 국내의 자원추출, 운송 및 기타 경제발전을 지원하는 데 필수적이다.[54] 2019년 북극항로상의 물류지원을 위해 새로운 장비와 시설물들이 정비되고 있지만, 비평가들은 이러한 시설물을 러시아의 공격적 북극정책으로 등치시키고 있는 것이다. 북극에서 조성될 경제안보 위협 요인을 제기하기 위한 방안의 일환으로 관련 시설이 정비되고 있음을 기억할 필요가 있다.

결국, 러시아 북부함대에는 독립 부대, 공군과 방공부대, 지상군 군단, 해안 부대 및 수상 선박 등 다양한 유형의 군사력이 조합되어 있다. 북극의 모든 군도에 기반을 둔 각종 시설물들은 효율적인 물류시스템 구축을 가능하도록 지원하고 있다. 북부함대를 기반으로 하는 북극부대는 러시아의 북극 및 섬 영토를 보호하기 위해 활동하고 있다. 전략적 해군 핵전략은 전략적 안정성을 제공해 주고, 함대 병력은 북극과 해양지역에 대한 러시아의 이익을 보호하고 민간운송의 안전을 보장해 주고 있다. 북부함대는 북극에서 광범위한 해양연구를 수행하고, 알려지지 않은 새로운 지리적 자산을 발굴해 오고 있다. 최근

---

53) O. Yegorova, "От Крыма до Сахалина. Генерал-майор о защите воздушных рубежей РФ," *Life*, декабрь. 18, 2016; https://life.ru/(검색일: 2019. 12. 25.).

54) P. Devyatkin, op. cit.

몇 년 동안 북부함대의 수로 측량 선박에 의해 34건의 지리적 재발견이 이루어졌다.[55] 북부함대는 북극해 국경을 보호하고 바렌츠 해와 백해(White seas) 연안의 항해안전을 보장해 주는 역할을 담당하고 있다.

2. 공존과 협력을 위한 선택

러시아 북극군사력의 상당부분이 군사 및 민간 활동영역에서 순찰을 시도하고, 비전통적인 안보 위협에 대응하고, 러시아 국경을 보호하는 역할을 담당하고 있다. 그러나 일부 언론인, 학자 및 전문가들은 북극에서 갈등분위기가 상승되고, 러시아와의 전쟁을 준비해야 한다는 주장을 하고 있다.[56] 소련 해체 이후 러시아 군사 활동의 우선순위에서 북극이 밀려나 있었고, 소비에트 시대와 비교할 때 러시아 군사 활동에는 한계가 있었다. 또한 러시아 군현대화 프로그램은 소비에트 시대에 존재한 군사인프라를 업그레이드하는 수준에 머물러 있었다. 2008년 9월 19일 메드베제프에 의해 승인된 《2020년과 그 이후까지의 러시아 북극정책 요강》의 세 번째 단계인 2016~2020년 기간 동안에 동일지역을 러시아의 전략적 자원지대로 전환시키고, 러시아를 북극권 강국으로 변모시키는 데 목표를 두고 있다. 그 이후에는 북극지역을 복합적으로 개발하면서 러시아의 위치를 견고히 하고, 국제안보체제 확립뿐만 아니라

---

55) П.Настин, "Северный флот совершил более 30 географических открытий за несколько лет," *TV Zvezda*, март. 13, 2019, https://tvzvezda.ru/news/(검색일: 2020.1.4); "Северный флот передал Русскому географическому обществу отчёт по гидрографическим исследованиям в Арктике," *TV Zvezda*, ноябрь. 26, 2018, https://tvzvezda.ru/news/(검색일: 2020.1.4.).

56) K.Stephen, "The Arctic: Hot or Not?," www.thearcticinstitute.org/(검색일: 2019.12.25).

북극지역의 안정과 평화증진을 위해 노력하는 것으로 되어 있다.

북극권 국가들의 전략적 및 경제적 이익으로 인해 북극에서의 군사화 가능성이 증대되고 있지만 대규모 분쟁 가능성은 낮다. 북극지역에서 러시아의 군사력 증강 움직임이 계속되고 있지만, 신냉전을 걱정할 필요는 없다. 최근 몇년간 러시아와 다른 북극권 국가들 사이에 협력이 계속되었다. 최근 몇 년간 러시아와 미국이 국제해사기구와 북극위원회의 틀에서 협력하고 있는 모습이 목격된다. 북극은 동맹국과 상대진영 사이의 구분이 흐려질 수 있는 지역이다.[57] 북극에 러시아의 군사자산이 축적되면 전쟁 상황이 조성된다고 믿는 사람이 있지만, 북극에서의 국제협력에 의해 달성될 수 있는 잠재적 이익이 더 많다.

러시아의 북극군사력 강화 움직임을 신냉전과 무관하게 이해하는 경우도 있다. 2005~2012년 동안 노르웨이 외무부 장관을 지낸 요나스 가르 스퇴레(Jonas Gahr Støre)는 러시아의 북극 활동을 "동일 지역에 합법적인 이해관계가 있는 정치행위자의 정상적인 활동"으로 평가했다. 그리고 2016년 미국의 선임북극관료(Senior Arctic Official)인 줄리아 고우리(Julia Gourley)는 북극에서 "러시아의 공격적인 의도에 대한 증거는 없다"고 했다.[58] 이러한 시기인 2016년 11월 30일 대통령에 의해 승인된 러시아외교정책개념에서 러시아는 북극에 대해 평화, 안정 및 건설적인 국제협력촉진 정책을 추구할 것이라고 했다.

러시아는 NATO 회원국들과 많은 군사훈련을 실시해 왔다. 노르웨이 해안경비대와 러시아 북부함대는 2015년부터 매년 바렌츠에서 훈련을 개최했

---

57) Aliyev, op. cit.

58) L.Ruskin, "Russian aggression unlikely to hit Arctic, security experts say," *KTOO Public Media*, October. 14, 2016, https://www.ktoo.org/2016/10/14/(검색일: 2019.12.26).

다. 북극 이외의 지역에서도 러시아는 2003년에서 2013년 사이에 프랑스, 영국 및 미국에서 매년 FRUKUS 훈련을 실시했다. 2014년 우크라이나 사태 이후 러시아와 NATO 회원국 간의 다자간 군사훈련이 보류되었지만, 수색구조작전 및 기름유출 대응 훈련을 포함한 공동해안경비대 훈련은 계속되었다.[59] 일반적으로 러시아의 많은 군사 및 민간작전은 실용적이며 북극 국가 간 어느 정도의 협력을 허용했다고 할 수 있다.[60] 러시아의 북극군사력 증강 움직임은 북극개발 및 활용이라는 관점에서 추진되고 있으며, 국가 간 협력 분위기 속에서 이루어지고 있다고 볼 수 있다.

북극에서 이루어지는 수색구조 작업은 극지방 협력의 중요한 한 부분이다. 북극이사회(Arctic Council)는 수색구조를 포함하여 북극 평화와 협력을 위해 중요한 역할을 담당하는 기관이다. 수색구조 활동에 관한 2011년 협정은 모든 당사자가 각자의 영역 내에서 조난신호에 응답할 것을 약속하고 있다. 각 국가는 북극에서 자신의 영토에서 발생되는 사건사고에 대한 구조 활동에 책임을 지고 있다. 8개 북극 국가의 해안경비대도 2015년에 북극해안경비대포럼(Arctic Coast Guard Forum, ACGF)을 설립하기로 했다. 북극해안경비대포럼은 북극이사회 국가들의 해안경비대가 북해에서 발생될 비상대응작전을 조정하기 위해 설립되었다. 미국과 러시아의 해안경비대는 각각 미군과 러시아 안보국의 일부이기 때문에 ACGF는 북극 국가의 군사지부 간 협력을 의미하기도 한다. 이러한 조치는 러시아의 공식정책에 명시된 "전략적 안정성 및 파트너십" 목표와 일치한다. 2015년 12월 31일의 대통령령으로 확정된 러시아 국가안보전략의 전략적 안정성 및 파트너십 내용은 북극에서 동등하고 상호이

---

59) K. S. Kristensen, *Russian Policy in the Arctic after the Ukraine Crisis* (Copenhagen: Centre for Military Studies at the University of Copenhagen, 2016).

60) P. Devyatkin, op. cit.

익이 되는 국제협력 개발이 중요하게 취급되고 있다.

러시아의 북극정책은 북극지역에서의 국제경제협력을 지원하는 방향으로 나아가고 있다고 할 수 있다. 북극의 천연자원 프로젝트와 해로의 성공적인 활용을 위한 핵심 요인이 경제프로젝트와 상업 및 군사해양활동을 위한 자금 조달에 있다. 이러한 프로젝트를 수행하려면 막대한 재정 및 기술자원이 필요하다. 러시아의 정치엘리트는 이러한 현실을 이해하고 있다. 특히, 그루시코 (A. Grushko) 외무부 차관은 북극자원을 추출하기 위해서 국제협력이 필요하다고 했다.[61] 러시아의 북극 군사력은 국제협력을 통한 북극개발과 동일 지역에서의 다차원적 안보환경 조성을 위한 선택으로 이해된다. 북극에 대한 경제협력은 북극항로 개설 및 북극에 매장된 다양한 자원의 공동개발 등에서 구체화될 것이다.

V. 끝맺는 말

지구 온난화 현상으로 인해 북극해를 통한 인적 및 물적 교류가 가능해지게 되면서 러시아는 다양한 형태의 안보문제에 고민하기 시작했다. 전통적인 군사 안보 문제에 더해, 인적 및 물적 교류가 이루어질 수 있는 환경이 만들어지면서 나타나는 비정치적 안보문제에 대응해야 만 했다. 북극을 통한 다차원적 안보 문제가 제기되면서 러시아가 북극 군사력을 강화하고 있다. 그러나 이러한 북극군사력 증강 움직임이 북극지역 신냉전 환경 조성과는 거리가 있어 보인다.

---

61) "Антироссийские кампании постоянно требуют вброса новых тем - Грушко," *Международная жизнь*, март. 16, 2019.

첫째, 러시아의 북극정책은 여러 공식문건에서 나타나고 있지만, 최근의 문건일수록 이전 버전에 비해 훨씬 덜 거친 용어를 사용하고 있다. 정부가 승인한 최근의 문서는 NATO와 러시아의 경쟁을 강조하는 어조에서 경제발전을 바탕으로 하는 덜 거친 어조로 옮겨가고 있는 듯하다. 러시아의 북극정책 문건은 북극권 국가간 공존과 협력을 강조하고 있다. 2008년 9월의 북극정책 요강을 비롯해 많은 북극개발 문건에서 국제협력이 강조되고 있다. 2015년 12월 31일 대통령령으로 확정된 〈러시아 국가안보전략〉 역시 북극에서 상호이익이 되는 국제개발협력이 강조되고 있다. 2016년 11월 30일 대통령에 의해 승인된 러시아외교정책개념에서도 러시아는 북극에 대해 건설적인 국제협력촉진 정책을 추구할 것이라고 했다. 러시아의 북극정책은 북극지역에서의 국제경제협력을 지원하는 방향으로 나아가고 있다고 할 수 있다.

둘째, 북극의 군사시설은 북극개발 및 북극항로 활용에 유익한 방향으로 부설되고 있다. 미국의 설리반 상원의원과 같은 비평가들은 북극의 건축물들을 군사정찰에 맞추어 해석하지만, 실제로는 평화로운 수색구조 활동에 활용되고 있다. 수색구조 정거장은 외국 및 국내의 자원추출, 운송 및 기타 경제발전 능력을 지원하는 데 필수적이다. 러시아의 북극 군사력 확장은 해상운송로 개통에 따른 수로개발, 자연환경, 오염 영향과 경제성 검토 등에 관련된 연구를 진행하도록 했다. 러시아는 북극해 감시능력을 높이기 위해 드론(Drone) 기술을 활용하고 있다. 드론은 북극에서의 연구수행, 해양항법안전 및 24시간 국경보호를 지원하고, 북극해안선과 영해를 감시하는 민간 및 군사업무를 지원하고 있다. 러시아의 북극군사시설은 북극해 자원을 개발하는 것이고, 북극해를 항해하는 선박을 보호하는 데 활용되고 있다.

셋째, 북극군사력 증강 움직임은 낙후된 시설복구 및 방어용 전력배치에 초점이 맞추어져 있다. 러시아가 본토 해안전체와 무르만스크 지역에서 극동까지의 섬에 대규모 군사관련 시설을 건설하는 등 군사력 강화를 위해 노력해 왔지만, 이러한 군사시설은 낙후된 시설을 복구하는 성격이 강했고, 북극지역 안보를 위한 방어용 전력배치 성격을 지녔다. 북극에서의 군사훈련과 군사시설 건설은 러시아가 다른 북극 국가들과의 전쟁을 준비하고 있음을 의미하지는 않는다. 러시아의 안보행동주의는 공격능력을 개발하기보다 안보능력을 유지하려는 욕구로 이해된다.

넷째, 북극에 대한 러시아의 안보인식은 군사안보 보다 경제안보(자원 확보, 북극항로 개척) 등 비군사적 안보에 더 많은 초점이 맞추어져 있다. 모스크바는 서방과 기타 세력이 러시아의 북해항로와 북극의 경제자원을 박탈할 계획이라고 우려하고 있다. 이러한 안보위협 요인을 차단하기 위해 북극지역에서 억제수단의 일환으로 군사입지를 강화하고 있다. 북극에서 형성될 경제 위협 요인을 제기하기 위한 방안의 일환으로 군사관련 시설이 정비되고 있다고 할 수 있다.

결국 러시아의 북극 군사력 증강 움직임이 신냉전을 자극한다는 비난에 직면해 있지만, 북극지역에 대한 러시아의 패권적 움직임과는 거리가 있어 보인다. 러시아의 북극정책이 북극지역 개발과 비군사적 영역의 안보에 더 많은 관심을 갖고 있으며, 이를 위해 필요한 새로운 군사시설 증축 및 군사력이 증강되고 있는 것이다. 북극에서의 군사훈련과 군사시설 건설은 북극권 국가들과 전쟁을 준비하는 것이 아니라, 안보능력을 유지하는 방향으로 나아가고 있다. 러시아의 북극군사력 증강은 공격용이라기보다 방어용에 가깝고, 지구 온난화 현상으로 인해 북극해를 통해 야기되는 다양한 안보환경에 대응하기 위한 전략적 선택인 것으로 보인다.

〈참고문헌〉

김덕기. "북극해의 전략적 가치와 러시아의 전략적 접근." 『Strategy 21』, 한국해양전략연구소, 제15권 제1호, 2012.

배진석. "북극해의 군사적 동향과 해군의 준비." 『軍事評論』, 합동군사대학교, 제434호, 2015.

백성호. "북극항로 시대 해군의 역할과 해군력 발전에 관한 연구." 『Strategy 21』, 한국해양전략연구소, 제17권 제3호, 2014.

백성호. "북극항로 개척에 따른 해군의 역할 및 미래해군 요구전력 연구." 『海洋研究論叢』, 해군사관학교, 제45집, 2014.

심경욱. "러시아 북극군 강화의 전략적 함의." 『合參』, 합동참모본부, 제80호, 2019.

이영형. "러시아의 북극해 확보전략: 정책 방향과 내재적 의미." 『중소연구』, 한양대학교 아태지역연구센터, 제33권 제4호, 2009/2010.

이영형 · 김승준. "북극해의 갈등 구조와 해양 지정학적 의미." 『세계지역연구논총』, 韓國世界地域學會, 제28집 3호, 2010.

이영형 · 정병선. 『러시아의 북극 진출과 북극해의 몸부림』, 서울: 엠애드, 2011.

Ahmari, S. "Putin Opens an Arctic Front in the New Cold War." *Wall Street Journal*, June 11. 2015.

Aliyev, N. "Russia's Military Capabilities in the Arctic."

https://icds.ee/russias-military-capabilities-in-the-arctic/

Bennett, M. "Russia, Like Other Arctic States, Solidifies Northern Military Presence." *Foreign Policy Association*, July 4, 2011.

Blomfield, A. "Russia plans Arctic military build-up." *The Telegraph*, June 11, 2008, https://www.telegraph.co.uk/

Campbell USCC policy analyst, Foreign affairs and Energy, *China and Arctic : Objective and Obstacles*. U.S.-China Economic and Security Review Commission Staff Research Report, April 13, 2012.

Devyatkin, P. *Russia's Arctic Strategy: Military and Security (Part II)*. Washington, D.C: The Arctic Institute, 2018.

Exner-Pirot, H. "How Gorbachev shaped future Arctic policy 25 years ago." *Anchorage Daily News*, October 1, 2012.

Gramer, R, "Here's What Russia's Military Build-Up in the Arctic Looks Like." *Foreign Policy*, January 25, 2017.

Gramer, R. "Here's What Russia's Military Build-Up in the Arctic Looks Like." *Foreign Policy*, January 25, 2017.

Holroyd, S.M. *U.S. and Canadian Cooperative Approaches to Arctic Security*. Santa Monica: The RAND Corporation, 1990.

Holloway, H. "Russia moves to conquer the Arctic: Putin's troops prep for very Cold War." *Daily Star*, February 20, 2017.

Kristensen, K.S. *Russian Policy in the Arctic after the Ukraine Crisis*. Copenhagen: Centre for Military Studies at the University of Copenhagen, 2016.

Kupfer, M. and Bodner, M. "Hot Air, Cold War: How Russia Spooks Its Arctic Neighbors." *The Moscow Times*, May 19, 2017.

Laruelle, M. *Russia's Arctic Strategies and the Future of the Far North*. New York: M.E. Sharpe, Inc., 2014.

Megan Eckstein. "Navy May Deploy Surface Ships to Arctic This Summer as Shipping Lanes Open Up." *USNI News*, January 8, 2019.

Navy League of the United States. "The Cold War?: US, Canada, Russia, Denmark, rush to stake Arctic Claims." *SEAPOWER*, October 2007.

Nicholls, D. "British forces to step up Arctic deployment to protect Nato's northern flank from Russia." *The Telegraph*, February 17, 2019.

Nilsen, T. "Rosatom names head of newly established Northern Sea Route directorate." *ArcticToday*, July 25, 2018.

Osborn, A. "Putin's Russia in biggest Arctic military push since Soviet fall." *Reuters, January* 31, 2017, https://www.reuters.com/article/

Pavel, D. "Russia's Arctic Strategy: Military and Security (Part II)." February 13, 2018(The Arctic Institute), https://www.thearcticinstitute.org/

Restino, C. "Icebreaker fleet in U.S. lags behind," *The Arctic Sounder*. January 13, 2012.

Ruskin, L. "Russian aggression unlikely to hit Arctic, security experts say." *KTOO Public Media*, October 14, 2016, https://www.ktoo.org/

Stephen, K. "The Arctic: Hot or Not?." *The Arctic Institute*, January 23, 2017.

Yegorova, O. "От Крыма до Сахалина. Генерал-майор о защите воздушных рубежей РФ." *Life*, декабря 18, 2016, https://life.ru/

Weir, F. "Russia's Arctic 'sea grab'." *Christian Science Monitor*, August 14, 2011.

Weitz, R. "Russia: The Non-Reluctant Arctic Power." *Second Line of Defense*, February 12, 2011.

ВОРОБЬЕВА, О. "«Иван Грен» пройдёт проверку в Арктике." *Красная звезда*, октябрь 29, 2018.

Гаврилов, Ю. "Ракеты в снегах. В поселке Тикси развернут дивизию ПВО." *Российская газета. Федеральный выпуск*, № 94(7852), апрель 26, 2019.

Демченко, В. "Крепость по имени Арктика." *Еженедельник «ЗВЕЗДА»*, июнь 26, 2018.

Карпов, А. "Стратегия США в Арктике: не деньгами, так оружием." *ИА REGNUM*, март 1, 2019.

КОЗАК, Ю. "Безопасность в Арктике - наша приоритетная задача." *Красная звезда*, март 13, 2019.

Козаченко, А. и др. "Холодная волна: иностранцам создали правила прохода Севморпути." март 6, 2019, *Известия*; https://iz.ru/852943/

Конышев, В.Н. и Сергунин, А.А. *Арктика в международной политике: сотрудничество или соперничество?*. Moscow: RISI, 2011.

Назипова, Е. "Полномочия Минвостокразвития России расширены на Арктическую зону Российской Федерации." *Министерство Российской Федерации по развитию Дальнего Востока и Арктики*, февраль 26, 2019; https://minvr.ru/press-center/

Настин, П. "Северный флот совершил более 30 географических открытий за несколько лет." *TV Zvezda*, март 13, 2019.

Никольский, А. и Козлов, П. "На учения НАТО в Скандинавии Россия ответила внезапной проверкой авиации и ПВО." *Ведомости*, май 25, 2015.

Рамм, А. и др. "Полчаса до полюса: скоростные истребители взяли Арктику под контроль." *Известия*, январь 30, 2019.

ПОЧИНЮК, О. "Арктический ракурс морской авиации." *Красная звезда*, март 11, 2019.

Рамм, А. и Козаченко, А. "Разведка морем: Ил-38Н заступили на боевое дежурство в Арктике." *Известия*, май 27, 2019.

Рамм, А. и Степовой, Б. "Камчатский капкан: на полуострове установят новые разведсистемы." *Известия*, май 29, 2019.

Самарина, Л. "Глава "Калашникова": концерну есть что предложить для нацпроектов." https://tass.ru/interviews/6160957

ТИХОНОВ, А. "Амбициозные задачи нужно ставить перед собой всегда." *Красная звезда*, ноябрь 6, 2018.

"Антироссийские кампании постоянно требуют вброса новых тем - Грушко," *Международная жизнь*, март 16, 2019.

"Борисов: Россия в Арктике "своего не упустит"," *ТАСС*, март 3, 2019.

"Лавров назвал главу Минобороны Британии «министром войны»." Rbc.ru, февраль 16, 2019, https://www.rbc.ru/politics/16/02/2019/

"Минобороны построило в Арктике уже 475 объектов военной инфраструктуры." *ТАСС*, март 11, 2019.

"Основы государственной политики Российской Федерации в Арктике." Одобрены на заседании Правительства Российской Федерации (протокол от 14 июня 2001 г. № 24, раздел III, п.1).

"Перевозить углеводороды по Северному морскому пути разрешат только судам под флагом РФ." *Интерфакс*. июль 27, 2018.

"Северный флот передал Русскому географическому обществу отчёт по гидрографическим исследованиям в Арктике." *TV Zvezda*, ноябрь 26, 2018.

"С 2019 года военные корабли смогут ходить по Севморпути только уведомив РФ." *Интерфакс*, ноябрь 30, 2018; https://www.interfax.ru/

"Указ Президента Российской Федерации от 12 мая 2009 г. N 537 "О Стратегии национальной безопасности Российской Федерации до 2020 года"." *Российская газета*, май 19, 2009.

"Шойгу: широкий спектр угроз России формируется в Арктике," *РИА Новости*, февраль 25, 2015.

http://static.kremlin.ru/media/events/files/ru/uAFi5nvux2twaqjftS5yrIZUVTJan77L.pdf

캐나다의 북극정책 개관

박상신*

1. 서론

이 글은 캐나다가 북극에 대해 어떤 정책적 입장을 취하는가에 관하여 독자들의 이해를 도울 목적으로 쓰여졌다. 러시아에 이어 두 번째로 긴 북쪽 해안선을 가진 캐나다가 북극에 관심을 가지는 것은 당연하다. 하지만 국제무대에서의 외교적 상황과 북극해가 가진 특수한 자연환경으로 인해 캐나다는 비교적 최근까지도 북극에 대해 관심을 갖고 어떤 특별한 정책을 마련할 필요를 느끼지 않았다. 북극해에 관련된 정치 및 경제환경의 변화와 기후온난화로 인한 자연환경의 변화가 캐나다의 주의를 북극으로 이끌었고, 북극에 관해 구체적인 입장을 정리하여 정책으로 발전시키기 시작한 것은 불과 20년이 지나지 않는다.

러시아에 이어 가장 긴 북극 해안선을 갖고 있음에도 불구하고 캐나다가 북극지역에 그다지 큰 관심을 두지 않았던 이유는 무엇인가? 최근들어 캐나다가 갑자기 북극에 대해 관심을 갖게 된 배경은 무엇인가? 북극에 대해 캐나다는 현재 어떤 정책적 입장을 견지하고 있는가?라는 의문을 해결하기 위해 이

※ 이 논문은『북극연구』19호에 게재된 것임
 * (사)중앙아시아개발협력연구소, 사무총장

글은 먼저 캐나다의 전체 영토에서 북극에 해당되는 영토를 구분해 살펴보고, 북극에 관한 업무를 담당하는 정부 부처 및 공공기관과 북극에 관한 제도를 소개할 것이다. 다음으로는 캐나다 정부가 북극에 관한 정책을 어떻게 수립하고 발전시켜 왔는지를 시간의 흐름에 따라 정리하고, 이를 다시 주요 정책 분야로 나누어 평가해 볼 것이다.

2. 캐나다의 행정구역과 북극영토

북미대륙의 북쪽에 위치한 캐나다는 러시아에 이서 두 번째로 큰 국토 면적을 보유했으며, 동과 서로 그린랜드와 알래스카, 남으로는 미국과 국경을 마주하고 있다. 행정구역 상으로 10개의 주(州, province)와 3개의 준주(準州, territory)로 구성되어 있다.

[그림 1-8] 캐나다의 지정학적 위치와 북극

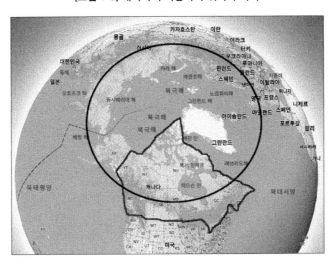

북극지역 영토로 간주되는 곳은 3개의 준주(유콘, 누나부트, 노스웨스트)와 퀘벡 및 뉴펀들랜드 레브라도의 북부 일부 지역이다. 캐나다 전체 면적의 약 39%를 차지하는 3개 준주에는 2019년 현재를 기준으로 캐나다 전체 인구의 약 0.33%가 넘는 주민이 거주하고 있다.

인구통계학적 측면에서 살펴 볼 때, 3개 준주에서 발견되는 가장 큰 특성은 다른 지역에 비해 인구밀도가 낮다는 것이다. 그러나 동시에 매우 빠른 인구증가 속도를 보여주고 있기도 하다. 2011년 대비 2016의 인구증가율이 가장 높았던 곳이 누나부트 준주였으며, 2016년 대비 2019년의 인구증가율이 가장 높았던 1, 2위 지역이 각각 유콘과 나누부트 준주이다. 노스웨스트 준주의 인구증가 속도도 비록 2011-2016년의 증가율은 0.8%로 매우 낮은 수준이었지만 2016-2019년의 증가율은 6.3%를 기록함으로써 급속히 인구가 증가하는 추세로 전환되었다.

〈표 1-15〉 캐나다의 행정구역 별 면적과 인구(Statistics Canada, 2019)

10 Provinces and 3 Territories	Land area (km²)	2016 Population		Growth ('11-'16)	2019 population		Growth ('16-'19)
		Total	%		Total	%	
Ontario	908,699.33	13,448,494	38.26%	4.60%	14,659,616	38.73%	7.75%
Quebec	1,356,625.27	8,164,361	23.23%	3.30%	8,522,800	22.59%	3.53%
British Columbia	922,503.01	4,648,055	13.22%	5.60%	5,105,576	13.46%	8.31%
Alberta	640,330.46	4,067,175	11.57%	11.60%	4,395,586	11.66%	7.26%
Manitoba	552,370.99	1,278,365	3.64%	5.80%	1,373,859	3.64%	6.60%
Saskatchewan	588,243.54	1,098,352	3.12%	6.30%	1,178,657	3.12%	6.44%
Nova Scotia	52,942.27	971,395	2.63%	0.20%	976,768	2.58%	4.68%
New Brunswick	71,388.81	747,101	2.13%	-0.5%	780,021	2.07%	3.47%
Newfoundland and Labrador	370,514.08	519,716	1.48%	1.00%	521,922	1.40%	0.54%
Prince Edward Island	5,686.03	142,907	0.41%	1.90%	157,901	0.41%	8.68%
Northwest Territories	1,143,793.86	41,786	0.12%	0.80%	44,895	0.12%	6.30%
Nunavut	1,877,778.53	35,944	0.10%	12.70%	38,873	0.10%	8.98%
Yukon	474,712.68	35,874	0.10%	5.80%	41,022	0.11%	12.08%
Arctic Subtotal	3,496,285.07	113,604	0.32%	6.43%	124,790	0.33%	9.85%
Canada Total	8,965,588.85	35,151,728	100%	5.00%	37,797,496	100%	6.43%

캐나다 북부 3개 준주 지역이 공통적으로 높은 인구의 증가속도를 보여주는 이유는 최근들어 정부가 이들 지역에 대해 전략적 관심을 갖고 집중적인 투자를 진행하고 있다는 점과 기후온난화의 영향이 결합된 것으로 추측할 수 있다. 그렇다면 다른 북극권 국가들의 상황은 어떠한지? 다른 북극권 국가들의 경우에도 캐나다와 같이 북극지역의 인구증가율이 높은 추세를 보이고 있는지? 만약 그렇다면 북극권 국가들에게서 공통적으로 북극지역 영토의 인구 증가율이 높게 나타나는 원인은 무엇인지? 등은 향후 연구를 위한 좋은 주제가 될 수 있을 것이라고 생각한다.

3. 북극 관련 행정기구

1) 연방정부 기구 또는 프로그램

캐나다 정부는 2000년대에 들어선 이후부터 북극의 전략적 중요성을 인식하고 종합적 계획을 마련하여 북극에 대한 관리를 진행하려고 노력하고 있다. 캐나다의 35개 연방정부 부처 중에 북극에 관련된 업무를 포함하고 있는 부처는 아래 목록에서 보는바와 같이 17개이며, 이들 17개 부처가 북극 업무를 담당하는 부서 또는 프로그램을 운영하고 있다(Canadian Polar Commission, 2015).

가장 대표적인 북극업무 담당부처는 '원주민 업무 및 북극 개발부'(Aboriginal Affairs and Northern Development Canada)였다. '원주민 업무 및 북극개발부'는 2017년 8월 28일 '토착민 서비스'(Indigenous Services Canada)의 부처 독립을 시작으로, 2019년 7월 15일 '왕실-토착민 관계'

(Crown-Indigenous Relations), 2019년 11월 20일 '북극업무'(Northern Affairs)의 3개 부처로 나뉘어 확대운영되고 있다.

'원주민 업무 및 북극개발부' 산하에 설치되어 북극에 관련된 학술정보를 담당했던 '북극위원회'(Polar Commission)은 2015년 6월 1일 '극지지식'(Polar Knowledge)으로 명칭을 변경하고 남극을 포함한 극지방의 과학, 기술, 개발과 지식확산에 관련된 업무를 담당하고 있다.

아래는 북극에 관한 업무를 담당하는 연방정부의 부처 및 기관과 그들의 주요 업무 및 프로그램을 정리한 것으로, 캐나다 정부의 통합사이트(www.canada.ca)에 소개된 것을 정리한 것이다.

1. Aboriginal Affairs and Northern Development Canada → 3개 부처 (Crown-Indigenous Relations, Northern Affairs Canada, Indigenous Services Canada)로 분리됨
    A. The North
    B. Circumpolar Liaison
    C. Northern Contaminated Sites Program
    D. Northern Contaminants Program
    E. Science & Technology Developments in Canada's North
    F. Northern Food and Nutrition
    G. Mining in the North
    H. Northern Oil & Gas
    I. Water Management in the Northwest Territories and Nunavut
    J. Inuit Relations Secretariat
    K. Polar Knowledge Canada ← 이전의 Canadian Polar Commission에서 명칭변경
2. Canada's Northern Strategy → Canadian Northern Economic Development Agency로 명칭변경

3. Canadian Institutes of Health Research

4. Canadian Museum of Nature

5. Canadian Northern Economic Development Agency

6. Canadian Space Agency

7. Environment Canada

    A. Canadian Ice Service

    B. Canadian Centre for Climate Modelling and Analysis (CCCma)

    C. Polar Issues

8. Fisheries and Oceans Canada

    A. Central and Arctic Region

    B. Arctic Research

    C. National Centre of Expertise: Traditional Ecological Knowledge (CETEK)

    D. National Centre for Arctic Aquatic Research Excellence (N-CAARE)

    E. Oceans Programs

    F. Canadian Coast Guard

9. Foreign Affairs and International Trade Canada

    A. Canada and the Circumpolar World

10. Health Canada

    A. First Nations, Inuit and Aboriginal Health Branch

11. Industry Canada

    A. Natural Sciences and Engineering Research Council (NSERC)

    B. Social Sciences and Humanities Research Council (SSHRC)

    C. Canadian Institutes of Health Research (CIHR)

12. National Defence

    A. Canadian Rangers

13. Natural Resources Canada

    A. Canada's North

    B. Responding to Climate Change

C. Geomatics for Northern Development

D. Climate Change Impacts and Adaptation Division

E. Geological Survey of Canada (GSC) - Northern Canada

F. Canada-Nunavut Geoscience Office (C-NGO)

G. Permafrost

H. Polar Continental Shelf Program (PCSP)

I. Canada Centre for Remote Sensing (CCRS/Geomatics Canada)

14. Parks Canada

A. National Parks

B. National Historic Sites

15. Science and Technology for Canadians

A. Northern Science

16. Transport Canada

A. Marine Transportation: Arctic Shipping

2) 지방자치정부

아래는 북극지역을 관할하는 지방자치정부의 목록이다. 유콘, 누나시부트, 노스웨스트 準州 이외에 퀘벡과 뉴펀들랜드 래브라도州의 북부 일부 자치단체인 카티빅(Kativik)과 누나치아부트(Nunatsiavut) 지방정부가 북극지역과 원주민들을 위한 공공서비스 및 공공업무를 담당하고 있다(Canadian Polar Commission, 2015).

1. Government of the Northwest Territories

2. Government of Nunavut

3. Government of the Yukon

4. Government of Newfoundland and Labrador

5. Kativik Regional Government (퀘벡 북부지역)

6. Nunatsiavut Regional Government (뉴펀들랜드 래브라도)

3) 북극 관련 연구기관

아래는 북극에 관련된 각종 학술연구활동을 진행하는 연구소 및 싱크탱크 기관의 목록이다. 현재 캐나다 내에는 47개의 학술연구기관이 북극에 관련된 지식정보활동을 진행중에 있으며, 이들 중 21개 기관은 대학부설 연구소 또는 북극 관련 전공학문을 운영중이다 (Canadian Polar Commission, 2015b).

1. Arctic Health Research Network

2. Arctic Institute of North America (University of Calgary)

3. ArcticNet

4. Aurora Research Institute

5. Avataq Cultural Institute

6. Boréas (University of Québec at Rimouski)

7. Canadian Circumpolar Institute (University of Alberta)

8. Canadian Cryospheric Information Network (CCIN) (University of Waterloo, Ontario)

9. Canadian Network for the Detection of Atmospheric Change (CANDAC)

10. Canadian Permafrost Monitoring Network

11. Centre for Cold Ocean Resources Engineering (C-Core)

12. Centre for Earth Observation Science (CEOS) (University of Manitoba)

13. Centre for Hydrology (University of Saskatchewan)

14. Centre for Indigenous Peoples' Nutrition and the Environment (McGill University)

15. Centre for Northern Studies

16. Centre for Rural and Northern Health Research (Lakehead University)

17. Centre for Rural and Northern Health Research (Laurentian University)

18. Centre Interuniversitaire d'études et de recherches autochtones (CIÉRA) (Université Laval)

19. Churchill Northern Studies Centre

20. Cold Regions Research Centre (Wilfrid Laurier University)

21. Dechinta Centre for Research and Learning

22. Dene Cultural Institute

23. Environorth (University of Québec at Rimouski)

24. Études Inuit Studies

25. Frost Centre Committee on Northern and Polar Issues (Trent University)

26. Gwich'in Renewable Resources Board

27. Gwich'in Social and Cultural Institute

28. Institut des sciences de la mer de Rimouski

29. Institut national de la recherche scientifique (INRS), Centre - Eau, Terre, Environnement

30. Labrador Institute (Memorial University of Newfoundland)

31. Lakehead University Northern Studies

32. McGill Arctic Research Station

33. McGill Sub-Arctic Research Station

34. Nasivvik ACADRE Inuit Centre

35. Nordic Imaginary (University of Quebec at Montreal)

36. Nunavut Arctic College

37. Nunavut Research Institute

38. Observatoire de la politique et la sécurité de l'Arctique (University of Quebec at Montreal)

39. Prince of Wales Northern Heritage Centre

40. Québec Océan - Groupe interuniversitaire de recherches

océanographiques du Québec

41. Social Economy Research Network of Northern Canada (SERNNoCa)
42. Social Economy Research Network of Northern Canada (SERNNoCa) - NWT Node
43. University of Northern British Columbia
44. Yukon Beringia Interpretive Centre
45. Yukon College
46. Yukon Native Language Centre (Yukon College)
47. Yukon Research Centre of Excellence (Yukon College)

4) 북극 관련 법률

아래는 캐나다 연방정부의 현행법률 중 북극에 대한 단어 'arctic'이 포함된 92개의 법률 목록이다. 이 법률목록은 캐나다법률정보원(CanLII: Canadian Legal Information Institute) 홈페이지의 법률검색 서비스를 이용해 정리한 것이다. 검색의 범위를 연방정부에서 지방자치정부로까지 확대하면 북극에 관한 규제를 포함하고 있는 현행법률의 수는 245개에 달하는 것으로 나타난다 (Canadian Legal Information Institute, 2001):

1. Arctic Shipping Pollution Prevention Regulations, CRC, c 353, [Repealed or spent], (Arctic Waters Pollution Prevention Act)
2. Arctic Shipping Safety and Pollution Prevention Regulations, SOR/2017-286, (Arctic Waters Pollution Prevention Act, Canada Shipping Act, 2001)
3. Arctic Waters Pollution Prevention Regulations, CRC, c 354, (Arctic Waters Pollution Prevention Act)
4. Arctic Waters Experimental Pollution Regulations, 1982, SOR/82-276,

[Repealed or spent], (Arctic Waters Pollution Prevention Act)

5. Governor in Council Authority Delegation Order, CRC, c 355, (Arctic Waters Pollution Prevention Act)

6. Northwest Territories Fishery Regulations, CRC, c 847, (Fisheries Act)

7. Order Prohibiting Certain Activities in Arctic Offshore Waters, SOR/2019-280

8. List of Wildlife Species at Risk (Decisions Not to Add Certain Species) Order, SI/2013-27, (Species at Risk Act)

9. Arctic Waters Experimental Pollution Regulations, 1979, SOR/80-9, [Repealed or spent], (Arctic Waters Pollution Prevention Act)

10. Steering Appliances and Equipment Regulations, SOR/83-810, (Arctic Waters Pollution Prevention Act, Canada Shipping Act)

11. Arctic Waters Experimental Pollution Regulations, 1978, SOR/78-417, [Repealed or spent], (Arctic Waters Pollution Prevention Act)

12. Arctic Star Order, SI/2014-30

13. Order Extending the Time for the Assessment of the Status of Wildlife Species, SOR/2003-215, (Species at Risk Act)

14. Order Giving Notice of Decisions not to add Certain Species to the List of Endangered Species, SI/2006-61, (Species at Risk Act)

15. Temporary Importation of Vessels Remission Order, No. 9, SI/95-122, (Financial Administration Act)

16. Proclamation Authorizing the Issue and Prescribing the Composition, Dimensions and Designs of Certain Precious Metal Coins, SOR/93-230, (Royal Canadian Mint Act)

17. Arctic Waters Experimental Pollution Regulations, 1982 (Dome Petroleum), SOR/82-832, [Repealed or spent], (Arctic Waters Pollution Prevention Act)

18. Order Giving Notice of Decisions not to add Certain Species to the List of Endangered Species, SI/2006-110, (Species at Risk Act)

19. Arctic Council Ministerial Meeting 2015 — Privileges and Immunities Order, SOR/2015-80, (Foreign Missions and International Organizations Act)

20. Ship Station (Radio) Regulations, 1999, SOR/2000-260, (Arctic Waters Pollution Prevention Act, Canada Shipping Act, 2001)

21. Territorial Sea Geographical Coordinates (Area 7) Order, SOR/85-872, (Oceans Act)

22. Alberta Fishery Regulations, 1998, SOR/98-246, (Fisheries Act)

23. Manitoba Fishery Regulations, 1987, SOR/87-509, (Fisheries Act)

24. Shipping Safety Control Zones Order, CRC, c 356, (Arctic Waters Pollution Prevention Act)

25. Antarctic Environmental Protection Regulations, SOR/2003-363, (Antarctic Environmental Protection Act)

26. Order Designating the Minister of Indian Affairs and Northern Development to be the Minister referred to in the Act, SI/2015-35, (Canadian High Arctic Research Station Act)

27. Vessel Pollution and Dangerous Chemicals Regulations, SOR/2012-69, (Canada Shipping Act, 2001)

28. Yukon Territory Fishery Regulations, CRC, c 854, (Fisheries Act)

29. Withdrawal from Disposal of the Subsurface Rights in Certain Tracts of Territorial Lands in the Northwest Territories (Nành' Geenjit Gwitr'it Tigwaa'in/Working for the Land: Gwich'in Land use Plan) Order, SI/2011-14, (Territorial Lands Act)

30. Order Respecting the Withdrawal from Disposal of Certain Tracts of Territorial Lands in the Northwest Territories (Nành' Geenjit Gwitr'it Tigwaa'in/Working for the Land: Gwich'in Land use Plan), N.W.T., SI/2008-20, [Repealed or spent], (Territorial Lands Act)

31. National Parks of Canada Fishing Regulations, CRC, c 1120, (Canada National Parks Act)

32. Pollutant Discharge Reporting Regulations, 1995, SOR/95-351, [Repealed or spent], (Canada Shipping Act, 2001)

33. Charts and Nautical Publications Regulations, 1995, SOR/95-149, (Arctic Waters Pollution Prevention Act, Canada Shipping Act, 2001)

34. Ballast Water Control and Management Regulations, SOR/2006-129, [Repealed or spent], (Canada Shipping Act, 2001)

35. Fishing Zones of Canada (Zone 6) Order, CRC, c 1549, (Oceans Act)

36. Law List Regulations, SOR/94-636, (Canadian Environmental Assessment Act)

37. Anguniaqvia niqiqyuam Marine Protected Areas Regulations, SOR/2016-280, (Oceans Act)

38. Ballast Water Control and Management Regulations, SOR/2011-237, (Canada Shipping Act, 2001)

39. Marine Mammal Regulations, SOR/93-56, (Fisheries Act)

40. Order Acknowledging Receipt of the Assessments Done Pursuant to Subsection 23(1) of the Act, SI/2012-46, (Species at Risk Act)

41. National Historic Sites of Canada Order, CRC, c 1112, (Canada National Parks Act)

42. Navigation Safety Regulations, SOR/2005-134, (Arctic Waters Pollution Prevention Act, Canada Shipping Act, 2001)

43. Ships' Stores Regulations, SOR/96-40, (Excise Tax Act, Customs Tariff)

44. Canada-Newfoundland Oil and Gas Spills and Debris Liability Regulations, SOR/88-262, [Repealed or spent], (Canada-Newfoundland and Labrador Atlantic Accord Implementation Act)

45. Order Acknowledging Receipt of the Assessment Done Pursuant to Subsection 23(1) of the Act, SI/2005-115, (Species at Risk Act)

46. Order Authorizing the Issue and Determining the Composition, Dimensions and Designs of a Two Dollar Ciculation Coin, SOR/2006-19, (Royal Canadian Mint Act)

47. Order Acknowledging Receipt of the Assessments Done Pursuant to Subsection 23(1) of the Act, SI/2016-49, (Species at Risk Act)

48. Withdrawal from Disposal of Certain Tracts of Territorial Lands in Nunavut (Hans Island) Order, SI/2019-24, (Territorial Lands Act)

49. Order Transferring from the Minister of Indian Affairs and Northern Development, to the Minister of State to assist the Minister of Indian Affairs and Northern Development, the powers, duties and functions of the Minister of Indian Affairs and Northern Development under certain Acts, SI/2018-107, (Public Service Rearrangement and Transfer of Duties Act)

50. Marine Certification Regulations, SOR/97-391, [Repealed or spent], (Canada Shipping Act)

51. Order Assigning the Honourable Leona Aglukkaq to Assist the Minister of Foreign Affairs, SI/2012-70, (Ministries and Ministers of State Act)

52. Garbage Pollution Prevention Regulations, CRC, c 1424, [Repealed or spent], (Canada Shipping Act)

53. Order Acknowledging Receipt of the Assessments Done Pursuant to Subsection 23(1) of the Act, SI/2005-71, (Species at Risk Act)

54. Order Designating the Tuvaijuittuq Marine Protected Area, SOR/2019-282, (Oceans Act)

55. Oil and Gas Spills and Debris Liability Regulations, SOR/87-331, (Canada Oil and Gas Operations Act)

56. Nunavut Sex Offender Information Registration Regulations, SOR/2004-321, (Sex Offender Information Registration Act)

57. Fish Inspection Regulations, CRC, c 802, [Repealed or spent], (Fish Inspection Act)

58. Northern Transportation Company Limited Exemption and Transfer Order, SOR/85-658, (Northern Transportation Company Limited Disposal Authorization Act)

59. Aboriginal Communal Fishing Licences Regulations, SOR/93-332, (Fisheries Act)

60. Proclamation Authorizing the Issue and Prescribing the Composition, Dimensions and Design of a Two Dollar Base Metal Coin, SOR/95-489, (Royal Canadian Mint Act)

61. Order Acknowledging Receipt of the Assessments Done Pursuant to Subsection 23(1) of the Act, SI/2019-12, (Species at Risk Act)

62. Order Authorizing the Issue and Determining the Composition, Dimensions and Designs of Circulation Coins, SOR/2002-14, (Royal Canadian Mint Act)

63. Newfoundland and Labrador Fishery Regulations, SOR/78-443, (Fisheries Act)

64. Proclamation Authorizing the Issue and Prescribing the Composition, Dimensions and Designs of Four Fifty Cent Precious Metal Coins, SOR/97-97, (Royal Canadian Mint Act)

65. Northern Canada Vessel Traffic Services Zone Regulations, SOR/2010-127, (Canada Shipping Act, 2001)

66. Maritime Provinces Fishery Regulations, SOR/93-55, (Fisheries Act)

67. Eastern Canada Vessel Traffic Services Zone Regulations, SOR/89-99, (Canada Shipping Act, 2001)

68. Pollutant Substances Pollution Prevention Regulations, CRC, c 1458, [Repealed or spent], (Canada Shipping Act)

69. Tarium Niryutait Marine Protected Areas Regulations, SOR/2010-190, (Oceans Act)

70. British Columbia Sport Fishing Regulations, 1996, SOR/96-137, (Fisheries Act)

71. Polar Bear Pass Withdrawal Order, SOR/84-409, (Canada Oil and Gas Operations Act, Territorial Lands Act)

72. Gilbert Bay Marine Protected Area Regulations, SOR/2005-295, (Oceans

Act)

73. Classed Ships Inspection Regulations, 1988, SOR/89-225, (Canada Shipping Act, 2001)

74. Wapusk National Park of Canada Park Use Regulations, SOR/2010-67, (Canada National Parks Act)

75. Fishery (General) Regulations, SOR/93-53, (Fisheries Act)

76. Vessel Traffic Services Zones Regulations, SOR/89-98, (Canada Shipping Act, 2001)

77. Inclusion List Regulations, SOR/94-637, (Canadian Environmental Assessment Act)

78. Special Economic Measures (Russia) Regulations, SOR/2014-58, (Special Economic Measures Act)

79. Mackenzie Valley Federal Areas Waters Regulations, SOR/93-303, (Northwest Territories Waters Act, Mackenzie Valley Resource Management Act)

80. Foreign Vessel Fishing Regulations, CRC, c 815, [Repealed or spent], (Fisheries Act)

81. Aquatic Invasive Species Regulations, SOR/2015-121, (Fisheries Act)

82. Marine Personnel Regulations, SOR/2007-115, (Canada Shipping Act, 2001)

83. Nunavut Waters Regulations, SOR/2013-69, (Nunavut Land Claims Agreement Act, Nunavut Waters and Nunavut Surface Rights Tribunal Act)

84. Dangerous Chemicals and Noxious Liquid Substances Regulations, SOR/93-4, [Repealed or spent], (Canada Shipping Act)

85. Oil Pollution Prevention Regulations, SOR/93-3, [Repealed or spent], (Canada Shipping Act)

86. Collision Regulations, CRC, c 1416, (Canada Shipping Act, 2001)

87. Quebec Fishery Regulations, 1990, SOR/90-214, (Fisheries Act)

88. Regulations for the Prevention of Pollution from Ships and for Dangerous Chemicals, SOR/2007-86, [Repealed or spent], (Canada Shipping Act, 2001)

89. Marine Machinery Regulations, SOR/90-264, (Canada Shipping Act, 2001)

90. Atlantic Fishery Regulations, 1985, SOR/86-21, (Fisheries Act)

91. Canadian Aviation Regulations, SOR/96-433, (Aeronautics Act)

92. Income Tax Regulations, CRC, c 945, (Income Tax Act)

위의 북극에 관한 현행 연방정부 법률목록은 주로 북극 지역의 환경보호를 목적으로 한 것이 주를 이룬다. 북극지역에 대한 다양한 종류의 국제적 갈등이 점차 증가하는 상황하에서 가장 보편적인 가치에 대한 규제를 강조함으로써 국제사회 및 주변 국가들의 반발을 최소화하면서 동시에 북극 영토와 영해에 대한 실질적 통제를 강화할 수 있는 전략적 태도를 취하고 있는 것으로 볼 수 있다.

4. 북극정책의 확립 과정

캐나다가 가진 북극에 대한 관심은 경제 및 사회적 개발, 환경보호, 과학기술 개발, 원주민 공동체 보호 및 육성, 문화적 다양성 확보 등 북극지역에 관련된 국내정책을 발전시키고 이행하는 것에 초점이 맞춰져 있다. 때문에 캐나다는 북극지역의 자국영토에 대한 주권을 대외적으로 존중받기 위해 국제법에 기반한 국제질서를 강력하게 주장하고 지지하는 입장이다.

1) 자유당 정부 (The Liberal Party government: 1993-2005)

자유당 정부는 1994년 10월 국방정책 검토를 위해 양원이 모두 참여하는 '특별합동위원회'(Special Joint Committee)를 구성했다(Ryan, et al., 2014: 25). 이 위원회는 "북극이 특별히 중요함을 인식하지만 그 우선순위는 부차적일 뿐"이라고 보았다. 또한 "캐나다의 안보는 잠수함이나 전투기 등과 같은 물리적 군사력에 의존하기 보다 다국적기업에 의해 공고해진 안정적 국제질서에 더 의존할 것이다"라고 언급하면서 국제사회에 공유된 주권과 번영의 가치에 집중해야 한다고 강조했다(Ryan, et al., 2014: 26). 위원회는 결국 북극지역 감시시스템 구축안을 국방정책의 우선순위 목록에서 제외하고 북부경보체계(the Northern Warning System)의 준비태세 수준을 낮게 유지하기로 결정했다.

같은 해 12월에 발행된 '국방백서'(the 1994 White Paper on Defence)에서도 역시 특별합동위원회가 내린 결론과 마찬가지로 북극에 대한 방위 우선순위가 뒤로 밀려 있었다. 1997년 4월에는 하원의 외교통상 상임위원회가 정부의 북극에 대한 입장을 비판했다. 비판의 핵심은 정부가 북극에 대해 즉흥적이며 산발적인 정책만을 내 놓는다는 것이었다(Ryan, et al., 2014: 28). 그 당시까지만 해도 캐나다 정부는 북극 지역의 영유권 보호나 북극의 경제 및 사회적 개발 우선순위를 뒤로 미루고 일관적 정책이나 명확한 입장을 취하지 못했기 때문에 늘 비판의 대상이 되었다.

2000년 6월에는 '북극 지역에 대한 캐나다의 외교정책'(The Northern Dimension of Canada's Foreign Policy)을 발표했다. 이 발표에서 캐나다 정부는 앞으로 북극에 존재하는 다양한 기회를 살릴 수 있는 기반을 마련할 것이라고 의지를 표명함과 동시에, 이를 위한 예산으로 5년간 1,000만 달러를 배정했다. 그러나 이 예산은 야심찬 정부의 의지를 실현하기에 충분한 규모는 아니었다는 평가를 받는다(Ryan, et al., 2014: 39).

2005년 발표된 '캐나다의 국제정책 강령'(Canada's International Policy Statement)에는 국제사회의 평화, 번영, 안보를 위한 캐나다의 역할에 관한 내용이 핵심으로 다루어졌다. 국제사회의 평화, 번영, 안보를 보장하는데 북극지역이 매우 중요하며, 캐나다가 북극지역의 상당부분에 대한 영유권을 보유하고 있으므로, 당연히 국제사회에서 진행되는 북극에 대한 논의에서 자국의 역할이 중요하다는 인식이 포함되었다. 북극지역에 존재하는 여러 쟁점을 관리하고 난제를 해결하기 위해 캐나다는 국제무대에 대한 외교력을 강화해야 하며, 자국 영토에 속한 북극지역의 경제적 발전을 증진하는 것이 국가이익을 수호하는데 반드시 필요하다고 지적했다(Lackenbauer, 2011a: 83-84). 또한 북극지역에 대한 감시와 통제, 수색 및 구조 등의 능력을 강화함으로써 다른 나라가 자국영토인 북극지역 안에서 이익을 취하려는 활동을 억제할 수 있도록 준비가 되어있어야 한다는 구체적인 내용도 언급했다(Department of Foreign Affairs, 2005, 17).

자유당 정부는 2005년 '캐나다의 국제정책 강령'을 통해 처음으로 북극의 전략적 중요성을 인식하고 외부로부터의 잠재적 위협을 관리할 필요가 있다는 입장을 명확하게 밝혔다. 그럼에도 불구하고 자유당 정부는 1993년부터 2005년까지 집권했던 13년 동안을 전체적으로 살펴볼 때, 북극지역의 전략적 중요성에 대한 인식이 부족했던 것이 사실이다. 정권 말기인 2005년에 와서야 비로소 북극영토에 관련된 제반 문제를 인식하고 체계적으로 정리된 전략을 마련할 필요성을 언급한 것이다.

2) 보수당 정부 (The Conservative Party government: 2006-2015)

보수당 정부는 집권초기인 2008년 5월 '캐나다의 첫 방위전략'(the Canada First Defence Strategy)을 발표했다. 이 전략보고서는 캐나다 군대의 세 가지 역할과 네 가지 방위임무를 명시했다. 문서에 나타난 캐나다 군의 세 가지 역할은 ①캐나다 국토수호, ②북미지역 방어, ③국제사회의 평화와 안보에 기여하기 위해 캐나다 군에 요구되는 다양한 종류의 임무를 수행하는 것이다. 이를 위해 군이 수행해야하는 네 가지 주요 방위임무는 ①국내 및 북미 대륙에서의 작전수행, ②국내에서 진행되는 국제적 행사 또는 사건들에 대한 지원, ③테러공격에 대한 대응, ④국가적 위기상황에서 민간기구에 대한 지원이다. 또한 북극지역에 대한 영유권 수호 필요성을 다음과 같이 구체적으로 언급했다. "캐나다 군대는 북극지역에 대한 주권 보호와 통제력 행사를 위한 능력을 가져야 한다. 북극지역에는 새로운 기회가 많은 동시에 이와 관련한 많은 어려움도 존재한다"(Department of National Defence, 2008: 8). 이것은 캐나다의 국방정책에서 앞으로 북극지역이 더 중요한 요소가 될 것이라는 의미였다.

2009년 7월에는 '캐나다의 북방전략'(Canada's Northern Strategy)을 발표함으로써 북극이 캐나다에 주는 기회와 도전에 대해 조목조목 짚어 나갔다. 우선 북극지역에 대한 비전을 다음과 같이 네 가지로 분명히 제시했다: 첫째, 북극지역에 거주하는 개인들의 삶의 질. 둘째, 북극지역 고유의 문화적 전통 보존과 지역 공동체의 지속가능한 발전. 셋째, 북극지역의 활기차고 번영된 미래를 위한 정부의 책임있는 노력. 넷째, 북극지역의 토양, 해양, 대기를 보호하기 위한 감시와 보호활동. 이와 같은 비전을 달성하기 위해 필요한 네 가지 주요 선결과제도 명시했다. 북극지역에 대한 영유권 행사, 북극지역의 사회경제적 발전 증진, 북극지역 환경 및 자연유산의 보호, 북극지역의 자치권과 거버넌스 향상이라는 네 가지 과제는 각각의 중요성에 우열을 가릴 수 없으며 상호보완적인 관계에 있다고 언급되었다(Department of Aboriginal Affairs and Northern Development, 2009: 2-3).

2009년의 북방전략(CNS)에서는 과거 정부가 발표했던 북극정책들과 다른 입장을 발견할 수 있다. 북극지역에 대한 안보의 개념을 군사 및 국방 부문에서 인간 및 사회 부문으로 폭넓게 적용해 사용한 것이다. 과거의 북극정책이 주로 북극지역에 대한 외부로부터의 주권침해를 어떻게 관리할 것인가라는 문제에 집중했다면, 북방전략에서는 오히려 북극권 이웃국가들과의 의견차이나 갈등이 잘 관리되었으며 그러한 갈등과 관련된 위협도 전혀 존재하지 않는다고 언급했다(Department of Aboriginal Affairs and Northern Development, 2009: 13). 그 대신에 사회 및 인간안보의 차원에서 북극지역 영토에 살고 있는 주민과 그들의 공동체에 대한 지원이나 경제발전, 정치적 권리 증진, 거버넌스 확보 등의 문제는 핵심적으로 다뤄졌다. 또한 북극의 미래를 관리한다는 측면에서 국제사회의 다자주의와 정부간 협력을 증진할 필요가 있다는 입장을 나타냈다(Department of Aboriginal Affairs and Northern Development, 2009: 4). 북극지역의 개발과 거버넌스에는 자국의 개별적 노력과 함께 국제적 협력을 이끌어 낼 외교능력도 중요하다는 점을 인식한 결과로 볼 수 있다.

2010년 8월에는 외교부가 '캐나다의 북극 외교정책에 관한 성명'(Statement on Canada's Arctic Foreign Policy)을 발표했다. 이 성명은 2009년에 발표된 '캐나다의 북방전략'과 관련하여 국제무대에서의 외교적 측면을 더욱 강조한 것이다. 로렌스 캐넌(Lawrence Cannon) 외교부 장관은 성명을 발표하면서 "북극이 캐나다의 국가 정체성에 근원적인 요소이기 때문에 캐나다의 다른 영토와 마찬가지로 북극지역에서 주권을 행사하는 것이 외교적으로도 매우 중요하다"라고 주장했다(Department of Foreign Affairs, Trade and Development Canada, 2010: 4).

2010년 성명서는 매우 잘 짜여지고 안정적인 질서를 갖춘 북극을 구상했다. 북극권 국가들이 서로의 국경에 대해 분명한 공감대를 형성하고 있으며, 북극지역의 경제가 앞으로 계속 성장하고 번성할 것이라고 가정하고 있다. 이러한 가정하에서 지역사회의 발전, 공동체의 활성화, 환경보호와 건강한 생태계 유지 등도 가능할 것으로 보았다. 이를 위해서 캐나다는 국제사회가 공통으로 인식하고 있는 북극 관련 쟁점에 적극적으로 참여할 수 있는 능력을 강화할 필요가 있음을 인식했다. 성명서에는 북극과 관련된 여러 문제들에 직면하여 위기를 해결하고 기회를 활용하기 위해서는 "북극권의 이웃 국가들과의 양자관계 강화, '북극이사회'(the Arctic Council)와 같은 지역협력 기제에 대한 적극적 참여, 또는 여타의 다자간 협의체를 통한 협력증진 방안을 찾아야만 한다"고 언급되었다(Department of Foreign Affairs, Trade and Development Canada, 2010: 25).

'캐나다의 북극 외교정책에 관한 성명'(2010)은 '캐나다의 북방전략'(2009)을 보완하기 위해 북극지역의 여러 쟁점들을 관리할 북극권 거버넌스를 강조했다. 2009년 북방전략은 과거의 군사안보에 집중된 정책으로부터 벗어나 안보와 주권의 개념을 더 넓은 의미로 사용했다. 여기서 한 발 더 나아가 2010년 성명서는 대륙붕이나 국경 갈등의 문제를 국제법에 의거한 평화로운 방법으로 해결하는 외교적 접근을 강조했다(Department of Foreign Affairs, Trade and Development Canada, 2010: 10). 성명서에 강조된 평화적 해결과 외교적 접근은 다른 북극권 국가들에 대한 존중과 상호협력의 의미를 담고있는 것이 사실이지만 어디까지나 캐나다의 북극영토에 대한 주권이 침해받지 않는 경우에 해당하는 것임은 또한 당연하다.

3) 자유당 정부 (The Liberal government: 2016-현재)

2019년 9월 10일 자유당 정부는 '북극 및 북부지역 기본정책'(Arctic and Northern Policy Framework)을 발표했다. 이 기본정책은 8개의 목표를 설정하고 있으며, 각각의 목표마다 그 목표를 어떻게 달성할 수 있을것인가와 관련된 이행사항을 적게는 4개에서 많게는 12개까지 아래와 같이 선정했다 (Crown-Indigenous Relations and Northern Affairs, 2019):

1) 활력있고 건강한 북극과 지역 주민 (빈곤퇴치, 기아근절, 자살예방 등)

2) 다른 지역과의 격차를 줄이기 위한 인프라 확충 (고속데이터통신망, 다양한 형태의 교통인프라, 상수도/전기/에너지 선로 등)

3) 강하고, 다양하며, 포괄적이고, 지속가능한 지방 및 지역경제 (소득불평등 해소, 상업활동 성장 지원, 투자와 교역 기회 증대 등)

4) 정책결정을 인도하는 지식과 합의 (보건/사회과학/인문학 연구 지원, 원주민의 연구자금에 대한 진입장벽 제거 등)

5) 활력있고 건강한 북극의 생태계 (생태계 생물種의 지속가능한 사용/회복/보존, 환경친화적이고 안전한 운송, 기후적응 및 회복노력 지원 강화 등)

6) 새로운 기회와 도전에 효과적으로 대응하는 규칙에 기초한 국제질서 (북극문제 논의와 결정을 위한 다자간 회의에서 캐나다의 리더십 강화, 북극권 및 비북극권 행위자와의 양자간 협력 강화 등)

7) 안전하고 견고하게 보호된 북극과 지역 주민 (캐나다의 영토인식/감시/통제 능력 강화, 안전과 안보를 보장할 군대의 주둔 확대 등)

8) 조화를 통해 원주민의 자결권을 지원하고 원주민과 외지인이 서로 존중하는 관계 육성 (토지/수자원/광물자원 등 관리에 있어서의 자치권 보장, 원주민에

대한 과거의 잘못 시정/배상 등)

이 기본정책은 자유당 정부가 집권한 직후 북극의 경제적 번영과 지역공동체 활성화를 위한 구체적 정책 수립을 수립하겠다고 약속한지 4년이 지나고 나서야 발표된 것이다. 준비에 소요된 기간에 비해 정책의 내용에 새로운 것이 포함되지 않았다는 비판을 비롯하여 몇 가지 부정적인 평가가 존재한다. 첫 번째 부정평가는 북극이사회의 어머니라 불리는 메리 사이먼(Mary Simon)으로부터 제기되었다. 발표된 기본정책이 과거의 정책들을 다시 나열했을 뿐, 전혀 새로운 계획은 찾아볼 수 없다는 것이다. 또한 보건, 주택, 도로, 통신망 등 인프라 구축과 경제개발을 위한 프로젝트 목록을 제시하고 있기는 하지만 일이 어떤 순서로 어떻게 진행될 것인지 그리고 어떻게 재원을 지원할 것인지에 대한 계획은 찾아볼 수 없다고 지적했다(TØMMERBAKKE, 2019).

두 번째 비판은 북극정치안보관측소(the Observatory on Politics and Security)의 소장인 매튜 랜드리어트(Mathieu Landriault)의 지적이다. 그 역시 기본정책이 발표되기까지 오랜시간이 지체된 것에 비해 정책의 내용이 전혀 새롭지 않아 실망스러우며, 목표달성의 측면에서 지나치게 의욕적이고 높은 기준을 제시했기 때문에 목적을 달성할 수 있을지 의심을 하지 않을 수 없다고 평가했다(TØMMERBAKKE, 2019).

세 번째 비판은 기본정책이 발표된 시기의 적절성에 대한 지적이다. 자유당이 연방선거에서 승리한 후 2015년 11월 4일 취임한 저스틴 트뤼도(Justin Trudeau) 총리가 집권직후 북극에 관한 정책을 정리하여 발표하기로 약속했음에도 불구하고 그 약속이 실현되기까지 무려 4년의 시간이 흘렀다는 점과 기본정책이 공개된 시점이 2019년 연방선거의 공식선거운동이 시작되는 하루 전날이었다는 점이 석연치 않다는 것이다. 캘거리대 정치학과에서 북극문제를 중점으로 연구하고 있는 롭 후에버트(Rob Huenert) 교수는 단지 선거공약집의 일부일 뿐 전혀 진정성이 느껴지지 않는 이 기본정책은 마치 "우리가 해 놓은 것을 한 번 보시오. (우리는 약속을 지켰소.) 우리가 다시 이번 선거에서 승리하면, 그 때 이 정책을 이행할테니 믿어주시오"라고 얘기하고 있는 것 같다고 주장했다(TØMMERBAKKE, 2019).

네 번째 비판은 통합된 정책으로서의 일관성과 공감대 형성에 관한 문제이다. 후에버트 교수는 자유당 정부가 4년 동안을 준비한 것임에도 불구하고 진부한 문구만을 늘어놓고 있으며, 향후 실제로 무엇을 할 것인가에 대한 어떤 결정도 포함되지 않았을 뿐만 아니라, 각각의 챕터마다 서로 공유하고 있는 공감대도 존재하지 않는다고 지적했다(TØMMERBAKKE, 2019). 북극연감(the Arctic Yearbook)의 편집자이자 북극정치안보관측소의 연구원인 헤더 액스너파이럿(Heather Exner-Pirot)도 기본정책이 옳은 목표를 설정하고 있기는 하지만 그 목표들이 너무 추상적이라고 지적했다. 북극문제에서 글로벌 리더가 되겠다는 캐나다가 이처럼 각각의 챕터를 일련의 웹페이지일 뿐인 정책으로 내 놓는다는 것이 믿기지 않는다는 혹평도 이어졌다. 그녀는 "각각의 챕터가 하나로 합쳐져 있기는 하지만 연방정부가 기본정책의 작성에 참여했던 31개 그룹으로부터 컨센서스를 이끌어내는 데는 성공하지 못한 듯 하다"라고 주장하면서 그 증거로 기본정책에 "내용들이 연방정부 또는 다른 파트너들의 시각을 대변하지는 않는다"고 언급된 부분을 지적했다(Exner-Pirot, 2019).

다섯 번째 비판은 정책으로서 당연히 필요한 분명한 결정이 곤란한 쟁점들은 회피했다는 지적이다. 후에버트 교수는 기본정책이 환경보호와 원주민들의 자원사용 및 개발 권리 사이에서 어떻게 균형을 유지할 수 있을 것인가의 문제가 여전히 해결되지 않았다고 언급했다. "지역 공동체의 건전성 및 경제적 번영과 환경보호를 함께 목표로 제시하고 있지만, 이 두 가지 이슈를 어떻게 동시에 풀어나갈 수 있을지에 대해서는 설명하지 않는다"라는 것이 그의 주장이다. 기본정책이 향후 북극지역의 원유 및 가스 개발을 잠정중단하겠다고 언급하고 있지만 그렇다면 무엇으로 북극지역의 경제적 발전을 담보할 수 있는가 등의 문제는 해결되지 않았다는 것이다. 또한 원주민들과 관련된 쟁점에 대한 관심은 줄어든 반면 국제사회와의 관계 재정립에 대해서는 관심이 높아졌는데 이것 역시 균형이 필요한 부분이라는 것이 후에버트 교수의 지적이다(TØMMERBAKKE, 2019).

여섯 번째 비판은 국제무대의 다른 행위자들에게 명확한 메세지를 제시하지 못하고 있다는 점이다. 브리티시 콜럼비아 대학 정치학과의 마이클 바이어스(Michael Byers) 교수는 기본정책의 "많은 부분에서 북극을 협력의 영역이라고 언급하고 있지만 또 다른 여러 부분에서는 불확실한 안보위협이 증가하고 있는 장소로 간주하고 있다"라고 지적했다. 또한 그는 "베이징을 비롯한 다른 많은 이해관계자들이 우리의 문서를 면밀히 검토하고 의미를 파악하는데 주력하고 있을것이 분명하다. 하지만 향후 북극문제에 있어서 유력한 지도국 중 하나인 캐나다가 국제무대에 진실로 원하는 것이 무엇인지는 그리 명확하지 않다"라고 언급했다(TØMMERBAKKE, 2019).

부정적인 평가와 비교할 때 '북극 및 북부지역 기본정책'에 대한 긍정적인 평가는 상대적으로 적은 편이다. 가장 두드러지는 긍정적 평가는 기본정책을 작성하는 과정에서 25개 이상의 원주민 그룹이 참여했으며 북극지역의 관할하는 지방자치정부들도 함께 정책개발의 과정에 힘을 보탰다는 점을 높게 본 것이다. 과거 북극 관련 정책들의 경우에는 입안과정에 참여한 원주민 그룹들의 역할이 수동적 컨설팅 정도로 제한적이었다. 그러나 기본정책이 만들어지는 과정에서는 원주민 그룹들이 직접 작성에 참여하는 등 적극적인 역할을 수행했다는 점이 진일보한 부분이라고 평가받는다. 이렇게 여러 원주민 그룹과 지방자치정부가 참여하여 의견을 개진하고 서로의 이견을 조율하는 과정이 필요했기 때문에 기본정책을 작성하는데 소요된 4년이라는 짧지 않은 시간이 어쩌면 당연한 것으로 보인다는 랜드리어트 소장의 시각도 존재한다.

게다가 랜드리어트는 기본정책이 로드맵 또는 일종의 계획으로 해석되어야 한다고 주장했다. 기본정책은 정부가 향후 무엇을 할 것인가에 대한 구체적 계획을 설명한 것이라기 보다는 앞으로 나아가고 싶은 방향을 제시한 것으로 해석해야 더 타당해 보인다는 것이 랜드리어트의 입장이다. 게다가 "연방선거 운동이 시작되기 하루 전날 발표됨으로써 혹시 다른 정당이 정권을 장악하더라도 이 기본정책을 완전히 무시하기가 곤란할 것이다"라는 전혀 다른 관점에서의 해석도 존재한다(TØMMERBAKKE, 2019).

자유당 정부(1993-2005, 2016-현재) 보수당 정부(2006-2015)가 번갈아 집권하며 내놓은 북극정책을 살펴보면 두 정부가 보여주는 어느 정도의 입장차이를 느낄 수 있다. 그러면서도 한편으로는 자연스러운 정책적 발전과정도 발견된다. 1994년의 합동위원회 보고서와 국방백서는 북극지역의 중요성을 간과하였고 따라서 이 지역을 그들의 정책적 우선순위에서 제외했었다. 2000년 발표된 외교정책에서는 북극지역에 다양한 기회가 존재한다는 사실을 인식하고 정부차원에서 이를 개발하려는 노력을 집중하기 시작했다. 2005년의 국제정책 강령에서는 북극영토의 중요성과 이에 대한 잠재적 위협을 안보적 관점에서 바라보았다. 2008년의 방위전략은 북극영토와 주권수호를 위협하는 세력에 대한 군사적 대응을 구체적으로 명시했다. 2009년 북방전략에서는 안보의 개념이 확대되었다. 군사안보의 고려와 더불어 사회 및 인간안보의 관점에서 북극지역의 주민 및 공동체와 정부 사이의 관계, 캐나다와 이웃 북극권 국가들 사이의 관계를 고려했다. 2010년의 북극 외교정책 성명서는 자국의 이익과 주권을 수호하기 위해 이웃 국가들과의 관계를 긍정적으로 활용해야 한다는 전략적 입장을 확인했다. 2019년 발표된 기본정책은 탈냉전 이후 정부가 발표했던 북극정책의 내용이 종합적으로 다루어 졌으며, 정책의 작성과정에 이해당사자인 원주민 그룹들과 지방자치정부가 직접 참여했다는 점에서 의의를 찾을 수 있다.

5. 북극정책의 분야별 평가

1) 군사 및 안보

냉전이 종식된 이후로는 북극지역에 대한 군사적 위협의 체감강도가 현저히 낮아졌다. 이것은 캐나다 정부의 관심을 북극지역으로부터 멀어지게 하는 요인이었다. 하지만 자원개발, 지구온난화, 이동 및 교역로 확보, 테러방지 등의 문제는 북극권 국가들에게 매력적인 투자기회로 관심을 끌기에 충분했다. 이러한 기회요인들을 둘러싸고 북극권 국가들 사이에서 나타난 이해관계 대립은 캐나다 정부에게도 위협요인이 되었다. 비록 눈에 보이는 군사행동이나 물리적 충돌 등의 구체적 위협이 발생하지 않더라도 상당 수 군사전문가들은 다른 여러 종류의 이해관계 대립을 군사적 위협의 잠재요소로 주의깊게 다뤄야 한다고 주장한다. 이들은 "정부가 (어떤 식으로 발생할지 모르는 다양한 형태의) 위협에 대항할 능력을 갖추지 못한 상태에서는 북극지역에서 벌어지는 일들을 통제하지 못한다. 마찬가지로 만약 북극지역에 대한 통제력을 갖지 못하면 이 지역에서의 위험에 대응할 수 없다"라고 주장하며 군사력을 기반으로 하는 북극지역에 대한 통제력 확보를 강조한다(Huebert, 2009: 3).

2008년 '캐나다의 첫 방위전략'(the Canada First Defence Strategy)은 캐

나다 군대에 북극영토를 포함하여 국가를 방어하기 위해 필요한 자원과 도구 등을 제공할 계획을 밝혔다. 2009년 '캐나다의 북방전략'도 북극을 대상으로 한는 정부의 광범위한 군사조달계획을 재차 확인 했다. 두 전략문서를 통해 정부는 북극영토가 군사적 보호의 범위 안에 포함됨을 분명히 선언한 것이다. 예를 들어, 북서항로에 위치한 레졸루트 만(Resolute Bay)에 군 훈련센터를 건설하여 레인저스(Rangers) 부대를 확대 및 현대화 하겠다거나, 나니시빅(Nanisivik)에 정박 및 연료공급 시설을 설치하여 최대규모의 쇄빙선을 새로 배치할 것이라거나, 일년얼음 층에서 작전수행이 가능한 순찰선들을 도입한다는 구체적인 국방인프라 조달계획이 포함되었다. 뿐만 아니라 '폴라 앱실론'(Polar Epsilon) 인공위성정찰 프로젝트, '북방감시기술구현'(Northern Watch Technology Demonstration) 군사R&D 프로젝트, '나눅 작전'(Operation NANOOK)으로 불리는 연합합동훈련에 북극지역을 포함한다는 구체적 계획이 언급되어 있다(Department of Aboriginal Affairs and Northern Development, 2009: 10-11).

보수당 정부는 집권 직후, 북극지역에서의 상시작전 수행이 가능한 대형 쇄빙선 3척을 건조하겠다는 계획을 발표했다. 그러나 이 계획은 캐나다 군의 요청에 의해 연안감시선을 건조하는 것으로 변경되었다. 연안감시선은 쇄빙선에 비해 다용도로 사용이 가능하며 가항기간 동안에는 북극지역에서도 작전이 가능하기 때문에 더 효율적이라고 판단했기 때문이다. 찬반논쟁이 있기는 했지만 해군의 연안감시선이 필요에 따라 어업규제, 재난대응, 수색구조, 출입국관리, 환경보호감시 등 다양한 분야에서 다른 정부부처를 지원할 수도 있다는 점에서 합리적인 결정으로 볼 수 있다(Lackenbauer, 2011a: 101-102).

2007년 8월 11일 스티븐 하퍼(Stephen Harper) 수상은 북극지역 영토 두 곳, 레졸루트 만과 나니시빅에 새로운 군사시설을 설치할 계획을 발표했다

(The Canadian Press, 2007). 이를 통해 북서항로를 포함한 북극지역의 영유
권을 공고히 하는 효과를 얻을 수 있다고 봤기 때문이다. 심해 접안 및 주유시
설이 설치된 나니시빅은 랭카스터 해협(Lancaster Sound)으로 진출하는 길목
이므로 해군 뿐만아니라 해양수산부, 해안경비대 등 다른 정부 부처의 선박들
까지 지원할 수 있으므로 활용가치가 높다. 리졸루트 만의 군 훈련센터는 연

[그림 1-9] 캐나다 북극의 주요 지명과 경계

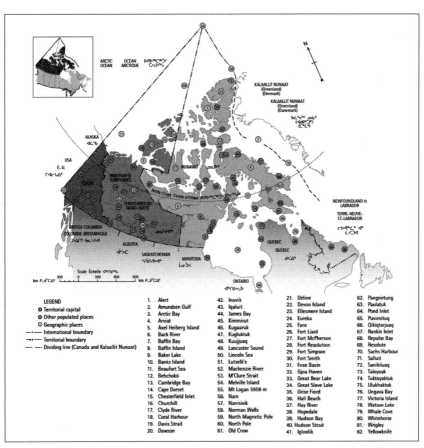

출처: Department of Aboriginal Affairs and Northern Development, 2009: 6-7.

간 수 백 명의 레인저들을 훈련하고 북극지역에서 진행하는 다양한 군사작전을 지원하는 다목적 군사시설로 설치되었다. 또한 북극지역에서 업무를 수행하는 다른 정부기관들까지 지원함으로써 북극지역에 정규군이 상주하며 지역에 대한 안보능력을 강화하는 효과를 얻게 되었다. 방위전략(2008)과 북방전략(2009)을 통해 북극의 안보를 굳건히 한다는 전략적 목적을 확립한 것이다.

2) 외교

북극지역에 관한 정책, 전략, 성명서 등을 발표한 것은 유권자들에 대한 정부의 정치적 약속이자 자국의 입장을 국제사회에 공개적으로 밝힌다는 외교적 목적도 있다. 보수당 정부는 북극의 영유권이 갖는 중요성을 국제무대에 보여주기 위해 다양한 외교적 행동을 취했다. 특히 하퍼 총리는 집권 이전과 선거운동 시절부터 국가의 주권을 지키고 보호해야 한다는 입장을 여러 차례 밝혔다(Lackenbauer, 2011a: 104). 이때 하퍼 총리가 사용했던 "사용하지 않으면 잃는다"(use it or lose it)는 짧은 레토릭은 보수당의 집권기간 내내 정부의 북극에 대한 입장을 상징하는 정치적 슬로건이 되었다. 이 슬로건은 전통적으로 국가주권에 대해 민감한 캐나다의 문화적 특성과 맞물려 북극지역에 별다른 관심을 갖지 않고 살아가던 남쪽의 캐나다인들에게 정서적 반향을 불러 일으켰다. 대부분의 캐나다인들에게 자국의 군사적 능력이 북극지역에서 발생한 퍼팩트 스톰에 대한 방어막이 될 수 있을것이라는 믿음이 생겨난 것이다(Huebert, 2009: 1). 이전의 자유당 정부 시절에는 외부의 도전으로부터 국가의 주권을 방어한다는 논리가 인식의 수준에 머물러 있었던 반면, 보수당 정부에서는 실행의 수준으로 한 걸음 더 나아간 것으로 볼 수 있다(Griffiths, 2009: 3-5).

정치적으로는 충분히 그럴듯 하지만 '캐나다의 첫 방위전략'(2008)은 다소 설득력이 낮은 부분도 있다. 캐나다가 국제무대에서 리더십을 갖고 핵심 행위 자로서 역할을 할 것이라는 전략적 목표를 언급하고 있는 부분이 그러하다. 캐나다는 객관적으로 그러한 전략적 목표를 달성할 수 있을만 한 군사자산과 능력을 갖고 있지는 않기 때문이다. 그 단적인 예로 방위전략은 캐나다의 안 보수호에 대해 NATO나 UN의 영향력 아래에서 수행하는 군사작전을 언급하 기도 한다(Department of National Defence, 2008: 9). 더구나 래켄바우어 같 은 캐나다의 관련 분야 전문가들은 "우리가 우리의 힘만으로 전체 안보문제 를 해결하려 할 필요는 없지 않은가? 신냉전 형성을 논하는 언론의 과장된 수 사에도 불구하고 우리 북쪽 영토에는 어떠한 군사적 위협도 없으며, 이웃과의 국경분쟁을 무력으로 해결하지도 않을 것이다"라며 캐나다의 객관적 군사력 이 충분히 강하지는 않음을 전제하고 있다(Lackenbauer, 2009: 20).

'캐나다의 북방전략'(2009)과 '캐나다의 북극 외교정책에 관한 성명'(2010)은 북극지역의 영유권 강화를 위해 국제사회와의 긍정적 관계형성을 꾀한다는 일 관적 연결성을 갖고있다. 군사력만을 강조하는 접근방법에서 벗어나 북극의 주권을 보호하기 위한 영향력 발휘의 수단으로 외교력에 초점을 더 맞추고 있 는 것이다. 북방전략은 북극을 매우 역동적이고 가변적인 지역으로 인식했다. 정부가 북극지역에 대한 군대의 주둔 확대를 약속함으로써 지역내에 주민이 거주 가능한 영역을 넓혀 북극에 대한 지식수준과 통제수준을 높이고 영유권 을 공고히 하는 효과를 꾀했다고 볼 수 있다. "국내에서는 강력한 법제정을 진 행함과 동시에 국제무대에서는 북극이사회(the Arctic Council)와 같은 국제기 구를 통해 국경문제를 해결할 것이다"라는 표현에서 알 수 있듯이 북극외교정 책에 관한 성명에서는 캐나다가 국제사회로부터 북극지역의 영유권을 확실히 인정받으려는 의도가 발견된다(Department of Foreign Affairs, 2010: 10).

모든 북극권 국가들이 북극지역에서 자국의 이익을 추구하려는 동기를 가지는 것은 너무나도 당연하다. 과거 수십년 동안 캐나다는 미국과 북극지역 해상에 대한 영유권 갈등을 겪어왔다. 대표적인 사례가 보퍼트해(Beaufort Sea) 분쟁인데 미국은 "보퍼트 해의 해상경계 구분에 있어 캐나다와는 의견이 다르다"라는 입장을 보여왔다(Huebert, et al., 2011: 20). 특히 북서항로(the Northwest Passage)의 법적지위는 국제해상교통의 통제권과 관련하여 캐나다와 미국 간에 논란이 되어왔다. 해상루트로서의 북서항로를 어떻게 구분할 것인가에 대해서는 이견이 있어왔지만 캐나다는 1985년 캐나다와 미국 간에 맺어진 신사협정에 의해 선박이 북서항로를 통과할 때는 사전에 캐나다에 통보하는 것이 관례가 되어왔기 때문에 캐나다가 영유권을 주장하는 것이 당연하다는 입장이다. 그러나 미국은 보퍼트해의 해상경계를 나누는 문제와 북서항로의 통행에 관한 문제가 캐나다와의 분쟁거리로 발전하는 것을 원치 않는 입장이다.

하퍼 총리는 집권이후 매년 북극지역을 방문했고 이것은 북극에 대한 캐나다의 영유권을 대내외에 표명하는 좋은 기회로 작용했다. 매년 여름 '나눅 작전'(Operation Nanook)에 즈음하여 하나의 연례행사 처럼 진행된 하퍼 총리의 북극 방문은 연방정부와 지방자치정부, 국방부를 비롯한 여러 관련 부처들과 국제사회의 군사협력 동반자들을 통합하는 계기가 되었다. 보수당 정부는 북극지역의 주민들과 정부의 관련 부처들, 이웃 북극권 국가들의 파트너십을 강화하기 위해 '나눅 작전' 같은 활동들을 활용하여 캐나다의 영토와 영해 및 영공을 충분히 통제하고 있다는 것을 효과적으로 홍보했다.

2013년에는 캐나다가 북극이사회의 회장직을 두 번째로 맡았다. 북극이사회 회장을 맡은 2년 동안 하퍼 총리는 비록 과거에 제시했던 계획의 이행과 향후의 목표 제시에서 성공적이지 못했다는 비판을 받기는 했지만 북방전략과 북극 외교정책에 관한 성명에서 설정된 목표들에 대해서는 충분히 설명하는 기회를 가졌다(Nord, 2014: 57). 북극지역의 주민들이 그들의 삶과 권리를 스스로 형성할 수 있도록 하기 위해 분투한 것도 사실이다. 실제로 2013년부터 2015년까지 보수당 정부는 이누크족 저명인사들로 하여금 북극이사회의 회의를 진행하는 의장직을 수행토록 추천하기도 했다. 이는 연방정부가 북극지역에 대한 이해를 더 넓히겠다는 의지를 간접적으로 표현한 것이기도 하다(CBC News, 2013; English, 2013: 296).

3) 경제 및 사회발전

[그림 1-10] 캐나다 북극지역 해안의 해빙감소 현황

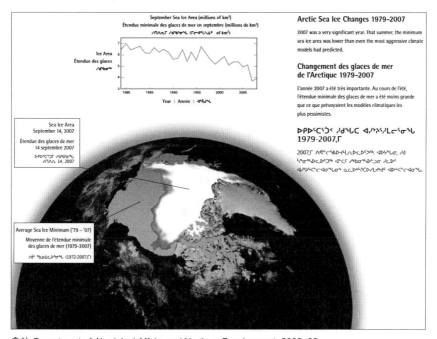

출처: Department of Aboriginal Affairs and Northern Development, 2009: 23.

북극권 국가들 뿐만 아니라 다른 나라들에게도 북극은 어업, 광업, 해운업, 관광업, R&D 등 여러 분야에서 경제적 이득을 취할 수 있는 보고로 여겨진다. 때문에 많은 나라들이 북극 북서항로의 사용을 원하고 있으며, 이와 관련된 해상경계선과 해저탐사 등과 같은 여러 논란과 갈등이 대부분 경제적 동기로 부터 비롯된 것이다. 그럼에도 불구하고 이들은 대부분 자신들의 안전한 항해를 위해 캐나다나 러시아의 쇄빙선과 해상운송 인프라를 필요로 한다. 이러한 배경에서 과연 극지방이 평화적으로 지속가능한 발전을 진행할 수 있을것인가라는 우려도 제기되었다(Council on Foreign Relations, 2014).

2009년 8월 이칼루이트(Iqaluit)를 방문한 하퍼총리는 "북극지역은 탐험가나 저술가, 예술가의 영감을 자극하는 순수한 자연의 장엄한 아름다움을 가진 영토일 뿐만 아니라, 수천년을 지나며 원주민들의 지혜로 쌓인 풍부한 문화의 산실이며, 국가의 경제적 자산으로 활용가능한 잠재력도 갖고있다"고 강조했다(Department of Foreign Affairs, 2010: 12). 한 달 앞서 발표된 '캐나다의 북방전략'(2009)에도 북극지역이 가진 사회경제적 발전 잠재력이 지속가능한 방식으로 실현될 것이라고 언급되어 있었다(Department of Aboriginal Affairs and Northern De, 2009: 19, 24). 북극 주민들의 풍요로운 삶을 지원하기 위해 학교, 병원 등과 같은 사회서비스 시설과 각종 인프라 확충을 약속한 것이다. '캐나다의 북극외교정책에 관한 성명'(2010)은 북극지역의 장기적 경제발전을 위해 유리한 국제적 환경을 조성하겠다는 계획을 발표함으로써 앞서 발표한 북방전략을 보완했다. 캐나다에 실질적인 이익을 가져오는 투자기회를 만들기 위해 노력할 것이며, 북극 주민들의 생활방식을 더 많이 이해하는 것이 결국에는 국가의 이익을 증대하는 것이라는 입장을 보여주었다.

집권 1년 후 하퍼 총리는 "한 세기가 넘는 기간동안 진행해 온 자원탐사로 우리는 보퍼트 해(Beaufort Sea)에 가스, 북동부(Eastern Arctic) 해안에 원유, 유콘(Yukon)에 금이 있다는 것을 안다"라고 언급하면서 북극지역 경제 개발이 캐나다 북부의 원주민 공동체에게만 이익인 것이 아니라 국가 전체에 긍정적으로 영향을 미친다는 것을 지적했다. 그리고 2009년에는 '북극경제개발청'(CanNor: the Canadian Northern Economic Development Agency)을 신설했다. '북극경제개발청' 산하에는 다시 '북극프로젝트 관리실'(NPMO: the Northern Project Management Office)을 설치해 북극지역 자원개발 프로젝트의 행정절차를 간소화하고 관계 부처들의 참여를 조정하고 있다 (Lackenbauer, 2011a: 246).

[그림 1-11] 캐나다 북극지역의 광물자원 매장현황

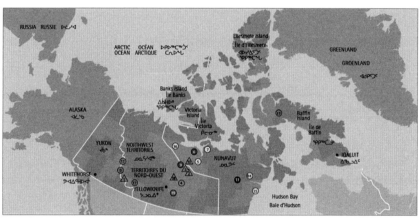

출처: Department of Aboriginal Affairs and Northern Development, 2009: 18.

북극지역의 경제개발을 위한 또 다른 전략적 투자사례는 '북극경제개발 전략투자 프로그램'(SINED: the Strategic Investments in Northern Economic Development program)이다. 북극지역 경제의 핵심 분야 강화와 산업 다각화, 원주민의 경제활동 참여 증대 등에 초점을 맞춰 2004년부터 운영된 이 프로그램은 2019년에 '북극의 경제발전과 포괄적 다각화 프로그램'(IDEANorth:

Inclusive Diversification and Economic Advancement in the North)으로 대체되었다. '북극경제개발 전략투자 프로그램'에는 2004년부터 2018년까지 약 2억 5,147만 달러의 예산이 투입되어 1,000개가 훨씬 넘는 프로젝트와 기업이 지원을 받았다(Canadian Northern Economic Development Agency, 2018: 1).

북극이사회의 회원국으로서 캐나다는 2009년 북극이사회가 추진한 '북극연안의 원유 및 가스 현황'을 최신화 하는데 기여했다. 이사회는 2009년 이 현황을 최신화 하면서 "북극지역 연안의 원유 및 가스에 대한 기획, 탐사, 개발, 생산, 폐기 등과 같은 활동에 북극권 국가들이 사용하기 위한 것'이라고 목적을 설명했다(The Arctic Council, 2008: 4). 이것 역시 '캐나다의 북방전략'(2009)과 '캐나다의 북극외교정책에 관한 성명'(2010)에서 보수당 정부가 약속한 계획의 틀 안에서 해석할 수 있다.

[그림 1-12] 캐나다 북극지역의 원유 및 가스 매장현황

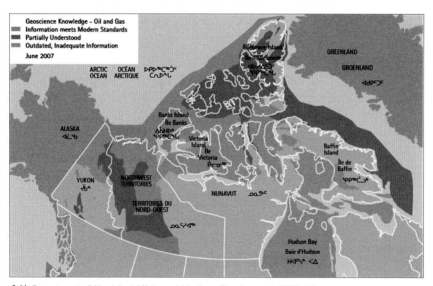

출처: Department of Aboriginal Affairs and Northern Development, 2009: 20.

또한 정부의 북극 경제정책이 원주민들의 참여는 배제된 채로 진행되었다는 비판에도 불구하고 캐나다는 북극이사회의 의장국을 수행하는 동안 '북극경제이사회'(the Arctic Economic Council)의 창설을 적극 주장했다. 2013년 5월 15일 스웨덴의 키루나(Kiruna)에서 열린 제8차 북극이사회 각료회의에서 "북극에서의 경제적 노력이 북극의 주민과 지역공동체를 위한 지속가능 발전에 필수임을 인식고, 역동적이면서 동시에 지속적인 북극경제의 실현을 위해 북극이사회가 더욱 노력할 것을 기대하며, 극지 비지니스 포럼의 창설을 돕기 위한 태스크포스팀의 설치를 결정한다"고 발표했다(Arctic Council, 2013: 2). '북극경제이사회'를 통해 얻으려 한 효과는 지역 비지니스와 북극이사회 간의 연결망을 형성해 북극권역의 경제적 발전을 증진하는 것이었다. 또한 캐나다 정부는 북극 지역공동체의 강화를 위해 지방자치 정부에 매년 25억 달러의 예산지원을 배정하여 병원, 학교 등의 사회서비스와 각종 인프라 확충에 사용할 수 있도록 했다(Department of Aboriginal Affairs and Northern Development Canada, 2009: 19).

6. 결론

캐나다가 북극지역 영토와 이에 대한 주권수호의 중요성을 인식하고 북극에 관한 정책을 본격적으로 개발하기 시작한 것은 2000년대 이후부터 였다. 캐나다 정부가 북극정책을 본격적으로 개발할 필요를 인식한 배경에는 국제무대의 정치환경 변화와 지구의 자연환경 변화가 결합되어 있다. 냉전기간 동안 캐나다는 북극지역 영토의 군사적 방위를 미국 및 NATO와의 협력에 의존했기 때문에 해당 지역에 대한 주권을 주장하거나 관련 문제를 심각하게 고려할만 한 상황이 아니었다. 더구나 당시는 북극해 지역의 영구빙하층이 아직 두터워 잠수함 이외에는 선박의 항해도 매우 제한적인 시기였으므로 설령 관심을 가졌다 하더라도 캐나다가 북극지역의 자국영토를 직접 관리·감독·감시하는데는 능력의 한계가 존재했다.

냉전이 종식된 이후에도 현재까지 캐나다는 군사적 방위를 여전히 미국과 NATO의 협력에 의존하고 있는 것이 사실이다. 하지만 군사안보 이외에 자원 및 에너지 확보와 환경보호, 현지 원주민들의 공동체 보호 필요성 등을 안보의 틀 안에서 고려하는 경향이 생겨남으로써 북극지역 영토에 대한 관심이 상대적으로 크게 증가했다. 더구나 기후변화의 영향으로 영구빙하층 중 상당 부분이 일년 얼음층으로 얇아짐으로써 선박의 항해가 가능한 시기와 범위가 넓어진 것도 북극지역에 대한 관심이 증폭된 주요 원인 중 하나이다. 과거에는 통행이 불가능했던 지역에 매장된 자원을 개발할 수 있는 가능성이 높아진 상황에서 북극권 국가들과 그 주변부의 국가들까지 북극해의 자원을 확보하기 위한 경쟁에 참여하고 있기 때문에 캐나다는 북극지역의 영토와 영해를 잘 관리하고 통제하는 것이 바로 자국의 이익을 수호하는 것으로 인식하고 있다.

2000년 발표된 '북극지역에 대한 캐나다의 외교정책'을 시작으로 현재까지 캐나다는 국제사회가 공유하는 규범과 제도의 틀 안에서 주변국들과의 갈등을 최소화하면서 북극지역에서의 국가이익을 수호하려는 의도를 갖고 꾸준히 정책을 발전시켜 왔다. 북극 영토에 대한 주권을 배타적으로 주장함에 있어 군사력이나 물리적인 힘에 의존하기 보다는 북극 원주민의 인권증진이나 환경보호와 같은 인류의 보편적 가치를 앞세워 국제무대의 아젠다를 주도하려는 입장을 보여주고 있다. 국제사회가 오랫동안 형성하고 공유해 온 보편적 가치의 기반 위에 확립된 공통규범과 제도를 통하여 북극권 국가를 비롯한 주요 관련 국가들 사이에서 북극해를 둘러싸고 시작된 영토 확장이나 에너지자원 확보 등과 같은 경쟁과 대립을 완화할 수 있을 것으로 본 것이다.

　결국 캐나다는 북극지역 영토의 사회 및 경제적 개발, 환경보호, 과학기술 연구, 원주민 공동체와 문화의 보호육성을 위한 방안을 마련하여 이행한다는 정책적 목표를 가지고 북극권 및 주변국들과의 관계를 주도하려는 의도를 가졌다. 러시아에 이어 가장 넓은 북극영토를 보유한 캐나다는 최근 첨예한 경쟁의 각축장이 되고 있는 북극해와 북극지역에서 자신의 주권을 국제사회로부터 존중받을 수 있는 가장 좋은 방법이 국제법적 관행에 기초한 국제질서에 의존하는 것임을 인식하고 있다. 이러한 인식을 바탕으로 북극권 국가들과 북극지역에서의 상업적, 과학적, 군사적 영향력을 확대하고자 하는 국가들이 각자의 경제적 이익과 북극의 원주민 및 생태계 보호에 균형을 이룰 수 있는 국제적 규범의 필요성을 강조하고 국제사회가 이를 마련하는 노력을 주도하려 하고 있는 것이다. 특히 최근의 자유당 트뤼도 정부가 북극정책을 마련함에 있어 북극영토에 거주하는 원주민들을 적극 참여시켜 이들의 의견이 반영되도록 유도하는 것도 캐나다의 북극정책이 인간개발과 환경보호의 가치를 강조함으로써 국제사회의 북극에 관한 시각과 태도에 기준을 제시하고자 하는 의도를 보여주는 것이다.

〈참고자료〉

Canadian Legal Information Institute, 2001. Search All Database. Available at: https://www.canlii.org/en/ [액세스: 1.9.2020].

Canadian Northern Economic Development Agency, 2018. *Evaluation of the Strategic Investments in Northern Economic Development program 2012-2013 to 2016-2017.* Available at: http://publications.gc.ca/collections/collection_2019/cannor/R108-7-2018-eng.pdf [액세스: 1.5.2020].

Canadian Polar Commission, 2015a. Canadian Governmental Organizations. Available at: http://www.polarcom.gc.ca/eng/content/canadian-governmental-organizations [액세스: 1.5.2020].

Canadian Polar Commission, 2015b. Canadian Research Institutes. Available at: http://www.polarcom.gc.ca/eng/content/canadian-research-institutes [액세스: 1.5.2020].

CBC news, 2013. *Leona Aglukkaq becomes first Inuk to helm Arctic Council*, Ottawa: CBC News.

Council on Foreign Relations, 2014. *The Emerging Arctic.* Available at: https://www.cfr.org/interactives/emerging-arctic#!/emerging-arctic#overview [액세스: 1.3.2020].

Crown-Indigenous Relations and Northern Affairs, 2019. *Canada's Arctic and Northern Policy.* Available at: https://www.rcaanc-cirnac.gc.ca/eng/1560523306861/1560523330587#s6 [액세스: 1.5.2020].

Department of Foreign Affairs, T. a. D. C., 2005. *Government of Canada.* Available at: http://publications.gc.ca/collections/Collection/D2-168-2005E.pdf [액세스: 1.2.2020].

Department of Foreign Affairs, T. a. D. C., 2010. *Statement on Canada's Arctic Foreign Policy.* Ottawa: Minister of Public Works and Government Services Canada.

Department of National Defence, 2008. *Canada First Defence Strategy.* Ottawa: Department of National Defence Canada.

Development, D. o. A. A. a. N., 2009. *Canada's Northern Strategy: Our North, Our Heritage, Our Future.* Ottawa: Minister of Public Works and Government Services Canada.

English, J., 2013. *Ice and Water, Politics, People and the Arctic Council.* Toronto: Penguin Canada Books.

Exner-Pirot, H., 2019. *Canada's new Arctic policy doesn't stick the landing.* Available at: https://www.rcinet.ca/eye-on-the-arctic/2019/09/12/canada-arctic-northern-policy-trudeau-analysis/ [액세스: 12.30.2019].

Griffiths, F., 2009. "Canadian Arctic Sovereignty: Time to Take Yes for an Answer on the Northwest Passage.": F. Abele, eds. *Northern Exposure: Peoples, Powers and Prospects for Canada's North.* Ottawa: Institute for Research on Public Policy.

Huebert, R., 2009. "Canada and the Changing International Arctic: At the Crossroads of Cooperation and Conflict.": F. Abele, eds. *Northern Exposure: Peoples, Powers and Prospects for Canada's North.* Ottawa: Institute for Research on Public Policy.

Huebert, R., 2009. *Canadian Arctic Sovereignty and Security in a Transforming Circumpolar World.* Toronto: Canadian International Council.

Huebert, R., 2011. "Canadian Arctic Sovereignty in the Transforming Circumpolar World.": F. Griffiths, R. Huebert & P. W. Lackenbauer, eds. *Canada and the Changing Arctic: Sovereignty, Security and Stewardship.* Waterloo: Wilfrid Laurier University Press.

Lackenbauer, P. W., 2009. *From Polar Race to Polar Saga: An Integrated Strategy for Canada and the Circumpolar World.* Toronto: Canadian International Council.

Lackenbauer, P. W., 2011a. "From Polar Race to Polar Saga: An integrated Strategy for Canada and the Circumpolar World.": P. W. Lackenbauer, eds. *Canada and the Changing Arctic: Sovereignty, Security and Stewardship.* Waterloo: Wilfrid Laurier University Press.

Lackenbauer, P. W., 2011b. "Conclusions: "Use It or Lose It," History, and the Fourth Surge.": P. W. Lackenbauer, eds. *Canadian Arctic Sovereignty and Security: Historical Perspectives.* Calgary: Centre for Military and Strategic Studies.

Lackenbauer, P. W., 2011c. "Sovereignty, Security, and Stewardship: An Update.": P. W. Lackenbauer, eds. *Canada and the Changing Arctic: Sovereignty, Security and Stewardship.* Waterloo: Wilfrid Laurier University Press.

Nord, D. C., 2014. "Responding to Change in the North. Comparing Recent Canadian and American Foreign Policies in the Arctic.": K. Battarbee & J. E. Fossum, eds. *The Arctic Contested.* Brussels: P.I.E. Peter Lang.

Ryan, D., Lackenbauer, P. W. & Lajeunesse, A., 2014. *Canadian Arctic Defence Policy: A Synthesis of Key Documents 1970-2013.* Calgary: Documents on Canadian Arctic

Sovereignty and Security, No. 1.

Statistics Canada, 2019. *Population and Dwelling Count Highlight Tables, 2016 Census*. Available at: https://www.statcan.gc.ca/eng/start [액세스: 12.20.2019].

The Arctic Council, 2008. *Final draft Arctic Offshore Oil and Gas Guidelines(2009)*. Available at: https://oaarchive.arctic-council.org/bitstream/handle/11374/867/ACSAO-NO04_3_2_Arctic_Offshore _Oil_Gas_Guidelines.pdf?sequence=1&isAllowed=y [액세스: 12.29.2019].

The Canadian Press, 2007. CBC News. Available at: https://www.cbc.ca/news/canada/harper-announces-northern-deep-sea-port-training-site-1.644982 [액세스: 12.27.2019].

TØMMERBAKKE, S. G., 2019. *Why the Canadians are Provoked by the New and Ambitious Arctic Policy Document*. Available at: https://www.highnorthnews.com/en/why-canadians-are-provoked-new-and-ambitious-arctic-policy-document [액세스: 12.30.2019].

Стратегия развития арктических регионов России и приоритеты политики Республики Корея в Арктике: возможности международного сотрудничества

Пак Чжон-Кван* · Чистов Игорь Игоревич**

I . Введение

В годы холодной войны Арктика стала зоной стратегической безопасности и военно-политического противостояния западного и восточного блоков.[1)]В 1996 году был учрежден межгосударственный форум, Арктический Совет (АС). Началосьполномасштабное международное сотрудничество[2)] и обсуждение общих интересов в области охраны окружающей среды Арктики, биоразнообразия, защиты и сохранения коренных народов Арктики.

В последние годы Арктический регион занял важное место в

※ 이 논문은『한국 시베리아 연구』24권 2호에 게재된 것임

 * Научный профессор на кафедре русского языка и литературы Национального университета Кенбук

** Старший преподаватель Философского факультета МГУ

1) 박종관, "러시아 교통물류 발전전략: 북극지역을 중심으로",『슬라브학보』, 제31권 1호, 2016, pp. 29-62.

2) 서현교, "중국과 일본의 북극정책 비교연구", 한국-시베리아센터, 『한국 시베리아연 구』, 2018. 22(1). pp. 119-151.

международной политике, причинами этого, наряду с огромными ресурсными запасами углеводородов, стали рост значимости полярных исследований, позволяющих прогнозировать глобальные климатические изменения и положение региона, контроль над которым обеспечивает стратегическое преимущество в глобальном масштабе.

Следует отметить ряд современных российских исследований, авторы которых освещают актуальныевопросы международного сотрудничества в Арктике, среди них: Д.И. Яковлев[3], А.В. Рыжова[4], В.П. Журавель[5], В.А. Эпштейн[6].

Повышенное внимание мирового сообщества к Арктике обусловлено в первую очередь огромным потенциалом для добычи углеводородного сырья в регионе. На основании исследования неразведанных, но технически извлекаемых запасов нефти и природного газа в Арктике Геологическая служба США (United States Geological Survey, USGS) в 2008 году по результатам фундаментального прогнозного исследования признала Арктику потенциально крупнейшей нефтегазоносной провинцией мира, USGS оценила неразведанные запасы углеводородов

---

3) Яковлев Д.И. Арктика как пространство сотрудничества России и стран Азиатско-Тихоокеанского региона // Инновации и инвестиции. 2019. № 9. с. 109.

4) Рыжова А.В. Национальные интересы Республики Корея в Арктике // Проблемы национальной стратегии №5 (56) 2019. с. 171.

5) Zhuravel V.P. China, Republic of Korea, Japan in the Arctic: politics, economics, security / V.P. Zhuravel // the Arctic and the North. - 2016.-No. 24. - p. 122.

6) Эпштейн В.А. Арктическая политика Южной Кореи // Общество: политика, экономика, право. 2018. No 7 (60). с. 23-28.

подо льдами Северного Ледовитого океана примерно в 90 млрд баррелей нефти и 50 трлн куб. м газа. При этом, по оценке ученых, 84% этих запасов находятся на континентальном шельфе.[7] На долю России по оценкам USGS приходится примерно 70% общего объема неразведанных газовых запасов Арктики и до 41% нефти.

С точки зрения российских интересов, в Арктическая зона обладает огромным потенциалом природных ресурсов для будущего развития странызонаи играет важнейшуюв обеспечении безопасности государства.

[Рис. 1-13] Численность населения Арктики

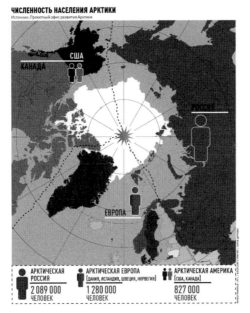

Источник: https://rg.ru/2020/05/14/reg-szfo/chto-mozhet-stat-prioritetom-dlia-razvitiia-sevmorputi.html(дата обращения:18.05.2020)

---

7) Швец Н.Н. Береснева П.В. Нефтегазовые ресурсы Арктики: правовой статус, оценка запасов. Вестник МГИМО-Университета. 2014; (4(37)): с. 60-67.

Поразведанным запасам полезных ископаемых Арктика опережает прочие регионы России, традиционно являясьважнейшейзоной экономического развития в силу концентрации в запасо и добычи: никеля, меди, кобальта, платины и апатитового концентрата. ≪В Арктической зоне сконцентрировано большинство крупных залежей углеводородов. К настоящему времени в макрорегионе открыто 594 месторождений нефти, 159-газа, два крупных месторождения никеля и более 350 месторождений золота. Начально извлекаемые суммарные ресурсы Арктической зоны Российской Федерации оценены в 258 млрд.т. условного топлива, что составляет 60% всех ресурсов углеводородов нашей страны. Ещё не разведанный потенциал Арктической зоны-свыше 90% на шельфе и 53% на суше. Начально извлекаемые разведанные запасы нефти в российской Арктике достигают 7,8 млрд.т., из них 500 млн.т.- на шельфе, а запасы газа-65 млрд.куб.м., на шельфе-10 млрд.куб.м.≫[8]

В силу своего геополитического положения, огромного ресурсного потенциала и влияния на экологию планеты, Арктика является регионом стратегических интересов ведущих стран мира. В современных условиях Арктическая зона становится ареной международной политики, столкновения национальных интересов арктических и неарктических стран.

---

8) Донской С.Е. Научно-технические проблемы освоения Арктики. Научная сессия Общего собрания членов РАН 16 декабря 2014г.-М., Наука. 2015. с. 490.

II. Российская стратегия освоения Арктики и проблемы региона

Анализируя перспективные направления международного сотрудничества России и Республики Корея в Арктике, следует соотнести основные направления российской стратегии развития Арктики и приоритеты Республики Корея в Арктическом регионе.

В настоящий момент центральное место в проекте российской стратегии развития Арктики[9]занимаетстимулирование малого бизнеса и освоение СМП, однако реализация обоих приоритетов предполагает решение масштабных инфраструктурных и организационных задач и потребует привлечения значительных инвестиций.

Проект стратегии развития Арктики объединяет мероприятия нацпроектов и госпрограмм, инвестиционные планы инфраструктурных компаний, программы развития арктических регионов и городов. Центральным элементом нового плана развития Арктики является Северного морского пути, ключевую роль котором играет проект Роснефти «Восток Ойл».[10]

По задумке авторов проекта стратегии, арктическая зона в 2035 г. должна обеспечивать 87-89% газа и 22-25% нефти России. К этому сроку здесь должно быть создано 150-200 тыс. новых рабочих мест, а сам регион

---

9) http://publication.pravo.gov.ru/Document/View/0001202003050019(дата обра щения:24.05.2020)

10) http://www.ng.ru/economics/2019-07-17/100_1707191133.html(дата обращен ия:14.05.2020)

привлечет 15 трлн руб. инвестиций. Для стимулирования развития предпринимательства предусмотрены льготы, которые бизнес получает, вложив в проект 1-3 млн рублей.[11)]

1. Проблемы региона

Заявленные в проекте стратегии планы противоречат текущим тенденциям. По данным Минвостокразвития последние три года количество предприятий малого и среднего предпринимательства в Арктике сократилось на 11 тыс.[12)]В период с 2018 по 2020 гг. число занятых в секторе малого и среднего предпринимательстваснизилось на 103 тыс. рабочих мест. У подобной тенденции две причины: низкий объем спроса на рынке в Арктике, который продолжаетснижаться из-за оттока населения, а также дополнительные издержки при подборе персонала. Таким образом,ведение бизнеса в Арктической зоне обходитсяв два-три раза дороже, чем в центральной России. Издержки удорожают деятельности в зависимости от сферы в два-три раза в сравнении с центральной Россией. Конкурентоспособность бизнеса, например, в государственных закупках снижается.

Одной из ключевых проблем для реализации российской стратегии развития Арктики являются низкое качество жизни в Арктической зоне

---

11) http://sib-ngs.ru/journals/article/1198(дата обращения:14.05.2020)
12) https://tass.ru/msp/8452871(дата обращения:16.05.2020)

и отток населения из региона. Заместитель министра РФ по развитию Дальнего Востока и Арктики АлександрКрутиков отмечает, что Арктика – это регион, где значительно выше, чем в среднем по стране, уровень бедности и безработицы, и все основные показатели качества жизни хуже среднероссийских. За последние 15 лет численность населения сократилась на 300 тыс. человек. Рост качества жизни в Арктике заместитель министра назвал одной из ключевых задач развития региона до 2035 г.[13]

Значимым вызовом реализации арктической стратегии РФ является и ситуация, сложившаяся с грузопотоком Севморпути, объемы транспортировки по которому должны достичь к 2024 г. 80 млн т. Исходя из официальных подсчетов, к этому сроку удастся добиться в лучшем случае результата в 52 млн т. Для сравнения, общий объем грузоперевозок по СМП в 2019 г. составил 31,5 млн тонн. При этом, согласно стратегии[14] развития Арктики до 2025 года, проект которой 7 мая 2020 года Минвостокразвития внесло на рассмотрение правительства, запланирован значительный рост по объему перевозок по Северному морскому пути. Если в 2018 году они составили 20,1 млн т, то к 2024 году объемы перевозимых грузов возрастут до 80 млн т, к 2030 году - до 120 млн т, к 2035 году - до 160 млн т. В том числе объемы транзитных перевозок достигнут 10 млн т в 2035 году.[15] Таким образом, для реализации заявленных планов по ключевому направлению российской стратегии развития Арктики

---

13) http://sib-ngs.ru/journals/article/1198(дата обращения:14.05.2020)

14) https://minvr.ru/press-center/news/25077/(дата обращения:12.06.2020)

15) https://tass.ru/ekonomika/8426115(дата обращения:22.05.2020)

необходим мощный драйвер, которым может выступить расширение международного сотрудничества с Республикой Корея в части освоения СМП и транспортировки углеводородов.

В дальнейшем анализируя возможности международного сотрудничества России в Республикой Корея, мы будем опираться на цели и задачи российской политике в этом регионе, сформулированные в указе[16] Президента РФ об основах государственной политики страны в Арктике до 2035 года. Согласно указуцелями России в Арктике,в том числе, являются:

- территориальная целостность и суверенитет Российской Федерации;
- осуществление взаимовыгодного сотрудничества и мирное разрешение всех споров в Арктике;
- ускорение экономического развития территорий российской Арктической зоны и увеличение их вклада в экономический рост страны;
- повышение качества жизни населения российской Арктической зоны, включая малочисленные народы, их традиционный образ жизни, защиту исконной среды обитания, а также охрану окружающей среды.

Задачами госполитики, в частности, являются:

- социальное, экономическое и инфраструктурное развитие Арктики;
- рациональное использование Арктики для ускорения экономического роста страны;
- развитие Северного морского пути.

---

16) http://publication.pravo.gov.ru/Document/View/0001202003050019
(дата обращения:22.05.2020)

Ⅲ. Международное сотрудничество в Арктике и РК

1. Международное сотрудничество в Арктике

Высочайшая конкуренция в Арктической зоне диктует необходимость построения международных партнерских связей, что особенно актуально для России как страны, традиционно контролирующей Северной морской путь (СМП). Международное сотрудничество на этом направлении особенно необходимо в силу планов развертывания инфраструктуры Северного морского транспортного коридора (СМТК), заявленных в проекте ≪Стратегии развития Арктики до 2035 года≫. СМТК - это объединение Северного морского пути с судоходными путями в Баренцевом море. Предполагается, что за счет этого должна осуществляться перевозка грузов по маршруту Азия-Европа, минуя Суэцкий канал.

По состоянию на май 2020 года термин СМТК используется только в проекте ≪Стратегии развития Арктики до 2035 года≫, однако концептуально проект расширения СМП принят Правительством РФ.[17] Учитывая важнейшую роль азиатского региона для успешной реализации проекта расширения СМПи активное участие азиатских нециркумполярных стран в деятельности Арктического совета, ожидаема ориентация России на сотрудничество со странами на этом направлении.

В последние годы значительные усилия были сконцентрированы на

---

17) https://www.kommersant.ru/doc/4349939(дата обращения:20.04.2020)

налаживании сотрудничества с в Арктике с Китаем, в то же время, политика КНР отличается многовекторностью, Китай всегда ищет альтернативных партнеров, стремясь максимизировать выгоды и контролировать значимые для интересов национального бизнеса и китайских элит ниши в сопредельных регионах своих экономическихинтересов.[18)]Немаловажн ым фактором является и незначительный объем китайских инвестиций, несмотря на взаимный интерес к проектам по добыче природных ресурсов и развитию транспортной инфраструктуры. Принципиальным препятствием для долгосрочного сотрудничества с Китаем в Арктике является позиция КНР по интернационализацииморских путей в Арктике, в то время как России стремится сохранить свой контроль над СМП.[19)]

Сотрудничество России с Японией в Арктической зоне такжеимеетряд ограничений,как и КНР, Япония стремится придать СМП статус международной транспортной магистрали. Кроме того, в вопросе совместного освоения СМП существует также и не разрешённый

18) Хазанов А.М., Джавадов Т.Э. Альтернативы российско-китайскому партнерству в Арктике//Московский государственный лингвистический университет, Москва, Россия МИД Российской Федерации, Москва, Россия; Шарипов У.З. Интересы и позиции России в Азии и Африке в начале ХХ1 века. //Сборник статей, посвященный 80-летию доктора исторических наук, профессора, академика РАЕН А.М. Хазанова. - М.: Институт Востоковедения РАН, 2011. с. 10- 350; Захарьев Я.О. Отношения КНР и Скандинавии в 2000-2020 гг. // Вестник развития науки и образования. - 2018. - No 4. с. 8-26.

19) Сунь Сювэнь. Потенциал международного сотрудничества РФ и КНР в Арктике: сравнительный анализ национальных интересов // Социально-политические науки. 2013. № 3. с. 8-26.

территориальный вопрос, относительно порядка территориального размежевания акватории и статуса Курильских островов, между которыми, согласно проекту расширения СМП планируется пролегание северного морского пути между Европой и Азией.

Таким образом, можно сделать обоснованный вывод, что масштабное сотрудничество между Японией и Россией в вопросах освоения Арктикивозможно только после того, как будет снята геополитическая напряженность вокруг статуса Курильских островов, что маловероятно, учитывая принципиальную позицию японской стороны по данному вопросу.

Кроме того, ситуационный альянс России и Японии на фоне санкционного давления и поиска противовеса партнёрству с КНР вероятно зашел в тупик под давлением самого Китая, и США, политические элиты которых, не допускали заключения мирного договора без своего участия. На фоне смены мировой парадигмы и ослабления Китая альянс России с Японией утратил актуальность.

Еще одной причиной ухода от японского вектора стало экономическое ослабление самой Японии.Еще в октябре 2019 года потребительский спрос в стране упал на 15-20%. Элиты надеялись, что экономику из рецессии выведет Олимпиада в Токио. Перенос Олимпийских игр стал для японцев серьезной неудачей масштаб которой пока трудно оценить.

В то же время, сотрудничество с Республикой Корея как не циркумполярным государством, заинтересованным в освоении Арктики, не имеет указанных выше ограничений, а перспективы такого сотрудничества могут быть связаны фактически со всеми направлениями развития Арктики, проводимыми Россией.

Интерес Кореи к России обусловлен тем, что РФ, как крупнейшая арктическая держава, обеспечивает функционирование Северного морского пути. В Корее перспективным с точки зрения сотрудничества с Россией направления считают освоение СМП и разработку энергетических ресурсов Арктики и приполярного региона. Оценка экономической привлекательности транспортировки грузов по СМП демонстрирует значительные преимущества северного маршрута перед традиционным: расстояние между крупнейшим южнокорейским портом Пусан и городом Роттердам (Нидерланды) по СМП составляет около 13 тыс. км, а через Суэцкий канал – более 20 тыс. км. При благоприятных обстоятельствах время в пути сокращается на одну треть,[20] что особенно важно учитывая тенденцию к ускорению процессов товарообмена в мировой экономике.

Другое перспективное направление сотрудничества РФ и РК связано с добычей и транспортировкой углеводородного сырья, которое составляет более четверти всего импорта Республики Корея.[21] Нехватка природных ресурсов и мощное энергоемкое производство заставляет Южную Корею импортировать большие объемы нефти и СПГ: РК является пятым по величине импортером сырой нефти и вторым по величине импортером

---

20) Яковлев Д.И. Арктика как пространство сотрудничества России и стран Азиатско-Тихоокеанского региона // Инновации и инвестиции. 2019. №9. с. 109.

21) Латышев А.В. Тенденции внешней торговли Республики Корея // Международная торговля и международная политика №2 (14), 2018, с. 106.

СПГ.[22)] При этом значительные объемы углеводородов, импортируемых РК поступают через Ормузский пролив: в 2018 г. в Южную Корею поступило 78% нефти из стран Ближнего Востока и около 42% СПГ из Катара и Омана.[23)] Учитывая геополитическую нестабильность Ближнего Востока, Республика Корея заинтересована в диверсификации источников поставок углеводородного сырья. Об этом заявляют эксперты РК, в частности Янг Кил Пак, директор Международного исследовательского центра по морским делам и территориям при КМI, рекомендует разработать «стратегический план, соединяющий Японское море (Eastsea), Охотское море и Северный Ледовитый океан», а также выступает за «подход региональной интеграции», позволяющий связать районы вблизи Японского моря с российским Дальним Востоком, северо-восточным Китаем и Монголией»[24)]. Эти взгляды воплощают стремление некоторых корейских политических кругов к дальнейшей укреплению страной региональных связей как средства закрепления в Арктике.

Таким образомпривлекательнымфактором сотрудничества РК с Россией в Арктическом регионе является возможность участия в разработке месторождений углеводородов и обеспечении их транспортировки.

---

22) Bennett M.M. The Maritime Tiger: Exploring South Korea's Interests and Rolein the Arctic // Strategic analysis, №38, p. 893.

23) https://www.europeangashub.com/wp-content/uploads/2019/06/bp-stats-review-2019-full-report.pdf

24) Y.K. Park, 'East Asia-Arctic Relations: Boundary, Security and International Politics', The Center for Governance and Innovation, Waterloo, Ontario, December 2013, p. 3.

Синергетический эффект в сотрудничестве с Россией по освоению Арктики может придатьналичие в РК крупнейшего в мире судостроительного комплекса. Он позволяет строить специализированные морские суда – ледоколы, геологоразведочные корабли, танкеры усиленного ледового класса, морские буровые установки и технику для борьбы с последствиями загрязнения окружающей среды. В частности, на южнокорейской верфи ≪DaewooShipbuilding&MarineEngineering≫ (DSME) строятся ледокольные СПГ-танкеры для российского проекта ≪Ямал СПГ≫.[25] Судоходная компания ≪TPI Megaline≫ участвует в перевозке грузов на Ямал, что также подразумевает использование судов соответствующего ледового класса. Таким образом, интенсивное освоение Россией Арктики можетспособствовать расширению двусторонних связей с Кореей и привлечению производственных мощностей РК, прежде всего судостроительной, к осуществлению российских арктических проектов.[26]

2. Приоритеты Республики Корея в Арктике

Усилия Республики Корея направлены на обеспечение равноправного положения среди участников арктической деятельности могут быть поддержаны расширением партнёрских отношений с Россией.

При анализе перспективных направлений сотрудничества России и

25) https://www.kommersant.ru/doc/3256943(дата обращения:24.05.2020)

26) Рыжова А.В. Национальные интересы Республики Корея в Арктике // Проблемы национальной стратегии №5 (56) 2019. с. 171.

Республики Корея мы будем опираться на перечень стратегических задач, заявленных в Основном плане развития арктической деятельности 2018-2022 гг. :

- Создание экономики и бизнеса;

- Укрепление международного сотрудничества;

- Расширение научных исследований;

- Создание инфраструктуры.

Кроме того, мы учитываем основные задачи полярной стратегии Республики Корея, заявленные в документе ≪Полярное видение 2050≫:

- устойчивое развитие полярных регионов

- рациональное использование ресурсов

- содействие созданию новых отраслей промышленности в полярных регионах

- участие в деятельности международного сообщества по защите окружающей среды в Арктике

- расширение диалога и укрепление доверия с местными сообществами, такими как коренные народы

- проактивный ответ на изменение климата в Арктике

- создание инноваций и практическое использование результатов полярных исследований

- расширение исследовательской инфраструктуры, такой как третья научная база Антарктики

- развитие профессиональных кадров

Следует принять во внимание и результаты анализа[27] российских исследователей относительно перспективных направлений сотрудничества с Республикой Корея. На базе доступных для анализа официальных и исследовательских материалов РК делается вывод о том, что Республика Корея в контексте своей политики в Арктической зоне последовательно проводит следующую деятельность:

- проводит мониторинг ситуации с разведкой и добычей природных ресурсов, прежде всего углеводородного сырья;
- анализирует возможности использования транспортных коридоров в Арктике, включая СМП;
- выступает за активное участие не циркумполярных стран в освоение Арктики;
- лоббирует повышение своего статуса вАрктическом Совете.

Таким образом, учитывая положения указа об основах государственной политики России в Арктике до 2035 года и перечень стратегических задач РК в Арктике можно обоснованно предположить, что наиболее перспективными направлениями развития двусторонних отношений могут выступать:

- Развитие партнерства в освоение СМП и судостроении;
- Транспортировка и хранение углеводородного сырья;

---

27) Толстокулаков И. А. Арктическая политика Южной Кореи и национальные интересы России // Международные отношения. 2018. №1. с. 9.

- Развитие предпринимательской деятельности в Арктическом регионе.

В первую очередь следует рассмотреть вопросы участия РК в освоении СМП, так как это направление российской стратегии освоения Арктики имеет системообразующее значения для всего комплекса деятельности в Арктической зоне.

IV. Перспективные направления арктического сотрудничества между Кореей и Россией

1. Освоение СМП и судостроение

Освоение СМП открывает большие возможности для судостроительной отрасли РК, связанные со созданиемледоколов и судов ледового класса. РК уже несколько лет активно работает в сфере строительства судов ледокольного класса для российскихзаказчиков и составляет весомую конкуренцию традиционным российским производителям. На мощностях ≪DaewooShipbuildingCorp.≫, запланировано строительство пятнадцати судов ледового класса для газового проекта ≪Ямал≫, контракт на которые был подписан в 2018 году.[28] Танкер ≪Штурман Альбанов≫ первый из шести арктических челночных танкеров построен на верфи судостроительной компании ≪SamsungHeavyIndustries≫ по заказу

---

28) https://tass.ru/vef-2018/articles/5376871(дата обращения:19.05.2020)

группы компаний АО ≪Совкомфлот≫ в рамках контракта с компанией ≪Газпромнефть≫.

Помимо продвижения в качестве мирового лидера производства кораблей ледового класса перед РК открываются возможности по инвестированию в российское судостроение, что будет способствовать созданию опорных пунктов РК на СМП. В этой связи в рамках инициативы ≪девяти мостов≫[29] перспективным представляется поддержка проекта Объединенной судостроительной корпорации по запуску в Мурманской области Арктического центра судостроения и судоремонта. Арктический центр судостроения планируется создать на базе трех предприятий, входящих в ОСК: ≪Нерпа≫, 35-го и 10-го судоремонтных заводов. Данный проект планирует привлечь не менее 20 млрд руб. инвестиций. Реализация проекта осложняется конкуренцией со строящейся верфью ≪Звезда≫ во Владивостоке, которая получила заказы на строительство крупнейшего атомного ледокола ≪Лидер≫ и газовых танкеров ледового класса для компании ≪Новатэк≫. Инвестирование в мурманскую инфраструктуру интересно еще и в контексте проекта ≪Новый Мурманск≫,[30] который призван закрепить за городом статус арктической столицы России.

Вероятность укрепления Мурманска как ключевой точки СМП тем более вероятна из-засложностей строительства альтернативного глубоководного порта в Архангельске, близ острова Мудьюг. Таким образом, порт

---

29) https://ria.ru/20190213/1550806495.html(дата обращения:24.05.2020)

30) https://nevnov.ru/region/Murmansk/753232-tor-stolica-arktiki-uprostit-sozdanie-mezhdunarodnogo-klastera-novyi-murmansk(дата обращения:23.05.2020)

Архангельск не сможет принимать большие суда, водоизмещением более 300 тысяч тонн, которые осуществляют основные перевозки по СМП. В то же время,эксперты высказывают сомнения в экономической целесообразности конкурирующего проекта – глубоководного порта в Индиге (Ненецкий автономный округ): он может оказаться невостребованным.

Перед судостроительной отраслью России в Арктике стоит еще один серьезный вызов, который может быть успешно решен с привлечением технологической поддержки Республики Корея. России придётся искать замену топливу, на котором ходят суда по СМП. Причиной тому – решение Международной морской организацией, которая вводит запрет на использование судового остаточного топлива (флотского мазута) во всех акваториях Арктики.Запрет войдёт в действие с 2024-го года, однако для отдельных типов судов (например, судов с двойным корпусом) планируется мораторий на введение нормы в действие до 2029-го года. России, возможно, предоставят право согласовывать иные типы судов, на которые не будет распространяться запрет. Но тоже – лишь до 2029-го года.

На сегодняшний день около 75% всего используемого топлива в Арктике – это именно флотский мазут. Его разливы наносят серьёзный урон экосистемам. Такие решительные действия международных организаций совпали с решением России об интенсификации развития Арктики вообще и северных грузоперевозок в частности. Логичной заменой мазуту было бы моторное топливо на основе сжиженного природного газа. Однако на сегодняшний день переход на него с мазута невыгоден –

нет достаточного количества заправочной инфраструктуры, а стоимость обслуживания новых типов кораблей вырастает в 1,3-1,5 раза. В этой связи активизация участия в развитии портовой инфраструктыры судостроения для Арктики такого нециркумполяного государства как Республика Корея могла бы существенно укрепить позиции России.

Для налаживания международного сотрудничества с РК по освоению СМП особенно значимым являются опыт успешного взаимодействия[31] с российской госкорпорациейРосатом. В конце декабря 2019 Правительством РФ утвержден ≪План развития Северного морского пути до 2035 года≫.[32] Годом ранее, 27 декабря 2018 года, в России вступил в силу закон №525-ФЗ,[33] на основаниикоторого государственная корпорация по атомной энергии Росатом получила полномочия инфраструктурного оператора Северного морского пути.

Именно корпорация Росатоминициировала проект созданияСеверного морского транспортного коридора[34] - контейнерной линии от Мурманска до Петропавловска-Камчатского, проходящей через СМП, которая должна работать между европейским и азиатскими рынками. Планируется переориентировать на СМТК часть транзитных грузов в контейнерах с

---

31) https://www.gazeta.ru/science/news/2019/04/16/n_12872047.shtml(дата обращения:23.05.2020)

32) http://government.ru/docs/38714/(дата обращения:22.05.2020)

33) https://www.garant.ru/products/ipo/prime/doc/72039666/(дата обращения:24.05.2020)

34) http://strana-rosatom.ru/2020/02/04/в-начале-севморпути/(дата обращения:22.05.2020)

южных морских путей, в том числе проходящих через Суэцкий канал. Также планируется создать транспортно-логистические узлы на восточном и западном флангах от СМП, организовать коммерческий флот ледового класса.Оператором проекта СМТК выступает ≪РусатомКарго≫.Таким образом, проект СМТК инициирован Росатомом для развития Севморпути в качестве международной транспортной магистрали. Цель - создать контейнерный транзит через перевалочные порты-хабы на западном и восточном флангах СМП.Транспортная схема проекта предусматривает, что обычные контейнеровозы заходят в порт-хаб на границе СМТК, перегружаются на суда ледового класса, которые ледоколами проводятся по Севморпути до хаба на другой оконечности СМТК, где обратно перегружаются на обычные суда.

В контексте перспектив сотрудничества РФ и Кореи по развитию проекта СМТК важно отметить, во-первых, что согласно проекту СМТК включает акваторию СМП, а также расположенные по его краям Баренцово и Берингово моря. Таким образом, считает Сахалин (Охотское море) не входит в логистическую схему, а значит южнокорейские порты могут претендовать на включение в логистику СМТК; во-вторых, необходимо строительство крупнотоннажных контейнеровозов, для которого у российских производителей не хватает компетенций, соответствующие заказы могут быть размещены на верфях РК.

2. Добыча, транспортировка и хранение углеводородного сырья

Необходимость загрузки СМП решается в настоящий момент в первую очередь за счет транспортировки углеводородного сырья. В ситуации нестабильность мировых рынков и стагнация экономики из-за последствий пандемии снижается экономическая привлекательность многих проектов добычи углеводородов в Арктике. Россия в такой ситуации ищет возможности привлечения инвестиций, в том числе и иностранных, в добычу и инфраструктуру. Привлечение инвесторов в Арктику остается в фокусе внимания руководства России уже несколько лет, так выступая в 2019 году на пленарном заседании Арктического форума, президент России, Владимир Путин подчеркнул, что с учетом особенностей Арктики, преференции для инвесторов в этом регионе должны быть более широкими и долгосрочными.[35]

Вопрос привлечения иностранных инвесторов к разработке российских недр успешно решается в Чукотском АО, руководство которого предложило беспрецедентные преференции для инвестиций в регион.[36] В Чукотском АОдействует ряд мер поддержки, в том числе, сниженные ставки налогов на прибыль, добычу ископаемых, земельные сборы и страховые взносы. Кроме того, в автономном округе действует режим свободной таможенной зоны и две территории опережающего социально-

---

35) https://www.rbc.ru/business/09/04/2019/5cac888c9a79474fb1c57d38(дата обращения:22.05.2020)
36) https://fedpress.ru/article/2485612(дата обращения:21.05.2020)

экономического развития, предоставляющие инвестором дополнительные преференции.Особый интерес для иностранных инвестиций в инфраструктуру может представлять порт Певек, в котором действует режим свободного порта.

Создание портовой инфраструктуру напрямую связано с еще одним перспективным направлением сотрудничества России и Республики Корея –транспортировки углеводородного сырья.

Технологические возможности Кореи позволяют стране рассматривать перспективу развития в качестве нефтяного и газового распределительного узла, который в перспективе может приобрести значимость для всей Тихоокеанской Азии. Географическое положение Кореи делает её идеальным каналом доставки нефти и газа через Арктику и дальнейшего распределения среди потребителей в АТР. В 2017 г. правительство РК утвердило законодательство, которое позволит международным нефтяным трейдерам свободно смешивать топливо в нефтяных терминалах страны, чтобы соответствовать спецификациям клиентов.[37] Это должно заинтересовать иностранных инвесторов и зарубежных клиентов, что важно для создания нефтяного хаба. К работе над проектом привлечены корейские исследовательские учреждения и компании, в частности сотрудники Институтаарктической логистики Университета Енсан.[38]

---

37) https://www.reuters.com/article/southkorea-oilstorage/s-korea-easing-rules-at-oil-terminals-in-effort-to-become-trade-hub-idUSL4N1JY35N(дата обращения:24.05.2020)

38) Песцов С.К., Толстокулаков И.А., Лабюк А.И., Колегова Е.А. Международное

3. Развитие предпринимательской деятельности в Арктическом регионе

Развитие малого и среднего предпринимательства в регионе а Арктическом регионе является одним из приоритетов российской Стратегии развития Арктики о 2013 года, в то же время в приоритетных направлениях политики Республика Корея в регионе также указывается на необходимость создания экономики и бизнеса. Представленные выше приоритетные направления сотрудничества России и РК, прежде всего развитие портовой инфраструктуры способны создать основу для работы корейского бизнеса в Арктической зоне России.

Ряд экспертов считают, что основным приоритетом эволюции Северного морского пути должен быть не экспорт углеводородов, а развитие прилегающих территорий, а одной из главных целей арктических проектов - вовлечение малого и среднего бизнеса. В пример приводится Норвегия, где значительная доля работ, связанных с нефтяными месторождениями, выполняется компаниями, не имеют прямого отношения к нефтяной отрасли. При этом одно рабочее место в Арктике создает в среднем 14 рабочих мест в других регионах России.

Направление сотрудничества по развитию бизнеса тем более перспективно, учитывая проблемы малых и средних предприятий в

сотрудничество в Арктике: Интересы и стратегии стран АзиатскоТихоокеанского региона // Арктика и Север / Инт истории, археологии и этнографии народов Дальнего Востока ДВО РАН. Владивосток, 2015. с. 6.

Арктической зоне: для налаживания предпринимательства в регионе требуется неординарный подход и активное участие в процессе бизнес-сообщества Республики Корея может стать ключом к оживлению деловой активности в регионе.

V. Заключение

В ближайшие годы, международная конкуренция в Арктике серьезно обострится. Вероятно эта тенденция проявится в ближайшие годы, при этом, в 2021 – 2023 года Россия принимает председательство в Арктическом Совете. В этой связи необходимость заключения долгосрочных международных партнёрств в Арктике выглядит особенно актуально.

Вероятно, наиболее энергичная борьба в Арктике развернется по линии Восток-Запад. При этом основным инициатором возрастания напряженности выступят США, которые будут провоцировать нестабильность в Арктическом регионе всеми доступными средствами начиная с начиная от военно-политических (в т.ч. посредством провокаций), продолжая экономическими (в т.ч. в формате санкций) и заканчивая давлением на пропагандистском и природоохранном направлениях. США продолжат держать курс на всемерное усиление своего присутствия на Севере и укрепление контроля над своими союзниками.

При этом, сотрудничество России с КНР в качестве противовеса активности США для России может обернутся превращением в младшего партнера в Арктическом диалоге, в силу существенного отставания России от Китая в экономическом и технологическом развитии. Сохранения сырьевой парадигмы развития РФ и проблемы в демографии могут вынудить Россию следовать в русле политики, определяемой Пекином. В этой связи расширение долгосрочного сотрудничества в Республикой Корея может способствовать созданию нового центра силы в регионе и поможет России наладить более сбалансированные условия диалога с нециркомполяными государствами Азии.

〈Литература〉

박종관, "러시아 교통물류 발전전략: 북극지역을 중심으로", 『슬라브학보』, 제31권 1호, 2016.

서현교, "중국과 일본의 북극정책 비교연구", 『한국시베리아연구』, 한국-시베리아센터, 22권 1호, 2018.

Дарькин С.М. Государственная политика социально-экономич еского развития приарктических государств// Арктические ведомости. 2013. N1(5).

Донской С.Е. Научно-технические проблемы освоения Арктик и. Научная сессия Общего собрания членов РАН 16 декабря 2014г.- М., Наука.- 2015.

Латышев А.В. Тенденции внешней торговли Республики Коре я // Международная торговля и международная политика №2 (14).

Песцов С.К., Толстокулаков И.А., Лабюк А.И., Колегова Е.А. Ме ждународное сотрудничество в Арктике: Интересы и страт егии стран АзиатскоТихоокеанского региона // Арктика и С евер / Инт истории, археологии и этнографии народов Дальнего Востока ДВО РАН. Владивосток, 2015.

Рыжова А.В. Национальные интересы Республики Корея в Аркт ике // Проблемы национальной стратегии №5 (56) 2019.

Сунь Сюэнь. Потенциал международного сотрудничества РФ и КНР в Арктике: сравнительный анализ национальных ин тересов // Социально-политические науки. 2013. №3.

Толстокулаков И.А. Арктическая политика Южной Кореи и на циональные интересы России // Международные отношения. 2018. №1.

Хазанов А.М. Джавадов Т.Э. Альтернативы российско-китайск ому партнерству в Арктике// Московский государственный л ингвистический университет, Москва, Россия МИД Российск ой Федерации, Москва, Россия.

Хазанов А.М.: Институт Востоковедения РАН, 2011; Захарьев Я.О. Отношения КНР и Скандинавии в 2000-2020 гг. // Ве стник развития науки и образования. - 2018. - No 4.

Шарипов У.З. Интересы и позиции России в Азии и Африке в начале XX1 века. //Сборник статей, посвященный 80-летию д октора исторических наук, профессора, академика РАЕН А.М.

Эпштейн В.А. Арктическая политика Южной Кореи // Обществ о: политика, экономика, право. 2018. No 7 (60).

Яковлев Д.И. Арктика как пространство сотрудничества Росс ии и стран Азиатско-
Тихоокеанского региона // Инновации и инвестиции. 2019. №9.

https://rg.ru/2020/05/14/reg-szfo/chto-mozhet-stat-prioritetom-dlia-razvitiiasevmorputi.html

https://www.kommersant.ru/doc/4349939

https://www.kommersant.ru/doc/3256943

https://www.europeangashub.com/wp-content/uploads/2019/06/bp-stats-review-2019-full report.
pdf

http://www.ng.ru/economics/2019-07-17/100_1707191133.html

http://sib-ngs.ru/journals/article/1198

https://tass.ru/msp/8452871

https://tass.ru/ekonomika/8426115

http://publication.pravo.gov.ru/Document/View/0001202003050019

https://tass.ru/vef-2018/articles/5376871

https://ria.ru/20190213/1550806495.html

https://nevnov.ru/region/Murmansk/753232-tor-stolica-arktiki-uprostit-sozdanie-
mezhdunarodnogo-klastera-novyi-murmansk

https://www.gazeta.ru/science/news/2019/04/16/n_12872047.shtml

http://government.ru/docs/38714/

https://www.garant.ru/products/ipo/prime/doc/72039666/

http://strana-rosatom.ru/2020/02/04/в-начале-севморпути/

https://www.rbc.ru/business/09/04/2019/5cac888c9a79474fb1c57d38

https://fedpress.ru/article/2485612

https://www.reuters.com/article/southkorea-oilstorage/s-korea-easing-rules-at-oil-terminals-in-
effort-to-become-trade-hub-idUSL4N1JY35N

part 2. 지경학

2035년까지 러시아의 북극 쇄빙선 인프라 프로젝트의 필요성, 현황, 평가

한종만*

Ⅰ. 머리말

1991년 말 소연방 해체 이후 러시아는 발트 3국의 발트 해, 카스피 해 일부, 우크라이나 흑해 영유권을 상실했지만 북극해(바렌츠 해, 백해, 페초라 해, 카라 해, 랍테프 해, 동시베리아 해, 축치 해)와 동부 해역(베링 해, 오호츠크 해, 동해)은 여전히 영유권을 유지하게 됐다. 2014년 크림 반도 합병 이후 러시아 바다 중 유일하게 겨울에도 얼지 않는 부동항(돈 강 하구는 겨울철 동결)인 아조프 해와 흑해 일부를 회복하게 됐다.

전통적으로 러시아는 북극권 국가라는 정체성이 매우 강하며 자연 지리적 조건으로 하천과 호수 및 모든 해역은 겨울철에 얼음의 규모가 상이하지만 동결되는 상황에 직면해 있다. 그 결과 러시아는 쇄빙선의 필요성이 어느 북극권 국가보다 절실한 실정이다. 현재 러시아는 북극권에서 디젤 구동 혹은 원자력 추진 쇄빙선 45척을 운영하고 있어 양과 질 면에서 세계 최대의 쇄빙선단을 보유하고 있다. 그 외에도 하천, 호수, 항만 쇄빙선과 더불어 내빙선, 예를 들면 두틴카 항에서 노릴스크 쇄빙선 함대, 페초라 해에서 루코일(Lukoil)

※ 이 논문은 『한국 시베리아연구』 24권 2호에 게재된 것임
* 배재대학교 러시아 · 중앙아시아학과 명예교수

바렌데이 쇄빙선 함대, 카라 해에서 가즈프롬네프트 쇄빙선 함대, 러시아 민영가스사 노바텍(Novatek)의 야말 쇄빙 LNG 함대(Arc7 급 15척)를 구축했을 뿐만 아니라, Arctic 2 프로젝트를 위해 15-17척의 쇄빙 LNG 함대가 2023-26년에 건조될 예정이다.

지구온난화와 북극해의 해빙(解氷)으로 북극권 개발(탄화수소자원, 광물자원, 관광자원, 수산업 등)과 항로 이용 가능성이라는 지경학적 가치와 대륙붕 외연확장, 국방과 안보 등의 지정학적 가치의 실현을 위해 러시아는 여러 형태의 쇄빙선 구축 사업을 활성화하고 있다. 2040년 경 여름철 북극해는 얼음이 없는 바다로 변모할 것으로 예측하고 있지만, 북극해에서 1년 내내 얼음이 없는 바다는 상상할 수 없다고 생각된다.

이러한 맥락에서 이 글에서는 2035년까지 러시아 북극권 쇄빙선 인프라 프로젝트의 필요성 현황과 내역 그리고 평가를 분석한다.

Ⅱ. 러시아 쇄빙선 인프라 프로젝트의 필요성

2008년에 미국지질조사국(USGS)은 북극권에 석유 900억 배럴, 천연가스 1,669조 입방피트(약 47조 2,607억㎥)[1], 에탄 또는 프로판과 같은 액체천연가스(NGLs: Natural Gas Liquids) 440억 배럴이 매장되어 있는 것으로 추정했다. 이것은 세계 석유의 약 13%, 천연가스 30%, NGLs 약 20%에 해당한다. 북극권에서 기술적으로 채굴 가능한 미 발견된 석유/가스자원의 약 22%가 매장된 것으로 추정했다.

---

1) 1입방피트는 대략 0.02831685㎥로 계산됨; 1㎥는 6.293266배럴(다음 백과사전).

미 발견된 탄화수소자원 매장량의 3분의 2는 러시아 북극권(특히 천연가스
는 70%)에 매장된 것으로 추정된다. 북극권 탄화수소자원의 약 16%는 육상,
84%는 해양에 매장된 것으로 추정되며 해양에 매장된 자원은 주로 200 해리
내 EEZ 혹은 근해에 매장되어 있고, 확장된 대륙붕지역에 세계 최대 규모의 미
발견된 탄화수소자원이 있을 것으로 추정된다.[2] 따라서 북극권의 탄화수소자
원 잠재력을 감안할 때 러시아의 북극개발은 당연한 귀결이라고 생각된다.

러시아는 전통적으로 에너지 초강대국으로 세계 1위의 천연가스 생산국,
세계 1-2위의 석유 생산국이었지만 셰일혁명으로 2010년부터 미국에게 천연
가스 생산국 1위를 내주었으며, 2014년부터 석유생산도 미국과 사우디아라비
아에 이어 3위로 하락했다.[3] 미국이 석유/천연가스 세계 1위의 생산국이 되면
서 유럽과 아태지역으로 에너지 수출 가능성이 현실화되면서 세계 에너지시
장의 판도가 달라질 것은 명약관화하게 나타났다.[4] 세계 에너지시장은 중국
과 인도 등의 경제부상으로 아태지역의 에너지 수요는 폭발적으로 증가하고
있는 반면에 북미와 유럽지역의 에너지 수요가 정체 상황이란 점을 고려할 때
아태지역 에너지시장의 중요성이 부각되고 있다.

서시베리아에서 집중 개발된 기존의 석유/가스전의 생산도 피크 혹은 고갈
되면서 러시아정부는 새로운 에너지개발 광구의 필요성이 절실한 상황이었

---

2) USGS(United States Geological Survey), "Circum-Arctic Resource Appraisal.
   Estimates of Undiscovered Oil and Gas North of the Arctic Circle," *Factsheet 2008-
   3049*, U. S. Department of the Interior, Reston 2008, pp. 1-3.

3) BP, *BP Statistical Review of World Energy 2019*, 68th edition, Pureprint Group
   Limited, UK, 2019.

4) 2018년에 러시아는 동아시아국가에 1,286만 톤 상당의 LNG를 수출한 반면에 미국
   은 일본, 중국 등 아시아국가에 1,073만 톤의 LNG를 수출했으며, 폴란드와 셰일가스
   의 장기공급계약을 체결했다. Tomoyo Ogawa, "Russia looks for Asia LNG buyers to
   blunt Western sanctions' bite," Nikkei Asian Review, Jul. 14, 2019.

다. 실제로 러시아는 카라 해와 랍테프 해와 축치 해에서 러시아국영석유회사 로스네프트(Rosneft)와 미국 엑손모빌(ExxonMobil)과의 조인트벤처, 바렌츠 해에서 슈토크만 가스전을 러시아국영가스회사 가즈프롬과 세계 석유메이저들(이탈리아 ENI, 노르웨이 Statoil, 프랑스 Total 등)과 공동 개발, 가즈프롬(Gazprom)과 Shell사가 축치 해와 페초라 해에서 가스를 공동 개발하는데 합의했지만 2014년 우크라이나 동부 개입과 크림반도 합병 이후 미국을 중심으로 대서 방의 경제제재가 이루어지면서 이 프로젝트들은 무산됐다.

에너지 초강대국이며 북극권 2분의 1을 가지고 있고 다른 북극권 국가보다 북극 정체성이 강한 러시아의 선택은 생존전략 차원에서 북극권 자원/물류 개발의 활성화이다. 서방의 경제제재로 재원과 기술지원 제약 하에서도 5척의 '아르크티카'급 핵추진 쇄빙선과 차세대 3척의 '리더'급 원자력 쇄빙선 구축 및 가즈프롬의 프리라즐로므노예 대륙붕 유전과 로스네프트의 오비만(Arctic Gate Terminal) 석유생산, 노바텍(Novatek)의 야말반도 LNG 프로젝트, 기단반도의 북극 LNG 2 프로젝트(중국, 프랑스, 일본 등 참여), 오비만의 북극 LNG 3 등이 진행되고 있으며 100건이 넘는 자원개발 프로젝트가 수행될 예정이다.[5] 실제로 러시아 NSR 물동량은 최근 빠른 속도로 증가하면서 2019년 3,150만 톤을 달성하였고 2024년에 8,000만 톤 달성을 목표로 하고 있으며, 2030년 1억 2,000만 톤, 2035년 1억 6,000만 톤 달성 목표치를 제시하고 있다.[6] 지금까지 물동량의 대부분은 NSR의 서부구간(유럽 쪽)에서 이루어졌다. 향후 NSR 물동량의 증가는 동부구간(베링 해 쪽)의 활성화가 필요조건이며,

---

5) 러시아 극동/북극개발부는 2030년까지 100개 이상의 유망한 북극개발 프로젝트에 약 11조 루블(1,671억 달러)을 투자할 계획이라고 밝힘.

6) Алексей Заквасин, "Перспективные льды Арктики: как Россия планирует развивать Северный морской путь," RT, 2019. 12. 6.

이를 위해 대형 디젤 및 원자력 쇄빙선의 구축이 관건이다.

북동항로(NEP: Northeast Passage)의 러시아 유럽북극권(바렌츠 해 등)은 겨울철에도 두께가 얇은 1년 빙인 반면 아시아북극권(혹은 시베리아/극동북극권)인 '북부해항로(NSR: Northern Sea Route)[7]는 전체 구간이 다년생 빙으로 두꺼운 얼음, 특히 랍테프 해와 동시베리아 해에서 얼음이 가장 두껍다. 이로 인해 겨울철 NSR의 동부구간 항행은 제한적인 상황이다. 이를 위해 러시아는 최근 채택된 '2035 북극전략', '2035 NSR 인프라 프로젝트', '2035 조선전략'의 일환으로 2035년까지 NSR의 연중 항행을 목표로 준설을 포함하여 쇄빙선, 항만, 공항, 철도, 파이프라인 등 복합물류시스템을 구축하여 탄화수소자원의 수송과 더불어 수에즈 운하와 같은 국제운송동맥으로 발전시키려 하고 있다.

러시아의 디젤 구동 및 차세대 원자력 추진 쇄빙선단과 부유식 원전 구축의 필요성은 북극의 물류 현대화는 물론 북극 대륙붕 탐사를 통해 북극에서 확고한 선도적 지위를 확보하는 것이다.[8] 러시아는 UN해양법의 대륙붕한계위원회에서 로모노소프 해령 대륙붕 확장 인정을 통해 120만㎢ 해역 확보와 북극권 탄화수소 자원 매장량의 84%가 묻혀 있는 해상 자원/물류 탐사와 개발을 위해 원자력 추진 쇄빙선단의 구축이 필수적 관건이라고 생각하고 있다. 지경학적 가치 외에도 안보 등 지정학적 가치의 실현을 구체화하는데 목적을 두고 있다. 그 외에도 NSR의 자유로운 이용은 물론 미래의 북극점 경유 항로(TPP:

---

7) NSR은 북동항로의 일부로서 한국에서 '북해항로' 혹은 '북극해항로'로 사용되고 있다. 그러나 이 번역들은 '북해산 석유' 혹은 독일, 네덜란드, 벨기에 등에서 불리는 '북해' 용어의 중복성, 그리고 '북극해항로'는 NSR이 전체 북극해('북서항로' 혹은 '북극점 경유 항로' 등)를 이용하는 는 것이 아니기 때문에 필자는 NSR을 '북부해 항로'로 표기한다.

8) Sergey Sukhankin, "'Icebreaker Diplomacy': Russia's New-Old Strategy to Dominate the Arctic," *Eurasia Daily Monitor*, Vol. 16, Issue: 87, Jun. 12, 2019.

Transpolar Passage) 개발에도 주도적 위치를 선점하는데 있다.

III. 쇄빙선 인프라 프로젝트의 현황과 내역

원자력 쇄빙선 5척('승전 50주년'호와 '야말'호 북극 급 2척과 하천 쇄빙선 '타이미르'호와 '바이가츠'호, 원자력 컨테이너선 '세베르모르푸트')을 포함하여 다양한 형태의 디젤 구동 쇄빙선(북극 급, 하천, 항만, 예인, 구조, 순찰, 다목적용 선박) 등 45척의 쇄빙선이 러시아 북극에서 운영되고 있다.[9]

이 절에서는 2035년까지 러시아의 북극권 개발을 위해 필요로 하는 원자력 쇄빙선 건조 프로젝트와 여러 형태의 쇄빙선 건조 계획을 정리한다.[10]

로스아톰플로트(Rosatomflot)의 추정에 따르면, 앞으로 NSR의 연중 운영을 위해 13척의 쇄빙선이 필요할 것으로 예측하고 있다. '승전 50주년'호는 2035년 혹은 2041년까지 운영할 것으로 예상된다(기존 3척의 원자력 쇄빙선은 2022-2029년에 퇴함 예정). 그러므로 2035년까지 러시아는 향후 12척의 대형 쇄빙선의 구축을 계획하고 있다.[11]

---

9) 현재 운영되고 있는 러시아 쇄빙선의 이름과 내역에 대해서는 다음의 글을 참조. 한종만, "러시아 쇄빙선의 현황과 내역," 『북극연구 The Journal of Arctic』, No. 18 Winter, 배재대학교 한국-시베리아센터, 2019 pp. 1-17.

10) 이 절의 내용은 2020년 5월 12일 배재대학교 한국-시베리아센터/북극학회 주관 제6차 한국-시베리아센터 콜로키움에서 발표한 '러시아 쇄빙선의 과거, 현재, 미래'의 내용 중 러시아 쇄빙선의 '미래의 쇄빙선'에서 발췌한 것임.

11) Александр Бражник, "Покорение Арктики. Зачем Россия строит 13 новых атомных ледоколов," *Moia Russia*, Июль 14, 2019.

[그림 2-1] 러시아 북극 프로젝트의 기능을 보장하기 위한 북극 쇄빙선단의 개발 개념

주: 건조비용은 2017년 가격 기준
자료: "Развитие атомного ледокольного флота для обеспечения крупнейших национальных Арктических проектов," Росатомфлот, апр. 2018.

프로젝트 22220 LK-60Y 급 원자력 쇄빙선 5척 건조: 프로젝트 22220 시리즈의 원자력 쇄빙선 '아르크티카'호와 '시비르'호는 각각 2016년과 2017년에 진수됐으며 2019 5월 3번째 선박 '우랄'호는 상트페테르부르크의 발트 조선소에서 진수됐다. 이 시리즈의 원자력 쇄빙선은 3미터 두께의 얼음을 쇄빙할 수 있을 정도로 강력하며, 소련 붕괴 이후 러시아에서 설계되고 건조된 최초의 원자력 쇄빙선이다. 현재의 원자력 쇄빙선단은 1970년대와 1980년대에 건조되었으며 대부분은 노후화되면서 효율성 면에서 더 이상 기능이 적합하지 않은 상황이다. 러시아 정부는 1년에 몇 개월이 아니라 연중 NSR을 항행할 수 있도록 새로운 대형 급 원자력 쇄빙선으로 교체하는 것을 목표로 하고 있다.[12]

---

12) Leonid Bershidsky, "Russia's new icebreakers carve path for oil and gas shipping," *World Oil*, May 28, 2019.

[그림 2-2] NSR에서 13척의 쇄빙선 운영 영역과 화물운송 전도

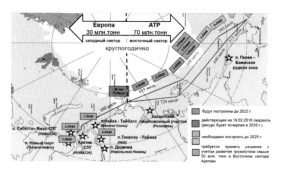

자료: Андрей Моченов, Вера Федулова, "Ледоколы для Севморпути: прогнозы на фоне конфликтов," Август 19, 2018.
https://www.if24.ru/ledokoly-dlya-sevmorputi/(검색일: 2020.4.3.)

'아르크티카'호[13]는 원자력 쇄빙선 중 세계에서 가장 강력한데, 프로젝트 22220의 LK-60YA 시리즈 원자력 쇄빙선의 첫 번째 선박이며, 후속 시리즈 쇄빙선 '시비'호와 '우랄'호가 발트조선소에서 현재 건조 중이다.

1년 연기되어 '아르크티카'호(건조비용 370억 루블)는 2020년, '시비르'호 (441.5억 루블)는 2021년, '우랄'호(432.6억 루블)는 2022년 운영될 예정이다.

---

13) "Еще один "прорыв". Атомный ледокол ≪Арктика≫ могут сдать с неисправным электродвигателем," *Yapllakal*, 19 февраля, 2020. 2020년 2월 4일 아르크티카(Арктика) 원자력 쇄빙선의 계류 테스트 과정에서 오른 쪽 전기모터의 화재가 발생하면서 복원할 수 없는 상태로 진전됐다. 전기모터 생산업체인 레닌그라드 전기제작공장(Leningrad Electric Machine Building Plant)의 CEO는 6단계 중 4단계가 손상된 엔진의 복구는 불가능하다고 전했다. 이 사고는 주파수 변환기의 전기 충돌에 기인한다고 밝혔다. 그 결과 쇄빙선의 선체를 절단한지 않으면 엔진교체는 불가능하여 6-18개월 동안 쇄빙선의 운행을 지연시킬 수 있다는 것이다. 엔진 수리를 바로 수행한다는 아이디어는 아직 포기되지 않은 상황이다. 또한 결함을 지닌 엔진으로 쇄빙선을 수용하는 옵션도 배제되지 않으며, 이는 후속 수리를 보장하여 일시적으로 약 3분의 1 동력을 줄여야만 한다.

LK60-4호(2019년 착공, 2025년 운영, 건조비용 450억 루블), LK60-5호(2020년 착공, 2026년 운영, 건조비용 450억 루블)가 건조될 예정이다. 발트 조선소는 2020-2026년까지 NSR에서 가동될 5척의 새로운 원자력 쇄빙선을 건조할 계획이라고 유리 보리소프 부총리는 TV 인터뷰에서 밝혔다. 2026년까지 5척의 원자력 쇄빙선은 북극의 주요 석유/가스 매장량이 집중된 지역에서 운행될 예정이다.[14]

2019년 10월 러시아 로스아톰(Rosatom)의 엔지니어 부서 아톰에네르고마쉬(Atomenergomash)는 프로젝트 22220 시리즈에서 2척의 추가 원자력 쇄빙선을 위한 RITM-200 원자로 유닛 공급 계약을 체결했다. 이 계약은 아톰에네르고마쉬 자회사 아프리칸토프(OKBM Afrikantov)와 발트해 조선소가 체결됐다. 새로운 원자력 쇄빙선 4호와 5호는 프로젝트 22220 쇄빙선과 합류될 예정이다. 이 시리즈 선박은 이중 드래프트<(홀수)8.55미터, 또는 10.5미터>, 폭은 34미터, 중량은 2만 5,450톤, 평형수(ballast water)를 포함하면 3만 3,540톤으로 3미터 두께의 쇄빙능력을 갖고 있다. 각각 175 MW의 용량을 지닌 2대의 RITM-200 원자로, 트윈 터빈 발전기와 3대의 모터를 통해 프로펠러에서 60 MW의 전력을 공급한다. 로스아톰의 사무총장 알렉세이 리하초프(Alexey Likhachov)는 2027년까지 프로젝트 22220 시리즈 2척의 선박을 원자력 쇄빙선함대에 추가 배치할 계획이며, 8월에 로스아톰사와 발트 조선소와 계약을 체결했다고 밝혔다. RITM-200 원자로는 '에너지 효율성을 높인 통합설계'를 갖추고 있어 증기발생기 내부의 기기를 바로 교체할 수 있으므로 KLT-40 원자로(타이미르 급 원자력 쇄빙선)보다 무게는 절반, 크기는 1.5배

---

14) "Россия до 2026 года построит пять новых ледоколов для Севморпути," *RT*, 2019.12.27.

적으나, 출력은 거의 두 배로 강력하다. 또한 RITM-200 원자로에 한 번의 연료 주입은 54만 톤가량의 북극항해용 디젤유 주입에 해당하므로 7년에 한 번씩 연료를 장전하면 된다.[15]

〈표 2-1〉 러시아의 미래 쇄빙선 구축 내역

no.	선박이름	러시아 명	운영시기	내역
프로젝트 22220 LK-60Y 급 원자력 쇄빙선 5척 건조				
1	아르크티카(Arktika)	Арктика	2020년	발트조선소
2	시비르(Sibir)	Сибирь	2021년	발트조선소
3	우랄(Ural)	Урал	2022년	발트조선소
4	LK-60 4호	ЛК-60-4	2025년	발트조선소
5	LK-60 5호	ЛК-60-5	2026년	발트조선소
프로젝트 10510의 '리더' 급 원자력 쇄빙선 3척 건조				
6	Lider-1	Лидер-1	2029년	즈베즈다 조선소
7	Lider-2	Лидер-1	2031년	즈베즈다 조선소
8	Lider-3	Лидер-1	2035년	즈베즈다 조선소
로스아톰 사의 LNG LK-40 쇄빙선 4척 건조				
9	LNG LK-1	СПГ ЛК-1	2023년	통합조선소(USC)
10	LNG LK-2	СПГ ЛК-2	2024년	통합조선소(USC)
11	LNG LK-3	СПГ ЛК-3	2025년	통합조선소(USC)
12	LNG LK-4	СПГ ЛК-4	2026년	통합조선소(USC)

프로젝트 10510의 '리더' 급 원자력 쇄빙선 3척 건조: 이 쇄빙선의 배수량은 7만 1,380톤, 길이는 209.0미터, 폭은 47.7미터, 드래프트(흘수)는 13.0미터이며, 리더 1호(2021년 착공, 2029년 운영), 리더 2호(2023년 착공, 2031년 운영), 리더 3호(2025년 착공, 2035년 운영), 건조비용은 2017년 가격 기준으로 1척 당 950억 루블이다.

---

15) "Russia plans next two nuclear icebreakers," *World Nuclear News*, Oct. 30, 2019.

리더 원자력 쇄빙선은 현재까지 거의 모든 준비가 완료됐다. 지난 몇 년 동안 다양한 시험과 설계 작업이 이루어졌는데, 2017년부터 다양한 환경조건과 얼음 두께를 고려한 쇄빙선 선체 모델의 반복적인 성능평가가 이루어졌고, 유조선 모델과 함께 파이롯트 작업도 성공적으로 완수됐다. 우여곡절 끝에 리더급 쇄빙선 3척은 연해변강주 볼쇼이 카멘에 소재한 즈베즈다 조선 콤플렉스에서 건조될 예정이다. 경제학자 미하일 델야긴(Михаил Делягин)은 즈베즈다 조선소는 극동 지역경제 발전을 위한 기관차일 뿐만 아니라 관련 산업 발전에 자극과 동시에 러시아 산업 전체에 승수효과를 조성할 것"이라고 언급했다. 또한 그는 한국의 예를 들면서 "한국은 지난 세기 70년대까지 작은 어선만 만들었지만 국가의 지원 덕분에 단기간에 세계 시장의 리더로서 조선 산업을 창출할 수 있었다"고 지적했다. 그는 "오늘날 가장 고가의 첨단 선박부문에서 한국조선업체의 비중은 60%에 이르고 있으며 조선의 발전으로 야금, 화학, 기계제작, 전자 등 관련 산업의 발전이 달성됐다"고 언급했다. 즈베즈다 조선소의 CEO 세르게이 첼류이코(Сергей Целуйко)는 이미 조선 현대화 건설의 경제적 효과를 감지한다고 언급했다. 그는 "현 단계에서 이미 수천 개의 일자리가 창출되었으며, 첨단기술과 역량이 유치됐다"고 언급했다. 또한 그는 "이 프로젝트는 산업과 학문의 발전과 경제의 승수효과를 제공하고 있다"고 지적했다. 로스네프트의 예측에 따르면 즈베즈다 거주자에 대해서만 20년 동안 모든 수준의 예산에 대한 세금공제 금액만 3,000억 루블에 달할 것으로 예견했다.[16]

리더 쇄빙선의 과제는 군사, 상업 또는 과학 연구를 위한 선박의 연중 NSR

---

16) Василиса Морозова, "Семь новых ледоколов построят для Севморпути," *TVzvezda*, 27.12.2019.

항행을 지원하는 것이다. 이 쇄빙선은 얼음두께 4미터 쇄빙 시에도 최저속도로 항행할 수 있으며, 2미터 얼음 쇄빙 시 시속 12노트로 항행할 수 있다. 또한 이 쇄빙선은 대형선박의 항행을 지원하기 위해 선체 폭이 넓고, 높은 연료 자급률과 함께 원자로는 40년 수명을 지니고 있다. 이 쇄빙선은 길이 209미터, 폭은 48미터, 총 배수량은 7만 1,000톤이다. 동급의 다른 선박과 마찬가지로 이 쇄빙선은 높은 상부구조의 특징을 가지고 있다. 헬기는 선미에 정착되며 특수 장비 혹은 무기를 배치할 공간을 갖고 있다. 프로젝트 10510을 위한 발전은 각각 315 MW의 열용량을 가진 2개의 수냉식 RITM-400 원자로를 기반으로 하고 있다. 새로운 유형의 원자로는 LK-60Y 유형의 RITM-200 제품을 기반으로 개발됐다. RITM-400은 이전 모델과의 통합이 극대화되어 2배나 더 강력한 성능을 제공한다. 이 쇄빙선의 수명은 40년이며 연료는 5-7년 마다 주입된다. 원전의 전력은 4개의 엔진에 공급되어 4개의 고정 피치 프로펠러를 구동시킨다. 또한 이 쇄빙선의 엔진 출력은 120 MW이며, 얼음이 없는 바다에서 최고 시속 22-24노트, 쇄빙 시 채널을 만들면서 저속으로 운행되며 순항 범위는 무제한이다.

이 원자력 쇄빙선은 모든 위도와 다양한 조건에서 효율적 항법을 제공하는 복합적 현대 전자 장비, 예를 들면 얼음상황과 통신 등을 모니터링하는 장비를 갖추고 있다. 이 쇄빙선의 선체 후미에는 화물 또는 특수 장비를 위한 공간이 있으며, 화물 작업 시 필요한 2대의 크레인을 갖추고 있다. 후방 구획의 탑재량으로 인해 이 쇄빙선은 연구와 구조, 기타 작업을 수행할 수 있으며, 위협이 발생할 경우 무기를 설치할 수도 있다. 130명의 승무원이 이 쇄빙선을 관리하며, 필요한 경우 연구팀이나 기타 승객이 탑승할 수 있다. 규정에 대한 자율권은 8개월로 설정되며, 다른 원자력 쇄빙선과 마찬가지로 이 쇄빙선도 승무원과 승객의 개선된 생활조건에 따라 차별화될 수 있다.

실제로 리더 쇄빙선은 북극의 극한 환경에서 특별한 문제를 해결하는 유일한 도구로 사용할 수 있다. 그러나 리더 원자력 쇄빙선의 건조는 여러 어려움과 연계되어 있는데, 이 프로젝트는 매우 복합적이며, 여러 산업부문의 공동 노력이 필요하다. 그 외에도 선박 건조를 위한 특별한 요구사항과 높은 건조비용이 소요된다.[17]

드미트리 메드베데프 총리가 사임한 2020년 1월 15일에 NSR 연중 항행을 위해 강력한 원자력 쇄빙선 리더를 건설하기 위해 1,270억 루블(18억 5,000만 유로, 루블화의 평가절하로 320억 루블 증가됨)을 할당하는 결의안에 서명했다.[18] 많은 사람들은 북극의 '거대주의'에 대한 비현실적이고 환상적인 프로젝트가 이제 현실이 됐다고 비난했다. 리더 급 쇄빙선은 '아르크티카' 원자력 쇄빙선 중량의 약 2배인 5만 5,000톤의 배수량을 가지고 있으며, 4.1미터의 쇄빙 능력으로 북부시베리아 해역의 NSR을 연중 항해할 수 있을 뿐만 아니라 북극점 경유 항로(TPP) 운항도 가능하다. 리더 쇄빙선의 크기는 현재 발트 조선소에서 건조 중인 프로젝트 22220 원자력 쇄빙선보다 2배나 크며, 폭은 13.5미터나 넓다. 이 쇄빙선은 2대의 RITM-400 원자로로 구동되면서 프로펠러에 120 MW를 공급하여 북극해를 운영하는 어떤 선박보다 더 강력한 쇄빙 능력을 갖추고 있으며, 설계상 원자로는 프로젝트 22220 원자력 쇄빙선의 RITM-200과 유사하지만 더 강력하다. 정부자금을 확보한 리더 급 원자력 쇄빙선의 건조는 2020년 말 극동 즈베즈다 조선소에서 시작될 예정이다. 이 쇄빙선은 야발반도에서 NSR을 따라 베링 해를 향해 동쪽으로 항해하는 대형유조선과

---

17) Рябов Кирилл, "《Лидер》 для Севморпути. Чем интересен новый ледокол?," *Военное обозрение*, 29 января 2020.

18) "Медведев перед уходом выделил 127 млрд руб. на атомный ледокол," *РБК*, 16 янв, 2020.

LNG 선을 포함한 상업 선박의 호위를 담당할 것이다.[19]

러시아 조선업계에 따르면 리더 쇄빙선은 부식 등 손상이 감지되면 '자체 치유'하는 기능도 갖추고 있는데, 러시아 경제 변환의 엔진으로 기관차 역할을 담당할 것으로 예견된다. 러시아 정부는 NSR에서 연중 운행이 가능한 골리앗 첨단 원자력 쇄빙선을 건설하기 위해 20억 달러를 할당했으며, 이 선박은 공학적 신화로서 5미터 두께 쇄빙 시 시속 10노트로 운행이 가능하며 50미터 폭의 운항로를 조성하면서 최대 18만-20만 톤의 선박, 우선적으로 내빙 유조선과 LNG 대형 선박의 항행을 가능하게 한다.[20]

블라디미르 푸틴 대통령은 '2035년까지 북극의 러시아 국가 정책 기본에 관한 법령'을 2020년 3월 13일에 서명했다. 2035년까지 3척의 리더 급 쇄빙선을 운영할 계획이며, 러시아 통합조선소(USC:United Shipbuilding Corporation)에 따르면 길이는 최대 200미터, 폭은 50미터이고, 시속 13노트로 항행하며, 최대 4.5미터의 쇄빙을 통해 10만 톤 이상의 선박을 호위할 수 있게 설계됐다. 리더 급 원자력 쇄빙선 1척은 2027년까지 완료하며, 2027-35년까지 2척이 추가적으로 건조될 예정이다.[21] LK60 원자력 쇄빙선 5척 건조 이외에도 리더 원자력 쇄빙선 1호는 2027년 12월 운항 준비가 완료되며, 리더 2호와 3호는 각각 2030년 말과 2032년 말 건조될 예정이다.[22]

---

19) Thomas Nilsen, "In a last move as PM, Medvedev secured funding to first Lider-class icebreaker," *The Barents Observer*, Jan. 17, 2020.

20) Charles Digges, "Russian government bankrolls Leader nuclear icebreaker project," *Bellona*, Jan. 27, 2020.

21) Vladislav Vorotnikov, "Putin orders new safety system on the NSR," *Safety at Sea*, Mar. 31, 2020.

22) "Moscow Adopts 15-Year Grand Plan for Northern Sea Route," *The Moscow News*, Jan. 2, 2020.

로스아톰 사의 LNG LK-40 쇄빙선 4척 건조: 로스아톰의 주문으로 러시아 통합조선소(AO USC)에서 건조될 새로운 LK-40 프로젝트의 쇄빙선은 디젤과 LNG를 이중 원료로 총용량 55 MW의 성능을 지니며, 2019년 2척이 착공되어 LNG LK-40 1호 선박은 2023년, 2호 선박은 2024년에 운영될 예정, 3호와 4호는 각각 2021년 착공되어 2025년과 2026년에 운영될 예정이다. 1척 당 건조비용은 172억 루블이다.

이 쇄빙선은 핀란드 엔지니어링 회사인 Aker Arctic Technology가 아톰플로트(Atomflot) 전용으로 개발 한 프로젝트를 기반으로 이 선박의 길이는 160미터, 폭은 최대 31.5 미터, 드래프트(흘수)는 8.5-9.5 미터이다. LNG와 디젤을 사용하며 최대 2.85m 두께의 얼음을 쇄빙할 수 있도록 설계됐다. 또한 무보급 최대운항 지속일수는 40일이다.[23] 이 디젤 쇄빙선들은 야말, 기단, 타이미르반도 해역에서 운영될 예정이다.

〈표 2-1〉에서 보는 것처럼 새로운 8척의 원자력 쇄빙선과 4척의 LNG 연료 디젤 쇄빙선의 건조를 통해 NSR의 연중 항행이 가능할 것으로 예견된다. 그 전제 조건으로 2022년까지 LK-60 3척이 운영되어 랍테프 해에서 쇄빙 업무, 2025년까지 이 시리즈 선박 4호와 5호는 축치 해에서 쇄빙 업무, 리더 급 쇄빙선 3척은 극한 조건을 가진 동시베리아 해에서 주로 운용할 계획이다. 또한 LK-40 LNG 연료 디젤 쇄빙선 4척은 야말, 기단, 타이미르 반도 해역에서 쇄빙업무를 담당할 것으로 예상된다. 기존의 원자력 쇄빙선 '승전 50주년 호'와 함께 새로운 쇄빙선 12척을 통해 NSR 서부구간으로 3,000만 톤, 동부구간 7,000만 톤으로 총 1억 톤의 화물수송이 창출될 것으로 예견되고 있다. 야말

---

23) "ЛК-40 - новый ледокол на СПГ для российской Арктики," *techoomsk.ru*, Oct. 8, 2018.

과 기단반도에서 노바텍 사의 LNG, 노비 포르트에서 가즈프롬네프트 사의 유전, 보스토크 우골 사의 차이카-타이바스 석탄, 두딘카의 노릴스크 니켈 금속, 로스네프트 사의 한탄가 라이선스 석유 광구뿐만 아니라 추코트카 페벡 항의 바임(Baim) 광석 지역의 화물 등이 운송될 예정이다([그림 2-2] 참조).

프로젝트 10570의 offshore 다기능 원자력 쇄빙선: 이 프로젝트는 러시아 대륙붕의 석유/가스전 개발을 위해 쇄빙과 특별 선단의 필요성으로 2015년 초안 설계가 완료됐다. 키릴로프 국가연구센터(Krylov State Research Center)는 빙상중앙디자인국(Central Design Bureau Iceberg)과 공동으로 40 MW 급 얕은 드래프트(흘수)의 원자력 쇄빙선의 개념설계를 개발했으며, 이 센터의 미하일 자고로드니코프(Mikhail Zagorodnnikov) CEO는 2016년 8월 이 프로젝트는 원자력 쇄빙선 바이가츠와 티이미르 호를 대체할 것이라고 밝혔다. 이 선박의 드래프트(흘수)는 8미터<리더 급 쇄빙선의 드래프트(흘수)는 10-12미터>로 레나 강, 예니세이, 오비 강의 하구에서 작업이 가능하도록 설계됐다.

이 쇄빙선은 북극 대륙붕의 얕은 해역에서 쇄빙하는 전함, 시추 플랫폼의 물자공급 시 얼음 안전 및 지원 보장, 빙해역과 대양해역에서의 구조작업 수행, 선택된 특수 장비에 따라 추가 작업 등을 위해 설계됐다. 이 프로젝트 쇄빙선은 '아르크티카' 프로젝트 22220의 구축과 함께 주요 및 보조 장비의 통합을 제공하며, 이 원자력 선박은 2대의 풀 스크루 드라이버와 중앙 스크루가 장착되며, 선수부에 2대의 추진기가 장착되며, 그 덕택으로 이 쇄빙선은 높은 정확도로 배치되고 기동성이 추가된다. 이 선박에 채택된 개념은 고객의 요구사항에 따라 다양한 장비를 갖춘 해상 운영에 필요한 특수 장비를 장착할 수 있어 다기능 원자력 쇄빙선 역할을 담당할 수 있다.

또한 이 선박은 선택된 특수 장비에 따라 범용 기본 플랫폼을 기반으로 여러 버전의 해양활동이 가능하다. 그 예로써 드래프트(홀수)가 낮은 원자력 쇄빙선, 견인 및 정박 기능을 갖춘 다기능 원자력 쇄빙선, 수중 석유/가스 생산 시설의 검사, 유지, 보수 및 수리 등을 위한 다기능 원자력 쇄빙선, 유전/가스전을 탐사하기 위한 지진 조사를 수행하기 위한 다기능 원자력 쇄빙선, 탄화수소 생산 촉진을 위한 다기능 원자력 쇄빙선으로 작업할 수 있다.

이 선박의 특성은 높은 화물 용량으로 인원과 시추 및 생산 플랫폼에 기술 재료와 장비를 공급할 수 있으며 예인(최대 300톤) 및 정박 기능을 갖고 있고, 앵커 작업을 위한 장비를 제공할 수 있다. 화물 U 자형 램프와 2D 지진측량을 위한 착탈식 콤플렉스를 설치할 수 있다. 특수 장비는 광범위한 기능을 가지며, 해양 굴착장치와의 공동작업, 특수 원격제어장치, 심해 시추 콤플렉스와 용량이 큰 크레인을 포함하여 장비를 확장하여 대륙붕에서 광범위한 구조작업을 수행할 수 있다. 지진 연구용 원전 쇄빙선에는 2D, 3D, 4D 지진측량을 위한 복합 장비가 장착된다. 이 장비들은 유전/가스전을 탐사하고 기존 현장을 운영할 때 매장량의 고갈 상황을 평가하는데 사용할 수 있다.[24] 그러나 이 프로젝트는 최근 코로나-19로 석유 수요 감소와 주요 산유국의 석유 과잉공급으로 인해 야기된 국제유가의 하락으로 당분간 건조 가능성이 매우 미약하다고 판단된다.

프로젝트 21900M2 디젤 쇄빙선: 2019년 4월 로스모르포르트(Rosmorport)는 빔펠 디자인국(Vympel Design Bureau)과 계약을 체결하여 이전 프로젝트 21900M 설계를 기반으로 새로운 18 MW 쇄빙선 개념을 개발했다. 프로젝

---

24) "Project 10570," *Global Security. org*, Mar. 17, 2018.

트 21900M2는 새로운 쇄빙선으로 선택적 촉매 감소(SCR: Selective Catalytic Reduction) 장치와 스크러버(Scrubbers)를 사용하여 질소산화물(NOx) 및 황산화물(SOx) 배출량을 줄이면서 IMO의 극지해역 운항선박 안전기준(Polar Code)의 요구사항을 충족할 수 있다.

2019년 8월 로스모르포르트는 18 MW 쇄빙선 건조를 위해 75억 4,924만 1,400루블(약 1억 유로) 입찰을 개시했으며, 2024년 9월 30일에 인도될 것으로 예상된다. 2019년 9월 5일 유일한 입찰자는 오트라드노이(Otradnoy) 펠라(Pella) 조선소로 낙찰됐다. 그러나 선박 건조는 1억 유로 상당의 규모로 역사상 가장 큰 단일 계약을 체결한 독일 함부르크의 펠라 시에타스(Pella Sietas) 조선소에 하청됐다. 2020년 4월에 로스모르포르트는 2024년 12월 10일까지 발트 해 쇄빙을 위해 유사한 쇄빙선 호의 2번째 입찰이 진행된다.[25]

순찰 디젤 쇄빙선: 프로젝트 23550 일환으로 '이반 파파닌'호는 러시아 해군을 위한 '이반 파파닌' 유형의 다기능 순찰선으로 2017년 4월 19일에 상트페테르부르크 아드미랄티 조선소에서 건조가 시작되어 2019년 진수, 2023년 러시아해군에 인도될 예정이다. 이 시리즈의 2번째 '니콜라이 주보프'호는 2018년 봄 러시아 해군의 주문으로 착수가 시작됐다.[26] 니콜라이 주보프 호는 2019년 11월 기준으로 11% 공정률을 보이고 있으며 2024년 11월 러시아 해군에 인도될 예정이다. 프로젝트 23350 쇄빙 순찰선은 유일하게 1척(일랴 무로메츠 호)을 건조한 프로젝트 21180의 보충으로 알마즈 해양디자인국(Almaz Central

---

25) "Project 21900 icebreaker," *Wikipeida*, https://en.wikipedia.org/wiki/Project_21900_icebreaker(검색일: 2020.4.4.)
26) "Russian Shipyard Launches Missile-Carrying Icebreaker," *The Maritime Executive*, Oct. 28, 2019.

Marine Design Bureau)에서 설계됐다.[27]

'이반 파파닌'호는 순항 미사일의 탑재가 가능하며 크기와 기능은 노르웨이 쇄빙선인 스발바르 급과 유사하다. 이 전투 쇄빙선은 길이 114미터, 60명 승무원, 시속 18노트, 최대 1.7미터 쇄빙 능력을 가지고 있으며, 8대의 순항미사일, 76.2mm 주포, 대잠수함 공격 Ka-27 헬기를 탑재할 수 있다.[28]

러시아 해군과 FSB 산하 러시아 국경수비대는 북극의 빙상해역에서 활동 강화를 위해 프로젝트 23550의 2번째 선박(니콜라이 주보프)을 2019년 11월에 진수했다. 2척의 선박은 각각 2023년과 2024년에 서비스를 운영할 계획이다. 이 시리즈의 3번 째 선박은 레닌그라드 주 비보르크(Vyborg) 조선소에서 건조될 예정이다. 이 선박의 건조비용은 180억 루블(2억 5,500만 달러)이 소요될 것으로 추정된다. 이 선박은 ARC5급으로 1.7미터의 쇄빙능력을 지니며, 해양자원과 국경보호뿐만 아니라 선박 호위와 예인 장비와 칼리브르(Kalibr)와 우란(Uran) 크루즈 미사일시스템을 갖추고 있다.[29]

프로젝트 23550 순찰 쇄빙선의 수석 디자이너 보리스 레이키스(Boris Leikis)는 전 세계 어느 나라도 전투선과 쇄빙선의 설계 기능을 결합한 선박을 개발하거나 제조하지 않은 독특한 선박이란 것을 상기시켰다. 이 선박은 쇄빙선의 호위 없이 다른 전투선으로 접근할 수 없는 지역에 독립적으로 운행할 수 있다고 밝혔다. 이 선박은 길이 114미터, 폭 18미터, 드래프트는 6미터, 배수량은 6,800톤, 화물 최대 적재 시 8,500톤, 엔진출력은 4 X 3,500kW이

---

27) "In St. Petersburg laid the second combat icebreaker of the 23550 project "Nikolai Zubov"." *Military Review*, Nov. 27, 2019.

28) "Heavily armed icebreakers will bolster Russia's Arctic presence," *The Times*, Oct. 28, 2019.

29) Atle Staalesen, "FSB gets more icebreaking vessels for Arctic patrol," *Barents Observer*, Jan. 31, 2020.

며, 2개의 샤프트는 각각 6,300kW 용량을 지닌 디젤전기 추진 장치로 작동되며, 운항속도는 최대 18노트, 항행 운항 범위는 6,000해리, 승무원 수는 49명과 47명의 보조 업무 승무원을 수용할 수 있다. 이 순찰 쇄빙선은 76.2밀리미터 AK-176MA 포함과 8대의 3M-54 칼리브르(Kalibr) 미사일과 헬기 착륙장과 Ka-32 헬기 격납고가 있다.[30]

'예브파티 콜로브라트'호는 프로젝트 21180의 일환으로 러시아 태평양함대의 디젤 쇄빙선으로 2018년 12월 12일에 건조가 시작됐다.

〈표 2-2〉 러시아 디젤 순찰 쇄빙선의 명칭과 내역

no.	선박이름	러시아 명	운영시기	내역
프로젝트 23550의 이반 파파닌 급 순찰 쇄빙선 3척				
1	Ivan Papanin	Иван Папанин	2023년 운영	2017년 4월 19일 건조 시작, 해군
2	Nikolai Zubov	Николай Зубов	2024년 운영	2017년 11월 27일 건조 시작 해군
3	3호		2024년 계획	2020년 여름 건조 시작, FSB 소속
기타 국방부 프로젝트 선박				
4	Yevpatiy Kolovrat	Евпатий Коловрат	계획	건조 중, 태평양함대
5	Tundra	тундра	계획	국방부

디젤전기 다기능 쇄빙선 프로젝트 '툰드라'호는 빙상상태에서 군함의 배치지원과 쇄빙지원, 예인 업무, 공급선박의 지원, 구조작업, 선박의 재부상 작업, 석유 유출방지 작업, 상부갑판의 컨테이너 및 화물창의 팔레트에 특수화물 운송, 소방 업무들을 담당하도록 설계되어 있다. 이 선박의 길이는 84미터, 전체 폭은 20미터, 드래프트(흘수)는 7.8미터이며, 대양해역(Clean Water)서 최대 운항속도는 시속 15노트이며, 항행 범위는 6,000마일, 승무원 수는 82명이다.

---

30) "Russia's FSB To Receive a Project 23550 Patrol Icebreaker," *South Front*, Jan. 28, 2020.

디젤전기 총 용량은 1만 5,000kW이며, 볼라드 풀(Bollard Pull)의 최대 용량은 100톤이다. 이 쇄빙선 본체는 강철로 제작되며 3대의 디젤발전기의 총용량은 1만 6,800kW이고, 모든 해역에서 연중 운영이 가능하다.[31]

항만 및 예인 디젤 쇄빙선: 아톰플로트 사는 원자력 쇄빙선 구축 외에도 항만함대 개발을 위한 프로그램을 가지고 있다. 이 회사의 책임자 무스타파 카쉬카(Mustafa Kashka)는 크레인선박(Craneship)과 함께 Arc6 급 7MW의 쇄빙예인선 건조 프로젝트를 개발 중이며, 이 선박의 길이는 38.5미터로 쇄빙성능은 1.25미터로 설계된다고 밝혔다.[32] 쇄빙 예인선은 항만함대 프로젝트 2의 일환으로 건조되며, 항만 쇄빙선 '오비'(Обь) 호의 디자인으로 쇄빙 예인선 '푸르'(Пур)호, '탐베이'(Тамбей)호, '유리베이'(Юрибей)호(2017년 건조)와 '나딤'(Надым)호 등이 건조될 계획이다(〈표 2-3〉 참조). 아톰플로트의 책임자는 이와 같은 예인선의 특성이 쇄빙선의 특성과 유사하기 때문에 쇄빙선의 분류 및 선체 요구사항의 수정 필요성을 지적했다.[33]

〈표 2-3〉 아톰플로트 쇄빙 예인 및 항만 쇄빙선

no.	선박 이름	러시아 명	운영시기	내역
1	Yuribey	Юрибей	2017년-현재	쇄빙 예인선
2	Ob	Обь	2019년-현재	항만 쇄빙선
3	Pur	Пур	건조 중	쇄빙 예인선
4	Tambey	Тамбей	건조 중	쇄빙 예인선
5	Nadym	Надым'	건조 중	쇄빙 예인선

31) "Icebreaker TundRA 84," http://www.pellaship.ru/en/tundra-8200/th.html(검색일: 2020.4.3.)
32) "FSUE Atomflot develops project on construction of 7MW icebreaking tugboat," *Port News*, Sep. 18, 2019.
33) Vitaly Chernov, "Fleet that supports," *Port News*, Sep. 24, 2019.

디젤 쇄빙 플랫폼 작업지원선(PSV: Platform Supply Vessel) 4척 건조:
2017년 9월 8일 푸틴 대통령이 참석한 가운데 극동 즈베즈다(Zvezda) 조선소에서 4척의 해양플랫폼 작업지원선(PSV) 시리즈 선박('블라디미르 모노마흐' '스뱌타야 마리야', '알렉산드르 네프스키', '카테리나 벨리카야'호)의 용골 세리머니가 개최됐다(〈표 2-4〉 참조). 이 시리즈 선박의 길이는 106미터, 폭은 22미터, 드래프트(흘수)는 8미터, 승무원 수는 49명이다.

〈표 2-4〉 즈베즈다 조선소에 건조 중인 쇄빙 플랫폼 공급선박 4척의 명칭

	쇄빙 플랫폼 공급선박(PSV: Platform Supply Vessel)			
1	Vladimir Monomakh	Владимир Мономах	2020년	건조 중, 4척의 PSV 시리즈 대표선박
2	Svyataya Mariya	Святая Мария	2020년	건조 중, PSV
3	Aleksandr Nevskiy	Александр Невский	2020년	건조 중, PSV
4	Katerina Velikaya	Катерина Великая	2020년	건조 중, PSV

로스네프트 사는 즈베즈다 조선소와 26척의 선박 건조 계약을 체결했다. 4척의 대빙등급용(Ice Class) 다목적 PSV 외에도 10척의 아프라막스(Aframax) 유조선, 10척의 4만 2,000톤 중량의 북극 셔틀 유조선과 1척의 6만 9,000톤의 중량의 셔틀 유조선 등이다.

즈베즈다 조선소는 최대 35만 톤 배수량을 가진 선박, 해양 시추플랫폼 용 부품, 대빙등급 선박, 상업용 화물선, 특수선박, 기타 여러 형태의 해양장비에 중점을 두고 있다. 이 조선콤플렉스 프로젝트는 2024년 완공될 예정이며, 연간 33만 톤의 철강 제품을 생산할 수 있으며, 근본적으로 새로운 기술 솔루션을 적용하여 세계에서 가장 현대화된 조선소 중 하나로 발전될 것을 목표로 하고 있다.[34]

---

34) "Zvezda Shipyard kicks off hull construction for Rosneft's first serial ice class PSV," *Port News*, Aug. 23, 2018.

디젤 구조 쇄빙선: 러시아 '해양구조서비스(MRS: Marine Rescue Service)' 함대 올렉 체프카소프(Oleg Chepkasov) 부국장은 '2035 NSR 개발 인프라 연방 프로젝트'의 일환으로 12척이 건조 중이며 향후 16척이 더 건조될 것으로 예측했다. [35]

아무르 주 콤소몰스크-나-아무레 조선소에서 주문번호 360호 다기능 쇄빙 구조예인선 '케르첸스키 프로리프(Керченский Пролив)'호가 2020년 5월에 진수될 것이라고 밝혔다. 이 선박은 MPSV 06 프로젝트의 일환으로 7 MW 급으로 길이는 86미터, 폭은 19미터, 운항속도는 시속 15노트이다. 이 구조예인선은 최대 1.5미터의 얼음을 쇄빙하며, NSR 항로를 운행할 수 있고, 헬기를 장착할 수 있다. [36]

수로 및 연구 디젤 쇄빙선: 러시아 수로 회사(Hydrographic Company)의 총책임자 유리 미호프(Yury Mikhov)는 2020년 말까지 2척의 조사선과 2척의 대형 수로 선박을 건조할 예정이며, 2021년 1/4분기에 2022년 전에 완료될 수 있는 3척의 수로 보트의 혁신 프로그램이 가동될 것이라고 밝혔다. 또한 그는 대빙등급(Arc7) 수로 선박은 2024년까지 건조된다고 언급했다. [37]

북극 크루즈 선: 러시아 북극 개발은 북극 관광의 전망을 가시화 할 동력을 제공하고 있다. 현재 북극 크루즈 선들은 크루즈 승객의 숙박시설을 위해 설계되지 않은 상황이다. 이를 개선하기 위해 통합조선사(United Shipbuilding

---

35) Vitaly Chernov, "Fleet that supports," *Port News*, Sep. 24, 2019.
36) "Амурский судозавод с опережением графика строит буксир-ледокол," *Хабаровский край сегодня*, 13 ФЕВРАЛЯ 2020.
37) Vitaly Chernov, "Fleet that supports," *Port News*, Sep. 24, 2019.

Corporation)의 빔펠 설계국(Vympel Design Bureau JSC)은 고위도 해역을 위한 북극 크루즈선의 개념을 개발하고 있다. 이 회사의 설계담당 부사장이며 수석 설계자인 세르게이 밀라빈(Sergey Milavin)에 따르면 설계는 초기단계이지만 그러한 유람선에 대한 수요는 높을 것으로 예상했다. 그는 핀란드 헬싱키 조선소(Helsinki Shipyard)에서 북극 유람선 2척이 건조 중이라고 밝혔다. [38]

러시아 억만장자 은행가 올렉 틴코프(Oleg Tinkov)가 주문한 세계 최초의 호화판 쇄빙선 요트 '라 다차(La Datcha)'호가 네덜란드 'Damen's SeaXplorer' 시리즈의 일부로서 건조되고 있으며, 2020년 가을에 인도될 예정이다. 이 요트의 건조 가격은 1억 유로이며, 길이는 77미터, 폭은 14미터, 드래프트(흘수)는 6.5미터, 쇄빙 용량은 0.4미터, 무보급 항행기간은 40일이며, 승무원 외 12명을 수용할 수 있다. 이 요트에는 2개의 헬기 격납고, 다이빙 센터, 2대의 스노우 스쿠터, 웨이버 런너(Wave Runners) 시설을 갖추고 있다. 포브스 지 인터뷰에서 억만장자 틴코프는 본인이 연 20주 정도 요트에 머무를 계획이며, 주당 69만 유로 가격으로 임대될 계획이라고 밝혔다. [39]

유빙 방지 스테이션 구축: 흥미로운 프로젝트는 표류하는 얼음 방지 스테이션을 건설하여 극지 탐험을 완전히 새로운 수준으로 끌어 올릴 수 있게 하는 것이다. 이 스테이션의 설치는 2019년 4월 상트페테르부르크 아드리말티 조선소에서 소개됐다. [40] 독특하고 동결되지 않는 자가 추진 플랫폼 '세베르니 폴루스(Severniy Polus)'(Project 00903)가 2020년 건조될 계획이다. 이 플랫폼

---

38) Vitaly Chernov, "Fleet that supports," *Port News*, Sep. 24, 2019.

39) Sayan Chakravarty, "Russian billionaire orders the world's first private lucry icebreaker yacht for $112 million," *Luxury launches*, Apr. 29, 2019.

40) Vitaly Chernov, "Fleet that supports," *Port News*, Sep. 24, 2019.

은 러시아 고 북극 사회경제발전과 관련된 국가지원 프로그램으로 북극연구 글로벌 리더로서 북극지역에서 러시아 국가입지를 공고화 하는데 목적을 두고 있다. 이 플랫폼이 수행하는 작업과 기능의 범위는 광범위하지만 특히 북극유역의 지질탐사가 주목적이다.

러시아 말라히테(Malachite)디자인 당국은 악천후에서도 1.2미터 쇄빙이 가능한 원자력 잠수함을 개발하고 있다. 이 원자력 잠수함은 탄화수소 자원의 채굴과 해저 시설의 활동을 지원하는 임무가 목적이며, 독립적으로 활동할 수 있는 소형 잠수정을 적재할 계획이다.[41]

러시아는 향후 북극권 자원/물류 프로젝트, 예를 들면 노바텍의 '북극 LNG 2 프로젝트'와 북극권 석유개발 운송에 필요한 선박은 러시아 내에서 건조하고 해운도 자국 업체에 위임할 것으로 예상된다. 이를 통해 러시아는 자국 조선업과 해운업의 육성은 물론 수입 대체 효과를 기대하고 있다. 2019년 9월 러시아 즈베즈다(Zvezda) 조선소와 삼성중공업은 2개의 중요한 협정을 체결했다. 첫 번째 협정은 쇄빙유조선의 건조를 위한 조인트벤처를 설립하며 삼성중공업은 즈베즈다 조선소에 선박의 주요 및 상세한 설계 문서와 기술 사양 등의 지원을 제공하며 러시아 직원 교육과 훈련뿐만 아니라 자재 및 장비 조달 품질관리 등의 기술지원을 한다는 내용이다. 이 쇄빙 유조선의 중량은 4만 2,000톤에서 12만 톤으로 다양한 선박이 건조될 예정이다. 두 번째 협정은 Arctic LNG 2 프로젝트를 위해 삼성중공업은 쇄빙 LNG 운반선을 설계하며 러시아 즈베즈다 조선소에서 건조한다는 내용이다. 러시아 조선소에서 이런 유형의 쇄빙 LNG 운반선 건조는 최초인데, 이 프로젝트를 위해 러시아

---

41) "News review of the events on the NSR," *Nord University, Information Office*, Oct. 2, 2019.

VEB(대외경제은행)가 50억 달러 상당의 자금을 지원할 계획이며 선박 1척 당 건조비용은 3억 3,000만 달러로 예상된다.[42]

2019년 9월 블라디보스토크 동방경제포럼에서 노바텍과 소브콤플로트는 LNG 운송 조인트벤처의 설립에 서명했다. Arctic 2 LNG 프로젝트를 위해 15-17척의 Arc7급 LNG 운반선을 러시아 즈베즈다 조선소에 건조하여 2023-2026년에 인도될 예정이다.[43]

로스아톰플로트는 향후 NSR로 운송하도록 설계된 30척의 원자력 추진 컨테이너 선단 구축을 계획하고 있으며 최종적으로 NSR이 수에즈 운하와 경쟁할 수 있는 단계로 발전시킬 계획이라고 밝혔다.[44] 실제로 러시아 로스아톰은 2019년 12월 초 70억 달러를 투자하여 북극 컨테이너선 건조 계획을 공포했으며, VTB(대외무역은행)와의 협상을 통해 최대 55척의 극지 컨테이너선 건조 및 항구 시설 개선과 현대화에 투자할 계획이라고 언급했다.[45]

IV. 쇄빙선 인프라 프로젝트의 평가

러시아의 '2035 북극 전략,' '2035 NSR 인프라 개발 프로젝트', '2035 조선전

---

42) "News review of the events on the NSR," *Nord University, Information Office*, Sep. 27, 2019.

43) Atle Staalesen, "New Arctic partnership announces construction of 17 icebreaking LNG tankers," *Barents Observer*, Sep. 5, 2019.

44) Atle Staalesen, "Russia aims to make Northern Sea Route world-class shipping lane," *Eye on the Arctic*, Jul. 10, 2019.

45) "Russia's Rosatom to start Arctic container shipping with US$7 billion," *Turkey Sea News*, Dec. 1, 2019.

략'의 일환으로 여러 형태의 디젤 쇄빙선과 차세대 원자력 추진 쇄빙선단과 세계 최초의 '아카데믹 로모노소프' 부유식 원전 구축의 목적은 북극해의 통합물류 시스템의 구축과 현대화는 물론 북극 대륙붕 탐사를 통해 북극에서 확고한 선도적 지위를 확보하는 것이다. 또한 NSR 개발의 장기적 목적은 수에즈 운하와 경쟁이다.

NSR의 경쟁력 확보를 위해 원자력 추진 쇄빙선('아르티카'호, '시비르'호, '우랄'호, 4호, 5호) 건조와 3척의 '리더'급 차세대 원자력 쇄빙선의 건조 프로젝트는 필요하다고 생각된다. NSR의 동부구간, 특히 랍테프 해와 동시베리아 해의 빙상조건을 고려하면 강력한 쇄빙 용량과 연료 주입 면에서 강점을 지닌 원자력 쇄빙선단 구축은 필요하다고 판단된다. 그러나 기후변화와 온난화로 북극의 해빙이 급속도로 감소하면서 과연 원자력 쇄빙선의 필요성에 대한 의문의 여지는 남아 있다. 러시아 북극 쇄빙선 함대에서 원자력 및 디젤 구동 쇄빙선의 적정선에 대한 고려가 필요하다. 물론 러시아는 강력한 디젤 구동 쇄빙선 프로젝트도 진행하고 있다.

'조선전략 2035'은 내빙선을 포함한 다양한 형태의 쇄빙선을 러시아 조선소에서 건조하여 수입대체는 물론 국내 조선 산업의 육성을 목표로 하고 있다. 러시아 쇄빙선 건조는 '통합조선사(USC)'와 러시아 극동 연해변강주에 위치한 발쇼이 카멘 '즈베즈다' 조선소에서 이루어질 예정이다. 아르크티카 급 5척의 원자력 쇄빙선은 USC 산하 발트조선소에서 건조되며, 리더 급 원자력 쇄빙선과 Arctic LNG-2 프로젝트에 사용될 내빙선과 기타 선박은 즈베즈다 조선소에서 이루어질 예정이다. 그러나 즈베즈다 조선소는 전문 인력 부족, 내빙선 건조 경험부족, 적기 인도 지체와 하자 발생 가능성, 높은 선가 예상 등으로 인해 한국 조선소와 협력 가능성이 존재한다.

리더 급 쇄빙선 건조는 미국이 10년 내 아시아 LNG 시장의 독점화 움직임에 대비하는 차원에서 러시아 LNG 운송 인프라 구축이 필수불가결하며 한·중·일의 LNG 시장 확보가 주목적이라고 보인다. 리더 급 쇄빙선은 러시아 북극 산 원유, 석탄, LNG의 세계 에너지시장의 지배력 강화, 특히 에너지원이 부족하며, 수요가 증가하는 아태지역으로 직접 진입의 기회를 제공하는 것이 가장 큰 임무이다. 2035년 경 로스아톰의 대표 막심 쿨린코(Maxim Kulinko)는 2035년까지 8개의 원자력 추진 쇄빙선(60MW 5척, 120MW 리더급 쇄빙선 3척)과 16척의 구조 및 지원 선박이 건조되면 NSR 연중 항행이 가능할 것으로 예견된다. 또한 북극 정찰, 특히 해빙 지도를 작성하기 위해 2025년 이전에 총 12개의 새로운 혁신적 소형위성이 궤도에 진입하며, 이 프로젝트는 '러시아 우주청(Roscosmos)'과 '러시아 기상청(Roshydromet)'과 공동협력으로 개발될 예정이다.[46]

'2035 NSR 인프라 프로젝트'는 2024년까지 물동량 8,000만 톤, 2030년까지 1억 2,000만 톤, 2035년까지 1억 6,000만 톤 달성을 목표로 하고 있다. 이 목표 달성은 자원개발 프로젝트와 물류, 특히 쇄빙선단 프로젝트가 순조롭게 이루지는 가에 달려 있다. 쇄빙선 건조 프로젝트가 공식적으로 결정됐음에도 불구하고 러시아는 재정적 및 생태적 도전에 직면하고 있다. 러시아는 코로나-19와 국제유가의 하락으로 재정지출의 증가뿐만 아니라 향후 재정 압박의 강도가 높아질 것으로 예견된다. 이 외에도 기후변화와 부정적 환경변화를 고려하여 환경단체와 세계 글로벌 해운회사와 제조업체(나이키, H & M, Gap, 콜롬비아 등)들이 NSR 이용의 거부 등을 들 수 있다.[47] 이러한 도전을 극복하기 위해 러시아의 쇄빙선 프로젝트에서 환경영향평가의 강화는 물론 제4차

46) "Russia Plans New Icebreakers, Ports and Satellites for Northern Sea Route," *The Moscow Times*, Oct. 10, 2019.

47) "Nike решила бойкотировать Северный морской путь," *Профиль*, Nov. 2, 2019.

산업과의 연계성 도출이 중요하다고 판단된다.

V. 맺음말

세계 대륙의 8분의 1 이상과 북극권의 2분의 1을 점유하는 러시아는 해양 국경선을 아우르는 전 해역에서 겨울철 부동항의 부재, 수많은 하천과 호수의 결빙으로 여러 형태의 쇄빙선 구축의 필요성이 어느 나라보다 절실하게 필요한 실정이다. 실제로 북극권과 시베리아 개발을 위해 제정러시아 이래 지금까지 러시아는 여러 형태의 쇄빙선함대를 구축해왔다.

2014년 러시아는 크림반도 합병 이후 서방의 경제제재, 루블화 가치의 2분의 1 이상 폭락, 북미의 셰일 혁명과 국제유가의 하락에도 불구하고 북극권 진출과 투자를 가속화하면서 일련의 성과, 예를 들면 예를 들면 사베타 항만 개발과 야말 LNG 프로젝트, Arctic Terminal Gate 구축과 물류 프로젝트를 성공적으로 수행하고 있으며 2024년까지 NSR 물동량 목표치 8,000만 톤도 달성[48] 될 것으로 예상되고 야말반도에서 LNG 프로젝트(야말 LNG와 Arctic 2 LNG, 오비 LNG 등), 가즈프롬의 야말 메가 프로젝트, 2020년 가동될 '발트 해 2 가스관', '투르크 가스관', '시베리아의 힘' 가스관 프로젝트, 차세대 디젤 및 원자력 추진 쇄빙선단 구축사업, 기타 자원개발과 통합로지스틱 프로젝트도 지속적으로 진행되고 있다. 실제로 NSR 물동량은 2018년 1,970만 톤, 2019년 3,150만 톤으로 급속도로 증가[49]하고 있으며, 러시아 극동/북극개발부는 2030년에 1억

---

48) 한종만, "러시아 NSR 물동량, 2024년까지 8천 만t 가능할까?," 『Russia-Eurasia Focus』 (한국외대 러시아연구소), 제553호, 2019년 11월 4일.

49) Paola Fratantoni, "Russian strategy in the Arctic," *European Affairs*, Mar. 27, 2020.

2,000만 톤, 2035년 1억 6,000만 톤으로 증가할 것으로 예견했다.[50]

이러한 자신감을 갖고 2019년부터 수립하고 준비해 온 2035년까지 여러 형태의 북극 관련 전략과 프로젝트 등의 공표는 대통령의 연속 2번 임기 후 출마할 수 없다는 헌법의 개정과 관련된다고 생각된다. 최근 헌법 개정(4월 하순 헌법 개정 국민투표는 코로나사태로 연기)으로 큰 이변이 발생되지 않는 한 푸틴은 2036년까지 집권이 가능하게 됐다. 푸틴은 서방의 경제제재로 어려움을 겪는 러시아경제 상황의 돌파구로서 자원 잠재력이 높은 북극권과 시베리아개발을 통해 국부의 증가와 국민의 생활여건의 향상을 도모하면서 장기적 집권을 정당화하려고 한다.

그러나 석유공급 과잉(OPEC+의 협상 난항) 현상, COVID-19의 팬데믹(Pandemic) 쇼크로 인한 석유 수요 감소로 국제유가의 대폭적인 하락(선물거래 유가가 마이너스), 더불어 세계경제의 마이너스 성장과 실업이 가속화되면서 1930년대 대공황보다 더 심각한 위기를 맞이하고 있으며, 아직까지 그 터널을 벗어날 기미는 보이지 않은 실정이다. 특히 에너지 수출에 절대적으로 의존하는 러시아경제는 유가하락으로 가장 큰 타격을 경험할 것으로 판단되며, 실제로 COVID-19의 창궐[51]로 재정지원(GDP의 2.8%에서 더 증가될 가능성)의 필요성 증가와 유가하락으로 인한 재정수입의 감소로 이중타격이 불가피하며, 외환보유고(2020년 4월 23일 기준 5,649억 달러)와 국부펀드(2020년 3월말 기준 1,572억 달러)의 감소와 루블화(2020년 4월 24일 기준 1달러 =

---

50) Алексей Заквасин, "Перспективные льды Арктики: как Россия планирует развивать Северный морской путь," *RT*, 2019. 12. 6.

51) 2020년 5월 17일 현재 러시아의 코로나-19 확진자 28만 1,752명, 완치자 6만 7,373명, 사망자 2,631명으로 집계됐다. 이 수치는 계속 증가될 것으로 전망된다. "Russian Coronavirus disease: Statistics," *Wikipedia*, May 18, 2020.

74.5282루블)의 평가절하 등으로 금융위기의 가능성도 제기된다.

러시아경제의 현 상황을 고려할 때 야심찬 북극권 인프라 프로젝트, 특히 여러 형태의 쇄빙선 구축 프로젝트는 지연 혹은 축소가 불가피하다고 판단된다. 러시아는 제정러시아 때부터 효율성을 고려하지 않은 '거대주의'에 대한 애착이 어느 나라보다 강하다고 생각된다. 그 예로써 크렘린 궁에 전시된 '세계에서 가장 큰 종' 혹은 '세계에서 가장 큰 대포'는 한 번도 사용되지 않았다는 점을 상기할 필요가 있다. 소련 시대에서도 '무게지상주의(Ton-ideology)', 그리고 현재 세계 최대의 '리더'급 원자력 쇄빙선의 구축 프로젝트도 그와 같은 궤를 두고 있다고 생각된다. 러시아정치 엘리트들의 '거대주의'에 입각한 프로젝트는 국부의 증가와 국민복지의 증가를 고려한 결정이라고 선전하고 있지만 막심 고리키의 단편소설 '쇄빙선'[52]에서 보듯이 러시아국민의 지난한 삶을 보여주고 있다. 과거의 경험을 교훈삼아 러시아의 북극권 대형 프로젝트, 특히 리더 급 원자력 쇄빙선 프로젝트도 과학기술과 혁신과 생태계에 기반을 둔 사업으로 발전되기를 기대해본다.

결론적으로 글로벌 차원에서 COVID-19 전염병의 해결과 국제유가가 점진적으로 올라 1배럴 당 70-80달러[53]가 될 경우 러시아의 북극 프로젝트와 물류 프로젝트는 진전될 것으로 예상된다.

---

52) 막심 고리키, 『가을에서 여름으로 가는 사람들』, 차은나 역, (서울: 장백, 1990), pp. 25-28.

53) 2014년 기준 러시아 북극의 대륙붕 석유 생산비는 1배럴 당 120달러, 육상 유전은 18달러로 추정했다. 배럴 당 70-80달러는 최근 상류부문의 기술발전과 하류부문의 인프라가 향상된다는 점을 고려한 필자의 생각임, "Cost of Oil Production by Country," *knoema*, Mar. 10, 2020.

〈참고문헌〉

막심 고리키, 『가을에서 여름으로 가는 사람들』, 차은나 역, 서울: 장백, 1990.

한종만, "러시아 북극해항로(NSR)의 현황과 전망," 『전문가오피니언-러시아유라시아,
EMERiCs』, (대외경제정책연구원, 2019년 4월).

한종만, "러시아 NSR 물동량, 2024년까지 8천 만 가능할까?," 『Russia-Eurasia Focus』, (한국
외대 러시아연구소), 제553호, 2019년 11월 4일.

한종만, "러시아 쇄빙선의 현황과 내역," 『북극연구 The Journal of Arctic』, No. 18, 배재대학
교 한국-시베리아센터, 2019.

한종만, "러시아 쇄빙선의 과거, 현재, 미래," 배재대학교 한국-시베리아센터/북극학회 주관
제6차 한국-시베리아센터 콜로키움 발표문, 2020년 5월 12일.

Bershidsky, Leonid, "Russia's new icebreakers carve path for oil and gas shipping,"
World Oil, May 28, 2019.

BP, *BP Statistical Review of World Energy 2019*, 68th edition, Pureprint Group Limited,
UK, 2019.

Chakravarty, Sayan, "Russian billionaire orders the world's first private lucry icebreaker
yacht for $112 million," *Luxury launches*, Apr. 29, 2019.

Chernov, Vitaly, "Fleet that supports," *Port News*, Sep. 24, 2019.

"Cost of Oil Production by Country," *knoema*, Mar. 10, 2020.

Digges, Charles, "Russian government bankrolls Leader nuclear icebreaker project,"
Bellona, Jan. 27, 2020.

Fratantoni, Paola, "Russian strategy in the Arctic," *European Affairs*, Mar. 27, 2020.

"FSUE Atomflot develops project on construction of 7MW icebreaking tugboat," *Port
News*, Sep. 18, 2019.

"Heavily armed icebreakers will bolster Russia's Arctic presence," *The Times*, Oct. 28,
2019.

"Icebreaker TundRA 84," http://www.pellaship.ru/en/tundra-8200/th.html(검색일:
2020. 4. 3.)

"In St. Petersburg laid the second combat icebreaker of the 23550 project "Nikolai
Zubov"," *Military Review*, Nov. 27, 2019.

"Moscow Adopts 15-Year Grand Plan for Northern Sea Route," *The Moscow News*, Jan. 2, 2020.

"News review of the events on the NSR," *Nord University, Information Office*, Oct. 2, 2019.

"News review of the events on the NSR," *Nord University, Information Office*, Sep. 27, 2019.

Nilsen, Thomas, "In a last move as PM, Medvedev secured funding to first Lider-class icebreaker," *The Barents Observer*, Jan. 17, 2020.

Ogawa, Tomoyo, "Russia looks for Asia LNG buyers to blunt Western sanctions' bite," *Nikkei Asian Review*, Jul. 14, 2019.

"Project 10570," *Global Security.org*, Mar. 17, 2018.

"Project 21900 icebreaker," *Wikipeida*,

https://en.wikipedia.org/wiki/Project_21900_icebreaker(검색일: 2020.4.4.)

"Russia plans next two nuclear icebreakers," *World Nuclear News*, Oct. 30, 2019.

"Russian Coronavirus disease: Statistics," *Wikipedia*, May 18, 2020.

"Russian Shipyard Launches Missile-Carrying Icebreaker," *The Maritime Executive*, Oct. 28, 2019.

"Russia's Rosatom to start Arctic container shipping with US$7 billion," *Turkey Sea News*, Dec. 1, 2019.

"Russia's FSB To Receive a Project 23550 Patrol Icebreaker," *South Front*, Jan. 28, 2020.

Staalesen, Atle, "FSB gets more icebreaking vessels for Arctic patrol," *Barents Observer*, Jan. 31, 2020.

Staalesen, Atle, "New Arctic partnership announces construction of 17 icebreaking LNG tankers," *Barents Observer*, Sep. 5, 2019.

Staalesen, Atle, "Russia aims to make Northern Sea Route world-class shipping lane," *Eye on the Arctic*, Jul. 10, 2019.

Sukhankin, Sergey, "'Icebreaker Diplomacy': Russia's New-Old Strategy to Dominate the Arctic," *Eurasia Daily Monitor*, Vol.16, Issue: 87, Jun. 12, 2019.

USGS(United States Geological Survey), "Circum-Arctic Resource Appraisal. Estimates of Undiscovered Oil and Gas North of the Arctic Circle," *Factsheet 2008-3049*, U. S. Department of the Interior, Reston 2008.

Vorotnikov, Vladislav, "Putin orders new safety system on the NSR," *Safety* at Sea, Mar. 31, 2020.

"Zvezda Shipyard kicks off hull construction for Rosneft's first serial ice class PSV," *Port News*, Aug. 23, 2018.

"Nike решила бойкотировать Северный морской путь," *Профиль*, Nov. 2, 2019.

"Амурский судозавод с опережением графика строит буксир-ледокол," *Хабаровский край сегодня*, 13 ФЕВРАЛЯ 2020.

Бражник, Александр, "Покорение Арктики. Зачем Россия строит 13 новых атомных ледоколов," *Moia Russia*, Июль 14, 2019.

"Еще один "прорыв". Атомный ледокол «Арктика» могут сдать с неисправным электродвигателем," *Yapllakal*, 19 февраля, 2020.

Заквасин, Алексей, "Перспективные льды Арктики: как Россия планирует развивать Северный морской путь," *RT*, 2019.12.6.

Кирилл, Рябов, "«Лидер» для Севморпути. Чем интересен новый ледокол?," *Военное обозрение*, 29 января 2020.

"ЛК-40 – новый ледокол на СПГ для российской Арктики," *techoomsk.ru*, Oct. 8, 2018.

"Медведев перед уходом выделил 127 млрд руб. на атомный ледокол," *РБК*, 16 янв, 2020.

Морозова, Василиса, "Семь новых ледоколов построят для Севморпути," *TVzvezda*, 27.12.2019.

Моченов, Андрей; Вера Федулова, "Ледоколы для Севморпути: прогнозы на фоне конфликтов," Август 19, 2018. https://www.if24.ru/ledokoly-dlya-sevmorputi/ (2020.4.3).

"Развитие атомного ледокольного флота для обеспечения крупнейших национальных Арктических проектов," *Росатомфлот*, апр. 2018.

"Россия до 2026 года построит пять новых ледоколов для Севморпути," *RT*, 2019.12.27.

"Северный морской путь," Руксперт, 2019.9.14.

"Севморпуть лишится к 2030 году трёх из четырех ледоколов," *tks.ru*, 05 декабря 2019.

러시아 내륙수운 현황

예병환*

I. 서론

러시아는 동북아시아의 북쪽에 위치한 극동지방부터 동부유럽에 걸쳐 자리한 광대한 영토를 가진 국가이다. 러시아의 지형은 [그림 2-3]에서 보이는 바와 같이 남동쪽으로 험준한 산악지대가 발달하고 있다. 서부의 우랄산맥과 동부의 스타노보이 산맥이 고지대를 형성하고 있으며 두 산맥의 가운데에는 저지대인 시베리아 평원이 형성되어 있다. 북서쪽에 위치한 우랄산맥을 중심으로 서쪽으로 동유럽 평원이 그리고 서쪽으로 시베리아 평원을 중심으로 광활한 평원이 형성되어 있다. 시베리아 지역은 석유 및 천연가스 등 다양한 천연자원이 풍부하게 매장된 자원의 보고지역이다. 시베리아 지역을 중심으로 37개 지자체에 석유가 매장되어 있다. 시베리아 자원관리청에 따르면 가채 석유매장량은 128억 톤, 가스는 37조8,000억㎥, 액화가스는 2조3,000억 톤 이며, 확인된 석유 매장량은 16억 톤, 가스는 6조1,000억㎥로 석유 자원의 13%, 가스 매장의 11% 정도가 확인된 것으로 파악되고 있다.[1] 시베리아의 석유개발 유망지역은 톰스크 · 옴스크 · 노보시비르스크주이고 석유가스 유망지역은 이르쿠츠

---

* 배재대학교 한국-시베리아센터 연구교수
1) Kotra, 해외시장뉴스, '러시아 석유 · 가스 자원 현황조사(부존현황편)', 2008년.

크 주의 · 크라스노야르스크 지방이며 가스 개발 유망지역은 타이미르 자치구이다. 이들 자원개발 유망지역은 지리적으로 러시아 내륙에 위치하고 있다.

러시아의 주요 하천은 주로 중앙아시아 남단에 위치하고 있는 산악지역에서 발원하고 있다. 시베리아 지역에는 러시아의 주요 하천인 길이가 4천km가 되는 오비, 이리티슈, 예니세이, 레나, 아무르 강 등이 흐르고 있으며, 이들 하천은 카스피해로 유입되는 볼가강을 제외하고는 대부분은 북류하여 북극해로 흐른다. 대체로 상류지역에 해당하는 급경사 부분은 그 길이가 짧으며, 유로의 대부분이 평원 위로 흐르고 있다. 이처럼 러시아는 하천과 호수가 많기 때문에 내륙 수운의 이용가능성이 높은 지리적인 특성을 지니고 있다.

하천과 운하 등으로 연결되는 내륙 수운은 러시아의 자원개발과 교통체계를 구성하는 매우 중요한 요소이다. 러시아는 인공운하 1만 6,000km를 포함하여 총 700여 개 이상의 수력구조물을 갖춘 내륙수로를 장장 10만여 km 이상 건설하였으며, 러시아의 내륙수로는 수자원 공급, 전력 생산, 생태 균형유지, 관광사업 발전, 그리고 특히 개발된 자원의 수송을 위한 수단으로 매우 중요한 역할을 담당한다. 시베리아 내륙의 개발된 자원을 이들 하천과 북극항로를 연계하여 아시아와 유럽지역으로 수송하는 물류수송시스템은 경제적인 측면에서 효율성을 증대시킬 수 있을 것이다. 그 이유는 내륙 수운을 활용한 운송이 경제적인 측면에서 최소한의 비용이 소요되며, 환경적인 측면에서 도로나 철도를 이용한 운송에 비해 부정적인 영향을 훨씬 적게 미치는 자연적인 교통로이며 효율적인 수송 수단이기 때문이다.[2] 예를 들어 화물의 운송에서 내륙수운을 이용한 화물의 수송은 철도를 이용한 수송보다 연료의 소모를 2

---

2) Министерство транспорта Российской Федерации, Федеральная целевая программа "Модернизация транспортной системы России(2002~2010)". Подпрограмма "Внутренний водный транспорт". Редакция 2.0(проект), Москва, 2004, p. 6.

배 감축할 수 있으며, 도로를 이용한 수송보다는 20에서 25배나 감축할 수 있다. 특히 러시아의 대다수 개발되고 있는 천연자원의 산지, 삼림 등이 하천유역에 있다는 점을 고려할 때 내륙의 자연적인 교통수단인 하천을 이용하는 것이 원거리수송이나, 접근이 어려운 지역에 최대한 신속하게 운송로를 확보할 수 있는 수송 수단이 될 수 있다.

[그림 2-3] 러시아의 지형도

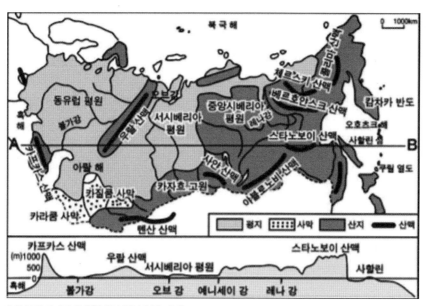

출처:구글 이미지 검색(검색어:러시아 강 지도)

현재 러시아의 내륙 수운은 화물의 수송 비중은 비록 낮지만, 러시아의 내륙 수운이 갖는 의미는 특별하다고 할 수 있다. 러시아에서 내륙 수운의 역할을 공정하게 평가하기 위해서는 내륙수로의 지리적 환경, 계절적 성격에 의해 다르게 평가되어야 한다는 것을 고려해야 한다. 실제로 러시아의 일부 지역과 수송 회랑의 일부 영역에서 내륙 수운은 자원의 수송과 주민들의 물류 수요를 충족시키는 데 매우 중대한 역할을 담당한다. 러시아의 동북지역, 철도 노선에서 멀리 떨어진 시베리아 내륙지역이나, 다른 수송 수단이 발달하지 않았거나 전무(全無)한 북방지역에서는 하천이 근간이 되는 수송 수단이거나 유일한 운송 수단이기도 하기 때문이다.

러시아는 시베리아지역을 중심으로 자원개발과 함께 원자재 및 농산물 생산 증가가 예상되기 때문에 내륙 수운을 이용하여 수송할 화물량은 지속적으로 증가할 것으로 예상된다. 러시아의 내륙에 위치한 주요 도시와 자원개발지역은 대부분 오비, 예니세이, 그리고 레나강과 접하고 있다. 또한 이들 주요 하천이 북해로 연결되어 있어 시베리아 내륙의 개발된 자원을 이들 하천과 북극항로를 연계한 물류수송시스템은 경제적인 측면에서 효율성을 증대시킬 수 있을 것이다. 이들 하천을 활용하면 개발된 자원을 북극해의 거점 항구도시인 아르한젤스크, 딕슨, 그리고 틱시를 경유하여 서유럽과 아시아로 연결되는 해상수송이 가능하게 된다. 내륙수운을 연계한 물류비용의 절감이 유럽과 아시아와의 경제적 협력을 강화하는 수단이 될 것이다. 특히 러시아의 유럽지역 하천의 내륙수로는 백해, 발트해, 아조프해, 흑해, 카스피해 수역을 연계할 수 있어 향후 유라시아 교통로에서 통과화물의 운송에서 주도적인 역할을 담당할 것으로 기대하고 있다.

II. 러시아의 내륙수운과 물류현황

1. 러시아 내륙수운 현황

러시아 전역에 걸쳐 거대한 하천과 수로들이 펼쳐져 있다. 러시아 내륙수로 네트워크는 세계에서 가장 크며 내륙 수운의 총 길이는 101,700km에 달하고 있다.[3] 러시아의 하천은 대부분 [그림 2-4]에서 보는 바와 같이 러시아의 영토에서 발원하는 하천은 북극해, 대서양, 태평양 등 3대양으로 유입되고 있다. 시베리아 내륙지역의 대표적인 강인 예니세이강은 몽골에서 발원하여 북쪽으로 흘러 투바와 크라스노야르스크 지역을 지나 툰드라 지대를 지나 북극해로 흘러들어간다. 바이칼 호에서 이데르(Ider)강-셀렝가(Selenga)강-안가라(Angara)강으로 이어지는 지류와 합류하여 크라스노야르스크 북쪽으로 연결된다. 예니세이강(Yenisei)을 중심으로 크라스노야르스크 외에도 이르쿠츠크, 두딘카, 이가르카, 예니세이스크 등의 도시가 유역에 위치하고 있어 수운수송을 위한 기본적인 수요가 존재하고 있다. 그리고 백해-발트해 운하, 모스크바-볼가 운하, 볼가-돈 운하들에 의해 러시아는 서유럽의 핀란드 만과 상트 페테

[그림 2-4] 러시아 시베리아의 북극해 유입 하천망

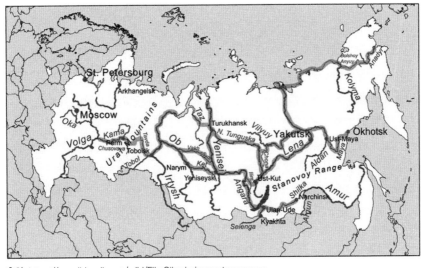

출처: https://en.wikipedia.org/wiki/File:Siberiariverroutemap.png

---

3) 한국해양수산개발원, 『KMI 극동러시아 동향 리포트』, 제8호, 2016년 3월. p. 2.

르부르크 그리고 카스피해의 아스트라한까지 연결되는 하천수로 체계를 건설하였으며, 수도인 모스크바는 거대한 운하와 강들을 연계한 수운시스템을 통해 백해, 발트해, 카스피해, 아조프해, 흑해의 5개 바다로 접근할 수 있다.

러시아 내륙수운체계의 핵심은 세계에서 그 유래를 찾아볼 수 없는 4m에서 5m의 수심이 보장되는 총연장 6,500km에 달하는 러시아 유럽지역의 단일심수체계(Единая глубоководная система)이다.[4] 단일심수체계를 구성하는 주요 수로는 볼가강, 카마강, 볼가-발트해 수로 및 볼가-돈강 수로, 백해-발트해 운하 및 모스크바 운하 등이 포함되며, 이들 수로들은 전체 내륙수로의 단지 7%에 해당되지만 전체 내륙수운의 2/3 이상을 수행하고 있다.[5] 또한 최근 이들 수로들은 종합적인 수력구조물 건설 사업 등 러시아 정부의 투자에 힘입어 볼가강과 카마강이 3.3m 에서 4.0m의 보장수심을 가진 강력한 수운 수송로로 변모되면서 러시아의 수운체계가 현저하게 개선되었다. 모스크바 - 상트 페테르부르크 - 볼가그라드 -아조프해로 이어지는 수로도 비슷한 수심을 유지하고 있으며 오비강, 예니세이강, 레나강, 아무르강 등 주요 하천에서도 3m 이상의 수심이 보장되고 있다.

〈표 2-5〉 러시아의 대형 내륙수로

하천	유출지역	전장(km)	유역면적(천km²)	연평균유량(m³/s)
오브강(이르티쉬강 포함)	카라해	5,410	2,975	12,600
아무르강	오호츠크해	4,510	1,855	12,500
레나강	랍테프해	4,400	2,490	17,000
예니세이강	카라해	4,090	2,580	19,600

---

4) В. М. Воронцов, В. А. Кривошей, А. Б. Разгуляев, В. И. Савенко, Внутренние водные пути Росси, По Волге, 2003, p. 13.
5) 성원용/임동민, 『러시아 교통물류정보 조사』, 한국교통연구원, 2005. p.142.

볼가강	카스피해	3,690	1,360	8,000
칼리마	동시베리아해	2,600	644	3,800
알레뇩	랍테프해	2,270	219	1,210
인지기르카	동시베리아해	1,977	360	1,850
돈강	아조프해	1,870	422	900
페쵸라강	바렌츠해	1,809	322	4,060
한탄가강	랍테프해	1,636	364	3,286
알라제야	동시베리아해	1,590	70	320
야나강	랍테프해	1,492	238	1,000
타즈강	카라해	1,400	150	1,270
북(北)드비나강(수하강 포함)	백해	1,302	357	3,491
아나드리강	베링해	1,145	191	1,400

출처 : В. М. Воронцов, В. А. Кривошей, А. Б. Разгуляев, В. И. Савенко, Внутренние водные пути Росси, По Волге, 2003, p. 14. 성원용, 러시아 교통물류정보 조사, 한국교통연구원, 2005. p.141. 재인용.

러시아에서 큰 비중을 차지하고 있는 강은 볼가, 오비, 예니세이, 레나강이다. 이들 강 외에도 28개의 강을 기반으로 항만들이 있으며, 이들 강 하구에 위치 하고 있는 항구들은 석유 제품, 목재 및 석탄과 같은 산업자재 운송 외에도 식료품과 승객 수송을 위한 허브항의 역할을 수행하고 있다. 산업자재의 대부분은 볼가-발트 운하(Volga-Baltic Canal) 나 백해-발트해 운하(White Sea-Baltic Canal)를 따라 상트페테르부르크(St. Petersburg)로 이동하며, 철광석은 체레포베츠(Cherepovets)지역으로 수송되어 진다. 러시아의 내륙수로는 여러 하천유역을 따라 발전되어 있는데, 이중에서도 볼가-카마강 수역, 서시베리아 수역, 북서지역 수역의 항행이 화물운송에서 매우 중요한 역할을 담당하고 있다.[6] 러시아의 수운에서 가장 큰 비중을 차지하고 있는 수로는 볼

---

6) В. Е. Шувалов, "Транспорт," А. Т. Хрущев (ред.), Экономическая и социальная география России: Учебник для вузов. 2-е изд., Дрофа, 2002, p. 326.

가-카마강 수로이다. 이 수로는 러시아에서 인구밀도가 높고 경제적으로 가장 발전된 지역에 위치한 수역으로 내륙수운 전체 화물운송의 50% 정도가 이 수로를 이용하여 수송되고 있다. 볼가강과 카마강을 연결하는 수로시스템에는 니즈니 노브고로드(Nizhny Novgorod)항, 볼고그라드(Volgograd)항, 아스트라한(Astrakhan)항 등이 주요 항만으로 위치하고 있다. 오비강을 중심으로 하는 수로에는 남부 내륙도시인 노보시비르스크(Novosibirsk), 톰스크, 하류에 위치한 살레하르트항이 주요 항구이며, 북드비나강을 중심으로 구성된 북서지역 수로에는 가장 주도적인 역할을 하는 아르한겔스크항이 있다.

1) 시베리아 수운 루트

시베리아의 광대한 영토탐사와 식민지화 과정에서 시베리아의 강은 매우 중요했다. 이러한 식민지와 과정에서 시베리아의 강을 이용하는 러시아의 수운루트가 개척되기 시작하였다. 1580년 예르마크 티모페예비치(Yermak Timofeyevich)에 의해서 시베리아지역 정복이 시작되었고 이후 1619년에는 예니세이 강까지, 1629년에는 레나 강까지 이르고, 다시 1637년에는 오호츠크 해안까지 진출했다. 시베리아의 수운 루트는 크게 남부지역을 중심으로 하는 남부 루트와 북부지역을 중심으로 북극해를 연결하고자 하는 북부 루트가 개척되었다.

① 남부 루트

시베리아 수운 루트는 도로가 건설되기 시작한 1730 년대 이전에는 러시아 시베리아의 주요 한 교통수단 이었다. 또한 시베리아의 광대한 영토탐사와 식민지화 과정에서 매우 중요했다. 시베리아에서 가장 큰 강인 Ob강, 예니세이 강 그리고 레나강은 모두 북극해로 흘러 들어가기 때문에 동서로 흐르는 강이나 지류를 찾아 두 수로 사이를 연결하는 수송수단이 필요했다.

러시아의 시베리아의 남부 수운루트는 우랄산맥을 중심으로 남동쪽과 서북쪽으로 흐르는 강을 중심으로 수운루트가 형성되어 있다. 서유럽으로는 우랄산맥 상류에서 발원한 카마(Kama)강이 남쪽으로 흘러 페름을 거쳐 볼가(Volga)강으로 합류하게 된다. 그리고 페름에서 동쪽으로 추소바야(Chusovaya)강과 북쪽에서는 카마강 지류인 비셰라강(Vishera)과 합류하게 된다. 예카테린부르크(Yekaterinburg)의 동쪽으로 흐르는 이세티강이 우랄산맥에서 발원하여 북동쪽으로는 흐르는 토볼(Tobol)강과 합류하여 토볼스크(Tobolsk)로 흐르게 된다. 이세티강은 다시 토볼강과 합류하여 토볼스크(Tobolsk)에서 다시 이르티시(Irtysh)강과 합류하게 되며, 한티만시스크(Khanty-Mansiysk)를 지나 오비강과 합류하여 북해로 흐르게 된다.

이르티시강 북쪽의 오비강이 합류하는 지점에서 약 750km 거리에 나림(Narym)이 위치하고 있다. 나림에서는 약 300km 길이의 케트(Ket)강이 합류하게 된다. 케트강과 예니세이(Yenisei)강의 하항(河港)도시인 예니세이스크(Yeniseysk)까지의 수송루트는 육로수송을 통해서 연결된다. 예니세이스크는 토볼스크에서 약 1,400km, 모스크바에서 3,200km 떨어져 있으마 남부 수운루트를 통해서 연결된다. 오비강과 예니세이강을 연결하는 또 다른 대안 경로는 Irtysh-Ob강의 합류지점에서 약 450km 상류에서 바흐(Vakh)강 그리고 바흐강 상류에서 다시 약 500km의 심(Sym)강을 통해서 예니세이강과 합류하는 수운루트가 있다.

시베리아의 서쪽과 동쪽은 러시아의 수운루트에 의해서 연결되어 진다. 대표적으로 동, 서를 연결하는 수운루트는 예니세이강과 레나강을 연결하는 시스템이다. 예니세이스크(Yeniseysk)는 안가라강과 예니세이강의 합류지점 바로 북쪽에 있다. 예니세이스크 동쪽에서 안가라강, 일림(Ilim)강 그리고 쿠타(Kuta)강을 이용하여 레나(Lena)강에 위치한 우스티-쿠트(Ust Kut)까지 수로를 이용하여 연결할 수 있다. 우스티-쿠트에서 레나강을 따라 북동쪽으로 약 1,400km 하류로 이동하면 시베리아의 주요 정착지이며 행정중심지인 야쿠츠크가 위치한다. 야쿠츠크에서 레나강은 북극해로 연결되며, 다른 루트는 야쿠츠크 북쪽에서 알단(Aldan)강을 따라 메기노-알단(Megino-Aldan)을 거쳐 우스티-마야(Ust-Maya)로 연결되며, 여기에서 마야(Maya)강과 유도마(Yudoma)강이 합류하게 된다. 을 연결하여 오호츠크까지 연결되는 수로 루트가 있다. 마야강과 유도마강을 육로수동을 연계하여 오호타(Okhota)강을 이용하면 오호츠크 해와 연결되어 태평양으로 의 해운수송이 가능하게 된다.

또 다른 러시아의 남부 수운루트에는 바이칼호수 동남쪽에 위치한 자바이칼 지역에서 발원하여 인고다(Ingoda)강이 실카(Shika)강과 합류하여 중국과의 국경지역에서 다시 아무르강(Amur)강과 합류하여 블라고베셴스크(Blagoveshchensk) 인근에서부터 산지를 벗어나 평평한 지역을 흐르며 하바롭스크(Khabarovsk), 콤소몰스크-나-아무레(Komsomolsk-na-Amure)를 지나 타타르(Tatar)해협으로 흐르는 수운 루트가 있다.

② 북부루트

러시아의 북부지역을 중심으로 하는 수운루트에는 북부루트가 있다. 북부 수운루트는 이미 12세기부터 러시아의 포모르스(Pomors)[7]에 의해 백해와 바렌츠해를 기점으로 개척되기 시작했다. 그들은 야말반도를 가로 질러 오비만(Ob Gulf)으로 이동했다. 그리고 오비만의 타스(Taz)하구에서 타스(Taz)강을 거슬러 이동하였고 투루한(Turukhan)강에 있는 야노프스탄(Yanov Stan)

---

7) 포모르는 주로 벨리키 노브고로드(Veliky Novgorod)에서 백해 연안에 최초로 정착한 러시아 정착민이다.

을 지나 니즈야퉁구스카(Lower Tunguska)강과 예니세이강이 합류하는 지점에 있는 투루한스크(Turukhansk)로 이동했다. 이러한 포모르스의 예니세이강과 바렌츠해로 연결되는 시베리아의 탐사과정이 현재의 북극해항로를 개척하는 시초로 평가되어 진다.

북부루트는 오비만과 예니세이강, 그리고 레나강을 연결할 수 있는 수운루트이다. 투루한스크에서 니즈야퉁구스카강은 남동쪽으로 흘러 빌류이(Vilyuy) 저수지를 지나 빌류이강을 거처 레나강과 합류하여 북극해로 흘러가는 수운루트와 빌류이강의 지류인 초나(Chona)강과 합류하여 우스트쿠트 근처에서 레나강과 합류하여 야쿠츠크를 거처 북극해로 연결되는 수운루트를 형성한다. 우스트쿠트에서 북동쪽으로 약 175km 떨어진 키렌스크(Kirensk)를 니즈야퉁스카강을 이용하여 이동이 가능하며, 계속해서 레나강을 이용해서 야쿠츠크까지 내려가는 것도 가능해 졌다.

레나강 어귀에서 해안가를 따라 콜리마(Kolyma)강 어귀에서 콜리마강을 따라 상류로 이동하여 볼쇼이 안뉴이(Bolshoy Anyuy)강과 말리 안뉴이(Maly Anyuy)강과 합류할 수 있다. 콜리마강 상류쪽으로 더 이동하면 오몰론(Omolon)강과 합류할 수 있다. 이들 강의 상류에서 육상이동을 통해 동쪽으로 이동하면 아나디르(Anadyr)강을 따라 베링해 연안의 항구도시인 아나디르스크(Anadyrsk)까지 연결되는 수운루트이다. 아나디르 강을 따라 태평양으로 계속 내려갈 수 있었지만, 이 지역의 환경이 너무 척박했기 때문에 이 북동루트는 별로 관심의 대상이 되지 못하였다. 이 수운루트의 북동쪽 지역은 호전적인 축치(Chukchi)인 때문에 기피하게 되었다.

러시아의 수송루트는 대부분 시베리아의 남쪽지역을 중심으로 육상수송을 위한 개발을 중심으로 발전하였다. 시베리아 횡단 철도가 1891년에 건설되기 시작하였고, 20 세기에서는 고속도로가 건설되기 시작하였다. 러시아는 남쪽

국경을 따라 물자를 수송하는 루트를 개발하고, 이 루트로부터 자원개발이 가능한 지역으로 연결을 확장하였다. 이러한 육상수송을 중심으로 하는 물류수송이 강을 이용하는 수운수송이 여전히 사용되고 있지만 수운루트의 의미는 점차 쇠퇴하기 시작하였다.

2) 러시아의 운하

러시아에서 강을 통해 흐르는 전체 방류량의 84%는 경제적으로 낙후된 지역을 지나 북극해와 태평양으로 흘러가며, 나머지 16%는 인구의 75%가 살고 있는 남부와 서부 지역을 가로지르며 흐른다.[8] 이러한 풍부한 수자원과 물의 수요가 많은 지역과의 수요와 공급의 불일치로 인해 러시아는 강의 남쪽과 북쪽의 수자원의 흐름에 많은 관심을 갖게 되었고 이는 운하의 건설을 촉진하는 결과로 나타났다.

러시아는 국토면적이 광활한 만큼 운하가 잘 발달되어 있다. 러시아의 운하 건설은 1930년대 '북 하천 역류(Northern river reversal)'프로젝트에 의해서 건설되기 시작했다. 북 하천 역류프로젝트는 아무 쓸모없이 북극해로 흘러가는 소비에트 연방의 북쪽지역 하천의 흐름을 물이 부족한 중앙아시아의 인구 밀집 지역인 남쪽으로 돌리기 위한 야심찬 프로젝트 였다. 1933년 11월, 구소련 과학 아카데미의 특별 회의는 "볼가와 볼가분지의 재건설" 계획을 승인했는데, 이 계획이 북극해의 바다로 흘러드는 러시아의 북쪽에 있는 페초라(Pechora)강과 북 드비나(Dvina)강을 볼가강과 연계하는 계획이 포함되어 있었다. 카마-페초라 운하는 유럽 러시아 북부의 페초라강 유역과 볼가의 지류인 카마강의 유역

---

8) Philip Micklin/ N.V. Aladin/Igor Plotnikov, *The Aral Sea*, Springer-Verlag Berlin Heidelberg 2014. p. 383.

을 연결하기 위한 제안된 운하였다. 이 프로젝트의 성과는 페초라강을 볼가강을 중심으로 하는 유럽-러시아의 수로 체계로 통합시키는 계획이었으며, 1940년대 페초라에 철도가 건설되기 이전에는 매우 중요한 의미를 갖는 것이었다. 이러한 계획들은 1960년대 후반에는 주요 강인 페초라, 토볼, 이심, 이르티쉬, 오비강의 흐름을 돌리기 위한 사업으로 논의가 재개되었다. [9]

〈표 2-6〉 선박항해가 가능한 러시아 운하목록

Canal name (English)	Canal name (Russia)	운하 위치
Eurasia Canal	Канал Евразия	Caspian Sea - Black Sea
Griboyedov Canal	Канал Грибоедова	in Saint Petersburg
Kronverksky Strait	Кронверкский пролив	in Saint Petersburg,
Kuma–Manych Canal	Кумо–Манычский канал	in Stavropol Krai
Ladoga Canal	Ладожский канал	in Leningrad Oblast,
Ligovsky Canal	Лиговский канал	in Saint Petersburg
Manych Ship Canal	Манычский судоходный канал	in Eurasia Canal
Moscow Canal (Moskva-Volga Canal)	Канал имени Москвы	Ivankovo Reservoir - Moskva River
Nevinnomyssk Canal	Невинномысский канал	in Stavropol Krai
Northern Dvina Canal	Северо-Двинский канал	in Volga-Baltic Waterway
Northern Ekaterininsky Canal	Северо-Екатерининский канал	in the Komi Republic
Ob–Yenisei Canal	Обь-Енисейский канал	Ket River(Ob Rive)r - Kas River(Yenisei River)
Obvodny Canal	Обводный канал	in Saint Petersburg
Onega Canal	Онежский канал	Volga–Baltic Waterway
Pechora–Kama Canal	Канал Печора-Кама	Pechora River - basin of the Kama
Red Canal	Красный канал	in Saint Petersburg
Saimaa Canal	Сайменский канал	lake Saimaa(Finland) – Vyborg(Russia)
Swan Canal	Лебяжья канавка	in Saint Petersburg
Vodootvodny Canal	Водоотводный канал	in Moscow

9) Michael Overman, *Water; Solutions to a Problem of Supply and Demand*. Doubleday, 1969, p. 183.

Volga–Baltic Waterway	Мариинская водная система	Volga River - Baltic Sea
Volga–Don Canal	Волго–Донской судоходный канал имени В. И. Ленина	Volgograd - Volgodonsk
White Sea – Baltic Sea Canal	Беломорско-Балтийский канал	White Sea–Lake Onega-Baltic
Winter Canal	Зимняя канавка	in Saint Petersburg

주: 운하의 위치는 필자가 편집하였음.
출처: "List of canals in Russia" From Wikipedia, the free encyclopedia
https://en.wikipedia.org/wiki/List_of_canals_in_Russia (검색일: 2020년 4월 20일)

일반적으로 잘 알려진 운하로는 백해-발트해 운하(1933), 모스크바-볼가 운하(1937), 볼가-돈 운하(1962)가 있으며, 이 운하들에 의해 러시아는 서유럽의 핀란드 만과 상트 페테르부르크 그리고 카스피해의 아스트라한까지 연결되는 수로체계를 건설하였다. 최근에는 중앙아시아와 유럽을 운하로 연결하는 유라시아 운하의 건설을 통해서 수운을 통한 물류강국으로 부상하기 위한 경제 성장의 동력을 구상하고 있다.

① 백해-발트해 운하 (White Sea-Baltic Canal)

러시아가 1931년에서 1933년까지 건설한 북극해의 일부인 백해와 발트해에 위치한 상트페테르부르크를 연결하는 총길이 227km에 19개 수문이 있는 운하이다. 이 수로를 통해 상트페테르부르크로부터 네바(Neva)강, 라도가(Ladoga)호, 스비리(Svir)강, 오네가(Onega)호, 비고제로(Vygozero) 호, 그리고 비크(Vyg)강 통해 백해로 연결된다. 외항선급의 선박들이 다닐 수 있는 이 운하는 상트페테르부르크로부터 아르항겔스크까지의 항해거리를 약 4,000㎞ 단축시키기 때문에 상업적으로 매우 중요하다.

② 볼가-발트 운하 (Volga-Baltic Canal)

볼가-발트 운하는 오네가호와 체레포베츠를 경유하여 볼가강을 연결하는

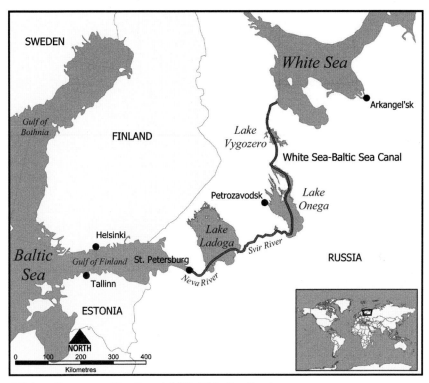

출처: https://commons.wikimedia.org/wiki/File:White_Sea_Canal_map.png

총 길이 368km의 운하이다. 표트르 대제가 핀란드만을 스웨덴에서 획득한 후, 러시아 내륙 지방과 연결하는 강을 통한 운송수단의 필요성에 의해서 만들어 졌다. 이 볼가-발트 운하는 7개의 현대적인 자동조절식 수문을 갖추고 있으며 흘수 3.5m에 적재량 5,000t까지의 선박이 드나들 수 있다.

특히 독일의 킬운하(1933)와 볼가-돈 운하(1952)의 건설에 따라 이 볼가-발트 운하의 중요성은 더욱 더 커졌다. 이러한 요구에 따라 1964년에 크게 개조되어 보다 많은 선박이 통과하게 되어 볼가강은 카스피해 · 흑해 · 발트해 등을 잇는 내륙수로의 대동맥이 되었다. 러시아의 하천수송량의 절반 이상이 이

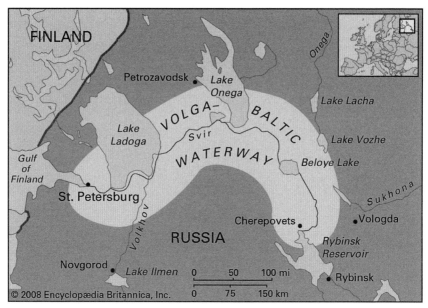

출처: https://www.britannica.com/topic/Volga-Baltic-Waterway

볼가-발트 운하를 통과하고 있다.

③ 모스크바 운하(Moskow Canal)

1947년까지 모스크바-볼가(Moskva-Volga) 운하로 불려온 모스크바 운하는 모스크바강과 볼가강을 연결하는 운하다. 모스크바 북서쪽에 있는 Tushino 지역에서 모스크바강과 연결된 운하는 북쪽으로 흘러 이반코보(Ivankovo) 저수지 상류에 있는 두브나(Dubna)에서 Volga 강과 합류하게 된다. 운하의 총 길이는 128.1km 이며, 이 운하에는 11개의 갑문, 6개의 저수지 및 이반코보 수력발전소 등 8군데의 수력발전소가 있다. 이 모스크바 운하를 통해 러시아의 수도인 모스크바는 유럽러시아(European Russia)의 거대한 운하와 강들을 통해 백해, 발트해, 카스피해, 아조프해, 흑해의 5개 바다로 접근할 수 있게 된다. 그래서 때때로 '5개 바다의 항구'로 불리 운다. 모스크바와 상트 페쩨르부르크을 운항하는 크루즈관광이 성황리에 운영되고 있다.

④ 볼가-돈 운하(Volga-Don Canal)

볼가-돈 운하는 Volga 강과 Don 강을 최단 거리로 이은 운하이다. 1952년 건설된 이 운하는 총 길이가 101km 이며, 카스피해를 흑해를 통해 전 세계의 바다와 연결한다. Volga강과 Don 강을 무역 및 군사적 목적의 수로로 활용하고자 하는 생각은 매우 오래되었다. 표트르 1세(Peter the Great)가 가장 먼저 Volga와 Don 강을 잇는 운하를 만들기 위해 시도하였다. 1696년 Azov를 함락한 표트르 1세가 운하를 건설하기로 하였고, 이후 건설과정에서 자원의 부

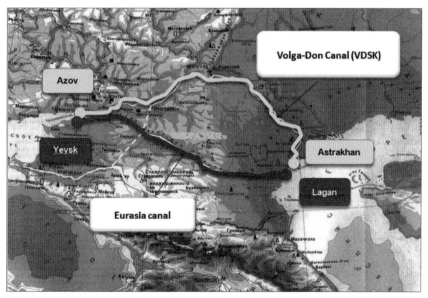

출처: https://www.alternatehistory.com/forum/threads/%D0%9C%D0%B5diterranean-ization-of-caspian-sea.314385/

족과 다른 문제들이 겹쳐 몇 차례 건설이 중단되었다. 1702년부터 1707년 까지 24개의 수문이 건설되었고, 1707년에 약 300척의 배가 이 운하를 통해 항해하였다.

오늘날의 Volga-Don 운하의 건설은 1948년 시작하여 1952년 6월 1일 운항이 시작되었다.

운하는 Volga 강의 Sarepta에서 시작해 Don 강의 Tsimlyansk에서 끝난다. 운하에는 13개의 보가 설치되어 있다. Volga 강 쪽 경사에는 9개의 보를 설치하여 선박을 약 88m 상승시키고, 반대쪽 Don 강 유역에서는 4개의 보를 이용하여 선박을 약 44m 하강시킨다. Volga-Don 운하를 운항할 수 있는 선박의 최대 크기(Volgo-Don Max Class 급)는 길이 140m, 폭 16.6m 그리고 깊이 3.5m 이며, 5,000톤급 선박들이 통과할 수 있다.

Volga-Don 운하를 통해 운반되는 물동량은 2006년에 805만 톤에 달했다. 대부분의 화물들은 동쪽에서 서쪽으로 이동되었다. 물동량의 약 90%인 720만 톤의 화물이 Volga/Caspian 유역에서 Don/아조프해/흑해 지역으로 이동하였고, 반대 방향으로는 약 10% 정도인 85만 톤이 수송되었다. 2007년 보고서에 의하면 지난 55년 동안 45만 대의 선박과 3억 3,600만 톤의 화물이 운하를 통과했으며, 최근의 물동량은 연간 1,200만 톤 정도로 크게 증가하였다. 이러한 운하 통과물동량의 증가는 시설확충에 대한 요구로 나타나게 되었다.

러시아는 이러한 운하의 건설에 의해 러시아는 북극해와 백해를 백해-발트해 운하에 의해서 상트페테르부르크를 통해 발트해와 연결되어 서유럽으로의 물류수송이 가능하다. 또한 볼가-발틱 운하와 모스크바운하를 통해 내륙도시인 모스크바를 백해와 발트해로 연결하며, 남쪽으로는 볼가-돈 운하에 의해 흑해와 지중해가 연결되는 수운체계를 갖추었다.

소련 시절 카자흐스탄까지 내륙수로로 컨테이너 운송이 가능했으나, 소련 붕괴 후 중앙아시아 국가들이 독립하면서 기술이전이 되지 않았으며, 수요 또한 급격히 감소하여 내륙수로의 유용성이 감소하였다. 그러나 최근 내륙수로에 대한 중앙정부의 관심과 중요도가 다시 증가하고 있다. 러시아는 미개발 지역을 개발함으로써 비약적인 국력의 신장을 이루고자 국토 개발에 관한 여러 계획을 실행하고 있다. 개발계획의 일환으로 볼가 강과 돈 강을 연결하는 볼가-돈 운하의 건설, 그리고 길이 1,400km로 카스피해 까지 연장되는 대운하의 건설이 대표적이다.

러시아의 자원은 시베리아 지역에 집중되어 있는 공간구조이다. 에너지 및 광물자원의 수송을 오비과 예니세이 강을 이용하여 북극항로와 연결하는 내륙수운 시스템과 북쪽지역으로 흐르는 주요 강들을 동, 서로 연결하여 인구 밀접지역인 시베리아의 서부와 자원매장지역인 동부지역을 수운을 통해 연계하는 러시아의 내륙수운시스템은 러시아의 미래성장을 위한 동력이 될 것이다.

2. 러시아의 내륙 수운에 의한 물류 현황 및 전망

러시아 내륙수로 네트워크는 세계에서 가장 크며 내륙 수운의 총 길이는 101,700km에 달하고 있으며 약 130개의 항만이 육상 운송루트와 연결되어진다. 러시아 하천은 남단의 산악지역에서 발원하여 북류하며 대부분이 평원 위로 흐른다. 유량의 계절적 변화가 매우 커 우기인 5~6월에는 연간 유량의 약 1/2이 흐르고, 나머지 기간은 거의 항해가 어려울 정도로 유량이 적다. 이들 강들은 1년 중 많게는 8~9개월, 적게는 3~4개월 정도 결빙되어 수로교통수단으로 이용하는 데 제약을 주고 있다. 이러한 환경적인 제약으로 인해 러시아의 내륙 수로의 총연장은 세계에서 가장 길지만 현재 시점까지는 효과적으로 이용되지 못하고 있다. 러시아의 내륙 수운 운송에 의한 운송량은 러시아 내의 총 운송량의 약 1.3 %를 차지하고 있으며, 1990년대 중반까지 운송량이 약 1억 톤 수준에 머물렀다.[10] 그러나 21세기가 시작되면서 러시아의 경제상황이 안정되기 시작했고 내륙 수로 개발의 긍정적인 동력들이 나타나기 시작했다.

러시아의 교통전략은 지역교통의 접근성 보장, 자연환경의 보존, 생활조건의 개선 등을 기본원칙으로 하고 있는데 이러한 측면에서 내륙 수운은 중요한 의미를 갖는다. 그러나 현시점에서 러시아의 내륙 수운이 화물 운송체계에서 차지하는 비중은 그다지 크지는 않다. 아래의 〈표 2-7〉에서 보는 바와 같이 러시아의 총 화물운동량은 2000년 79억 900만 톤에서 2008년 까지 지속적으로 증가하여 94억 5,100만 톤으로 증가하였다. 이후 경기침체로 인해 화물 운송량은 소폭 감소하였으나, 2011년에는 전년 대비 약 8% 증가하여 83억 3,700만 톤으로 나타났다. 2011년도의 화물 운송량을 운송 수단별로 살펴보면 철도운송이 13억 8,200만 톤으로 약 17%, 도로운송이 56억 6,300만 톤으로 약 68%, 그리고 파이프라인을 이용한 운송이 11억 3,100만 톤으로 약 13%를 차지하고 있다. 이들 운송수단에 의한 수송이 전체 운송량의 98%로 대다수를 차지하고 있다. 러시아에서 해상운송, 내륙 수운과, 항공운송의 화물운송 분담률은 각각 0.4%, 1.5%, 0.1%에 불과하고 있다.

---

10) Генадий Л. Гладков, Внутренние водные пути России: современное состояние и основные инфраструктурные ограничения судоходства, *GEOGRAPHY AND TOURISM*, Vol. 4, No. 2 (2016), pp. 35-43, pp. 38-39. http://www.geography.and. tourism.ukw.edu.pl/artykuly/vol4.no2_2016/G-T_2016-2_04-gladkov.pdf (검색일 2018.8.1.)

<표 2-7> 러시아의 운송수단별 물동량

구분	2000	2005	2008	2009	2010	2011
화물운송량(백만 톤)						
총	7,909	9,167	9,451	7,469	7,750	8,337
철도	1,047	1,273	1,304	1,109	1,312	1,382
도로	5,878	6,685	6,893	5,240	5,236	5,663
파이프라인(석유 및 석유제품)	829	1,048	1,067	985	1,061	1,131
해운	35	26	35	37	37	34
내륙수운	117	134	151	97	102	126
항공	0.8	0.8	1.0	0.39	1.1	1.2

자료: 러시아통계청(www.gks.ru), 검색일 2013.11.29

출처: 해양수산부, 『극동 시베리아 해운 · 물류시장 진출 방안 기초 연구』, 2014. p. 20.

화물수송에서의 비중은 비록 낮지만 러시아의 내륙 수운이 갖는 의미는 특별하다고 할 수 있다. 러시아에서 내륙 수운의 역할을 공정하게 평가하기 위해서는 내륙수로의 지리적 환경, 계절적 성격에 의해 다르게 평가되어야 한다는 것을 고려해야 한다. 실제로 러시아의 일부지역과 수송회랑의 일부영역에서 내륙 수운은 자원의 수송과 주민들의 물류 수요를 충족시키는 데 매우 중대한 역할을 담당한다. 러시아의 동북지역, 철도노선에서 원거리에 위치한 시베리아 내륙지역, 다른 운송수단이 발달되어 있지 않거나 전무한 북방지역에서 하천은 근간이 되는 운송수단이거나 유일한 운송수단이기도 하다. 이 지역 중 내륙 수운을 이용하는 러시아 연방주체의 전체인구 대비 내륙 수운 이용인구 비중은 아무르주 84%, 아르한겔스크주 77%, 하바롭스크주 55%, 코미공화국 47%, 사하공화국 26%, 한티-만시자치구 26%, 볼고그라드주 45%, 야로스라브스크주 42%, 사마르스크주 30% 로 높게 나타나고 있어 내륙수운이 주민들의 이동에 중요한 역할을 하고 있다.[11] 이들 특수지역에서 내륙수로의 운송 분담률은 매우 높게 나타나고 있어 내륙수운을 효과적으로 이용할 수 있는 조건이

---

11) 한국해양수산개발원, 『KMI 극동러시아 동향 리포트』, 제 8호, 2016년 3월, p.3.

구비된 지역에서 내륙수로를 이용한 수송비율은 평균을 훨씬 넘어서고 있다.

〈표 2-8〉 2030년까지 러시아 내륙수운 물동량 및 여객수

단위 : 백만 톤, 백만 명

구분	'13	'14	'15	'18	'20	'24	'30
화물	137.3	124.8	124.8	147.5	172.6	199.5	242.2
여객	13.2	12.7	13.6	14.9	15.1	15.7	16.6

자료 : 러시아 연방 내륙수운 개발전략 2030, 2016, 부록 2(Стратегия развития внутреннего водного транспорта Росс ийской Федерации на период до 2030 года, распоряжением Правительства Российской Федерации от 29 февра ля 2016 г. № 327-р, ПРИЛОЖЕНИЕ № 2)

출처: 한국해양수산개발원, 『KMI 극동러시아 동향 리포트』, 제 8호, 2016년 3월, p. 5.

러시아 정부는 내륙수운의 활성화를 위해 2016년 2월 29일, '러시아 연방 내륙수운 개발전략 2030'[12]을 승인하였다. '러시아 연방 내륙수운 개발전략 2030'의 주요 목표는 1) 육상운송과 내륙운송의 화물 트래픽(traffic)을 재분배 하여 러시아 운송 시스템 균형 확보하고자 하며, 2) 내륙수운과 다른 운송수 단과의 연계성 강화 및 내륙수운의 경쟁력 확보 3) 화주를 위한 내륙수운 서 비스 질과 접근 용이성을 향상시키며 4) 승객을 위한 내륙수운 기능을 증대 시키고 5) 내륙수운 이용 시 안정성 및 친환경성 향상에 두고 있다. 이러한 목 표의 실현을 위해 '러시아 연방 내륙수운 개발전략 2030'에서는 〈표 2-8〉에 서와 같이 내륙수운을 이용한 화물 예측 운송량이 2030년까지 2억 4,220만 톤 으로 증가할 것으로 전망하고 있으며, 내륙수운을 이용하는 여객 이용자의 수 도 2020년에는 1,570만 명, 그리고 2030년에는 년간 이용객이 1,660만 명으로 증가할 것으로 전망하고 있다.[13]

---

12) Стратегия развития внутреннего водного транспорта Российской Федерации на период до 2030 года, распоряжением Прави тельства Российской Федерации от 29 февраля 2016 г. № 327-р.

13) 한국해양수산개발원, 『KMI 극동러시아 동향 리포트』, 제 8호, 2016년 3월, p.6.

러시아 내륙수운의 화물 운송량 및 여객 이용자 수가 증가하기 위해서는 도로 및 철도 등과 같은 다른 운송수단과의 연결이 중요하다.[14] 내륙수운과 육상운송의 전환이 원활히 이루어 질 때 러시아는 유럽내에서 가장 경쟁력이 있는 물류산업국가로 성장, 발전하게 될 것이다. 시베리아 지역을 중심으로 하는 자원개발과 함께 원자재와 에너지자원 및 농산물 생산의 증가가 예상되어 추정된 운송량의 증가는 무난히 달성될 것으로 예상되며, 내륙수운을 이용한 화물운송량은 지속적으로 증가할 것으로 예상된다. 러시아의 내륙수운은 운송량의 지속적인 증가뿐만 아니라 여객 이용자 수도 크게 증가할 것으로 예측하고 있다.

최근 북극해를 중심으로 하는 북방 물류루트에서 새롭게 주목받고 있는 것이 북극해로 흘러들어가는 시베리아 3대 강인 오비, 예니세이, 그리고 레나강을 이용한 러시아의 내륙 수운체계이다.

〈표 2-9〉 2019년 상반기 러시아 수역별 항만 물동량

수역	건화물	액체화물	합계	2018/2019 증가율
극동지역	66.46 (+8.6%)	38.49 (+3.9%)	104.95	+6.8
북극해	14.91 (+5.5%)	36.74 (+35.3%)	51.65	+25.1
발트해	55.5 (+2.6%)	74.56 (+8.8%)	130.06	+6.1
아조프-흑해	41.57 (-28.3%)	77.32 (+2.7%)	118.89	-10.8
카스피해	1.28 (-7.6%)	2.21(+213.3%)	3.48	+44.1
합계	179.71(-4.8%)	229.33(+9.7%)	409.04	+2.8

출처: 한국해양수산개발원, 『KMI 북방물류리포트』, Vol.101, 한국해양수산개발원, 2019년 8월. p. 9

---

14) 러시아 연방 내륙수운 개발전략 2030, 2016, p. 10. (Стратегия развития внутреннего водного транспорта Российской Федерации на период до 2030 года, распоряжением Правительства Росси йской Федерации от 29 февраля 2016 г. № 327, p. 10)

러시아의 수역별 항만 물동량의 변화는 〈표 2-9〉에서 보이는 바와 같이 카스피해와 북극해를 중심으로 빠르게 증가하고 있다. 러시아의 수역별 물동량의 수송은 대부분 발트해와 아조프-흑해를 중심으로 유럽과의 운송량이 전체 물동량의 절반을 차지하고 있다. 그러나 북극해를 중심으로 하는 물동량의 증가율은 전년 대비 25% 이상 증가하고 있어 빠른 증가추세를 보여주고 있다. 실제로 북극항로의 개발로 북극해와 내륙수로의 연계물류 증가 가능성이 높아지면서 러시아 내에서도 시베리아 내륙수운의 활성화 움직임이 관찰되고 있다. 러시아 내륙수운 활성화의 또 다른 요인으로는 유라시아 내륙 국가들의 국제적 교역이 늘어나고, 이들 국가의 에너지 개발과 함께 대규모 플랜트개발 사업이 활발해질수록 유라시아 지역 국가들의 시베리아 내륙수로들을 활용한 물동량은 더욱 늘어나게 될 것이다.

물류수송에서 장거리 운송을 위한 가장 환경친화적이며 효율적인 수송 수단은 선박을 이용하는 것이다.[15] 육상운송의 경우 중량물 운송의 특성상 저속 주행을 해야 하기에 운송 시간이 길어지고, 화물의 파손 위험도는 높아진다. 철도 운송은 화물 파손의 위험이 낮고 운송의 정시성은 보장되지만, 러시아에는 중량 및 초대형 화물 운송을 위한 350t 이상의 특수 화차가 4개뿐으로 수요 대비 공급이 절대적으로 부족하여 원자재와 에너지자원을 중심으로 하는 중량·초대형 화물의 수송에는 내륙수로와 북극항로를 연계한 운송이 가장 적합

---

15) 헝가리의 benship 해운사에 따르면 5리터의 연료로 1톤의 화물을 수송할 수 있는 거리는 선박 500km, 철도 333km, 화물트럭의 경우 100km를 수송할 수 있으며, 환경적인 측면에서도 선박에 의한 수송보다 철도를 이용한 수송은 3배, 도로를 이용한 수송은 15배의 환경오염을 유발하는 것으로 나타나 선박을 이용한 수운이 가장 효율적이고 환경친화적인 수송수단이라고 강조하고 있다. "Inland waterway transport", http://www.benship.hu/activity/inland-waterway-freight-transport (검색일: 2020년 4월 20일)

한 운송수단이다.[16]

러시아 정부는 정책적으로 내륙 수운을 활성화하고자 하는 다양한 구상을 하고 있다. 구체적인 사례로는 나딤(Nadym)과 오비 강을 연결하는 대규모 프로젝트로 살레하르트(Salekhard)와 나딤을 총 50여개의 교량으로 연결하며,[17] 2020년까지 오비강에 인접한 살레하르트와 라비트난기(Labytnangi)를 2,4km의 교량을 건설하여 철도로 교통을 연결하는 계획을 추진하고 있다.[18]

러시아의 가장 대표적인 하천항만인 옴스크항은 배후도로 및 철도 연결망이 있는 유일한 항만으로 옴스크 내수시장뿐만 아니라 노보시비르스크 및 크라스노다르(Krasnodar)까지 철도로 연결되어 있기 때문에 내륙수로 및 철도를 포함한 복합운송을 고려했을 때 중앙아시아지역의 물류수송에 대한 수요는 충분히 내재되어 있다. 최근 카자흐스탄을 통해 중국까지 석유를 수출할 수 있는 운송경로 개발에 큰 관심이 있음에 따라 북극항로와 내륙수로의 연결을 긍정적으로 검토 할 수 있다. 시베리아 철도노선의 운송지체 만연, 도로 화물 운송량의 포화, 대중량 및 초대형 화물 운송의 증가, 지구 온난화에 따른 경지면적의 증대와 북극해의 수운 활용기간 확대, 환경오염, 북극권 경제 개발 등의 이유로 시베리아 내륙 수운의 역할과 기능은 점차 그 중요성이 더해지고 있다.[19]

---

16) "북극해' 중량·초대형화물 운송 새 길 열린다,"『Korea Shipping Gazette』, 2015년 9월 3일자. https://www.ksg.co.kr/news/main_newsView.jsp?pNum=104328 (검색일:2020년 4월20일)

17) "На строящейся дороге Сургут-Салехард открылся мост,"「Сделано у нас」, 2012.08.21. http://www.sdelanounas.ru/blogs/20765/ (검색일: 2020년 5월 19일)

18) "Мостовой переход Салехард – Лабытнанги построят раньше за счет банков", https://pravdaurfo.ru/news/mostovoy-perehod-salehard-labytnangi-postroyat-ranshe-za-schet-bankov (검색일: 2020년 5월 4일)

19) 홍완석, "러시아 내륙 복합물류체계에 주목해야 하는 이유",『KMI 북방물류리포트』, Vol. 101, 2019년 8월, p. 8.

옴스크 인근지역인 노보시비르스크, 크라스노야르스크까지 포함한다면 현재 수준 보다 5배 이상의 물동량 증가가 예상되어 북극항로와 내륙수로를 연결할 경우, 물류비 절감으로 인한 물류수요는 더욱 증가할 것으로 예상되고 있다.

러시아 정부는 북방지역의 하천을 연계하여 수송하게 될 서시베리아, 크라스노야르스크지방, 사하공화국 산지의 석유 및 석유제품을 중심으로 하는 물동량이 약 800만톤 이상으로 증가될 것으로 전망하고 있다. 또한 북극해로가 기간교통망으로 활용될 경우 시베리아지역 기업의 제품을 세계시장에 공급하는 데 있어 시베리아지역 하천의 이용가능성을 더욱 높여줄 것으로 기대하고 있어 내륙 수운의 발전에 대해 매우 낙관적으로 전망하고 있다.[20]

러시아는 장기적인 국가발전전략으로 미개발된 지역을 개발함으로써 비약적인 경제성장을 실현하고자 하는 계획을 수립하고 있다. 장기적인 발전계획의 일환으로 볼가-돈 운하체계를 보완할 새로운 유라시아 운하의 건설계획과 풍부한 자원이 매장된 시베리아 극지의 개발계획 등을 구상하고 있다. 시베리아 극지의 자원개발 계획은 효율적인 자원의 수송을 위한 주요 하천의 수운인 프라 구축계획과 함께 카스피(Caspie)해까지 연장되어 길이 1,400km가 넘는 카라쿰(Kara Kum)대운하의 건설과 유럽연합이 구상하는 발트해를 중심으로 하는 국제운송루트를 연결하는 중요한 역할을 러시아의 수로체계가 수행하게 될 것으로 전망된다.[21]

---

20) Министерство транспорта Российской Федерации, Федеральная целевая программа "Модернизация транспортной системы России(2002~2010)". Подпрограмма "Внутренний водный транспорт". Редакция 2.0(проект), Москва, 2004. pp. 6-7.
21) 유럽연합은 육상운송체계의 부담을 부분적으로 낮추고 일부를 해상운송으로 전환하려는 다양한 국제운송루트를 계획하고 있다. 구상하고 있는 대표적인 국제운송루트로는 INTRASEA(INland TRAnsport on SEA routes)와 SEB Trans-Link가 있으며, 발트해를 중심으로 러시아를 경유하여 중앙아시아를 연결하는 국제운송회랑을 구상하

Ⅲ. 결론

러시아는 광활한 평원에 다양한 하천과 호수 등 천혜의 내륙수로가 발달하여 내륙수운이 발전할 수 있는 충분한 잠재력을 갖고 있다. 그러나 대부분 스탈린 시기 이후 점진적으로 이루어진 내륙수로의 개발은 철도노선의 확장과 도로의 건설에 의한 육상운송의 지속적인 발전으로 인해 주요 운송수단으로서의 경쟁력이 약화되었다. 또한 러시아의 내륙수운이 갖고 있는 가장 중대한 원초적인 문제는 혹한기 결빙과 같은 환경적인 제약으로 인해 수운을 이용한 물류의 수송이 장기간 제한될 수밖에 없다. 정상적인 운항이 가능한 년중 평균 해빙기간이 토볼스크 항만은 182일, 노보시비르스크 160일, 오세트로보가 129일이며, 레나강 상류는 105~130일, 북극해는 70~90일, 오브 · 타즈만과 주변강은 105~140일, 푸르 · 타즈강은 105~152일 정도로 나타나고 있어 북방지역의 러시아의 내륙수로는 대체로 동절기의 결빙기간이 상시 운항기간보다 길다.[22] 가장 유용성이 높은 러시아 남부 수운루트 또한 사회, 경제적인 환경으로 인하 정기적인 화물운송이 보장되지 않고 있어 내륙수운의 효율성과 경쟁력을 악화시키는 요인으로 작용하며 실제 내륙수운에 의한 물동량은 독일을 비롯한 서유럽 국가들에 비해 10배 이상 적은 수준을 나타내고 있다.[23]

그러나 러시아의 교통전문가들은 향후 일정기간 동안 이러한 내륙수운의 계절적 성격 문제를 해결할 가능성은 매우 낮다고 할지라도 내륙수운의 역할

고 있다. 유리 쉐르바닌, "러시아와 국제운송회랑", 『교통정책연구』13권 1호, (한국교통원구원, 2006), pp. 3-10쪽 참조.

22) 정용주, 『러시아연방 수송체계』, (대외경제정책연구원, 1993), pp. 62-63.

23) *White paper on efficient and sustainable inland water transport in Europe : Inland Transport Committee, Working Party on Inland Water Transport*, United Nations Economic Commission for Europe, New York, Geneva. 2011.

에 대해 매우 낙관적으로 보고 있다. 특히 철도, 도로, 파이프라인 운송망이 발전되어 있는 러시아의 유럽지역에서 내륙수로는 일부 하절기 생산제품 및 연중수요 화물, 또한 동절기 저온에서 제품의 변질과 파손이 우려되는 화물 등의 운송에서 충분히 경쟁력을 가질 수 있다고 판단하고 있다. 예를 들어 내륙수운을 대체하고 있는 철도운송의 경우 일부 구간에서 운송체증 현상이 발견되는데 최대 체증 시기는 대체로 내륙수운의 항해시기와 일치하게 된다. 이러한 현상은 계절적 생산의 화물운송이나 하절기 여객운송의 급증에 따른 것이다. 따라서 성수기 물동량 운송을 담보하기 위해 구축된 철도용량이 일정한 시기에만 제대로 활용되고 나머지 시기에는 과잉상태로 남아있는 문제를 해결하기 위해서도 일부 철도구간의 성수기 운송체증을 내륙수로로 전환하는 것이 필요하다. 두 운송수단 간 화물운송의 합리적인 배분을 결정함으로써 철도부문의 추가적인 시설용량 확대에 투입되는 비용을 부분적으로, 또는 완전히 제거하는 경제적 효과를 얻을 수 있을 것으로 판단하고 있다. 러시아의 내륙수운은 항만과 철도역의 시설부족 문제를 해소하면서 항만의 화물처리량을 증대할 수 있도록 해준다고 판단하고 있다.[24]

또한 2010년에 이르면 북극해로를 따라 운송하기 위해 해운항만에 환적하기 위해 노브이항과 이가르카항까지 운송될 석유의 양은 800만~1,000만 톤까지 증가할 것으로 전망하고 있다. 또한 러시아는 지리적인 이점 때문에 가장 짧은 통과운송루트를 제공할 수 있으며, 특히 유럽지역 하천의 내륙수로는 백해, 발트해, 아조프해, 흑해, 카스피해 수역을 연계할 수 있어 향후 유라시아 교통로에서 통과화물운송에서 주도적인 역할을 담당할 것으로 기대하고 있

---

24) A. A. Луговец, Морской флот в трансфортной системе России, ДеКА, 2003, pp. 55-56.

다. 2010년이면 카자흐스탄과 투르크메니스탄으로부터의 원유 5백만 톤을 포함하여 이들 지역으로 통과화물의 운송이 증가할 것으로 전망하고 있다.

러시아는 북극해와 시베리아 내륙의 오비, 예니세이, 레나강을 연결하는 수운의 연계에 의한 자원수송의 활성화, 그리고 극동 시베리아 지역이 러시아 내륙 및 유럽과 아·태지역간 교통·물류 중심지로 부상하고자 한다. 러시아의 내륙수운 개발은 향후 북극항로 상용화 시대를 준비하는 과정이 될 것이며, 레나강, 예니세이강, 오비강을 중심으로 극동러시아 및 시베리아로의 새로운 남북 물류루트가 개발되고, 유럽과 극동아시아의 동서구간을 연결하는 철도루트의 활성화를 통해서 러시아의 물류산업이 시너지 효과가 나타날 수 있을 것으로 예상된다. 이를 위해 러시아는 현대화된 해상 통합 물류 시스템 구축 등 해상운송 인프라 개선에 집중하고 있다. 러시아는 총 64개의 항만을 가지고 있으나 기존의 항만시설로는 늘어나는 상업 활동에 대응할 수 없다는 것을 인식하고 있다. 이에 따라 새로운 항만 건설 및 기존 항만 현대화 등 전문적인 항만 관리 시스템을 구축하려는 것이다. 항만 화물 처리 능력도 2030년까지 16억 톤으로 대폭 확대하여 국제적인 수준으로 해운 경쟁력을 강화해 물류강국으로의 발전을 목표로 한다.

한국도 이러한 러시아의 물류강국으로의 발전에 대비하여 물류산업에서 선도적인 역할을 수행하기 위한 경쟁력확보 및 시장 선점을 위한 해운·물류 진출방안을 모색하고 러시아와이 협력방안에 대한 모색이 필요하다

〈참고문헌〉

"러시아 석유 · 가스 자원 현황조사(부존현황편)", Kotra 해외시장뉴스, 2008.

"'북극해' 중량 · 초대형화물 운송 새 길 열린다," 『Korea Shipping Gazette』, 2015년 9월3일.

성원용/임동민, 『러시아 교통물류정보 조사』, 서울: 한국교통연구원, 2005.

유리 쉐르바닌, "러시아와 국제운송회랑", 『교통정책연구』 한국교통원구원, 13권 1호, 2006.

정용주, 『러시아연방 수송체계』, 대외경제정책연구원, 1993.

한국해양수산개발원, 『KMI 극동러시아 동향 리포트』 제8호, 2016.

해양수산부, 『극동 시베리아 해운 · 물류시장 진출 방안 기초 연구』, 2014.

홍완석, "러시아 내륙 복합물류체계에 주목해야 하는 이유", 『KMI 북방물류리포트』, 한국해
    양수산개발원, Vol. 101, 2019년 8월.

А. А. Луговец, Морской флот в трансфортной системе России, ДеКА, 2003.

В. Е. Шувалов, "Транспорт," А. Т. Хрущев (ред.), Экономическая и социальная геог-
    рафия России: Учебник для вузов. 2-е изд., Дрофа, 2002.

В. М. Воронцов, В. А. Кривошей, А. Б. Разгуляев, В. И. Савенко, Внутренние водные пути
    Росси, По Волге, 2003.

"На строящейся дороге Сургут-Салехард открылся мост,"<Сделано у нас>, 2012.08.21.

Стратегия развития внутреннего водного транспорта Российской Федерации на период
    до 2030 года, распоряжением Прави тельства Российской Федерации от 29
    февраля 2016 г. № 327-р.

Michael Overman, Water; Solutions to a Problem of Supply and Demand. Doubleday, 1969.

Philip Micklin/ N.V. Aladin/Igor Plotnikov, The Aral Sea, Springer-Verlag Berlin Heidelberg
    2014.

Росстат, Основные показатели транспортной деятельности в России. 2004: Стат. сб.,
    Росстат, 2004.

White paper on efficient and sustainable inland water transport in Europe : Inland Transport
    Committee, Working Party on Inland Water Transport, United Nations Economic
    Commission for Europe, New York, Geneva. 2011.

인터넷 참고자료

"На строящейся дороге Сургут-Салехард открылся мост," 「Сделано у нас」, 2012.08.21.
http://www.sdelanounas.ru/blogs/20765/ (검색일: 2020년 5월 19일)
"'북극해' 중량·초대형화물 운송 새 길 열린다"
https://www.ksg.co.kr/news/main_newsView.jsp?pNum=104328 (검색일:2020년 4월20일)
"Inland waterway transport"
http://www.benship.hu/activity/inland-waterway-freight-transport (검색일: 2020년 4월
20일)
"Мостовой переход Салехард – Лабытнанги построят раньше за счет банков",
https://pravdaurfo.ru/news/mostovoy-perehod-salehard-labytnangi-postroyat-ranshe-
za-schet-bankov (검색일: 2020년 5월 4일)

러시아 임업 발전 전망 분석과 한·러 임업 협력

원석범*

I. 서론

러시아 연방은 삼림면적 9억 ha, 임목축적량 800억 ㎥ 등 전 세계 삼림자원의 20%이상을 보유하고 있는 임업 대국이다. 하지만 국내뿐만 아니라 세계시장에서의 러시아 임업 비중은 비교적 높지 않다. 이에 오랜 기간 누적된 삼림경영의 비효율성을 개선하고 임업 발전 촉진을 위한 다양한 방안을 모색해 오고 있다.

2007년부터 "비가공 목재 관련 2006년 12월 23일 러시아 연방 정부 법령 개정"에 관한 법령[1]을 단계적으로 개정해 비가공 목재(HS 코드 4403, 원목)의 수출 관세율을 높여왔다. 이 법령의 본질은 원목 수출을 단계적으로 줄이고, 러시아 내에서 임가공산업을 육성하겠다는 의도였다. 또한 "삼림 개발 분야 우선 투자 프로젝트"에 관한 러시아 연방 법령[2]을 제정해 연방 정부 차원에서

※ 이 논문은 『한국 시베리아연구』 23권 2호에 게재된 것임
 * 한림대학교 러시아연구소 연구원

1) Постановление № 75 "О внесении изменений в постановление Правительства Российской Федерации от 23 декабря 2006 г. № 795 в отношении отдельных видов лесоматериалов необработанных".
2) Постановление Правительства Российской Федерации от 30 июня 2007 г. № 419 "О приоритетных инвестиционных проектах в области освоения лесов".

고부가가치 임업 제품 생산 단지 조성을 지원하는 프로그램을 개발했다. 그리고 러시아 극동지역 임업 발전에 관한 문제는 연방 정부 명령 "극동 및 바이칼 지역 사회-경제 발전 전략"의 정책 실현 계획[3]으로 구체화 되었다. 이 계획에는 삼림자원 개발, 심화가공, 복원 등 극동 및 바이칼지역 임산업 지원을 위한 다양한 조치들이 포함되어 있다.

2018년 러시아 산업통상부는 매력적인 투자 부문으로서 임업을 발전시키기 위해 가능한 모든 역량을 집중할 수 있도록 "2030 임업 발전 전략"[4]을 수립해 실행 중이다. 하바롭스크 변강주도 이 전략에 따라 지역 임업 발전의 새로운 전기를 마련하기 위해 "하바롭스크 변강주 삼림 계획 2019-2028"[5]을 발표했다. 또한 러시아 정부는 극동지역 목재 가공 기업 지원 프로그램을 확대 실시하기 위해 하바롭스크 변강주에서 6개 우선 투자 프로젝트를 시행하고 투자 증대를 위한 보조금 지급, 심화가공 목제품 수출기업에 원목 수출 관세 감면 등의 혜택을 제공하고 있다.

하바롭스크 변강주는 러시아 연방 전체 삼림면적의 약 6%를 차지하고 있으며, 임목축적량은 약 50억 ㎥로 극동 연방구 최대이자 러시아 연방 7위 규모의 삼림자원 잠재력을 보유하고 있다. 그리고 자원 보유량 면에서 뿐만 아니라 정부의 임업 발전 프로그램 실행과 이에 따른 외국인 투자 유치 등을 위한 노력도 지속하고 있어 임산업 발전 가능성이 매우 높은 지역이다.

---

3) Распоряжение Правительства Российской Федерации от 31 марта 2011 г. "План мероприятий по реализации Стратегии социально-экономического развития Дальнего Востока и Байкальского региона на период до 2025 года утвержденной распоряжением Правительства Российской Федерации от 28 декабря 2009 г. № 2094-р".

4) Стратегия развития лесного комплекса Российской Федерации до 2030 года.

5) Лесной план Хабаровского края на 2019 - 2028 годы.

한국의 목재시장 규모는 약 42조원에 달한다. 하지만 목재수요의 85% 이상을 수입에 의존하고 있어, 국제 목재시장 변화에 대응하고 임업 협력 사업 다변화를 위해 주요 목재 수출국들과 지속적인 협력 관계를 유지해야 한다. 따라서 주변 임업 대국인 러시아 특히 극동지역과의 교류 협력은 매우 중요하다.

최근 극동지역은 한국 정부의 신북방정책 및 러시아 정부의 극동지역 개발 정책 등 한·러 양국의 이해관계가 접점을 보이고 있는 지역으로 부각되면서 교류가 증가추세에 있으며, 협력 분야도 점차 다양해지고 있다. 앞으로 실질적이고 지속가능한 협력을 위해 구체적이고 실현가능한 사업 개발이 필요하며 이에 대한 집중 연구가 요구된다. 하지만 극동지역의 국내 연구 동향은 지역 일반 현황이나 발전전략 분석, 그리고 이에 따른 전반적인 협력 사업 구상 등에 한정되어 있는 경우가 대부분이며, 특히 러시아 및 극동지역 임업협력에 관한 연구는 정부 산하기관의 연구보고서 등을 제외하면 전무하다시피 한 실정이다.

최근 비약적으로 발전하고 있고, 광활한 면적에 지역별로 특화된 다양한 산업들이 분포되어 있는 동 지역의 특성을 감안한다면 연방 주체별, 주요 산업별 집중 연구 분석이 필요한 시점이며, 특히 지리적으로 지근거리인 극동지역에서 양국이 서로 보완, 협력할 수 있는 임업분야의 교류 강화는 매우 의미있다.

이에 본 글은 극동지역 최대의 삼림자원을 보유하고 있는 하바롭스크 변강주와 한국과의 임업 협력 가능성을 모색해 보고자 동 지역 삼림자원과 임업 현황을 살펴보고, 러시아 연방 정부 및 변강주 정부의 임업 발전 정책과 프로그램, 그리고 임업 발전 방향 및 문제점을 분석해 본다.

II. 하바롭스크 변강주 삼림자원 및 임업 현황

하바롭스크 변강주에서 삼림식생으로 피복된 지역의 총 면적은 75,558,600 ha(변강주 전체 면적의 95.9%)[6]이며, 이중 삼림지 73,734,200ha(삼림식생으로 피복된 지역의 97.6%), 특별자연보호구역 1,641,300ha(2.2%), 보안구역 129,900ha(0.2%), 거주지역 4,700ha(0.4%), 기타 48,500ha 등이다. 2018년 기준 전체 삼림면적은 이전 하바롭스크 삼림 계획[7]을 수립한 2009년에 비해 9,903ha 증가했으며,[8] 변강주 내 연방 특별자연보호구역도 99,508ha 증가했다.

변강주 삼림면적의 97.6%(7,370만 ha)는 주 정부에서, 특별자연보호구역은 러시아 연방 천연자원부에서 관리하고 있으며, 러시아 연방 삼림법에 의거 40개의 지방 삼림청들이 하바롭스크 변강주 각 지역의 삼림을 관리하고 있다. 2018년 1월 1일 기준 변강주 삼림지는 보호림 9,319,300ha(12.6%), 벌채림 34,692,500ha(47.1%), 예비림 29,722,400ha(40.3%)으로 구성되어 있다.

러시아 연방 자연자원 및 생태부 명령 367호[9]에 따라 변강주 삼림구역은 타이가 지대인 '극동 타이가 구역(Дальневосточный таежный район)'과 침엽수-활엽수 지대인 '프리아무르스코-프리모르스키 침엽수-활엽수 구역(Приамурско-Приморский хвойно-широколиственный район)'으로 나뉜다.

---

6) 정부 삼림지 목록(2018년 1월 1일 기준, Лесной план Хабаровского края на 2019 - 2028 годы).

7) Лесной план Хабаровского края на 2009 - 2018 годы.

8) 삼림지 면적이 증가한 지역은 아무르스키 군(8,293ha 증가), 베르흐네부레인스키 군 (2,150ha 증가) 등이다.

9) Приказ Министерства природных ресурсов и экологии Российской Федерации от 18 августа 2014 г. № 367, "Об утверждении Перечня лесорастительных зон Российской Федерации и Перечня лесных районов Российской Федерации".

삼림구역 대부분은 '극동 타이가 구역'이 차지하고 있으며, 각 구역별 삼림면적 및 목재량, 그리고 변강주 주요 수종별 분포 면적 및 목재량을 살펴보면 다음의 〈표 2-10〉, 〈표 2-11〉와 같다.

〈표 2-10〉 하바롭스크 변강주 삼림구역별 삼림면적 및 목재량

		극동 타이가 구역	프리아무르스코-프리모르스키 침엽수-활엽수 구역
삼림면적(천 ha)		67,648.6	6,085.3
이 중	보호림	8,451.3	867.9
	벌채림	29,475.3	5,217.4
	예비림	29,722.3	0
목재량 (천 ㎥)		4,339,667.0	708,664.5

※ 거주지역 및 특별 보호구역 제외, 2018년 1월 1일 기준
출처: 하바롭스크 변강주 삼림 계획 2019-2028

〈표 2-11〉 하바롭스크 변강주 수종별 분포 면적 및 목재량

수종			삼림면적 (천 ha)		목재량 (백만 ㎥)	
			계	이 중 성숙림과 노령림	계	이 중 성숙림과 노령림
주요 수종	침엽수	소나무	1,125.7	749.5	114.99	89.70
		가문비나무	6,976.9	4,873.7	1,095.05	904.94
		전나무	669.3	106.0	77.21	18.54
		낙엽송	27,963.4	13,153.2	2,815.95	1,697.87
		잣나무	567.3	116.5	103.33	24.00
	침엽수 계		37,302.6	18,998.9	4,206.53	2,735.05
	경재활엽수	큰 참나무	265.3	154.9	28.57	18.86
		작은 참나무	66.8	42.0	6.38	4.58
		물푸레나무	89.4	51.2	10.89	7.11
		단풍나무	7.4	5.6	0.71	0.55
		느릅나무 외	28.2	18.5	3.35	2.40
		사스래나무	1,139.8	710.7	138.02	112.96
	경재활엽수 계		1,596.9	982.9	187.92	146.46

수종			삼림면적 (천 ha)		목재량 (백만 ㎥)	
			계	이 중 성숙림과 노령림	계	이 중 성숙림과 노령림
주요수종	연재활엽수	자작나무	4,270.2	489.1	242.52	61.36
		사시나무	634.7	179.1	54.25	27.32
		오리나무(grey)	95.0	1.9	4.48	0.15
		오리나무(black)	18.4	0.0	0.94	0.00
		피나무	203.9	169.0	30.64	26.31
		포플러	219.5	163.3	40.25	31.50
		버드나무 류	194.6	47.4	21.86	8.51
	연재활엽수 계		5,636.3	1,049.8	394.94	155.15
주요 수종 계			44,535.8	21,031.6	4,789.39	3,036.66
관목 및 기타 수종 계			6,463.8	227.7	258.96	13.22
총 계			50,999.6	21,259.3	5,048.35	3,049.88

※ 2018년 1월 1일 기준
출처: 하바롭스크 변강주 삼림 계획 2019-2028

변강주 전체 삼림지에서 침엽수림이 차지하고 있는 면적은 73.1%이며, 이 중 낙엽송이 74.9%로 압도적이다. 전체 식재 삼림에서 목재로써 가치있는 수종이 차지하고 있는 비율은 76.2%이다. 전체 임목축적량 50억 4,835만 ㎥ 중 침엽수가 42억 653만 ㎥(83.3%), 이 중 성숙림과 노령림의 비율은 60.4%이다.

하바롭스크 변강주 평균 삼림밀도는 66.2%이나 넓은 면적으로 인해 지리, 기후, 토양 조건에 따라 오호츠키 군(Охотский район) 44%에서 라조 군(район им. Лазо) 86%까지 삼림자원 분포에 편차가 있다. 침엽수는 변강주 북부 · 중앙 · 동부 지역에, 활엽수는 주로 남부 지역에 분포해 있다.

삼림자원이 풍부한 지역인 만큼 최근까지 높은 수준의 삼림 벌채가 행해졌음에도 불구하고 삼림식생으로 피복된 지역의 면적이 지속적으로 증가하고 있는데, 대부분 인위적인 삼림 경영 활동의 결과가 아니라는 점을 고려한다면

[그림 2-5] 하바롭스크 변강주 삼림밀도

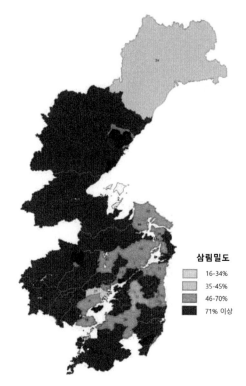

삼림밀도
16-34%
35-45%
46-70%
71% 이상

출처: 2009~2018년 하바롭스크 변강주 삼림계획, 필자 재구성

삼림 복원 잠재력이 매우 높은 지역임을 알 수 있다.[10] 2018년 1월 1일 기준 연간 벌목 허용량은 2,830만 ㎥(침엽수 2,310만 ㎥, 경재 활엽수 50만 ㎥, 연재 활엽수 470만 ㎥)이며, 실질 목재 생산량은 760만 ㎥(임차기업의 생산량 670만 ㎥)이다.[11]

---

10) 2016년에는 60,322ha 증가(이 중 자연 복원 57,201ha), 2017년에는 62,062ha 증가(이 중 자연 복원 57,201ha)했다. (Хабаровский край в цифрах 2018)
11) 2019년 1월 31일 기준 하바롭스크 변강주 삼림 임차기업은 총 120개이다.

변강주 임업은 전통적으로 수출지향 산업으로, 2018년 기준 목재류 총 수출액은 약 6억 5,594만 달러를 기록했다. 중국으로의 수출이 90% 이상으로 압도적이며, 주요 수출 품목은 원목 71.8%, 제재목 23.1%, 판재 4.4%, 연료 칩 0.7% 등이다. [12]

〈표 2-12〉 하바롭스크 변강주 목재류(HS 코드 44) 수출 현황

	중량(톤)	금액(천 달러)
하바롭스크 변강주 목재류 수출 총계	4,947,168	655,941.4
이 중 중국	4,506,362	526,180.4
한국	142,168	33,748.4
일본	253,715	83,433.9

출처: 극동연방구 관세청(dvtu.customs.ru)

Ⅲ. 하바롭스크 변강주 임업 발전 전략

1. 러시아 연방 정부 임업 발전 전략 및 프로그램

러시아 임산업의 지속가능한 발전을 위해 연방 정부와 지방 정부는 다양한 발전 전략들을 마련하고 있다. 러시아 정부는 "러시아 연방 전략 계획"에 관한 연방법[13]에 따라 "2030 임업 발전 전략"[14]을 수립했다. 동 전략은 러시아 연방 정부 명령 No. 1724-p[15]에 의거해 러시아 연방의 삼림보호 및 복원, 정부 임업

---

12) Развитие лесного хозяйства в Хабаровском крае. Правительство Хабаровского края, 2018.
13) Федеральный закон "О стратегическом планировании в Российской Федерации".
14) Стратегия развития лесного комплекса Российской федерации до 2030 года.
15) Распоряжение Правительства Российской Федерации от 26 сентября 2013 г. №

정책, 연방 임업 법령 등이 규정되어 있다. 주요 목표는 지속가능한 임업 발전, 삼림보호, 복원 및 활용의 효율성 증진, 그리고 임업분야에서 국제적 의무를 이행하고 장기적으로는 임업의 경쟁력을 높여 러시아 사회 경제 발전에 기여도를 높이는 것이다. 동 전략 이행에 따른 임업 발전 비전은 세계시장에서 러시아 삼림의 역할 증대, 삼림보호 및 관리, 경제적으로 지속가능하고 경쟁력 있는 산업으로의 육성 등이며, 이러한 목표 비전을 이행하기 위한 조건으로 가공업 발전 프로젝트 지원, 수요 촉진 및 시장 발전, 원료 가용성 증대, 합리적인 삼림 활용, 인적 및 기술 잠재력 개발, 삼림보호체계 개선, 삼림 생태 잠재력 보호 및 복원 등을 규정하고 있다.

2010년 러시아 서부지역의 대화재와 삼림보호에 대한 국내외 요구에 따라 러시아 연방 프로그램 "2013~2020년 임업발전"[16]을 제정해 실행하고 있다. 주요 목적은 삼림 이용과 보호, 재조림의 효율성을 높여 삼림자원의 잠재력을 제고하는 것이며, 주요 과제는 화재나 해충, 불법 벌채로 인한 삼림 손실을 줄이고, 다양한 생태적 기능을 위한 삼림의 합리적인 이용 여건을 조성하며, 목제품의 품질을 향상시키고, 삼림관리의 효율성을 제고하는 것이다. 즉, 동 프로그램은 삼림의 복원, 산불 방지 및 삼림 모니터링 강화를 위한 조치, 불법 벌목과 불법 목재 거래 금지 등 삼림보호와 법적 규제 강화를 골자로 하고 있다.

또한 연방 프로그램 "2013~2020년 임업발전"과 연계해 연방 프로젝트 "삼림보호"[17]를 실행 중이다. 프로젝트 목표는 삼림의 이용과 복원 비율의 균형을 100% 보장하는 수준으로 삼림을 보호하는 것이며, 시행 시기는 2018년 10

1724-p.

16) Государственная программа Российской Федерации "Развитие лесного хозяйства" на 2013-2020 годы.

17) федеральный проект "Сохранение лесов".

월 1일부터 2024년 12월 31일까지로 총 1,510억 980만 루블의 예산이 투입될 예정이다.[18)]

그리고 극동지역의 임업 발전과 관련해서는 러시아 연방 국가프로그램인 "극동 바이칼지역 사회-경제 발전"[19)]의 하부프로그램 "극동 바이칼지역 임업 단지 개발"[20)]을 제정해 실행하고 있다. 동 프로그램의 목표는 삼림자원의 이용 효율성을 제고하고 관리 체계를 확립해 극동 바이칼지역의 경제 성장을 가속화 시킬 수 있는 여건을 조성하고, 궁극적으로는 러시아 연방의 경제와 생태보호를 위한 지리 전략적 이해관계를 확립해 삼림과 관련한 국민 복지를 증진하는 것이다.

2. 하바롭스크 변강주 정부 임업 발전 프로그램 및 투자 프로젝트

이러한 연방 정부의 임업 발전 정책들을 바탕으로 하바롭스크 변강주는 주정부 프로그램인 "하바롭스크 변강주 임업 발전"[21)]을 실행 중에 있다. 동 프로그램의 목표는 변강주 임업 분야의 지속가능한 발전 기반을 조성해 삼림 경영의 효율성을 제고하는 것이며, 주요 과제는 변강주 삼림보호 및 재조림 사업의 효율성 증대를 위한 여건 조성, 지역 삼림의 지속가능한 다목적 활용 보장, 삼림의 손실과 복원의 균형 등이다. 또한 이를 위한 주요 정책은 삼림보호 및

---

18) Паспорт федерального проекта "Сохранение лесов".
19) Государственная программа Российской Федерации "Социально-экономическое развитие Дальнего Востока и Байкальского региона".
20) Подпрограмма 3 "Развитие лесопромышленного комплекса Дальнего Востока и Байкальского региона" государственной программы Российской Федерации "Социально-экономическое развитие Дальнего Востока и Байкальского региона".
21) Государственная программа Хабаровского края "Развитие лесного хозяйства в Хабаровском крае".

재조림을 위한 효율적이고 합리적인 삼림 이용 여건 창출, 변강주 삼림밀도 증가, 가치있는 수종의 식재 비율 증대, 삼림지 이용을 통한 러시아 연방 예산 증대 등이며, 이에 따른 최종 실행 목표는 변강주 삼림밀도 66.2% 수준 보장, 삼림 식생으로 피복된 지역에서 가치있는 수종 식재 비율 76.2% 보장, 러시아 연방 정부 예산 지불 수준 22.2루블/ha까지 증대 등이다. 동 프로그램의 실행 기간은 2013~2024년까지이며,[22] 총 예산 투입액은 171억 6,936만 루블로 구체적인 연간 예산 지원액을 살펴보면 다음의 〈표 2-13〉와 같다.

〈표 2-13〉 "하바롭스크 변강주 임업 발전" 프로그램의 예산 구조

(단위: 백만 루블)

연도	연도별 예산	주 정부 예산	연방 정부 예산	예산외 금액
2013	816.14	731.17	499.34 (주 정부 예산에서)	84.97
2014	847.34	762.37	539.16 (주 정부 예산에서)	84.97
2015	842.14	757.17	533.96 (주 정부 예산에서)	84.97
2016	820.36	735.39	536.60 (주 정부 예산에서)	84.97
2017	1,217.17	748.96	537.98 (주 정부 예산에서)	468.21
2018	1,363.47	895.26	647.64 (주 정부 예산에서)	468.21
2019	1,793.88	1,117.43	894.39 (주 정부 예산에서)	676.45
2020	1,683.18	997.54	799.72 (주 정부 예산에서)	685.64
2021	1,709.74	1,009.03	815.18 (주 정부 예산에서)	700.71
2022	2,021.18	193.85	1,113.63	713.70
2023	2,022.19	193.85	1,113.63	714.71
2024	2,032.57	193.85	1,113.63	725.09
계	17,169.36	8,335.87	9,144.86	5,492.60

출처: 하바롭스크 변강주 정부 프로그램 "하바롭스크 변강주 임업 발전" 일람[23]

---

22) 2013년 최초 프로그램 제정 당시 실행 계획은 2020년까지였으나, 2019년 3월 22일까지 6번의 개정을 통해 현재 기간이 2024년까지로 변경되었다.

23) Паспорт государственной программы Хабаровского края "Развитие лесного

또한 앞서 언급한 연방 프로젝트 "삼림보호"의 지역 프로젝트인 "삼림보호 (하바롭스크 변강주)"[24]를 "하바롭스크 변강주 임업 발전" 프로그램과 연계해 실시하고 있다. 시행 기간은 2018~2024년으로 동일하며, 지역 프로젝트 총 예산은 30억 7,514만 루블이다.[25]

하바롭스크 변강주는 "임업 발전 우선 투자 프로젝트"에 관한 러시아 연방 정부 법령 No. 419[26]에 따라 기존 임산업의 문제점들과 기업 지원 효과를 개선해 투자 매력도를 높이기 위한 목적으로 포괄적인 지역 프로그램인 "2020 하바롭스크 변강주 임업 단지 개발"[27]을 계획했다. 동 프로그램은 지역 임업 효율성 향상, 투자 제안, 프로젝트 개발 및 유지 관리, 공공 기관의 삼림 분야 규제 체계 개선, 연방 정부 기관과 협력으로 지역 임업 전문가 양성 및 인력 문제 해결 등을 주요 내용으로 하고 있으며, 프로그램 실현으로 목재 가공품 생산을 증가시키고 목제품 수출 구조를 개선해 지역 사회-경제 발전을 위한 과제 해결에 임업 분야의 역할을 증대시킬 수 있을 것으로 기대하고 있다. 그리고 2019년 1월 1일 기준 동 프로그램 실행의 일환으로 6개의 임업 우선 투자 프로젝트가 진행 중이며 주요 내용은 다음의 〈표 2-14〉와 같다.

хозяйства в Хабаровском крае".

24) Региональный проект "Сохранение лесов (Хабаровский край)".

25) Паспорт регионального проекта "Сохранение лесов (Хабаровский край)".

26) Постановление Правительства Российской Федерации от 30 июня 2007г. № 419 "О приоритетных инвестиционных проектах в области освоения лесов".

27) Комплексная региональная программа "О развитии лесопромышленного комплекса Хабаровского края до 2020 года".

〈표 2-14〉 하바롭스크 변강주 임업 우선 투자 프로젝트 개요(2019.1.1. 기준)

"하바롭스크 변강주 솔네치니 군 베레조비 마을, 마감재, 몰딩재 가공 공장"[28]
- 투자 기업: "아지야 레스(Азия Лес)" - 투자목표액: 37억 2,680만 루블 (현재 투자액 81억 4,240만 루블) - 예상 벌목량: 연간 973,000㎡ - 제품 생산량: 건조재 200,000㎡, 마감재 50,000㎡, 몰딩재 50,000㎡, 목재 칩 290,000톤, 연료 펠릿 84,000톤 - 일자리 수: 418개 - 실행 기간: 2012~2020년
"하바롭스크 변강주 목재 가공 기업 조성"[29]
- 투자 기업: "보스토치나야 토르고바야 콤파니야(Восточная Торговая Компания)" - 투자목표액: 7억 5,040만 루블 (현재 투자액 7억 3,720만 루블) - 예상 벌목량: 연간 136,600㎡ - 제품 생산량: 합판 15,000㎡, 베니어 4,000㎡, 목탄 4,800톤, 목재 칩 58,490㎡, 활엽수 건조재 13,330㎡,   침엽수재 100,270㎡, 장작 7,000㎡ - 일자리 수: 273개 - 실행 기간: 2017~2020년
"하바롭스크 변강주 바니노 마을, 목재 심화가공 극동센터 설립"[30]
- 투자 기업: "달레스프롬(Дальлеспром)" - 투자목표액: 120억 8,500만 루블 (현재 투자액 136억 8,900만 루블) - 예상 벌목량: 연간 2,411,000㎡ - 제품 생산량: 베니어 300,000㎡, 제재목 230,000㎡, MDF 300,000㎡, 목재 칩 750,000㎡ - 일자리 수: 782개 - 실행 기간: 2009~2019년
하바롭스크 변강주 라조 자치구 "목재 가공단지 조성"[31]
- 투자 기업: "레스프롬 데베(Леспром ДВ)" - 투자목표액: 13억 180만 루블 (현재 투자액 9억 9,760만 루블) - 예상 벌목량: 연간 62,000㎡ - 제품 생산량: 고급 제재목 60,000㎡, 고급 합판 10,000㎡, 연료 펠릿 20,000㎡ - 일자리 수: 68개 - 실행 기간: 2017~2022년

---

28) "Организация производства строганных и профилированных пиломатериалов в пос. Березовый Солнечного района Хабаровского края".

29) "Создание деревообрабатывающего предприятия в Хабаровском крае".

30) "Создание Дальневосточного центра глубокой переработки древесины на основе производств в пос. Ванино, Хабаровского края".

31) "Создание лесоперерабатывающего комплекса в муниципальном районе им. Лазо Хабаровского края".

"하바롭스크 변강주 목재 가공 기업 조성"[32]
- 투자 기업: "로기스틱 레스(Логистик Лес)"
- 투자목표액: 34억 3,350만 루블
- 예상 벌목량: 연간 776,000㎥
- 제품 생산량: 건조재 380,000㎥, 연료 펠릿 150,000톤, 목재 칩 230,000㎥
- 일자리 수: 244개
- 실행 기간: 2016~2022년
하바롭스크 변강주 호르 마을, 섬유판 연간 150,000㎥ 생산 규모 공장[33]
- 투자 기업: "림부난 히자우 MDF(Римбунан Хиджау МДФ)"
- 투자목표액: 47억 3,920만 루블
- 예상 벌목량: 연간 1,977,000㎥
- 제품 생산량: MDF 150,000㎥, 제재목 469,000㎥
- 일자리 수: 830개
- 실행 기간: 2008~2019년

출처: 하바롭스크 변강주 삼림청(les.khabkrai.ru), 필자 재구성

Ⅳ. 하바롭스크 변강주 임업 발전 방향 및 문제점 분석

러시아는 풍부한 임산 자원을 보유하고 있음에도 불구하고 목재시장 수요에 비교적 느리게 적응해 왔다. 하지만 최근 새로운 임업 발전 전략과 프로그램들을 실행하며 러시아 임업에 근본적이고 구조적인 변화를 가져오고 있다.

러시아 임업의 분야별 발전 방향은 크게 6가지로 구분해 볼 수 있다. 우선 첫째, 목조 주택 건설 분야이다. 현재 러시아의 목조 주택 건설 비중은 약 12%에 불과한 실정이나, 북미나 서유럽의 경우 40%대에 이르고 있다. 러시아는 다양한 기능성 자재를 개발해 주택뿐만 아니라 여러 사회시설 등에 적용하고 도시

---

32) "Создание деревообрабатывающего предприятия" в Хабаровском крае".

33) "Завод по производству 150 тыс. куб. м в год древесноволокнистых плит МДФ/ТХДФ(пос. Хор Хабаровского края)".

계획 정책에도 기여하려 하고 있어 발전 가능성이 높은 분야이다. 둘째, 바이오 연료 분야이다. 러시아 목재 산업에서 가장 중요한 제품 중에 하나가 연료 펠릿이다. 목재 펠릿은 친환경 연료를 제공할 뿐만 아니라 임업 폐기물 재활용 문제를 해결하고 있다. 러시아의 바이오연료 수출은 꾸준히 성장하고 있으며, 펠릿 생산량을 증대 시킬 수 있는 큰 잠재력을 지니고 있다. 셋째, 셀룰로오스-제지산업이다. 전 세계적으로 셀룰로오스-제지제품 수요가 2030년까지 연간 약 1,700만 톤으로 증가할 것으로 예상되는 가운데, 주요 소비국인 중국, 인도와 지리적으로 가까운 러시아는 이를 선점하기 위해 다양한 프로젝트를 마련하고 있다. 넷째, 합판 산업이다. 러시아는 전통적으로 자작나무 합판의 최대 생산국이다. 자작나무 합판의 경우 활용도가 매우 다양해 이미 시장을 선점하고 있는 러시아의 임업 발전을 위한 핵심 분야라 할 수 있다. 다섯째, 가구 산업이다. 가구는 제조공정이 다소 복잡해 러시아 내 생산량은 많지 않았으나, 국내 수요가 회복되면서 2000년대 초부터 비약적으로 생산량이 증가했다. 지속적인 발전을 위해서는 품질이나 가격경쟁력 확보 노력이 필요하다. 여섯째, 제재업이다. 러시아 내 관련 기업 수는 2만 여개에 달하며, 제재목 수출량은 캐나다에 이어 세계 2위의 규모이다. 러시아 정부는 내수 시장뿐만 아니라 세계적으로 제재목 수요가 증가할 것으로 예상하고 생산 능력을 향상시킬 계획을 하고 있다.

이러한 러시아 임업의 분야별 발전 방향에 맞춰 실시하고 있는 하바롭스크 변강주 임업 발전 정책의 목표 달성을 위해서는 관련 기업들에 임산 자원 공급 보장을 통한 지속가능하고 적절한 개발 및 투자 프로젝트의 실현이 필수적이다. 하지만 그동안 정부의 노력과 업계의 실적 개선에도 불구하고 변강주 임업의 외부 시장 의존도는 여전히 높으며, 벌채분야는 자원 부족 및 품질 저하 문제가 계속해서 제기되고 있다. 삼림자원은 풍부하지만 벌목이 수월한 지역들은 이미 대부분 개발되었으며, 개발이 덜 이루어 진 변강주 북부나 새로운 대규모 벌목지 개발을 위해서는 임도 건설 등 많은 투자비용이 발생해 경제성이 낮은 상황이다. 또한 2015년 18만 4,500ha에 이르는 대규모 화재 등 매년 크고 작은 화재로 삼림자원이 소실되고 있는 것도 문제점이다.

다양한 임업 발전 프로그램들이 마련되고 있지만, 현재 임업 단지 개발을 위한 혁신적인 활동은 다소 둔화되어 있으며, 이로 인해 투자 매력도 또한 다소 약화되었다. 우선 자본 집약적이고 에너지 집약적인 목재 가공 산업 발전을 위한 재정 지원이 부족한 것이 가장 큰 원인이며, 투자금 회수 기간과 프로젝트 실행을 위한 행정적 장벽도 문제점 중 하나라 할 수 있다. 특히 셀룰로오스 공장의 경우 고비용의 장기 투자가 필요하고, 안정적인 경영을 위해서는 다량의 원재료 공급이 원활하도록 원료 공급지와 가까운 곳에 위치하거나 목재 운송 네트워크가 발달해 있어야 한다. 하지만 앞서 언급했듯이 동 지역의 경우 삼림자원에 대한 접근성이 결여되어 있으며, 또한 국내외 시장에 대한 접근성도 고려해야 할 과제이다. 결국 이러한 문제점들을 해결하기 위해서는 대규모 투자 유치를 통한 프로젝트의 이행이 우선적으로 보장 되어야한다. 즉 하바롭스크 변강주가 계획하고 있는 셀룰로오스-제지 공장도 투자 환경 개선과 정부의 적극적 지원이 우선되어야 가능한 사업이다.

이에 주 정부는 기업의 지급능력을 높이기 위한 원목 수출 관세 완화, 투자 프로젝트 시행 기업의 원자재 운송비 감면, 기업 대출에 대한 정부 보조금 지급, 러시아 평균 수준의 에너지 요금 부과, 임산자원 관리를 위한 정확하고 지속적인 정보 제공 등의 정책을 시행중이이며, 또한 현재 진행되고 있는 6개의 임업 우선 프로젝트(총 예산 331억 5,720만 루블)의 실행이 궁극적으로 하바롭스크 임업 단지를 대형 클러스터로 통합하고, 지역 임업 분야의 투자 매력도를 증가시켜 신규 일자리 창출 등 지역 경제에 많은 기여를 할 것으로 기대하고 있다.

V. 결론: 한·러 임업 협력 현황 및 전망

한국과 러시아는 수교 30주년인 2020년 한·러 자유무역협정(FTA) 협상 완료를 목표로 교역 활성화에 노력하고 있다. 특히 한국 기업들은 극동 러시아를 거점으로 한 북방경제권과의 협력 강화에 힘쓰고 있으며, 극동지역을 유럽으로 경제교류영역을 확장할 수 있는 시작점으로 인식하고 있다.

한국 정부는 신북방정책을 통해 2017년 동방경제포럼에서 9개 다리(bridges) 전략을 제시하며 양국 경제 협력 활성화 방안을 모색하고, 한국 기업들의 러시아 진출을 위한 한-러 비즈니스 다이얼로그 등 다양한 플랫폼을 조성하고 있다. 그리고 러시아는 극동지역에서의 실질적인 협력 유치 사업으로 수산, 유통, 관광산업과 더불어 임업 및 목재 가공업을 꼽으며, 한국의 진출 및 협력을 적극 요청하고 있다.

러시아 연방은 임업 대국이다. 전통적으로 러시아의 임업은 국가경제에서 중요한 부분을 차지해 왔으며, 임산자원은 건설, 농업 등 여러 산업 분야에 폭넓게 이용되고 다양한 형태로 수출되고 있다. 하지만 자원 보유량 등 발전 잠재력이 크고, 목재 생산량도 꾸준히 증가하고 있음에도 불구하고 러시아 경제에 대한 기여도는 크지 않다. 그리고 러시아의 유망 산업 중 하나이나 원자재 가격 하락과 국내외 시장 다변화 등 많은 문제들이 산적해 있는 것도 현실이다. 이에 연방 정부와 하바롭스크 변강주 정부는 목재 가공 및 고부가가치 제품 생산을 통한 임업 발전 촉진에 노력하고 있다.

러시아 극동지역의 임업은 오랜 전략 산업 중 하나이며, 지방 정부는 지역 개발 사업의 일환으로 임업 발전 전략을 마련하고 관련 프로그램을 실행해 오고 있다. 특히 하바롭스크 변강주는 극동지역에서 가장 높은 수준의 삼림자원을 보유하고 있어 발전 잠재력이 매우 크다.

이와 반대로 한국은 목재 자급률이 낮아 대부분 수입에 의존하고 있다. 2018년 기준 연간 목재류 수입액은 약 59억 달러에 달하며 주요 수입국은 베트남, 인도네시아, 캐나다, 중국 등이다. 러시아에서 수입하고 있는 목재류는 2억 9,327만 달러(전체 목재류 수입액의 약 5.0%, 10위) 규모로, 주로 펄프류 (1억 2,521만 달러), 제재목(1억 244만 달러), 합판(5,129만 달러), 칩(1,087만 달러), 원목(158만 달러) 등을 수입하고 있다.

⟨표 2-15⟩ 목재류 주요 수입국 순위(2017~2018년)

순위	2017년		2018년	
	국가명	금액(천 달러)	국가명	금액(천 달러)
	합계	5,165,347.93	합계	5,873,108.10
1	인도네시아	566,798.14	베트남	789,136.29
2	중국	538,085.70	인도네시아	686,742.36
3	베트남	508,327.46	캐나다	521,946.90
4	캐나다	472,894.07	중국	503,208.28
5	미국	450,438.62	미국	478,329.62
6	뉴질랜드	404,781.39	칠레	436,659.88
7	칠레	398,805.93	뉴질랜드	393,218.47
8	말레이지아	286,691.15	브라질	337,198.47
9	러시아	247,966.73	말레이지아	311,730.96
10	브라질	237,606.95	러시아	293,272.78

출처: 산림청 임산물 수출입통계(forest.go.kr)

최근 국제시장에서 목재수요는 감소추세이며 한국의 경우도 원목, 성형목재, 합판 등의 수입은 감소하고 있다. 하지만 한국의 전체 목재류 수입액은 증가하고 있으며, 또한 러시아 목재류 수입액도 증가 추세이다.

[그림 2-6] 한국의 목재류 수입액 추이(2014~2018년) (단위: 천 달러)

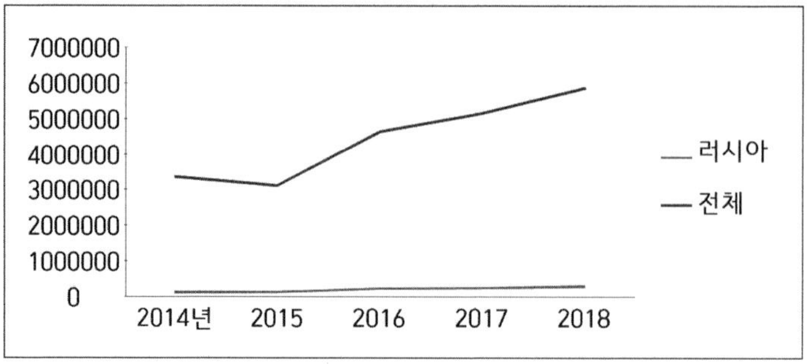

출처: 산림청 임산물 수출입통계(forest.go.kr), 필자 재구성

　물론 한국 정부도 임산업 구조 변화를 위해서 수종을 갱신해 우량 목재의 생산을 늘리는 등 국내산 목재를 안정적으로 공급하기 위한 노력을 지속해오고 있다. 수입 원목을 가공한 목제품도 일부 수출하고 있다. 하지만 현재로써는 임산물 수급량의 대부분을 수입재에 의존하고 있어 국제 시장 동향과 주요 목재 수출국들의 임업정책에 예의주시해야 하는 상황이다.

　한국과 러시아는 경쟁국이기 보다는 상대국의 산업을 보완할 수 있는 위치에 있다. 이 부분이 양국 협력에 가장 긍정적으로 작용할 수 있는 요소라 할수 있다. 임업의 경우 삼림보호, 벌채, 목재 가공품 생산, 인프라 조성 등 다양한 분야에서의 협력이 가능해 한·러 양국이 서로 윈윈할 수 있는 협력 모델을 구축할 수 있는 산업이다. 또한 러시아의 중앙 및 지방 정부가 새로운 임업 발전 프로젝트를 실행하고 있는 현 시점은 양국 임업 협력 발전의 새로운 전기를 마련할 수 있는 중요한 시기라 할 수 있다. 러시아는 원목(비가공 목재)에 대한 관세율을 높여 부가가치가 높은 가공목재 수출로 임업 구조를 변화하고 있어 러시아와의 임업 협력 사업은 현지의 풍부한 자원을 활용한 목재 가공업 협력이 될 것이다.

러시아 연방 삼림법에 의거 각 연방주체들은 삼림의 이용과 보호, 재조림을 위한 삼림 계획을 수립하고 구역에 따라 삼림을 경영하고 있다. 즉 삼림관리 체계가 분권화 되면서 삼림지 경영 주체가 지방 정부로 이관됨에 따라 하바롭스크 변강주도 특별자연보호구역으로 지정된 일부 지역을 제외한 모든 삼림지를 주 정부가 직접 관리하고 있다. 따라서 러시아와의 임업 협력 및 진출을 위해서는 지방 정부와의 협력관계가 매우 중요하다. 하바롭스크 변강주의 경우 이미 한국과 경제발전경험공유사업(KSP)을 진행해 지식 공유와 경제협력을 위한 발전방안을 모색한 경험이 있어 실질적 교류를 위한 기반이 마련되어 있는 상황이다. 특히 임업 발전 잠재력이 높은 하바롭스크 변강주와의 협력은 다각적인 극동진출과 협력에도 긍정적인 효과를 가져올 수 있을 것이다.

최근 역동적으로 발전하고 있는 러시아 극동지역의 잠재력 고찰과 진출 전략 모색은 각 연방 주체의 중점 산업 개발 분석으로 구체화되어야 한다. 지역별 산업별 협력 가능성 모색을 위해 개발 프로젝트 및 발전 전략 등에 대한 지속적인 모니터링과 연구 분석이 요구된다.

〈참고문헌〉

Государственная программа Российской Федерации "Развитие лесного хозяйства" на 2013-2020 годы.

Государственная программа Российской Федерации "Социально-экономическое развитие Дальнего Востока и Байкальского региона," утверждена распоряжением Правительства РФ от 29 марта 2013 г. № 466-р.

Государственная программа Хабаровского края "Развитие лесного хозяйства в Хабаровском крае".

Комплексная региональная программа "О развитии лесопромышленного комплекса Хабаровского края до 2020 года," утверждена распоряжением Правительства Хабаровского края от 12 декабря 2015 года № 942-рп.

Лесной план Хабаровского края на 2009 - 2018 годы.

Лесной план Хабаровского края на 2019 - 2028 годы.

Паспорт федерального проекта "Сохранение лесов".

Подпрограмма 3 "Развитие лесопромышленного комплекса Дальнего Востока и Байкальского региона" государственной программы Российской Федерации "Социально-экономическое развитие Дальнего Востока и Байкальского региона".

Постановление № 75 "О внесении изменений в постановление Правительства Российской Федерации от 23 декабря 2006 г. № 795 в отношении отдельных видов лесоматериалов необработанных".

Постановление Правительства Российской Федерации от 30 июня 2007 г. № 419 "О приоритетных инвестиционных проектах в области освоения лесов".

Приказ Министерства природных ресурсов и экологии Российской Федерации от 18 августа 2014 г. № 367 "Об утверждении Перечня лесорастительных зон Российской Федерации и Перечня лесных районов Российской Федерации".

Развитие лесного хозяйства в Хабаровском крае. Правительство Хабаровского края, 2018.

Распоряжение Правительства Российской Федерации от 31 марта 2011 г. "План мероприятий по реализации Стратегии социально-экономического развития Дальнего Востока и Байкальского региона на период до 2025 года утвержденной распоряжением Правительства Российской Федерации от 28 декабря 2009 г. №

2094-р".

Распоряжение Правительства Российской Федерации от 26 сентября 2013 г. № 1724-р.

Региональный проект "Сохранение лесов (Хабаровский край)".

Стратегия развития лесного комплекса Российской Федерации до 2030 года, утверждена распоряжением Правительства Российской Федерации от 20 сентября 2018 года № 1989-р.

Федеральный закон "О стратегическом планировании в Российской Федерации".

федеральный проект "Сохранение лесов".

Хабаровский край в цифрах 2018(Краткий статистический сборник). Хабаровский край, 2018.

РОЛЬ КРАСНОЯРСКОГО КРАЯ В ОСВОЕНИИ АРКТИКИ И РАЗВИТИИ СЕВЕРНОГО МОРСКОГО ПУТИ
(современное состояние и перспективы)

Шадрин А.И. · Шишацкий Н.Г.*

В статье с современных позиций рассматривается новая экономическая (общественная) география одного из крупнейших и значимых субъектов Российской Федерации. Нами восприняты как представления выдающихся ученых российской экономической географии Н.Н. Баранского, Н.Н. Некрасова, Н.Н. Колосовского, так и представителей зарубежной географии, регионалистики и региональной экономики, в частности подходы П. Кругмана, М. Портера и других в том числе корейских исследователей.

Красноярский край является одним из важнейших регионов России с колоссальным минерально-сырьевым и развитым производственным, научно-образовательным и инновационным потенциалом, входящим в XXI век как динамично и устойчиво развивающийся регион.

Авторы разделяют точку зрения о преобразовании традиционной экономической и социальной географии в новую научную и учебную дисциплину, получившую признание в научном сообществе как общественная география, представители которой объединились в 2010

※ 이 논문은 『북극연구』 18호에 게재된 것임

* Krasnoyarsk Pedagogical University

году в ассоциацию российских географов обществоведов (АРГО) (http://argo.sfedu.ru/content/uvazhaemye-kollegi-vnimanie-vy-nakhodites-na-starom-saite-argo-obnovlenie-kotorogo-prekrashc).

Красноярский край является уникальным объектом экономико-географических и междисциплинарных исследований в силу ряда объективных причин политического, исторического и социально-экономического характера. Данный регион отличается разнообразием природных и социально-экономических условий, различием в структуре хозяйства и региональной системе расселения населения.

Численность населения края по состоянию на 1 января 2018 г. составляет около 2,9 млн человек (2,1 % от численности населения России). По численности населения край занимает ведущее место среди субъектов Российской Федерации. В крае преобладает городское население. Расселение населения по территории края отличается крайней неравномерностью. Большая часть населения сосредоточена в центральной и южной части края, занимающей более 10 % территории региона, где сосредоточена основная часть городов и населенных пунктов и проживает около 90% населения.

Географическое положение Красноярского края имеет ряд специфических особенностей, отличающих его от других субъектов Российской Федерации. Он расположен в северо-восточной части крупнейшего материка земного шара – Евразии и центре Российской Федерации между 51° и 81° с.ш. и 78° и 113 ° в.д., простираясь от берегов Северного Ледовитого океана до гор Южной Сибири почти на 3000 км (рис. 2-7).

Рисунок 2-7. Красноярский край на карте мира.

• Красноярский край расположен в основном в пределах Восточной Сибири, в бассейне реки Енисей. К территории края относятся два полуострова: Таймырский и восточная часть Гыданского. В состав региона входят многие острова Северного Ледовитого океана: Сибирякова, Вилькицкого, Уединения, Олений, Диксон, Норденшельда и другие. К территории Красноярского края относятся острова архипелага Северная Северная Земля, самая северная точка которого, мыс Арктический, расположена менее чем в 1000 км от точки Северного Полюса. Арктическая зона занимает почти 40% территории региона. Континентальная самая северная точка находится в регионе.

Самая южная часть границы края находится менее чем в 200 км от границы с Китайской народной республикой и всего лишь в 110 км от центра Азии, точка которого находится в столице республики Тува, городе Кызыле на месте слияния Бий-Хема (Большого Енисея) и Каа-Хема (Малого Енисея).

Красноярский край равноудалён от берегов морей Атлантического и Тихого океанов. Протяженность с запада на восток в самом широком месте составляет 1250 километров, а вдоль Транссибирской железнодорожной магистрали - 650 километров. В самой узкой части - 450 км.

Красноярский край располагается вдоль левого берега Енисея по восточному краю низменной Западно-Сибирской равнины, а вдоль правого на значительном пространстве вдоль Среднесибирского плоскогорья, высота которого достигает 500 -700 м выше уровня моря.

Информация о местоположении Красноярского края с подробными данными представлена на интерактивной карте (https://rus.bz/map/2366).

Красноярский край - второй по площади субъект Российской Федерации, занимает 2366 тыс. кв. км (или 13,9% всей территории страны), около половины площади Сибирского федерального округа и более 50 % площади Восточно-Сибирского экономического района. По площади в Российской Федерации край уступает только своему восточному соседу - Республике Саха (Якутия). На площади края разместилась бы половина территории Европейской части России. По своей величине территория Красноярского края в 10 раз больше территории Великобритании и в 4,5 раза – Франции. В сравнении площади территории Республики Корея можно привести сопоставимый по размерам один из районов - Енисейский район.

В Красноярском крае на юго-восточном берегу оз. Виви (Эвенкийский муниципальный район) практически на широте Северного Полярного круга расположен *географический «Центр России»*, утвержденный Федеральной службой геодезии и картографии России. В 1992 году на его месте установлен монумент — семиметровая стела с двуглавым орлом на вершине. Его географические координаты - 66°25´ с.ш., 94°15´ в.д., (рис. 2-8).

Рисунок 2-8. Географический центр России (озеро Виви) (Фото Гаврилова И.К., 2014 г.)

На севере край омывается Карским морем и морем Лаптевых. На востоке край граничит с республикой Саха (Якутия) и Иркутской областью, на юге – с республикой Тува и с республикой Хакасией, на западе – с Республикой

Алтай, Кемеровской и Томской областями, а также с Ханты-Мансийским и Ямало-Ненецким автономными округами. Положение Красноярского края в Российской федерации показано на рис. 2-9, Международных соседей край не имеет, за исключением выхода в мировой океан на севере.

Рисунок 2-9. Положение Красноярского края в системе регионов России

Край удален от развитых зарубежных стран на западе и на востоке. Значительная часть территории края приходится на районы Крайнего Севера и приравненных к ним местностях. Северные районы края слабо заселены и практически не освоены.

В настоящее время изолированность, оторванность и «островной» характер функционирования территорий Севера и Арктики сдерживает развитие как самих северных и арктических территорий, так и России в целом.

Экономико-географическое положение Красноярского края имеет специфические черты. Красноярский край имеет выгодное экономико-географическое положение в центре России, и отсюда - возможность выхода на российский и международный рынок. Через край проходят железнодорожные, воздушные, автомобильные, речные, морские и трубопроводные магистрали, обеспечивающие выход по направлениям "восток-запад", "север-юг" (в том числе транзитного назначения). К недостаткам относится слабая транспортная освоенность северной части края.

Особенности экономико-географического положения края характеризуются:

• соседством на юге с республиками Хакасия и Тува и экономическими связями, осуществляемыми с ними по Усинскому (Красноярск - Минусинск - Кызыл) и Абазинскому (Абакан — Абаза — Ак -Довурак) трактам;

• возможностью усиления связей с Монголией и Китайской народной республикой с примыканием в перспективе к новому "Шелковому пути";

• возможностью открытия круглогодичной навигации в связи с освоением Арктики и дальнейшим развитием Северного морского пути, что обеспечит дальнейшее развитие края за счет северных и арктических районов;

• многонациональностью (по переписи населения 2010 г. здесь проживают 124 национальности. Коренное население (долганы, ненцы, эвенки, нганасаны, кето, энцы, селькупы) имеет чётко выраженные этнические ареалы своего обитания.

Доминирующее положение в транспортной системе Красноярского края занимает железнодорожный транспорт. На его долю приходится более 90 % всего грузооборота края. В управленческом аспекте крупнейшей транспортной компанией Красноярского края является Красноярская железная дорога (http://kras.rzd.ru/).

Решающее значение для развития производительных сил Красноярского региона, включающего Красноярский край, республики Хакасия и Тува будет иметь железная дорога Кызыл - Курагино (рис. 2-10), которая обеспечит освоение Казырской группы железорудных месторождений (Красноярский край) и Элегестского месторождения угля (республика Тува).

Железная дорога пройдет в районе населенных пунктов Бугуртак, Качулька, Подгорный, Верхний и Нижний Кужебар в Красноярском крае, а также Аржаан и Ээрбек в Туве.

(http://ru.wikipedia.nom.si/wiki/Железная_дорога_Курагино_—_ Кызыл#Маршрут;

https://yandex.ru/images/search?img_url=http%3A%2F%2Fold. msun.ru%2FVector%2Fwww%2FCap_Vruhgel%2FKuragino-tuva-proekt. files%2Fimage018.jpg&p=2&text=железная%20дорога%20кызыл%20 курагино%202017&noreask=1&pos=63&rpt=simage&lr=62; http:// ru.wikipedia.nom.si/wiki/Файл:Zheldor_Kuragino-Kyzyl.gif.)

В районе устья реки Енисей могут быть использованы заброшенные и частично действующие участки железной дороги Салехард - Игарка (рис. 2-10).

Рисунок 2-10. Проектируемая железная дорога Курагино - Кызыл.

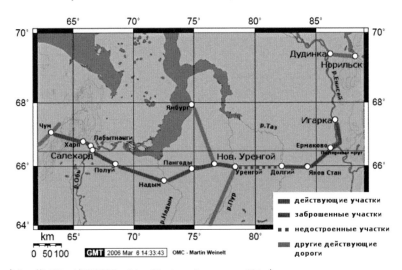

ПРОЕКТ СТРОИТЕЛЬСТВА ЖЕЛЕЗНОДОРОЖНОЙ ВЕТКИ
КЫЗЫЛ—КУРАГИНО ИСТОЧНИК: РЖД.

Рисунок 2-11. Участки железной дороги Салехард - Игарка

(https://fishki.net/1567645-salehard-igarka---doroga-smerti.html)

Ядро транспортной инфраструктуры:

- сеть широтных и меридиональных железных дорог, включающая: строящуюся железнодорожную линию Салехард — Коротчаево — Игарка — Норильск.

Рисунок 2-12. Перспективные железнодорожные магистрали на Востоке России.

(https://yandex.ru/images/search?text=полярно%20сибирская%20магистраль%20и%20севе ро%20сибирская%20магистраль&noreask=1&img_url=http%3A%2F%2Fwww.doc22.ru%2Fima ges%2Fstories%2F2013%2F07-09%2F20130813_sib06.jpg&pos=6&rpt=simage&lr=62).

- проектируемая Северо-Сибирскую магистраль Усть-Илимск - Ярки - Лесосибирск - Белый Яр - Нижневартовск;

- меридиональная железная дорога по правому берегу Енисея от Игарки до Лесосибирска.

К числу новых железных дорог, которые в перспективе окажут влияние на развитие Красноярского края относятся Северо-Сибирская и Полярно-Сибирская железнодорожные магистрали (рис. 2-12).

Развитие *водного (речного и морского) транспорта* обусловлено наличием широкой сети рек и большим количеством озер, во все периоды являющихся жизненно важными путями передвижения. Одна из крупнейших рек мира Енисей издавна является основной транспортной системой не только Красноярского края, но и других регионов страны.

Водные маршруты позволяют расширить возможности оптимизации транспортно-логистического доступа к ресурсам северных и арктических регионов России и выйти на международный уровень. Высокую конкурентоспособность Северного морского пути отмечают и корейские ученые Moon D.S., Kim D.J., Lee E.K.

В низовье Енисея имеется два порта для приема океанских судов - Игарка и Дудинка. Порты, расположенные доступны для захода морских судов. Речные порты городов Дудинка, Красноярска и Лесосибирска на реке Енисей обеспечивают взаимодействие морского, речного, автомобильного и железнодорожного транспорта. Значение инфраструктурного коридора «Енисей-Северный морской путь» связано с возможностью организации

Рис 2-13. Енисейские маршруты

(https://yandex.ru/images/search?text=схема%20грузовых%20перевозок%20на%20севе
р%20Красноярского%20края&img_url=https%3A%2F%2Fas-sib.com%2Fwp-content%2Fupload
s%2F2015%2F05%2FRechnyie-perevozki-po-Eniseyu.jpg&pos=2&rpt=simage&lr=62)

транзита грузов (контейнерные перевозки) по меридиональной инфраструктурной оси (мультимодальному транспортному коридору) : Красноярский край- Хакасия -Тува- Монголия –Китай-Республика Корея.

Почти вся система речного транспорта приурочена к реке Енисей, по которой осуществляется транспортировка грузов из Красноярска на север края. Река Енисей подходит для навигации от его слияния в республике Тува до устья. Реки Подкаменная Тунгуска и Ангара используются до впадения в Енисей в судоходный период. Так, на рис. 2-13. представлена схема доставки грузов в один из перспективных районов Красноярского края - на Ванкорское месторождение нефти. Два крупных речных порта имеются в Красноярске и Лесосибирске. В эти порты, расположенные в

Рисунок 2-14. Схема доставки грузов на Ванкорское месторождение нефти

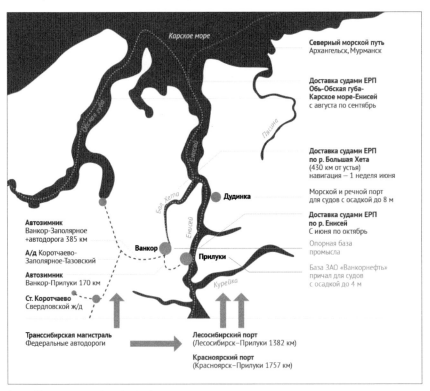

(https://www.e-river.ru/map/vankor)

среднем течении реки Енисей, возможен заход судов класса "река-море".

Перспективы *экономического сотрудничества Красноярского края с республиками Хакасия и Тува*, образующими единое целое на пространстве Енисейского меридиана (Енисейской экономической зоны - Енисейской Сибири), которые длительное время были и являются единым экономическим районом.

Природные ресурсы играют решающую роль в специализации края на производстве отдельных видов продукции. На территории Красноярского края присутствуют практически все виды топливно-энергетических и минерально-сырьевых ресурсов. Решающее значение имеют лесные, гидроэнергетические и другие ресурсы. Большие объемы, сочетания и качество природных ресурсов позволяют использовать их в различных *энергопроизводственных циклах*. Край занимает первое место в России по запасам древесины. Более 80% территории края покрыто лесами. Большое значение имеют водные и гидроэнергетические ресурсы. Второе место в России принадлежит краю по запасам гидроэнергетических ресурсов. Красноярский край является крупнейшим производителем электроэнергии. Избыток электроэнергии способствует развитию энергоемких производств и транспортировке электроэнергии в другие регионы России и за рубеж. Край обладает значительными запасами бурого угля, нефти и газа. Красноярскому краю также принадлежит ведущее место в России по общегеологическим запасам никеля, платиноидов, магнезитов, исландского шпата и других полезных ископаемых. Здесь находятся месторождения природного камня, нерудных строительных материалов.

Географические особенности Красноярского края характеризуются слабой заселенностью и хозяйственной освоенностью территории, удаленностью от главных экономических и культурных центров России и мира. Основные международные и межрегиональные экономические связи Красноярского края осуществляются, в основном, через западные и восточные регионы России.

Стратегия комплексного развития северных и арктических территорий России должна исходить из новой современной (рыночной) модели развития, адекватной глобальным и российским вызовам.

Красноярский край в системе глобальных связей занимает ведущие позиции и как субъект Российской федерации входит в состав различных международных союзов, организаций и межрегиональных интеграционных структур, созданных и функционирующих с различными целями, это: Союзное государство России и Белоруссии, Содружество Независимых Государств (СНГ).

- Красноярский край участвует в работе:

- Евразийского экономического сообщества (ЕВРАЗЭС), деятельность которого направлена на реализацию внешнеторговой и таможенной политики с целью создания единого экономического пространства;

- Тихоокеанского экономического совета (ТЭС), созданного для содействия развитию торговли и инвестициям на принципах открытой рыночной экономики;

- Совета Тихоокеанского экономического сотрудничества (СТЭС), созданного для содействия активизации торговли, инвестиций и экономического развития в странахАзиатско-Тихоокеанского региона;

- Организации Азиатско-Тихоокеанского экономического сотрудничества (АТЭС).

- Красноярский край является участником межгосударственных договоров о формировании энергетических мостов "Сибирь - страны Юго - Восточной Азии".

- Красноярский край является значимым субъектом на международных рынках капитала, товаров и услуг, рабочей силы, информации и инвестиций.

Данный регион оказывает влияние на геополитическую, геоэкономическую и глобальную экологическую ситуацию. Создание занимающего значительную территорию в центре Сибири и экономически сильного "региона - локомотива" позволит России реально выполнять функции связующего звена в активизирующемся процессе экономической и геополитической интеграции Европы, стран Центральной Азии и Азиатско-Тихоокеанского региона. Освоение российской части Арктики и развитие международного судоходства по Северному морскому пути, организация регулярных трансполярных авиаперевозок между Южной и Юго-Восточной Азией и Северной Америкой, строительство меридиональных нефте - и газопроводов до Диксона, до Находки и Дацина (Китайская народная республика), строительство нефтепровода «Восточная Сибирь – Тихий океан» и газопровода «Сила Сибири» также усиливают роль Красноярского края как полюса экономического роста сопредельных регионов Российской федерации и зарубежных стран.

Красноярский край приобретает уникальное геополитическое положение по сравнению с другими регионами страны: это положение между, западом и востоком России, европейским континентом, странами Азиатско-Тихоокеанского региона, Красноярский край имеет выход в мировой океан, связь с которым осуществляется по Северному морского пути, особенно значимому в связи с вниманием мирового сообщества к Арктике, а выход в морские бассейны обеспечивается через морские порты края.

Красноярский край является одним из лидеров среди субъектов Федерации по важнейшим макроэкономическим показателям — численности населения, валовому региональному продукту (ВРП), промышленному производству, объему строительных работ, инвестициям в основной капитал и их вкладу в общие показатели развития страны. Красноярский край входит в число регионов-доноров Российской федерации. Благодаря уникальным природным ресурсам и принятым в предшествующий период решениям в регионе развиты топливно-энергетический комплекс, цветная металлургия (медно-никелевая, алюминиевая, золотодобывающая промышленность), добыча и переработка других полезных ископаемых, лесная и деревообрабатывающая промышленность.

Здесь производится более 80% общероссийского объема никеля (около 20% мирового производства), более 70% меди, около 30% первичного алюминия. По объемам добычи золота край выходит на первое место в России и обеспечивает четвертую часть российской добычи, в общероссийском объеме добычи нефти регион обеспечивает значительную часть прироста нефтедобычи и газа.

Структура промышленного производства представлена широким спектром отраслей. Отраслями специализации являются цветная металлургия, топливно-энергетический комплекс, машиностроение, лесная и пищевая промышленность.

В связи с экспорто-ориентированной направленностью Красноярский край входит в число субъектов Российской Федерации, которые обеспечивают в совокупности большую часть товарообмена России с иностранными контрагентами.

Красноярский край существенно преображается, здесь появились важнейшие территориально-производственные комплексы и территориальные кластеры, реализуются инвестиционные проекты российского и мирового уровня, всемерно развиваются объекты социальной инфраструктуры, науки и образования.

Анализ развития Севера и Арктики региона отвечает общим закономерностям функционирования северной рыночной экономики, сформулированным в мире в последние десятилетия (опыт Аляски, Скандинавских и других стран).

В Красноярском крае формируется уникальный территориальный кластер арктической направленности.

Месторождения северного региона:

• Нефтегазовые: Ванкорское, Сузунское, Тагульское, Лодочное, Пайяхское, Байкаловское.

• Природного газа: Пеляткинское, Северо-Соленинское, Мессояхское.

• Каменного угля: Участок реки Лемберова, Сырадасайское.

Край имеет специфические особенности:

• Относится к Крайнему Северу с о сложными и крайне неблагоприятными условиями для постоянного проживания.

• Здесь слабо развита инфраструктура, в том числе транспортная, в сочетании с естественными экономическими и природными ограничениями.

• Имеется опыт реализации крупных инвестиционных проектов, в том числе международного и федерального (Российской Федерации) уровня значимости;

• Возможность усиления связей с Монголией и Китайской народной республикой с выходом на юг на новые «Шелковые пути».

• Северные территории региона являются пионерами (с 1930-х годов) в промышленном и транспортном освоении Севера и Арктики и приполярной зоны Северного ледовитого океана (с 1960-х годов), базой развития восточного сектора Северного морского пути (с 1960-х годов).

• Красноярский регион (Енисейская Сибирь) станет центром новой индустриализации для всей Арктики, важнейшим локомотивом для российской и мировой экономики и центром интеграции новейших арктических ресурсных корпораций и территориальных кластеров России и Республики Корея.

• Осуществляется промышленное и транспортное освоение Севера и Арктики и всесторонняя поддержка коренных малочисленных народов

Севера.

• Происходит дальнейшее освоение Норильского промышленного района с Южным кластером.

• Происходит укрепление его экономической, социально-культурной и рекреационной роли за счет реализации новых природно-ресурсных крупномасштабных (инвестиционных) проектов, освоение новых нефтяных и газовых месторождений и через укрепление экономических, социальных, рекреационных связей между югом и севером региона.

• Наличие руд цветных металлов, нефти, газа, их особой значимостью и востребованность на мировом рынке (минерально—сырьевых ресурсов) обусловливают устойчивый экономический интерес со стороны как российских, так и иностранных инвесторов (в том числе из Республики Корея).

Отраслевая специализация северной части края:

• Норильский промышленный район с ЗФ ОАО «ГМК «Норильский никель» и компания «Русская платина».

• ОАО «Нефтяная компания «Роснефтъ», «Ванкорнефтъ», «ВостокУголь» ОАО ГидроОГК.

• В территориальном плане саециализация:

• Город Норильск: административный, культурный и образовательный центр, цветная металлургия, транспорт и логистика, энергетика.

• Таймырский (Долгано-Ненецкий) район: добыча углеводородного сырья, транспорт и логистика, традиционные промыслы, добыча угля, добыча золота

• Туруханский район: добыча углеводородного сырья, традиционные промыслы, горнодобывающие отрасли, золотодобыча

• Эвенкийский район добыча углеводородного сырья, традиционные промыслы, теплоэнергетика, добыча угля, лесозаготовка.

• Прибрежные населенные пункты у рек и Северного морского пути: административные функции, традиционные отрасли (рыбный промысел, охота, сбор дикоросов и др.) по этническому признаку (малых народов) и традиционные отрасли для пришлого населения.

• Ванкорский и Юрубчено-Тохомский нефтегазовый кластеры.

• Туруханская (Эвенкийская) ГЭС.

• В наиболее крупных, выгодно расположенных населенных пунктах (Хатанге, Диксоне, Туруханске и др.) будут организованы локальные информационно-логистические базы.

• Традиционные виды хозяйствования и природопользования (в том числе коренных малочисленных народов Севера).

Инвестиционные проекты:

• окончание строительства нефтепровода Ванкор-Пурпе для обеспечения поставки Верхне-Хетской нефти к транспортной системе.

• реконструкция газопроводной системы с газоконденсатных месторождений Пеляткинской группы месторождений.

• строительство второй ветки конденсатопровода «Пелятка» - г.Дудинка;

• формирование арктической сети трубопроводов для сбора углеводородного сырья с шельфовых и материковых месторождений правобережья Енисея с выводом их на морской нефтяной терминал в порт

Диксон.

Дальнейшие направления сотрудничества Российской Федерации и Республики Корея:

• Красноярский регион как форпост и драйвер развития Российской Арктики, опирающийся на многолетний опыт индустриального развития Севера и Арктики, при условии взаимодействия всех субъектов рыночной экономики, в том числе иностранных инвесторов (и Республики Корея) получит дальнейшее развитие.

• Изучение и перспективы развития транспортной и логистической инфраструктуры Арктики.

• Анализ тенденций и комплексные исследования стратегии и политики развития арктического маршрута в отдельных странах, проблемы и последствия их реализации, противоречия и вызовы корейско-российского сотрудничества, возможность увязки развития арктического маршрута и взаимоотношения стран участников.

• Применение научной исследовательской парадигмы для понимания и внедрение новых международных отношений и действий отдельных государств (в том числе Республики Корея) в Арктике.

• Реализация конкретных инвестиционных проектов зарубежными странами, в том числе Республики Корея в Российской Арктике.

• Развитие новых отраслей и направлений хозяйства и социумов, новых машин, механизмов, проборов, оборудования, технологий, методов поиска полезных ископаемых, методов управления- на основе взаимодействия с Республикой Корея.

• Разработка образовательных программ и проведение научных исследований, реализуемых научными организациями и вузами России и Республики Корея в интересах развития арктической Зоны Российской Федерации.

• Выявление ведущих направлений исследований: экологическая и природоохранная тематика, транспортная и ледокольная политика, проводимая в Арктике.

⟨ Список литературы ⟩

1. Арктика: пространство сотрудничества и общей безопасности / Сост. и науч. ред. – А.В. Загорский. – М.: ИМЭМО РАН, 2010.

2. Безруков Л.А. Экономико-географическое положение Сибири в России и мире // География и природные ресурсы: научный журнал. 2014. № 3.

3. Безруков Н.А. Транспортно-географическая континентальность России: транспортоемкость хозяйства и адаптивные следствия // Изв. РАН. Сер. геогр. 2005. № 3.

4. Малое В.Ю., Безруков Л.А., Шиловский М.В. и др. Азиатская часть России: новый этап освоения северных и восточных регионов страны / под ред. В.В. Кулешова. - Новосибирск: ИЭОПП СО РАН, 2008.

5. Проект «Стратегии социально-экономического развития Красноярского края до 2030 года». http://www.krskstate.ru/dat/File/0/2030strateg_2/strateg23062016.pdf

6. Шадрин А.И. Комплексное развитие региона. Красноярск: КГПУ им. В.П. Астафьева, 2011.

7. Шишацкий Н.Г. Перспективы развития северных и арктических районов *в рамках мегапроекта «Енисейская Сибирь».Арктика и Север 2018, № 3.

part 3. 지문화

러시아 북방 토착 소수 민족의 법적 권리: 법적 규범과 현실

배규성[*]

Ⅰ. 서론

'러시아 북방 원주(토착)민들이'[1]) 러시아의 큰 문제로 대두되고 있다.[2]) 통상 소비에트 체제나 러시아 연방의 "민족문제"에 대해 이야기할 때, 일반적으로 큰 민족 규모(인구수), 그들의 발언과 활동, 정치적 유용성 또는 영향력 때문에 타타르족, 부랴트족 또는 체첸족과 같은 공화국 또는 다른 형태의 국가적 지위(민족 자치구)를 가진 민족집단에 중점을 둔다.

그러나 오늘날 러시아의 가장 심각한 민족문제 중 하나는 그 지위가 열악한 수적으로 소수인 원주민 문제이다. 이들 원주민들은 '러시아연방 북방, 시베리

※ 이 논문은 『한국 시베리아연구』 24권 1호에 게재된 것임

* 경희대학교 국제지역연구원 HK연구교수

1) '러시아연방 북방 시베리아 극동 토착(원주) 소수 민족'(The Indigenous Numerically Small Peoples of the North, Siberia, and Far East of the Russian Federation)은 러시아 법에 의해 고착된 용어이다. 본 논문에서는 "indigenous numerically small peoples(коренные малочисленные народы)"에 대응하여 '토착민'과 '원주민'을 병행하여 사용한다. 기타 개념정의와 관련된 자세한 내용은 2장의 개념정의의 문제를 참조

2) Paul Goble, "Numerically Small Indigenous Peoples Of The Russian North - An Ever Bigger Problem For Moscow" https://upnorth.eu/numerically-small-indigenous-peoples-of-the-russian-north-an-ever-bigger-problem-for-moscow/Analysis, Russia, Window On Eurasia/March 30, 2016. (검색일: 2019. 11. 25.)

아, 극동 토착 소수 민족'(이하 '북방 원주민')들이다. (2장 개념정의 참조) 이들 민족그룹들은 그 작은 규모에도 불구하고 점점 더 큰 문제가 되고 있는데, 그 이유는 그들의 조상 때부터 거주하는 곳에 막대한 천연자원이 있기 때문이다.

'북방 원주민'들은 그동안 역사적 관행, 관습법상의 권리, 현행 헌법과 법률 상의 권리, 국제적 원주민 레짐의 지원 등을 통해 그들의 조상이 소유한 영토 에서 그들의 전통적인 삶의 방식과 경제활동을 유지하며 그들의 전통문화와 언어와 지식을 계승하고 유지할 수 있었다. 그러나 그들이 이러한 다양한 방 식으로 자신을 방어할 기회가 제한을 받는다면, 미래에는 다양한 종류의 복잡 한 삶의 상황이 그들에게 발생할 수 있다. 왜냐하면 '북방 원주민'들이 사는 영 토가 금, 우라늄, 수은, 석유, 가스 및 석탄 등에만 국한되지 않는 물(수자원) 과 나무와 동식물계를 포함하는 풍부한 천연자원을 가지고 있고, 그것의 개발 을 원하는 기업과 정부가 있기 때문이다.

현재 러시아 정부는 '북방 원주민'의 전통적인 삶의 방식과 경제활동을 고려 하기보다는 그들이 현재 살고 있는 땅을 경제적으로 개발하는 것을 방해하지 못하도록 막기 위해 이들 민족집단들의 행동을 억제하려는 경향이 훨씬 더 커 보인다. [3]

'러시아 북방 원주민' 문제는 자원개발에 국가전략적 중점을 두고 추진하고 있는 러시아 정부의 뜨거운 감자가 되고 있다. 국제적 레짐과 국제협약의 기 준을 충족해야 하고, 러시아 헌법과 연방 및 지방 법률에 의해 보장된 '북방 원 주민'의 법적 권리를 보장함과 더불어 러시아 북극권을 자원개발 기지로 구축 해야만 하는 국가적 명령(imperative)에 직면해 있다. 러시아 정부는 적어도 원칙적으로 원주민들이 국가적 요구와 천연자원을 개발하고 싶어 하는 기업

---

3) Ibid.

및 사람들의 요구에 대하여 스스로를 방어할 수 있는 더 큰 능력을 부여하는 '특별 지위 리스트', 즉 '러시아연방 토착(원주) 소수 민족 통일 목록'(Единый перечень коренных малочисленных народов Российской Федерации)을 만들었다. 그리고 이제는 그 스스로 이전에 국가적 홍보의 차원에서 원주민 그룹들에 주었던 특권(?)을 다시 뺏으려고 하고 있다.

따라서 본 논문은 '러시아 북방 원주민'의 개념정의(2장)로부터 시작하여, 러시아 헌법과 연방 및 지방 법률이 이들 소수 원주민 그룹들에게 보장하는 법적 권리(3장), 그리고 이러한 원주민들의 토지 및 자원에 대한 권리 보장의 현실, 즉 법적 규범과 현실의 갭(4장)을 분석할 것이다. 또한 2장 개념정의 문제에서 원주민들의 '거주지' 개념의 중요성을 포함하여 러시아 국내법과 국제법의 차이를 살펴볼 것이며, 4장에서는 3장의 법적 권리와 관련하여 이러한 법적 보장의 전제조건이 되는 '러시아연방 북방, 시베리아, 극동 토착(원주) 소수 민족 통일 리스트'가 소수 원주민 그룹들에 미치는 사회-경제적 의미(특권)도 분석할 것이다.

II. 개념정의의 문제

1. 러시아 국내법의 개념정의

현재 러시아에는 민족으로 지정된 180개 이상의 민족그룹(ethnic groups designated as nationalities)이 있다.[4] 그러나 러시아 연방정부는 특정(아래

---

4) https://www.iwgia.org/en/russia/3369-iw2019-russia(검색일: 2020. 1. 17.)

참조) 조건을 갖춘 민족들을 '러시아연방 토착(원주) 소수 민족 통일 목록'5)에 등록한다. 이 목록에 등재된 토착 소수 민족들은 법적으로 그 지위와 권리를 보장받는다.6) 또한 이 목록에 등재된 40개 토착 소수 민족들은 "러시아연방 북방 시베리아 극동 토착 소수 민족 협회"(RAIPON)7)를 구성했고, 이 협회는 북극이사회에 영구회원기관8)으로 등록되어 있다.

러시아 법률 및 법적 전통에서 독립적인 용어로서 "원주민"이라는 용어는 어디에서도 찾을 수 없다. 그것은 인구 규모와 거주 장소를 나타내는 특정 조건(qualifiers)과 함께 나타난다.

---

5) Единый перечень коренных малочисленных народов Российской Федерации. утверждён постановлением Правительства Российской Федерации от 24 марта 2000 года № 255, а также изменён согласно постановлениям от 13 октября 2008 г. № 760, от 18 мая 2010 г. № 352, 17 июня 2010 г. № 453, 2 сентября 2010 г. № 669, 26 декабря 2011 г. № 1145, 25 августа 2015 г. № 880) http://docs.cntd.ru/document/901757631(검색일: 2020.1.8.)

6) 이 기준은 1999년 4월 30일자 "러시아연방 토착 소수 민족의 권리보장에 관한" 연방법의 첫 번째 조항에 명시되어 있다. "러시아연방 토착 소수 민족"은 조상들의 전통적인 정착지에 거주하고, 그들의 전통적인 삶의 방식, 생계유지 기술을 보존하고, 러시아 내에서 5만 명 미만의 사람들이 민족 공동체로 자기정체성을 가지는 사람들이다." Федеральный закон "О гарантиях прав коренных малочисленных народов Российской Федерации" от 30 апреля 1999 г. N 82-ФЗ. http://www.raipon.info/activity/pravovaia-deiatelnost/federal-legislation/the-federal-law-on-guarantees-of-the-rights-of-indigenous-numerically-small-peoples-of-the-russian-f.php(검색일: 2019.10.18)

7) Ассоциация коренных малочисленных народов Севера, Сибири и Дальнего Востока Российской Федерации (АКМНСС и ДВ РФ)/Russian Association of Indigenous Peoples of the North (RAIPON). 홈페이지(공식 사이트)는 http://www.raipon.info/

8) Permanent Participants of the Arctic Council : ① Aleut International Association (AIA), ② Arctic Athabaskan Council (AAC), ③ Gwich'in Council International (GCI), ④ Inuit Circumpolar Council (ICC), ⑤ Russian Association of Indigenous Peoples of the North (RAIPON), ⑥ Saami Council (SC)

법적인 맥락에서 발견되는 완전한 용어와 원주민과 관련하여 사용되는 용어 또는 명칭은 "러시아연방 북방, 시베리아, 극동 토착(원주) 소수 민족"(Indigenous Numerically Small Peoples of the North, Siberia, and Far East of Russian Federation, коренные малочисленные народы Севера, Сибири и Дальнего Востока РФ)이다. 이 용어에 포함된 첫 번째 조건은 인구규모를 언급하는 "малочисленные"는 문자적으로 "수적으로 적은(few in numbers)"을 의미하며, 때로는 "소수(small-numbered)"로 번역된다.[9] 두 번째 조건은 "북방, 시베리아 및 극동 지역(the North, Siberia, and Far East, Севера, Сибири и Дальнего Востока)"을 의미한다.

그러나 러시아 법에 따르면, "러시아연방 북방, 시베리아, 극동 토착 소수 민족"(북방 원주민)은 다음의 기준(조건)을 갖춰야 한다.

첫째 특징적인 민족그룹으로 스스로의 정체성(self-identify)을 가질 것(be a distinct ethnic group, and self-identify as such),

둘째, 인구규모(size range) 5만 명을 넘지 않은 숫적으로 소수일 것(be "small", with a population not exceeding 50,000),

셋째, 특정 지리적 영역(place)에 토착하여 거주할 것(북방, 시베리아 및 극동)(be indigenous to and reside within a certain geographic realm) ("The North, Siberia or the Far East"),

넷째, 전통적 생활방식(way)[10]을 유지할 것.

---

9) "малочисленные"("소수의")는 소비에트 시대에 사용되었지만, 현재 더 이상 사용되지 않는 "малые"("작은")와 관련된 무의미하거나 후진적이라는 의미를 피하기 위해 사용된 것으로 생각된다.

10) 여기서 "전통적"이라는 것의 의미와 범위는 러시아 정부의 해석과 추가적인 입법에 의해 결정된다. 따라서 '원주민'에 대한 국제적 개념정의와 다른 러시아 정부의 자의적인 해석과 결정을 초래할 수 있다. (2장 2절 참조)

"러시아연방 북방, 시베리아, 극동 토착 소수 민족"(북방 원주민)이라는 용어는 러시아 특유의 상황을 반영하지만, 문제가 있다. 즉 야쿠트족, 투반족, 부랴트족 등도 자기들 스스로를 '토착민(원주민)'이라고 표현하지만, 상대적으로 인구수가 많기 때문에 이 개념에서 제외된다. 또한 모든 기준이 충족되더라도 원주민으로서의 자기인식은 자동적으로 드러나지 않는다. 궁극적으로 국가(정부)는 "러시아연방 토착(원주) 소수 민족 통일 목록"에 민족그룹들을 포함시킴으로써 이러한 민족그룹 인식을 부여하든지 아니면 보류한다. 현재 이 목록에 포함되려고 애쓰고 있는 원주민 그룹들이 여전히 존재하지만, 그들의 자기 정체성은 러시아 정부에 의해 계속 거부당하고 있는 실정이다.

러시아의 이러한 "북방 원주민"(indigenous small-numbered peoples of the North)이라는 개념은 1986년 유엔 특별보고관 마르티네즈-코보 (Martínez-Cobo)에 의해 출판된 토착(원주)민에 대한 차별에 관한 연구[11]에 의해 국제적으로 확립된 "토착(원주)민"(indigenous peoples)에 대한 유엔의 실무적 개념정의와는 현저한 차이가 있다. 유엔의 실무적 개념정의는 "거주지" 또는 "인구 규모"와 관련된 어떤 규정도 없고, 대신 자기 정체성(self-identification), 억압 및 차별의 경험과 같은 주관적이고 역사적 측면을 강조한다.

예를 들어, "북방 토착 소수 민족"(indigenous small peoples of the North) 또는 단순히 "북방 민족"(peoples of the North)[12]과 같이 러시아 법률에

---

11) "Study of the problem of discrimination against indigenous populations", UN Sub-Commission on the Prevention of Discrimination and the Protection of Minorities, by Special Rapporteur, Mr. Martínez Cobo, UN Doc. E/CN.4/ Sub.2/1986/7 (1986) https://www.un.org/development/desa/indigenouspeoples/ publications/2014/09/martinez-cobo-study/(검색일: 2020.1.7.)

12) 이 보고서는 사미(Sámi), 벱스(Veps) 및 네네츠(Nenets)의 일부와 같은 몇몇 원주민

서 사용되는 긴 표현에 대한 몇 가지 일반적인 속기 용어들이 있다. 편의상 이 논문에서도 "원주민" 또는 "토착민"(indigenous peoples), "북방 원주민"(indigenous peoples of the North) 등을 혼용하여 사용한다. 그러나 국제적 관행에 따르면, "원주민"(indigenous peoples)이라는 개념은 자신의 상황과 정체성을 의미 있는 방식으로 반영하려는 모든 사람들은 자신을 "원주민"이라고 선언하고 그 지위와 관련된 권리를 요구할 권리가 있다. 이것은 그들이 특정 행정적 기준에 부합되는지의 여부와 관계없다.

2. 개념정의의 차이: 러시아 국내법과 국제법

"토착(원주) 소수 민족"에 대한 법적 정의 및 요건에 따르면, 러시아에서 토착 소수 민족으로 인정을 받고자 하는 민족그룹은 다음 4가지 기준을 모두 충족해야 한다.

첫째, 특정 장소, 즉 조상의 전통 정착지(the traditional settlement territories of its ancestors) 내에 거주해야 한다.

둘째, 특정한 방식, 즉 "전통적인 삶의 방식"(traditional way of life)으로 살아야 한다,

셋째, 특정 인구 규모 내, 즉 50,000만 명 미만이어야 한다.

넷째, 민족집단으로서 자기인식(self-identify)이 있어야 한다.

이 4가지 기준 중 3개는 마르티네즈-코보의 연구에 의해 확립된 원주민에 대한 UN의 실무 정의와 대략적으로 일치한다.

들이 북유럽쪽 러시아에 거주하기 때문에 "시베리아의 소수 민족들"이라는 용어를 사용하지 않는다. 또한 "시베리아"에는 러시아 연방의 전체 아시아 지역이 포함되어 있지 않다. 야쿠티아와 태평양 연안 사이의 영토는 극동"으로 알려져 있다.

첫째, 자기 인식(Self-identification), 둘째, 특정 장소 내 정착지에 관한 역사적 연속성(Historic continuity with regard to settlement within a specific place), 셋째, 문화적 특징(Cultural distinctiveness).

그러나 토착(원주) 소수 민족에 관한 러시아 정부의 정의와 UN의 실무적 정의 간에 주요 차이점과 비호환성이 있다.[13]

첫째, 무엇보다도 UN의 실무 정의는 실무 정의일 뿐이다. 원주민들 사이에는 원주민에 대한 고정된 엄격한 기준을 가진 배타적 정의가 없어야 한다는 전세계적 합의가 있다. 대조적으로 러시아의 법적 정의는 네 가지 기준을 모두 충족하는 사람들에게만 해당된다. 이렇게 함으로써 수백 년 동안 "북방의 수적으로 작은 민족"을 다른 민족과는 다르게 다루는 독특한 전통을 영속시켰다. 또한 원주민 권리의 인정은 소수 민족그룹의 가장 작은 하위집단으로 제한했다. 이러한 토착 소수 민족에 관한 배타적 정의가 적용되지 않으면, 대부분의 비러시아 민족그룹은 UNDRIP(유엔 원주민 인권선언, The United Nations Declaration on the Rights of Indigenous Peoples, 2007)에 명시된 권리를 주장할 수 있다고 러시아 정부 대표들이 종종 표현했다.

둘째, UN의 맥락에서 사용되는 언어는 일반적으로 그 기준 중에서 문화적 특징을 말한다. 이러한 특징은 다양한 형태를 취할 수 있다. 대조적으로 러시아의 '토착 소수 민족' 정의에는 명시적으로 "전통적인" 생활방식을 요구한다. 이것은 토착민들이 비전통적인 발전의 경로로 도전하는 것을 방해할 수 있다. 이러한 제한은 토착민과 그 공동체의 스스로 결정할 수 있는 권리(자율권)를 제한하기 위해 이용되었고 또 이용될 수 있다.

---

13) Johannes Rohr, 『INDIGENOUS PEOPLES IN THE RUSSIAN FEDERATION』, Report 18, IWGIA(2014), pp. 14-16. https://www.iwgia.org/images/publications//0695_HumanRights_report_18_Russia.pdf(검색일: 2019.12.15.)

셋째, 이 정의는 "수적으로 적은(numerically small)" 민족들이 동시에 가장 덜 개발되고, 가장 도움이 필요한 사람들이라는 이해에 기초를 둔 소비에트 분류체계(소비에트 시대의 임계값은 30,000명)에서 유래된 수적 임계값 50,000명을 부과한다. 그러므로 수적 강도는 원래 다른 정량적 사회 지표에 대한 대리척도였다.[14]

넷째, 이 정의는 토착민들이 사회의 비지배적인 부분이고, 그들이 지속적으로 차별, 억압, 박탈 및 유사한 부조리에 노출되어왔다고 주장하는 사회적 및 경험적 기준을 고려하지 않는다.

다섯째, 러시아 '토착 소수 민족' 기본 3법(3장 2절 참조)에 주어진 정의에는 자기인식(self-identification) 기준이 포함되어 있다. 국제적으로 이 기준은 종종 가장 중요한 단일기준으로 간주되므로, 가장 먼저 제시되었다. 그러나 러시아 법에서는 그것이 기준(조건)의 마지막에 나타난다. 그러나 이 순서가 실제로 이 기준에 할당된 중요성을 반영하는지 여부는 추측의 문제일 뿐이다.

이러한 러시아 정부의 개념정의에 따라, "원주민 권리 보장에 관한 법률"은 러시아 연방정부가 지역 당국의 서류 제출에 따라 "토착 소수 민족 단일 목록"을 채택해야 한다고 규정하고 있다. 이것의 암묵적인 결과는 첫째, '원주민 단일 목록'에 나열된 토착 소수 민족 그룹만 토착민(원주민)으로 인식되고, 둘째는 지역 당국이 이 프로세스를 활용하여 해당 서류 제출을 거부함으로써 '토착 소수 민족' 그룹의 등록을 막을 수 있다는 것이다.[15] 게다가 2009년 러시아 정

---

14) Brian Donahoe et al., "Size and Place in the Construction of Indigeneity in the Russian Federation" in Current Anthropology, Vol. 49, No. 6 (December 2008), pp. 993-1020.

15) 몇몇 민족들, 특히 캄차달(Kamchadal)과 타즈(Taz)는 소수민족 단일 리스트에 등록될 정도로 자신의 입장을 성공적으로 개진했지만, 적어도 하나의 그룹, 이즈바타(Izvatas) 또는 이즈마 코미(Izhma Komi)는 토착 소수민족으로서 명백하게 표현된

부는 두 개의 추가적인 기준을 승인했다. 하나는 토착민(원주민)의 전통적 정착지이며, 다른 하나는 그들의 전통적 생활(생존) 활동이다.[16) 이 추가적인 기준(요건)의 원래 목적은 권리와 관련된 것이 아니라, 행정적, 즉, 이러한 영토 외부에 거주하는 민족그룹들에게 원주민의 권리를 유보하거나, 원주민 그룹이 다른 경제 활동을 추구하지 못하도록 의도적으로 만든 것은 아니었다. 그러나 현재 러시아의 정치적 경향은 이 목록을 독점적으로 사용할 수 있게 하였다.

III. 법적 권리

토착민(원주민)의 권리는 국제법의 중요한 주제가 되었다. 원주민의 초국가적 네트워크는 원주민 권리에 대한 전례 없는 흥분을 야기했고, '원주민의 권리' 문제를 국제적 의제로 발전시켰다. 원주민 권리에 대한 강한 관심에도 불구하고, 러시아의 북방 원주민의 상황은 "치명적"[17)인 것으로 알려져 있다.

자기인식에 관계없이 계속해서 리스트에서 제외되었다. 주된 이유는 지방정부가 원치 않는다는 것이었다.

16) Распоряжение Правительства РФ от 8 мая 2009 г. № 631-р "Об утверждении перечня мест традиционного проживания и традиционной хозяйственной деятельности коренных малочисленных народов РФ и перечня видов их традиционной хозяйственной деятельности". https://www.garant.ru/products/ipo/prime/doc/95535/(검색일: 2020. 2. 5.)

17) International Working Group for Indigenous Affairs(IWGIA), The Indigenous World 1999 2000, p. 36. 2003년 유엔 인종차별철폐위원회(UN Committee on the Elimination of Racial Discrimination)는 러시아연방의 "원주민들이 직면한 어려운 상황"에 대한 우려를 표명했다. 유엔 인종차별철폐위원회의 보고서 결론 참조. Concluding Observations of the Committee on the Elimination of Racial

러시아의 토착 소수 민족들은 약 30만 명으로[18], 러시아 연방 영토의 절반 이상의 지역에 살고 있다[19]. 이러한 러시아의 토착 소수 민족 공동체들에 대한 국제적 인식이 제한적인 주된 이유는 정보에 대한 제한적 접근 때문이다.[20] 다행히도 최근 몇 년간 러시아가 서명한 국제적 인권 조약의 모니터링 프로세스와 일부 지역 및 지방 비정부기구의 수적 증가와 활동 증가로 인해 상황이 점진적으로 변화하는 것으로 보인다.[21]

'러시아연방 토착 소수 민족'의 법적 지위는 연방, 지방, 지역의 법안 (законопроект, bills), 법령(указ/приказ, decrees), 부칙(подзаконные акты, by-laws) 및 기타 많은 규정의 복잡한 법망에 의해 규정된다. 첫째, 일련의 연방법이 구체적으로 원주민 문제를 규제한다. 둘째, 원주민은 일반적으로 그들의 거주 지역을 다루는 법에 의해 영향을 받는다. 셋째, 산림, 수자원, 토지, 어류, 지하자원 등 천연자원의 관리 및 접근에 관한 광범위한 법규가 있다.

외부 관찰자들은 이러한 러시아의 원주민 관련 법망은 일관성과 안정성의 부족으로 인해 원주민 권리의 효과적인 보호를 크게 저해한다고 지적했다.[22]

Discrimination: Russian Federation 21/03/2003 U.N. CERD, Comm. on Elim. Of Rac. Discrim., 62 Sess., 20, U.N. Doc. CERD/C/62/CO/7(2003).

18) Olga Murashko, "Introduction", in Thomas Kohler & Kathrin Wessendorf eds., Vladislav Tsarev. et al., *Towards a New Millennium, The Years of the Indigenous Movement in Russia* (IWGIA, 2002) pp. 20, 25.

19) *According to Nikolai Vakhatin, Native Peoples of the Russian Far North*, (Minority Rights Group 1992) p. 7.

20) Mattias Ahren, "Racism and Racial Discrimination Against the Indigenous People of Scandinavia and Russia? The Saami People", in Suhas Chakma & Marianne Jensen eds., Elaine Bolton trans., *Racism against Indigenous Peoples*, (IWGIA 2001) pp. 136, 139.

21) Minority Rights Group, World Directory on Minorities 306 (1997).

22) 예를 들면 다음을 참조. the 2010, country report by the UN Special Rapporteur on the

또한 혼동된 입법 상태는 원주민이 그들의 권리를 성공적으로 주장하지 못하도록 막을 수 있기 때문에 정부의 이해관계에 어느 정도 기여한다고 추측된다.

결국 러시아의 원주민 법망은 여러 층의 문제가 있다고 말할 수 있다. 첫째, UNDRIP(유엔 원주민 인권선언, The United Nations Declaration on the Rights of Indigenous Peoples, 2007)에 규정된 원주민 권리 보호와 관련하여 입법이 불완전하고 견고성이 결여되었으며, 이러한 권리와의 부분적 비호환성 등에서 법률에 실질적인 결함이 있다는 점이다. 둘째, 제대로 작동하지 않는 입법 절차로, 이것은 종종 제대로 초안 작성이 되지 않고 모순되는 규정을 초래할 수 있다. 셋째, 법집행의 갭이 존재한다. 많은 긍정적인 규제가 종이 상에만 남아있기 때문에 러시아 정부는 실제로 영향을 주지 않으면서 국제기구 앞에서 이를 인용할 수 있다. '토착 소수 민족'들에게 영향을 미치는 법률과 현재의 입법 상태를 검토할 때 이러한 주요 문제를 염두에 두어야 한다.

1. 헌법상의 권리

러시아연방 헌법은 1993년 12월 당시 민주화와 경제 자유화가 여전히 주요 의제가 된 시점에 보리스 옐친 대통령에 의해 채택되었다. 러시아연방 헌법 제9조[23)]에는 다음과 같이 명시되어 있다.

"러시아 연방은 국제적으로 인정되는 국제법 및 러시아가 맺은 국제조약의

---

rights of indigenous peoples, James Anaya, UN Doc A/HRC/15/37/Add. 5, dated 23 June 2010. https://www.ohchr.org/en/issues/ipeoples/srindigenouspeoples/pages/sripeoplesindex.aspx(검색일, 2020. 1. 7.)

23) The Constitution of the Russian Federation, http://www.constitution.ru/en/10003000-01.htm (검색일: 2019. 11. 15)

원칙과 규범에 따라 토착 소수 민족의 권리를 보장한다."

중요하게도, 이 조항은 '토착 소수 민족'에게만 적용되어, 국제 관습에 따라 일반적으로 토착성(indigeneity)과 관련된 권리를 주장할 수 있는 다른 민족들을 제외했다. 특히 이 헌법은 누가 토착 소수 민족인지 정의하지 않았다.

그럼에도 불구하고, 러시아 헌법 제15조에 매우 독특한 특징이 있다. "국제법과 러시아가 맺은 국제조약 및 협약의 보편적으로 인정되는 규범은 러시아 연방의 법률 시스템의 구성요소가 될 것"이라고 명시할 뿐만 아니라 "만약 러시아가 맺은 국제조약 또는 협약이 러시아 법에 의해 구상된 규칙 이외의 규칙을 결정하는 경우 국제협약의 규칙이 적용된다."[24]

원주민과 관련성이 높은 또 다른 헌법 조항은 제26조이다. "모든 사람은 자신의 소속민족성(nationality)을 결정하고, 표시할 권리가 있다. 어느 누구도 자신의 민족소속을 결정하고 표시하는데 강요받을 수 없다." 소비에트 전통의 "민족성"[25]은 시민권이 아니라 민족적 소속을 의미한다. 최소한 이론적으로 이 조항을 통해 모든 시민은 자신을 어떤 원주민의 구성원이라 선언할 수 있다. 실제로, 원주민 정체성을 어떻게 결정하고, 증명(문서화)해야 하는지에 대한 문제는 러시아 행정부 내 그리고 학계에서 논쟁이 심하고 여전히 해결되지 않은 문제이다.

---

24) 이 조항은 다소 이례적이다. 아마도 옐친 통치 시기에 인권보다는 다자간 및 양자 간 무역 및 투자 협정의 적용을 용이하게 하기 위해 고안된 것 같다. 그럼에도 불구하고, 적어도 이론상으로 국가 법률에 대한 국제 인권규범의 우위를 부여하므로 러시아 연방의 인권 의무의 원천으로 자주 인용된다. 그러나 이 규범이 법원이나 법집행기관에 의해 토착민의 권리를 보호하기 위해 문서화된 사례는 찾기 어렵다.

25) 소비에트 여권뿐만 아니라 현재 러시아 여권에도 여권 소지자의 시민권(citizenship, гражданство)과 병행하여 민족성 또는 민족소속(nationality, национальность)이 표기되어 있다.

2. 연방법(기본 3법)상의 권리

21세기 전환기에, 여전히 옐친 대통령 하에서 러시아연방은 러시아의 원주민의 법적 지위를 원주민 권리에 관한 국제표준에 맞추기 위해 세 가지 소수민족 기본법을 채택했다. 이러한 법률은 다음과 같다.

첫째, 1999년 4월 30일에 채택된 "토착(원주) 소수 민족의 권리 보장에 관한 연방법"[26]이다. 이 연방법은 원주민이 전통적으로 거주했거나 이용한 지역의 토지를 무료로 사용할 수 있는 권리를 포함하여, 고용, 토지 임대 및 천연자원의 사용에 관한 특정 특권을 제공한다. 또한 지역의 자치행정에서 전통적 경제활동에 원주민의 참여를 용이하게 하는 특별조치를 제공할 뿐만 아니라 이들에 대한 추가 보호 조치를 취할 지역 또는 지방의 권리, 즉 의무라기보다는 오히려 권리를 제공한다.

둘째, 2001년 5월 7일에 채택된 "러시아연방 북방, 시베리아, 극동 토착(원주) 소수 민족의 전통적 자연 이용 구역(TTNU)"에 관한 연방법[27]이다. 이 연

---

26) Федеральный закон "О гарантиях прав коренных малочисленных народов Российской Федерации" от 30 апреля 1999 г. N 82-ФЗ. Версия 25 мая 2014. Принят Государственной Думой 16 апреля 1999 года. Одобрен Советом Федерации 22 апреля 1999 года.
http://www.raipon.info/activity/pravovaia-deiatelnost/federal-legislation/the-federal-law-on-guarantees-of-the-rights-of-indigenous-numerically-small-peoples-of-the-russian-f.php(검색일: 2019.10.18)

27) Федеральный закон "О территориях традиционного природопользования коренных малочисленных народов Севера, Сибири и Дальнего Востока Российской Федерации" от 31 декабря 2014 года N 499-ФЗ (с изменениями на 31 декабря 2014 года) Принят Государственной Думой4 апреля 2001 года. http://docs.cntd.ru/document/901786770(검색일: 2019.10.15)

방법은 소위 말하는 TTNU(Territories of Traditional Nature Use)[28]의 설치를 위한 법률적 틀을 제공했다. TTNU는 원주민의 전통적 경제 활동을 위해 보존된 특별한 유형의 보호지역으로서 법적으로 구성되었다. 이들 지역들은 원주민 옵쉬나에 의해 관리되거나 최소한 공동관리가 되어야 한다.

셋째, 2000년 6월 20일에 통과된 "러시아연방 북방, 시베리아, 극동 토착(원주) 소수 민족의 옵쉬나 조직의 일반원칙에 관한 법률"[29]이다. 현대 러시아에서 옵쉬나(община, obshchina)[30]는 전통적 경제활동에 관여하는 친족기반 협동조합의 형태를 띤다. 이 법에 따르면, 옵쉬나는 또한 지역 자치행정에서 역할을 수행해야 한다.

이러한 연방법들은 원주민의 권리를 보호하는 독립 구조를 확립하기 위한 것들이다. 북극이사회(Arctic Council)의 영구 회원기관[31]으로 등록된 '러시아 북방원주민협회'(RAIPON)와 같은 원주민 단체들은 이러한 법률의 개발에 적극적으로 참여했고, 그것들의 채택을 옹호했으며, 이는 국제표준에 따라 원주민 권리 레짐의 확립을 향한 러시아의 주요 이정표로 환영을 받았다. 그러나

---

28) ТТП(Территории традиционного природопользования)

29) Федеральный закон "Об общих принципах организации общин коренных малочисленных народов Севера, Сибири и Дальнего Востока Российской Федерации" от 27 июня 2018 года N 164-ФЗ (с изменениями на 27 июня 2018 года). Принят Государственной Думой 6 июля 2000 года. Одобрен Советом Федерации 7 июля 2000 года.
http://docs.cntd.ru/document/901765288(검색일: 2019.10.15)

30) 문자 그대로 옵쉬나(община)는 "커뮤니티(community)"를 의미한다. 원래는 제정 러시아의 러시아 농민 공동체에 특정된 형태의 사회조직에 사용된 명칭이었다.

31) Permanent Participants of the Arctic Council : ① Aleut International Association (AIA), ② Arctic Athabaskan Council (AAC), ③ Gwich'in Council International (GCI), ④ Inuit Circumpolar Council (ICC), ⑤ Russian Association of Indigenous Peoples of the North (RAIPON), ⑥ Saami Council (SC)

이러한 법률들이 통과된 직후에 주요 문제들이 분명해졌다. [32]

첫째, 러시아 의회(하원 두마)에서 채택된 법률(연방법)은 특성상 그 자체로 일반적이며 선언적이다. 따라서 시행될 수 있도록 사안별로 조정하거나 지역별 또는 전국적 차원에서 추가적인 시행세칙들이 통과되어야만 한다. 그러나 대부분의 경우 이러한 시행세칙 또는 조례는 채택된 적이 없다.

둘째, 토지, 산림, 수자원, 생물자원 및 지하자원 관리를 관장하는 다른 영역별 법률에는 결정적인 문제에 대해 이러한 법률과 상충되는 조항이 포함되어 있다. 동시에, 영역별 법률의 조항들이 훨씬 더 상세하고, 적용 가능하게 개발되어 있다.

3. 관습법상의 권리

독립 국가들의 토착(원주)민과 부족민에 관한 국제 노동기구 협약 169(제8조)는 원주민 스스로의 관습법 체계의 중요성을 인식하고, 그것들이 자신들의 문제에 대한 판결에 정당하게 고려되어야 한다고 명시하고 있다. 유엔 원주민 인권선언(UNDRIP)[33]은 또한 토지에 대한 권리(제26조, 27조), 원주민과 국가 또는 다른 당사자 간의 분쟁의 결정 및 해결과 관련하여(제40조) 원주민의 관습법(Customary law)을 고려할 것을 요구한다. 이들 문서에 따르면, 토착민의 관습 법규에 대한 존중은 국가의 인권 의무로 간주되어야 한다. 제정 러시

---

32) Johannes Rohr, 『INDIGENOUS PEOPLES IN THE RUSSIAN FEDERATION』, Report 18, IWGIA(2014), p. 14.
https://www.iwgia.org/images/publications//0695_HumanRights_report_18_Russia.pdf(검색일: 2019.12.15.)

33) https://undocs.org/A/RES/61/295(검색일: 2020.1.8)

아에서 관습법은 시베리아 행정의 중요한 부분이었다. 모스크바는 당국의 간섭을 최소화하면서 토착 지역사회 스스로가 내부문제를 관리할 수 있는 간접 통치 시스템을 도입했다. 소비에트 연방은 사법 규범에서 관습법에 대한 일부 고려 사항을 유지했다.

원주민에 관한 3가지 기본법은 법정에서 원주민의 관습법의 요소를 고려할 가능성을 허용한다. 이것들은 또한 원주민의 공동체인 옵쉬나가 관습법에 따라 내부문제를 통제할 수 있도록 허용한다. 그러나 옵쉬나는 지방 자치기구로 기능하는 경우가 거의 없기 때문에, 후자의 조항은 대부분 이론적이다.[34] 관습법의 고려는 지금까지 아주 제한적이었다. 제3자와의 분쟁에서 관습법을 강화하는 이러한 관습법의 사용은 지금까지 러시아 사법 관행에서 거의 나타나지 않았다.

IV. 법적 권리 보장의 현실

1. 전제조건: '러시아연방 북방, 시베리아, 극동 토착 소수 민족 통일 목록'

러시아인들은 오랫동안 러시아 북방의 민족들을 언급했지만, "러시아 북방, 시베리아, 극동의 소수민족들"이라는 카테고리는 소비에트 시대 초반에 등장했고, 약 50여개의 소수민족들을 포함했다. 그들 대부분은 전통적인 경제활동에 종사했고, 볼셰비키가 볼 때 독특하고 원시적인 것이었다.

---

34) Н.И. Новикова, "Обычное право народов Севера. Возможности и ограничения государственной правовой системы" Этнографическое обозрение (№ 5. 2005) pp. 4-14. http://journal.iea.ras.ru/archive/2000s/2005/no5/2005_5_Novikova.pdf(검색일: 2020.1.7.)

모스크바국립대학교(Moscow State University)의 민족학자(ethnographer)인 드미트리 푼크(Dmitry Funk) 교수에 의하면[35], 소비에트 시절 대부분 동안, 이 그룹의 민족들은 그들 민족 구성원들 중 적어도 1명 이상에게 특별한 특권이 부여되어야 하는 "특수 카테고리"로 여겨졌으며, 1960년대와 1970년대까지 26개 소수민족들에게 이러한 안정적인 카테고리가 주어졌다. 비록 그들이 알코올 중독과 다른 사회적 질병(정신병과 문화적 아노미현상 등)으로 고통을 받았지만, 이러한 것들은 러시아에 동화되는 과정으로 여겨졌다.

푼크에 따르면, 소련이 붕괴되면서 이 특별범주는 두 번째 생명을 얻었다. 거기에는 시베리아 남부의 특정 민족들이 포함되었고, 따라서 이제는 26개 소수민족에서 30개 소수민족이 되었다. 그리고 점차 1990년대와 2000년대 초를 거치면서 이 그룹은 점차 확장되어 오늘날에는 40개 소수 민족 그룹을 포함하고 있다.

푼크에 따르면, 소수민족이 특별범주 목록에 포함되기를 원하는 데는 충분한 이유가 있다. 그들은 특별한 혜택과 보조금을 획득할 뿐만 아니라 외부인들에 대항하여 그들 스스로와 그들의 생활방식을 보호할 능력을 획득하고 강화할 수 있다. 이러한 것들은 그들 주변에 살고, 그들과 거의 같은 방식으로 살고 있는 러시아 민족보다 훨씬 더 큰 혜택이다.

"만약 당신이 이 특별 목록에 포함되지 않으면, 당국은 러시아연방의 다른 모든 시민들을 상대하는 것과 같은 방식으로 당신을 처리한다. 그러면 당신과 당신의 조상이 살고 사냥하고 물고기를 잡고 전통적인 삶의 방식을 수행했던

---

35) Paul Goble, "Numerically Small Indigenous Peoples Of The Russian North - An Ever Bigger Problem For Moscow"
https://upnorth.eu/numerically-small-indigenous-peoples-of-the-russian-north-an-ever-bigger-problem-for-moscow/Analysis, Russia, Window On Eurasia/March 30, 2016. (검색일: 2019.11.25.)

영토(영역)를 방어할 수 있는 추가 수단이 없을 것이다.”

2. 환경조건: 주거지역 및 전통적 경제(생존) 활동

"원주민 권리 보장에 관한 연방법"(1999)은 "러시아 연방 북극권, 시베리아 및 극동"에 정착한 토착 소수 민족들에게 이 법이 적용되는 것을 제한하지 않는다. "러시아 연방 토착(원주) 소수 민족 통일 목록"(2000)에는 이 법이 동일하게 적용되는 다른 지역에 정착한 여러 소수 민족 그룹들이 나열되어 있다.[36] 반대로, "자연적 토지 이용 구역(TTNU)에 관한" 연방법(2001)과 "읍쉬나 조직의 기본 원칙에 관한" 연방법(2000) 둘 다 북방 원주민에게만 적용된다. 이 법안에 명시된 권리는 "전통적인" 생활방식뿐만 아니라 특정 지리적 지역과도 관련이 있다. 그러면 이런 지역은 어떻게 정의되는가?

'북방(North)' 또는 '극북, 북극권'(Far North, крайний север)'이라는 용어는 두 가지 의미를 갖는다. 하나는 지리적인 북방을 의미한다. 그러나 그것은 북극에서 멀리 떨어지지 않은 많은 지역을 포함하는 행정적 범주이다. 행정적 용어의 전체 이름이 "극북 지역 및 같은 위도의 지역(Крайний Север и территории, приравненные к нему, Regions of the Extreme North and Territories Equated to It.)"이다. 이러한 지리적 명칭은 소비에트에서 유래했으며, 특히 기후 및 환경 조건이 열악한 지역을 나타낸다. 이들 영토의 노동자들은 여전히 높은 임금과 다른 많은 혜택을 받을 자격이 있다. 따라서 '북극권(Far North)'이라는 개념이 입법 및 행정에 도입되었을 때, 이 용어가 특정 원

---

36) 여기에는 프스코프 지역에 거주하는 세토(Seto), 레닌그라드 지역의 이조르(Izhors) 및 보트(Votes), 북코카서스의 아바진(Abazins), 크라스노다르 지역의 샤프숙(Shapsugs), 첼랴빈스크 구역의 나가이바크(Nagaibaks)가 포함된다.

주민 권리를 보유한 그룹과 그렇지 않은 그룹을 구별하는 데 쓰일 의도는 아니었다. 그러나 50,000명의 수적 임계값과 마찬가지로 '북극권(Far North)'이라는 지리적 기준은 객관성과 측정 가능성이 있으므로, 원주민의 권리 적용을 입법에 포함하려는 입법부 의원들에게 매우 편리했다. 아마 이것이 왜 지리적 기준이 법적 정의에 포함되게 되었는지의 이유일 것이다.

이러한 지리적 기준은 주로 산업개발을 촉진하고, 근로자가 외진 지역으로 이주하는 것을 더 매력적으로 만들기 위해 도입되었으므로, 기후조건과 관계없이 유럽-러시아로부터의 원격성이 선언되지는 않았지만 결정적 요소라는 것은 놀라운 일이 아니다. 더 멀리 떨어져 있을수록("remote"), 주어진 장소가 유럽적 관점에서 볼 때 "북극권(Far North)"의 일부일 가능성이 높다. 더 동쪽으로 갈수록, "극북(Extreme North)"은 남쪽으로 뻗어 있다. 태평양 연안의 연해주에서 로마와 거의 같은 위도에 있는 테르네이(Терней) 마을도 "북극권(Far North)"으로 분류된다.

현재 40개 민족그룹이 러시아연방에 의해 북방, 시베리아 및 극동의 토착 소수 민족으로 인식되고 있다. 그들의 전통적인 영토는 대략 러시아연방 영토의 약 2/3를 차지한다. 이러한 영토의 대부분에서 원주민은 단지 0.3%의 소수만을 구성한다. 입수 가능한 가장 최근의 공식 인구통계는 2010년 국가 인구조사에 의해 제공된 수치이다.[37] 이 인구조사에 따르면[38], 가장 많은 토착

---

37) 자세한 내용은 러시아연방 통계청(Федеральная служба государственной статистики) 공식 사이트에서 찾을 수 있다. Федеральная служба государственной статистики: Информационные материалы об окончательных итогах Всероссийской переписи населения 2010 года.

http://www.gks.ru/free_doc/new_site/perepis2010/perepis_itogi1612.htm(검색일: 2019.11.17.)

38) http://www.raipon.info/peoples/data-census-2010/data-census-2010.php(검색일:

민족은 44,000명의 인구를 가진 네네츠이며, 그 다음에는 에벤크(38,000)이다.[39] 기록상 최소 인구는 (2002년 인구 조사에서 8명에서) 4명만 남은 케렉(Kerek)이다. 40개 소수 민족 중 10개 소수 민족은 인구가 10,000명 이상이고, 다른 10개 소수 민족은 1,000명 미만이다.

원주민이 거주하는 지역은 대략 다음과 같이 나눌 수 있다.

첫째, 야말반도(Yamal), 콜라반도(Kola), 타이미르반도(Taimyr) 및 추코트카반도(Chukotka)와 같은 지역이 있는 극북지역(the Extreme North, *Kraini Sever*)이다. 이들 지역은 극한 북극 기후의 툰드라 지역으로, 네네츠(Nenets), 사미(Saami), 축치(Chukchi)의 일부, 돌간(Dolgan), 유카기르(Yukagir)와 같은 토착민들은 여름에 북극해 연안과 겨울에 수목 툰드라로 계절에 따라 이동하면서 큰 순록 무리를 유지하거나 유지했다. 이즈바타스(Izvatas, Izhma Komi)와 같은 다른 소수 민족 그룹들은 정착 생활 방식을 계절적 순록 이동과 결합시켰다.

둘째, 수목 툰드라와 타이가 지역이다. 한티(Khanty), 만시(Mansi) 및 에벤키(Evenk) 또는 에벤(Even)과 같은 민족 그룹이 여기에 정착했다. 이 지역에서는 순록 무리가 덜 흔하고, 무리가 적으며, 생활 방식 대부분은 정주형이다. 음식과 수입의 가장 중요한 원천은 낚시이며, 또 다른 중요한 생계수단인 모피 동물을 포함한 사냥이 있다. 일부 가정은 전통적인 생활방식을 유지했으며, 계절에 따라 겨울과 여름 거주지 사이를 움직인다. 그들은 아주 작은 그룹으로 살고 있으며, 종종 하나의 핵가족으로 이루어져 있다.

셋째, 알타이 산맥과 쿠즈바스 탄광 지역을 포함한 시베리아 남부지역이다.

2019. 11. 17.)
39) Ibid. 비슷한 수의 에벤키족들(Evenks)이 중국 북부에 살고 있기 때문에, 여기서는 러시아 내 에벤키만 계산했다.

이곳은 쇼르(Shors), 텔류트(Teleuts), 텔렝기트(Telengits), 타즈(Tazh), 토팔라르(Tofalar) 및 쿠만디네츠(Kumandinets)를 포함하여 여러 터키어를 사용하는 민족들의 전통적인 정착지이다. 이 지역의 전체 인구밀도는 북부 지역보다 훨씬 높다. 이 모든 민족들은 역사적으로 몽골 영향권의 일부였으며, 이는 그들의 문화유산에 강력하게 반영되어 있다. 가축과 말은 일반적이며, 기후는 농작물 재배를 허용한다. 양봉은 또 다른 일반적인 생존활동이다.

넷째, 북극 추코트카 반도에서 남쪽의 블라디보스토크까지 뻗어 있는 태평양의 해안지역이다. 이 지역에 사는 토착민은 북쪽의 축치(Chukchi), 유카기르(Yukagir), 추코트카의 추반네츠(Chuvanets)를 시작으로 캄차카 반도에서 거의 멸종된 케렉(Kerek), 코랴크(Koryak), 알류트(Aleut), 에벤(Even), 이텔멘(Itelmen), 캄차달(Kamchadal)을 거쳐 하바롭스크와 프리모르스키 및 사할린 섬의 울치(Ulchi), 나나이(Nanai), 우데게(Udege), 니브흐(Nivkh), 오로크(Orok) 및 오로치(Oroch)에 이른다. 2차 세계대전까지, 사할린 원주민은 일본 북부 원주민인 일부 아이누(Ainu)도 포함했다. 일본이 패배하고 러시아가 섬 전체를 합병한 후 대부분의 아이누는 사할린을 떠났다. 그러나 일부 아이누는 쿠릴 섬에 남아 러시아 원주민으로 인정받기 위해 노력하고 있다.[40] 해양 포유류 사냥은 이들 그룹 중 일부의 전통적 생존활동이다. 추코트카와 캄차트카에서, 특히 토착문화는 여러 가지 면에서 캐나다 북서부 원주민인 First Nations(북극권에 사는 이들은 Inuit로 알려져 있다)의 문화와 비슷하지만, 이들 영토의 많은 부분이 19세기까지 중국의 통치하에 있던 남쪽에는 중국의 영향이 지역문화에 영향을 미쳤다.

---

40) Ibid. 2010년 인구 센서스에 따르면 107명의 응답자가 "아이누"로 확인되었다. 2014년 7월, 한 아이누 대표는 러시아 원주민 메일링 리스트에 아이누를 러시아 토착 소수 민족 리스트에 포함시키기 위해 정부와 여러 번 접근을 했지만 결과는 없다고 밝혔다.

토착(원주)민의 생활환경은 대체로 주류 인구의 생활환경과 크게 다르다. 오늘날 대부분의 원주민들은 소비에트 시대에 세워진 시골의 중앙집중식 정착지에 살고 있으며, 주변지역의 원주민들과 함께 강제적으로 거주하고 있다. 이들 정착촌들은 특히 실업률이 높고, 알코올 중독, 가정폭력 등과 같은 수많은 사회적 문제에 시달리고 있다. 농촌 인구의 더 작은 부분은 더 작은 영구 정착지에 살거나, 한 가족 또는 그 이상의 가족이 거주하는 계절적 이동 주택을 가지고, 유목생활 방식을 즐긴다.

압도적인 농촌 중심 인구구조로 인해 원주민들은 경제적, 정치적, 사회적 소외에 영향을 받을 가능성이 더 크다. 경제력, 공공 인프라 및 정치 기관은 도시에 집중되어 있는 반면, 토착민 정착촌은 종종 대중교통 및 통신에서 차단된다.

〈표 3-1〉 러시아 북극권 원주민과 전통적 생존방식과 지식	
무르만스크 주	사미: 사냥, 해안 어업, 채집, 순록 목축
아르한겔스크 주	러시아 포모르, 포모르: 해양 포유류 사냥, 해안 어업
네네츠 자치관구	네네츠: 순록 목축, 사냥, 해양 포유류 사냥
카렐리아 공화국	벱스, 카렐: 사냥, 농업
코미 공화국	코미: 사냥, 강 어업, 순록 목축
야말로-네네츠 자치구	네네츠: 순록 목축, 사냥, 해양 포유류 사냥
크라스노야르스크 변강주	돌간: 순록 목축, 사냥, 강 어업 케트: 사냥, 강 어업 느가나산: 순록 목축, 사냥, 강 어업 엔츠: 순록 목축, 사냥, 강 어업 에벤크, 네네츠, 셀쿠프, 출리메츠 : 순록 목축, 사냥, 강 어업
사하(야쿠치아) 공화국	에벤크: 순록 목축, 사냥 유카기르: 사냥, 채집, 강 어업, 순록 목축
추코트카 자치관구	축치: 해양 포유류 사냥, 순록 목축 케렉: 어업, 해양 포유류 사냥, 모피 무역 에스키모/이뉴이트: 해양 포유류 사냥

3. 토지 및 자원에 대한 기타 연방법과 권리

세계의 다른 많은 지역에서와 같이, 원주민의 토지와 자원에 대한 권리는 논쟁의 대상이다. 적어도 왜냐하면, 원주민의 정착지가 동시에 러시아 수출 수입의 대부분이 발생하는 천연자원들의 원천이기 때문이다. 석유와 가스가 가장 중요한 상품이지만, 석탄, 금, 다이아몬드를 포함한 다른 지하자원과 목재 및 생선과 같은 생물자원과도 관련이 있다.

원주민의 토지와 자원에 대한 권리는 다중의 모순과 결함으로 점철된 복잡한 규제(입법)망에 걸려있다. 이것이 소련 붕괴 이후 25년 동안 원주민의 전통적인 영토와 생계에 대한 권리가 여전히 효과적으로 보호되지 않는 이유 중 하나이다. 결정적으로, 입법은 원주민의 조상 영토에 대한 고유의 권리(소유권)를 인정하지 않는다. 원주민은 조상의 땅의 소유자로 간주되지 않는다. 그들의 전통적인 점유에 기초하여, 그들은 단지 사냥, 낚시, 순록 목축 등의 용익권(usufruct rights)만 부여받을 뿐이다.

토지와 자원에 대한 권리를 규정하는 "규제망"은 한편으로, 앞서 언급한 세 가지 기본법, 특히 '전통적 자연 이용 구역'(TTNU)에 관한 법률과 다른 한편으로 자연, 토지, 자원, 산림, 수자원 및 동물, 낚시 등을 규제하는 다양한 법률로 구성된다. 여기에는 연방 토지법, 산림법 및 수자원법, 사냥, 낚시 및 기타에 관한 연방 법률이 포함된다.

원주민의 권리는 토지, 생물자원 및 천연자원의 접근과 관리에 관한 많은 부문별 법률에 의해 크게 영향을 받는다. 여기에는 토지법, 수자원법 및 산림법의 세 가지 법률과 낚시, 사냥 및 농지에 관한 법률이 포함된다. 이들 법들은 일반적으로 원주민에 대한 기본법보다 훨씬 포괄적이고 상세하다. 여기에는 원주민 권리보장 기본법에 명시된 권리를 침해하는 많은 조항이 포함되어 있다. 이것은 원주민들이 그들의 기본적인 권리를 누리지 못하도록 하는 주요 장애물 중 하나로 확인되었다.[41]

2001년 10월 5일의 연방 토지법(Земельный кодекс)[42]은 러시아의 토지 소유, 토지 접근 및 토지 임대에 대한 주요 규제 프레임워크이다. 이 법은 TTNU에 관한 연방법과 같은 해에 채택되었다. 2001년까지 연방법에 따라 원주민은 토지를 무료로 무제한 사용할 수 있었다. 그러나 2001년 토지법은 사유 재산과 임차 재산의 두 가지 유형의 토지 보유만을 허용한다. 원주민의 광범위한 토지 이용에는 구매나 임대가 가능한 옵션이 아닌 거대한 영토가 필요하다. 또한 원주민이 자신의 조상 땅을 구매하거나 임대하도록 요구하는 것은 UNDRIP(유엔 원주민 인권선언, 2007)에 규정된 가장 기본적인 권리를 명백히 위반한다. 2001년부터 원주민들은 무기한 무료 토지 사용권(용익권)을 되찾기 위해 많은 노력을 기울여 왔다.

연방 산림법(Лесной кодекс)[43]는 2006년 11월 8일 국가두마에 의해 채택되었고, 2006년 12월 4일 대통령에 의해 서명되면서 효력을 발휘했다. 이 법률 채택 이전에, 원주민과 환경 운동가들은 이 법에 격렬하게 반대했다. 이 법은 사실상 사유화에 해당하는 러시아와 외국 민간 투자자 모두에게 임지의 장기

---

41) 다음을 참조. 2010 country visit report by UN Special Rapporteur on the Rights of Indigenous Peoples, James Anaya, UN Doc A/HRC/15/37/Add.5, dated 23 June 2010, para 83-84.
https://www.ohchr.org/en/issues/ipeoples/srindigenouspeoples/pages/sripeoplesindex.aspx(검색일: 2020.1.7.)

42) Земельный кодекс РФ. от 25.10.2001 N 136-ФЗ (ред. от 27.12.2019, с изм. от 05.03.2020) Принят Государственной Думой 28 сентября 2001 года. Одобрен Советом Федерации 10 октября 2001 года.
http://www.consultant.ru/document/cons_doc_LAW_33773/(검색일: 2020.1.7)

43) Лесной кодекс РФ. http://www.leskodeks.ru/(검색일: 2020.1.7)

임차 가능성을 열었다. 또한 연방의 산림 감독 및 산림 보호를 해체했다. 2010
년 대화재로 러시아 산림이 황폐해졌을 때, 나머지 기관들은 화재에 적절히
대응하고 격리할 수 없었기 때문에 치명적인 결과를 초래했다.[44]

이 법안에 명시된 원주민의 권리는 최소한이다. 제48조는 토착민 정착지에
서 산림을 사용하는 동안 기본법에 명시된 권리가 존중되어야 한다고 규정하
고 있다. 제30조는 원주민에게 개인의 필요에 따라 무료로 목재를 사용할 수
있는 권한을 부여한다. 그러나 원주민과 산림의 관계가 목재의 공급원을 넘어
더 많은 다른 측면을 가지고 있지만 원주민의 산림 소유나 사용권은 인정하지
않는다.

2006년 6월 3일 국가두마에 의해 채택된 연방 수자원법(Водный кодекс)[45]
은 다소 진전을 보이며 원주민들과 그들의 옵쉬나가 전통적인 자연 이용
의 용도로 수자원을 사용할 권리를 가지고 있다고 명시하고 있다. (제54조)
이 연방법은 지방 정부에게 수자원 사용 규정을 설정하는 책임을 위임했
다. 또한 제29조는 하천의 "합리적 이용"과 보호를 책임질 "하천관리위원회"
(Бассейновые советы, Basin Councils)로 알려진 감독기관의 형성을 제공하
며, 그들의 정착지 내에서 원주민들이 이 기관에 포함되도록 명시하고 있다.

1995년 3월 22일 국가두마에 의해 채택된 "동물계에 관한" 연방법
(Федеральный закон "О животном мире")[46]은 원주민에게 토지에 대한 "최

---

44) 예를 들면, 다음을 참조. "Лесной кодекс РФ не выдержал проверку лесными
    пожарами." РИА Новости, 12:25 27. 09. 2010,
    https://ria. ru/20100927/279688291. html(검색일: 2020. 1. 7)

45) Водный кодекс РФ. http://vodnkod. ru/(검색일: 2020. 1. 7)

46) Федеральный закон "О животном мире" от 24.04.1995 N 52-ФЗ (последняя
    редакция) Принят Государственной Думой 22 марта 1995 года.
    http://www. consultant. ru/document/cons_doc_LAW_6542/(검색일: 2020. 1. 7)

고의 선택" 권리를 포함하여 특정 자원에 접근할 수 있는 원주민의 "우선권"을 어느 정도 보존해준 법안 중 하나이다. (제49조) 그러나 이 접근이 무료이거나 무기한임을 지정하지 않았다.

전반적으로 수많은 법률규정에 걸쳐 원주민의 권리 요소들이 흩어져 있다. 그러나 이러한 권리는 원주민의 자기결정권에 전제되지 않고, 원주민의 소유 권을 인정하지 않으며, 민간 투자자와 기업의 이익을 위해 자주 수정되고 약화되었다.

러시아의 연방법들이 UNDRIP(유엔 원주민인권선언, 2007), ILO협약 169(Indigenous and Tribal Peoples Convention, 1989), 인종차별 철폐를 위한 국제규약 및 경제 사회 및 문화적 권리에 관한 국제규약(ICESCR, International Covenant on Economic, Social and Cultural Rights, 1966)에 명시된 권리와 원칙을 준수하는지 확인하기 위해 끊임없는 모니터링과 종합적인 검토가 필요하다.

4. "전통적 자연 이용 구역" (TTNU, Territories of Traditional Nature Use)

원주민의 토지권에 대한 법적 틀을 구축하려는 시도는 몇몇 러시아 지역이 그들 자신의 고유한 원주민 토지권 체제를 고안한 1990년대 초로 거슬러 올라간다. 가장 초기의 시도는 1992년 2월 7일 한티-만시 자치구에서 채택된 "세습 토지에 관한 규정"(Положение "о статусе родовых удодии в Ханты-Мансийском автономном округе")[47]이었다. TTNU라는 용어는 1992년 옐친

---

47) Положение "о статусе родовых удодии в Ханты-Мансийском автономном округе", http://russia.bestpravo.ru/hant/data11/tex31198.htm

대통령의 대통령령(Указ Президента)에 처음 등장했다. 1990년대에 TTNU는 지역적 차원에서, 특히 코랴크 자치구와 한티-만시 자치구에서 설립되었으며, 이전의 "세습 토지"(родовые угодья, patrimonial lands)는 지역 TTNU로 전환되었다.

TTNU(территории традиционного природопользования)의 개념은 2001년 TTNU에 관한 연방법에 의해 더욱 구체화되었다. 2001년 법안에 따르면, "러시아연방 북방, 시베리아, 극동 토착 소수 민족의 전통적 자연 이용 구역은 […] 러시아연방 북방, 시베리아, 극동 토착(원주) 소수 민족의 전통적 자연 이용과 전통적 생활방식을 위해 설립된 특별히 보호된 환경 영토이다."

"특별히 보호된 환경 영토" 또는 대안적인 번역으로, "특별히 보호된 보호지역"은 예를 들어 건설, 자원추출 및 기타 기업 활동과 관련하여 환경 보호에 관한 특정 제한을 공유하는 일련의 보호지역이다. 건설, 자원추출 및 기타 기업 활동은 절대적으로 금지되지는 않지만, 먼저 "국가 생태 전문가 조사"(Государственная экологическая экспертиза, State ecological expert reviews)[48]라고 알려진 특정 환경영향평가를 완료해야 한다. 이러한 제한 외에도 시민 감시 및 모니터링과 같은 지역 주민의 특정 참여 권한도 제공한다. 이러한 제한과 주민 참여 권리는 원주민에게 매우 중요하다. 물론 원주민의 권리와 보존이 때때로 충돌하기 때문에, 토착 TTNU를 환경보존 영토의 일부로 만드는 것은 문제가 된다. 그러나 관련 메커니즘이 원주민들에게 제공될 수 있도록 보장하는 실질적인 이점이 있다.

---

48) 환경영향평가에 관한 연방법 Федеральный закон "Об экологической экспертизе" от 23.11.1995 № 174-ФЗ (последняя редакция) Принят Государственной Думой 19 июля 1995 года. Одобрен Советом Федерации 15 ноября 1995 года 참조. http://www.consultant.ru/document/cons_doc_LAW_8515/(검색일: 2020.1.7.)

원주민의 토지 및 자원 접근에 관한 모든 규정과 마찬가지로, 법률의 접근 방식은 원주민에게 전통적인 생활방식의 영속성을 유지하는 데 필요한 토지 및 자원에 대한 용익권을 부여하는 것이다. 그것은 원주민의 기존 전통적 소유권과 관련된 권리를 인정하는 권리기반 접근방식이 아니라, 법에 명시된 권리(용익권)는 국가 당국에 의해 부여된다. 또한 법률은 용익권을 부여하면서, 원주민들이 이러한 토지를 통제하고 자유롭게 처분할 수 있도록 규정하지 않았다. 그들은 순록을 방목할 수 있지만, 땅을 완전히 통제해서는 안 된다. 기껏해야 원주민들은 이 영토를 지키는데 참여할 수 있다고 법에 규정되어 있다. (제15조)

TTNU에 관한 연방법[49]은 6개의 장으로 구성되며, 3,000단어 미만의 17개 조항으로 구성되었다. 이 법률은 기본법으로 설계되었으므로, TTNU의 설립 및 관리에 대한 구체적인 세부규정은 없고, 연방, 지역 및 지방 당국에 필요한 세칙의 생성을 위임했다. (제11조). 이 법에 따르면, TTNU는 연방, 지역 또는 지방 차원에서 설립될 수 있다. 이러한 행정 수준의 중요성은 러시아의 공공 토지가 연방, 지역 또는 지방 자산이 될 수 있으며, 연방 자산이 영토의 대부분을 차지하므로, 대부분의 경우 연방 수준의 TTNU만이 원주민들에게 확고한 권리 보호를 제공할 수 있다는 것이다.

그러나 제11조의 이러한 규정에도 불구하고, TTNU에 관한 연방 조례 (федеральное постановление, federal bylaw)는 2001년에 국가두마(러시아 연방 하원인 Duma)에 의해 연방법이 통과되었음에도 불구하고 채택된 적이 없다. 연해주의 우데게 구역과 하바롭스크주의 울치 구역에서의 TTNU 시도를 포함하여 몇몇 지역에서 이런 교착상태를 타개하려는 파일럿 TTNU 프로

---

49) 각주 29 참조.

젝트 시도들이 있었다. 러시아 연방정부는 토지권 보호의 부족에 대한 UN 조약기구들의 우려에 대해 주기적인 보고서에서 이러한 파일럿 계획을 인용했지만, 두 이니셔티브는 여전히 교착상태에 빠져 있다.

그 결과 2001년 이래로 단 하나의 TTNU도 러시아 연방정부의 승인을 받지 못했다. 이러한 실패는 여러 유엔 조약기구에 의해 반복적으로 비난을 받았다. 러시아는 TTNU에 관한 법률을 실행가능하도록 개정하겠다고 선언함으로써 인종차별 철폐에 관한 유엔위원회(UN Committee on the Elimination of Racial Discrimination)에 응답했다.[50] 러시아 지역개발부(Ministry of Regional Development)는 2009년에 새로운 버전의 법률을 작성했지만, 국가두마에 법률안을 제출하지 않았다. 한편, 원주민의 연방 TTNU 설립 요청은 계속 거부되었으며, 장거리 파이프라인 건설, 수력 발전 댐, 석유 및 가스 추출, 광업 및 상업 벌목과 같은 더 많은 메가 프로젝트들로 원주민 토착 지역이 TTNU에서 소외되었다.

지역개발부의 법률 초안이 채택되고 발효가 되더라도, 원주민의 토지권 상황을 개선할 가능성은 낮다. 사실, 여러 측면에서 기존의 법을 약화시키기 때문에 오히려 위험에 처할 수도 있다. 연방 지역개발부의 초안이 연방 TTNU 창설만을 제공하기 때문에, 기존 지역 및 지방 TTNU는 더 이상 법적 근거가 없게 된다. 특히, 이것은 한티-만시 자치구에 지역 수준 TTNU로 등록된 600가구의 원주민 가정의 세습토지에 대한 위협이 된다.

또 이 초안은 TTNU가 2009년에 설립된 러시아연방 소규모 원주민의 전통 거주지 및 전통적 경제 활동 영역에 포함된 영토에 국한되어 더 이상의 TTNU

---

50) Cf. CERD/C/RUS/20-22, Para. 277, IWGIA (ed): The Indigenous World 2012, pp. 30-33, http://www.iwgia.org/publications/search-pubs?publication_id=573(검색일: 2020.1.7.)

를 만들 가능성을 제한한다. 몇몇 지역은 전체 행정구역을 "전통적인 거주지" (traditional habitat)로, 그러나 이 지역의 거의 절반은 해당 지역 내의 개별 정착지만을 나열했다. 후자의 경우, 실제 사냥 및 낚시, 순록 목초지 및 이 공동체의 숲은 배제된 상태로 정착촌만 원주민 영토로 간주될 위험이 있다. 따라서 원주민 공동체가 전통적인 경제 활동을 추구하고, 충분한 식량, 문화적 정체성 및 생계를 유지할 권리를 누릴 수 있는 충분한 토지가 부족해진다.

2013년 12월 28일자 개정 TTNU 연방법은 TTNU의 개념정의에서 "환경" (природные, environmental)이라는 단어를 제거하여 "특별히 보호된 영토" (specially protected territories, Особо охраняемые территории, OOT)라는 표현을 만들었다. 이전의 표현과는 달리 "특별히 보호된 영토"는 러시아 법률에 개념이 정의되어 있지 않다. 전문가들은 이러한 변화로 인해 이전 정의에서 암시된 완화되지 않은 산업적 개발에 대한 보호조치가 더 이상 적용되지 않아, TTNU의 보호기능을 제거하여 빈 껍질로 만들 것이라고 경고한다. 당국자들은 이러한 변화가 법을 실행 가능하게 하기 위해 필요했고, 원주민들 자신이 이 영토 내에서 할 수 있는 것도 제한할 것이기 때문 보존구역 지위는 부적절하다고 주장했다. 그러나 원주민들은 그것이 마지막으로 남은 보호 수단을 제거할까 봐 두려워한다. 대부분의 석유 및 가스 공급원인 한티-만시 자치구에서, 의회 의원들은 개정된 연방법에 따라 지역 법률을 조정하기 시작했고, 이것은 석유 및 가스 회사에 더 이상 제한이 없을 것이라는 지역 원주민의 우려를 불러일으켰다.[51]

---

51) Мария Лебига, "Что важнее - нефть или природа? Нефтяники получили свободный доступ на угодья аборигенов"(19:33 01.04.2014) https://sitv.ru/arhiv/news/social/66868/(검색일: 2020.1.7.)

5. 공동체(община, Obshchina)의 지위와 역할

옵쉬나(Община)는 문자 그대로 "공동체"(community)로 번역되며, 원래 제정 러시아의 농민 공동체를 지칭한다. 현대 러시아에서는 원주민의 친족 또는 지역기반 공동체 조직의 형태를 말한다. 그것의 권리와 지위는 "러시아연방 북방, 시베리아, 극동 토착 소수 민족의 옵쉬나 조직의 일반원칙에 관한 연방법"(2000)에 정의되어 있다. 다른 두 가지 기본법과 마찬가지로, 이 법은 상대적으로 드물고 구체적이지 않기 때문에 많은 세부 법률적 사항이 지방 및 지역 당국에 의해 규제되도록 하고 있다.

옵쉬나 개념의 도입의 원래 의도는 다각적이다. 옵쉬나는 지역 자치행정의 일부 기능을 수행하고, 원주민의 관심사에 관한 업무 결정에 참여하고, 문화 및 교육 분야에서 서비스를 제공하고, 동시에 토착민들이 전통적인 경제활동을 실행 가능한 방식으로 추구할 수 있는 경제협동조합의 기능을 수행한다. 소비에트 연방의 해체로 인해 이전 국가후원 경제구조가 사라졌기 때문에 옵쉬나의 경제적 역할은 특히 중요해졌다. 오늘날 이 기능은 다른 기능보다 훨씬 더 중요하다고 말할 수 있다.

옵쉬나에 관한 연방법은 일부 내부 규정이 토착 "전통과 관습"을 기반으로 하도록 허용한다. 그러나 이것은 관습법 또는 관습상의 권리의 개념을 인정하지는 않는다. 관습과 전통은 보존할 가치가 있는 것으로 취급되지만, 원주민 권리의 원천으로 인정되지는 않는다.

이 법의 한 가지 문제는 옵쉬나를 '전통적인' 유형의 활동으로 제한한다는 것이다. 만약 전통적인 경제활동에 참여하지 않으면 해지될 수 있다. 그들의 운영은 비영리적 성격을 지니고 있으며(제5조), 이것은 또한 그들의 업무가 비영리 단체에 관한 연방법에 의해 규제됨을 의미한다. 이 조항은 잠재적으로 옵쉬나의 경제적 기회를 제한하며, 민간기업이 옵쉬나에 보복하기 위해 이용될 수 있다. 민간기업은 옵쉬나의 경제적 성공으로 인해 그들을 경쟁자로 여길 수 있다. 그러므로 이 법은 UNDRIP(유엔 원주민인권선언, 2007)에 규정된 원주민의 발전에 대한 집단적 권리와 상충된다.

옵쉬나 문제의 가장 논쟁적인 측면은 토지 및 자원에 대한 접근성이다. 많은 지역에서 토착 옵쉬나는 민간기업, 특히 어업분야에서 민간기업의 경쟁업체로 간주되는데, 그 중 일부 민간기업들은 지방정부와 잘 연결되어, 토착 옵쉬나를 사업에서 밀어내기 위해 상당한 노력을 기울이고 있다. 최근 몇 년간 국가 당국이 취한 많은 입법 조치는 원주민의 권리보다 이들 민간사업의 이익을 선호했다.

논쟁의 대상이 된 개념은 많은 법률 규정에 포함된 원주민과 옵쉬나의 특정 자원에 대한 "우선권"(приоритное право, priority right)이라는 개념이다. 최근 입법체계 내에서 특히 원주민의 개별 구성원이 아닌 옵쉬나를 의미하는 개별 법률에서 이 개념을 제거하기 위해 많은 노력을 기울여 왔다. 낚시(어업)에 대한 원주민의 우선권은 "어업과 수생 생물 자원 보존에 관한" 연방법(Федеральный закон "О рыболовстве и сохранении водных биологических ресурсов")[52] 제39조에 규정되어 있다. 제39조는 원주민과 그들의 옵쉬나는 비경쟁적 기초 하에 어장을 이용할 권리가 있다고 규정했다. 다시 말해, 그들은 낚시(어업)에 관한 상업 경매에 입찰할 필요가 없었다. 그러나 2008년 1월 이 규정을 담고 있던 제39조 2항은 무효로 선언되었다. 이 입법적 변경에 따라, 어장 지정의 포괄적인 개정이 수행되었다. 지역의 요청에 따라, 이전에

---

52) Федеральный закон "О рыболовстве и сохранении водных биологических ресурсов" от 20.12.2004 N 166-ФЗ (последняя редакция) Принят Государственной Думой 26 ноября 2004 года. Одобрен Советом Федерации 8 декабря 2004 года. http://www.consultant.ru/document/cons_doc_LAW_50799/(검색일: 2019.12.14.)

토착 전통 어업지역으로 지정된 많은 어장이 산업 어장(рыбопромысловые участки)으로 재분류되어, 상업입찰을 통해 제3자에게 임대되었다. 따라서 많은 원주민 옵쉬나가 그들의 어장을 잃어버린 것으로 알려졌다.

유엔 인종차별철폐위원회(UN Committee on the Elimination of Racial Discrimination)가 2008년에 러시아가 "천연자원에 대한 우선적, 비경쟁적 접근"(preferential, non-competitive access to natural resources)(CERD/C/RUS/CO/19 para 24)의 개념을 입법에 재삽입할 것을 권고했지만, 러시아는 반대 방향으로 움직였다. 2012년 러시아 정부는 허가 및 할당량에 관한 일부 관료적 요구사항을 제거하는 것처럼 보이는 "어업과 수생 생물 자원 보존에 관한" 연방법(Федеральный закон "О рыболовстве и сохранении водных биологических ресурсов")을 수정하는 조치를 제안했는데, 이는 제25조에서 옵쉬나를 제거하는 것이었다. 제25조는 토착민의 전통 어업을 규제하고 따라서 그들에게 전통적 어업을 위한 어장을 부여받을 권리를 박탈할 것이다. 수정 초안은 원주민이 자신의 개인적인 필요를 위해 어업할 권리만 가지고 있다고 규정하고 있다. 이것은 개인의 영양적 요구만을 다루므로 어떤 어업거래도 금지할 수 있다고 해석될 수 있다. 만약 이 연방 어업법 초안이 채택된다면, 이 제안된 조치는 옵쉬나의 경제적 생존력을 더욱 약화시킬 것이다. 왜냐하면, 이제 어업권을 얻는 유일한 방법은 상업적 경매를 통해서만 이루어질 것이고, 이것은 일반적으로 옵쉬나의 능력을 초과하는 재정적 및 물류적 자원을 필요로 하기 때문이다.

경험에 따르면, 옵쉬나가 제출한 입찰은 거의 성공하지 못한다. 전통적인 어업 분야에서 원주민 옵쉬나를 배제함으로써 이 초안은 옵쉬나에 관한 연방법 제1조[53]와 모순된다. 제1조는 "옵쉬나는 토착 소수 민족의 전통적인 정착

---

53) "러시아연방 북방 시베리아 극동 토착(원주) 소수 민족의 옵쉬나 조직의 일반원칙에

지, 전통적 생활방식, 권리와 법적 이익을 보호하기 위해 만들어졌다."고 규정하고 있다. 뿐만 아니라 비상업적 조직에 관한 연방법(Федеральный закон "О некоммерческих организациях")[54]은 주어진 옵쉬나의 목적과 법령에 부합되는 한 옵쉬나에 의한 기업가적 활동을 명시적으로 허용한다. 사냥터와 같은 다른 생물학적 자원과 관련하여서도 유사한 쟁점이 적용된다. 그러나 어류는 가장 수익성이 높은 생물자원이기 때문에 원주민 옵쉬나들은 그들의 어업권이 공격을 받고 있다고 본다.

그러나 더 큰 문제는 현재의 입법적 접근과 행정적 관행은 원주민의 토지와 자원에 대한 집단적 권리를 위한 여지를 거의 남기지 않는다는 점이다. 대신, 원주민 권리는 신청에 대해서만 개인에게 부여된다. 이것은 UNDRIP(유엔원주민인권선언, 2007)에 명시된 국제규범, 특히 자기결정권(the right to self-determination)과 모순된다. 또한 모든 원주민 가족이 스스로 그렇게 권리신청을 해야 한다면, 원주민이 자신의 권리를 주장하는 것을 매우 어렵게 만든다.

V. 결론

'러시아 북방 토착(원주) 소수 민족'은 그동안 역사적 관행, 관습법상의 권리, 현행 헌법과 법률상의 권리와 지위, 국제적 원주민 레짐의 지원 등을 통해 그들의 조상이 소유한 영토에서 그들의 전통적인 삶의 방식과 경제활동을 유

관한 법률" 각주31 참조

54) Федеральный закон "О некоммерческих организациях" от 12.01.1996 N 7-ФЗ (последняя редакция) Принят Государственной Думой 8 декабря 1995 года. http://www.consultant.ru/document/cons_doc_LAW_8824/(검색일: 2019.12.14.)

지하며 그들의 전통 문화와 언어와 지식을 계승하고 유지할 수 있었다. 그러나 현재 개발을 중시하는 러시아 정부의 정책 방향으로 볼 때, 그들이 이러한 다양한 방식으로 자신을 보호할 기회가 제한을 받는다면, 미래에는 다양한 종류의 복잡한 삶의 상황이 그들에게 발생할 수 있다. 왜냐하면 러시아 북방 소수 원주민들이 사는 영토가 금, 우라늄, 수은, 석유, 가스 및 석탄 등에만 국한되지 않는 물과 나무와 동식물계를 포함하는 풍부한 천연자원을 가지고 있기 때문이다.

최근 입법을 통해 법적 권리를 개선하고 토착문화에 대한 존중을 강조함에도 불구하고, 국제법의 일반적인 토착(원주)민 관련 기준과 러시아 북방 토착 소수 민족의 실제 상황 사이에는 상당한 차이가 있다. 본 논문은 이러한 갭을 강조하며, 실질적인 토착 소수 민족의 법적 권리 보장과 현황을 분석했다.

최근의 경향처럼 토착 소수 민족의 권리 보호와 문화 보존에 대한 정치적 의지가 부족하고, 자원 중심의 국가 경제 개발에 중점을 둔다면, 토착 소수 민족에 대한 차별적인 패턴을 유지하고, 소수 민족 지역 사회에 영향을 미치는 결정에 대한 지역 사회의 참여를 줄이며, 토지 및 자원의 이용에 대한 권리의 제한 또는 위반을 연장하며 궁극적으로 토착 소수 민족의 생존을 위협할 수 있다.

〈참고문헌〉

Ahren, Mattias, "Racism and Racial Discrimination Against the Indigenous People of Scandinavia and Russia? The Saami People", in Suhas Chakma & Marianne Jensen eds., Elaine Bolton trans., *Racism against Indigenous Peoples*, (IWGIA 2001).

Cobo, Martínez, "Study of the problem of discrimination against indigenous populations", *UN Sub-Commission on the Prevention of Discrimination and the Protection of Minorities*, by Special Rapporteur, Mr. Martínez Cobo, UN Doc. E/CN.4/ Sub.2/1986/7(1986)

https://www.un.org/development/desa/indigenouspeoples/publications/2014/09/martinez-cobo-study/

Donahoe, Brian, et al., "Size and Place in the Construction of Indigeneity in the Russian Federation" in *Current Anthropology*, Vol. 49, No. 6 (December 2008).

Goble, Paul, "Numerically Small Indigenous Peoples Of The Russian North - An Ever Bigger Problem For Moscow"

https://upnorth.eu/numerically-small-indigenous-peoples-of-the-russian-north-an-ever-bigger-problem-for-moscow/ Analysis, Russia, Window On Eurasia/March 30, 2016.

Murashko, Olga, "Introduction", in Thomas Kohler & Kathrin Wessendorf eds., Vladislav Tsarev. et al., *Towards a New Millennium, The Years of the Indigenous Movement in Russia* (IWGIA, 2002).

Rohr, Johannes, *INDIGENOUS PEOPLES IN THE RUSSIAN FEDERATION*, Report 18, IWGIA(2014).

https://www.iwgia.org/images/publications//0695_HumanRights_report_18_Russia.pdf

Новикова, Н.И., "Обычное право народов Севера. Возможности и ограничения государственной правовой системы" Этнографическое обозрение (№ 5. 2005).

http://journal.iea.ras.ru/archive/2000s/2005/no5/2005_5_Novikova.pdf

Лебига, Мария, "Что важнее - нефть или природа? Нефтяники получили свободный доступ на угодья аборигенов" (19:33 01.04.2014) https://sitv.ru/arhiv/news/social/66868/

〈러시아 연방법률〉

Федеральный закон "О гарантиях прав коренных малочисленных народов Российской Федерации" от 30 апреля 1999 г. N 82-ФЗ.
http://www.raipon.info/activity/pravovaia-deiatelnost/federal-legislation/the-federal-law-on-guarantees-of-the-rights-of-indigenous-numerically-small-peoples-of-the-russian-f.php

Федеральный закон "О гарантиях прав коренных малочисленных народов Российской Федерации" от 30 апреля 1999 г. N 82-ФЗ. Версия 25 мая 2014. Принят Государственной Думой 16 апреля 1999 года. Одобрен Советом Федерации 22 апреля 1999 года.
http://www.raipon.info/activity/pravovaia-deiatelnost/federal-legislation/the-federal-law-on-guarantees-of-the-rights-of-indigenous-numerically-small-peoples-of-the-russian-f.php

Федеральный закон "О территориях традиционного природопользования коренных малочисленных народов Севера, Сибири и Дальнего Востока Российской Федерации" от 31 декабря 2014 года N 499-ФЗ (с изменениями на 31 декабря 2014 года) Принят Государственной Думой4 апреля 2001 года. http://docs.cntd.ru/document/901786770.

Федеральный закон "Об общих принципах организации общин коренных малочисленных народов Севера, Сибири и Дальнего Востока Российской Федерации" от 27 июня 2018 года N 164-ФЗ (с изменениями на 27 июня 2018 года). Принят Государственной Думой 6 июля 2000 года. Одобрен Советом Федерации 7 июля 2000 года. http://docs.cntd.ru/document/901765288.

Федеральный закон "О животном мире" от 24.04.1995 N 52-ФЗ (последняя редакция) Принят Государственной Думой 22 марта 1995 года.
http://www.consultant.ru/document/cons_doc_LAW_6542/

Федеральный закон "Об экологической экспертизе"от 23.11.1995 № 174-ФЗ (последняя редакция) Принят Государственной Думой 19 июля 1995 года. Одобрен Советом Федерации 15 ноября 1995 года.
http://www.consultant.ru/document/cons_doc_LAW_8515/

Федеральный закон "О рыболовстве и сохранении водных биологических ресурсов" от 20.12.2004 N 166-ФЗ (последняя редакция) Принят Государственной Думой 26 ноября 2004 года. Одобрен Советом Федерации 8 декабря 2004 года.
http://www.consultant.ru/document/cons_doc_LAW_50799/

Федеральный закон "О некоммерческих организациях" от 12.01.1996 N 7-ФЗ (последняя редакция) Принят Государственной Думой 8 декабря 1995 года.

http://www.consultant.ru/document/cons_doc_LAW_8824/

Земельный кодекс РФ. от 25.10.2001 N 136-ФЗ (ред. от 27.12.2019, с изм. от 05.03.2020) Принят Государственной Думой 28 сентября 2001 года. Одобрен Советом Федерации 10 октября 2001 года.

http://www.consultant.ru/document/cons_doc_LAW_33773/

Лесной кодекс РФ. http://www.leskodeks.ru/

Водный кодекс РФ. http://vodnkod.ru/

〈러시아연방 대통령령〉

Распоряжение Правительства РФ от 8 мая 2009 г. № 631-р "Об утверждении перечня мест традиционного проживания и традиционной хозяйственной деятельности коренных малочисленных народов РФ и перечня видов их традиционной хозяйственной деятельности".

https://www.garant.ru/products/ipo/prime/doc/95535/

〈한티-만시 자치구 조례〉

Положение "о статусе родовых удодии в Ханты-Мансийском автономном округе", http://russia.bestpravo.ru/hant/data11/tex31198.htm

〈기관 공식 사이트〉

러시아연방 북방, 시베리아, 극동 토착 소수 민족 협회(RAIPON, Ассоциация коренных малочисленных народов Севера, Сибири и Дальнего Востока Российской Федерации, АКМНСС и ДВ РФ) http://www.raipon.info/

러시아연방 통계청(Федеральная служба государственной статистики) http://www.gks.ru/free_doc/new_site/perepis2010/perepis_itogi1612.htm

전통 지식과 개발에 따른 이익 공유

정성범*

Ⅰ. 서론

현재 러시아 북방, 북극권 지역에서 8개의 핵심 지역, 즉 콜라, 아르한겔스크, 네네츠, 보르쿠타, 야말로-네네츠, 타이미르-투르칸스키, 북부 야쿠티아, 추코트카를 개발하기 위한 대규모 투자 프로젝트가 진행되고 있다[1]. 러시아의 북쪽에 위치한 많은 지역들은 천연자원의 개발, 다양한 광물(탄화수소, 금, 은, 다이아몬드, 백금, 철 및 비철 금속, 희토류 원료 등)의 탐사 및 추출 부문에서 러시아의 가장 중요한 전략적 영토이다. 동시에, 이러한 지역의 집중적인 개발은 종종 원주민의 조상 전례의 전통적인 토지를 침식하고, 그들의 전통적인 삶의 방식과 전통적 경제(생존) 활동과 충돌하며, 원주민 공동체가 사용하는 토지로부터의 철수 과정을 포함하여 그들의 생계를 복잡하고 어렵게 만든다. 이러한 추출산업 개발 프로젝트들은 주로 원자재 탐사 및 채굴, 운송 및 경제 인프라 개발 또는 군사 안보적 이유와 관련이 있다. 러시아 북극권의

※ 이 논문은 『한국 시베리아연구』 24권 2호에 게재된 것임
* 대구사이버대학 행정학과 교수
1) 새로운 버전의 국가 프로그램 "러시아연방 북극권 사회 경제 발전 계획 Social and Economic Development of the Arctic Zone of the Russian Federation", 2017년 8월 31일자 러시아 연방정부의 결정 No. 1064. http://government.ru/docs/29164/(검색일: 2019.5.25.).

핵심 지역 개발에 대한 투자 프로젝트 이행은 러시아 북방 원주민의 '전통적 자연 이용 구역(TTNU)'[2]에 영향을 미치고, 원주민의 전통적 토지에 영향을 줄 수 있다. 원주민의 전통적 거주지역과 원주민의 전통적 경제 활동에서 이러한 투자 프로젝트들의 정당화 및 이행에서 환경 및 민족지학적 요소를 충분히 고려하지 않으면 충돌이 발생할 수 있다[3]. 이 논문의 목적은 러시아 북방의 광물 자원의 탐사 및 채굴로 인해 원주민들의 전통 지식이 적용되고 활용되는 원주민의 전통적 경제(생존) 활동 및 토지들에서 발생하는 원주민의 손실과 이에 대한 보상으로서 이익 공유에 대한 현재 러시아에서 사용되는 이론적 접근법과 방법론[4]을 논의하는 것이다.

본 논문에서는 다음의 순서로 분석과 논의를 진행한다. 먼저, 2장에서 개념

---

2) TTNU(территории традиционного природопользования)의 개념은 2001년 TTNU 에 관한 연방법에 의해 더욱 구체화되었다. 2001년 법안에 따르면, "러시아연방 북방, 시베리아, 극동 토착 소수 민족의 전통적 자연 이용 구역은 [...] 러시아연방 북방, 시베리아, 극동 토착(원주) 소수 민족의 전통적 자연 이용과 전통적 생활방식을 위해 설립된 특별히 보호된 환경 영토이다." "특별히 보호된 환경 영토" 또는 대안적인 번역으로, "특별히 보호된 보호 지역"은 예를 들어 건설, 자원추출 및 기타 기업 활동과 관련하여 환경 보호에 관한 특정 제한을 공유하는 일련의 보호지역이다. 건설, 자원추출 및 기타 기업 활동은 절대적으로 금지되지는 않지만, 먼저 "국가 생태 전문가 조사" (Государственная экологическая экспертиза, State ecological expert reviews)라고 알려진 특정 환경영향평가를 완료해야 한다. 이러한 제한 외에도 시민 감시 및 모니터링과 같은 지역주민의 특정 참여 권한도 제공한다. 배규성, "러시아 북방 토착 소수 민족의 법적 권리: 법적 규범과 현실", 『한국 시베리아연구』 제24권 1호(2020.06), p. 129. 참조.

3) A. Novoselov, I. Potravnii, I. Novoselova, V. Gassiy, "Conflicts Management in Natural Resources Use and Environment Protection on the Regional Level", Journal of Environ. Manag. Tour. 2016, 7, pp. 34-42.

4) Violetta Gassiy, Ivan Potravny, "The Compensation for Losses to Indigenous Peoples Due to the Arctic Industrial Development in Benefit Sharing Paradigm", Resources 2019, 8, 71. https://www.mdpi.com/2079-9276/8/2/71(검색일: 2020.4.7.) 참조.

정의의 문제로, "러시아 북방 원주민", "전통 지식", "이익 공유"가 무엇인지 확인하고, 3장에서 주체로서 "러시아 북방 원주민"의 "전통 지식"이 적용되는 대상인 "(원주민의) 전통적 경제 영역(토지 및 자연자원)"과 원주민의 "(전통적) 경제(생존) 활동"의 내용을 살펴본 다음, 추출산업의 개발에 의해 원주민의 전통적인 경제(생존) 활동이 얼마나 피해를 보는지에 대한 손실 계산의 문제를 논의하고, 또 그러한 손실에 대한 보상으로 이익 공유에 대한 방법과 형태가 러시아에서 어떻게 진행되는지 살펴볼 것이다.

II. 개념정의의 문제

1. 러시아 북방 원주민

통상 러시아에서 "소수 민족"이란 용어는 정치 및 정책 분야에서 자주 쓰이지만, 독립적인 용어로서 "원주민"이라는 용어는 자주 인용되지 않고 있다. 그러나 "원주민"이라는 용어는 "소수 민족"이란 용어와 결합하여 러시아 특유의 독특한 법적 의미를 갖는다.[5]

정책적 법적인 맥락에서 러시아에서 쓰이는 원주민 및 소수 민족과 관련된 용어는 "러시아연방 북방 시베리아 극동 원주 소수 민족(Indigenous Numerically Small Peoples of the North, Siberia, and Far East of Russian Federation)"이다.[6]

현재 러시아에는 180개 이상의 민족 그룹이 있지만, "러시아연방 북방 시베

---

5) 배규성, "러시아 북방 토착 소수 민족의 법적 권리: 법적 규범과 현실", 『한국 시베리아 연구』 제24권 1호, 2020, pp. 105-142.
6) Ibid., 참조.

리아 극동 원주 소수 민족"(이하 러시아 "북방 원주민")은 러시아 연방법[7]에 의한 다음의 네 가지 조건을 갖춰야 한다.[8]

첫째, 특징적인 민족그룹으로 스스로의 정체성(Self-identify), 둘째, 인구규모(Size Range) 5만 명을 넘지 않은 소수, 셋째, 특정 지리적 영역(Place)(북극권, 시베리아 및 극동), 즉 조상의 전통 정착지에 토착하여 거주할 것, 넷째, 전통적 생활방식(Way)을 유지할 것.

러시아 연방정부는 궁극적으로 이런 조건에 부합하는 민족그룹들을 "러시아연방 원주 소수 민족 통일 목록"[9]에 포함시켜 연방 및 지방 법과 관습법 상의 지위와 권리를 어느 정도 보장하고 있다. 따라서 이 목록은 원주민의 입장에서 '특별 지위 리스트'[10]이다.

2. 전통 지식과 전통적 경제(생존) 활동

이미 국제적으로 전통지식(Traditional Knowledge)에 대한 논의와 합의가 상당한 수준으로 진행되고 있다.[11] 세계지적재산권기구(WIPO, World Intellectual

---

7) 1999년 4월 30일자 "러시아연방 원주민 권리보장에 관한" 기본법

8) Ibid., 참조.

9) утверждён постановлением Правительства Российской Федерации от 24 марта 2000 года № 255, а также изменён согласно постановлениям от 13 октября 2008 г. № 760, от 18 мая 2010 г. № 352, 17 июня 2010 г. № 453, 2 сентября 2010 г. № 669, 26 декабря 2011 г. № 1145, 25 августа 2015 г. № 880) http://docs.cntd.ru/document/901757631(검색일: 2020.1.8.)

10) Ibid., 참조.

11) "Traditional Knowledge and Benefit Sharing: From Compensation to Transaction", https://www.researchgate.net/publication/226410852_Traditional_Knowledge_and_Benefit_Sharing_From_Compensation_to_Transaction.

Property Office)는 전통 지식을 다음과 같이 매우 광범위하게 정의한다.

> "전통에 기반한 문학, 예술 또는 과학 작품; 공연; 발명; 과학적 발견; 디자인; 마크, 이름 및 기호; 비공개 정보; 산업, 과학, 문학 또는 예술 분야에서의 지적 활동으로 결과된 모든 기타 전통 기반 혁신과 창작물…" (세계지적재산권기구의 지적 재산권, 유전적 자원, 전통 지식 및 민속에 관한 정부 간 위원회, 2002).[12]

이러한 전통 지식의 정의로부터 생물 다양성 및 혁신과 관련된 두 가지 유형의 전통 지식을 유추할 수 있다. 첫째, 이전의 이용(예, 님나무[13]와 심황[14]의 약용)에 기초한 보건 또는 농업에서의 생물학적 자원의 이용에 대한 지식이 있다. 둘째, 제약회사가 관심을 가질만한 특성을 가진 특정 식물이나 동물의 존재에 관한 정보가 있다. 이에 대한 좋은 예는 코스타리카의 생물 다양성 국립 연구소(INBio, Instituto Nacional de Biodiversidad)의 설립이 있다. 이 연구소는 코스타리카의 생물 다양성을 탐구하고자 하는 기업과 파트너쉽을 맺었다.

본 논문과 관련된 전통 지식은 원주민의 전통적 생활(생존) 방식(a "traditional" way of life)과 관련된 지식, 즉 언제, 어디서, 무엇을, 어떻게 사냥하고, 채집하고, 처리하는 가이다.

첫째, 목축과 관련된 지식이다. 북방 원주민의 전통적 순록 목축과 관련하여 여름에는 해안 쪽 툰드라 방목지로, 겨울에는 타이가 숲으로 이동하는 생활방식과 관련된 지식이다. 또한 이동 수단과 비상 식량으로서 가축(개, 말

---

12) WIPO, Intergovernmental Committee on Intellectual Property and Genetic Resources, Traditional Knowledge and Folklore, 2002.
13) 님나무의 씨로 살충제를 만듦.
14) 심황 뿌리의 가루는 물감 · 건위제 · 조미료로 쓰임.

등) 사육과 관련된 지식도 여기에 포함된다.

둘째, 사냥과 관련된 지식이다. 사냥은 다시 두 가지 종류로 나뉜다. 첫째 고기(육류)를 위한 사냥, 둘째, 모피용 사냥이 있다.

셋째, 어업(낚시)과 관련된 지식으로, 어업은 하천에서의 상시적 계절적 어류 낚시와 바다에서의 어업으로 나뉜다. 또한 사냥으로 분류되기도 하는 바다 포유류 사냥도 바다와 관련이 있다.

넷째, 채집과 관련된 지식이 있다. 채집의 대상은 산딸기와 버섯 등이 있다. 양봉 또한 채집과 관련된 지식으로 볼 수 있다.

러시아 북방 원주민들이 거주하는 지역과 그들의 전통 지식이 적용되는 전통적 경제(생존) 활동(Traditional Economic Activities)은 대략 다음과 같은 표로 정리할 수 있다.

〈표 3-2〉 러시아 북극권 원주민의 전통 지식과 경제(생존) 활동

무르만스크 주	사미: 사냥, 해안 어업, 채집, 순록 목축
아르한겔스크 주	러시아 포모르, 포모르: 해양 포유류 사냥, 해안 어업
네네츠 자치관구	네네츠: 순록 목축, 사냥, 해양 포유류 사냥
카렐리아 공화국	벱스, 카렐: 사냥, 농업
코미 공화국	코미: 사냥, 강 어업, 순록 목축
야말로-네네츠 자치구	네네츠: 순록 목축, 사냥, 해양 포유류 사냥
크라스노야르스크 변강주	돌간: 순록 목축, 사냥, 강 어업 케트: 사냥, 강 어업 느가나산: 순록 목축, 사냥, 강 어업 엔츠: 순록 목축, 사냥, 강 어업 에벤크, 네네츠, 셀쿠프, 출리메츠: 순록 목축, 사냥, 강 어업
사하(야쿠치아) 공화국	에벤크: 순록 목축, 사냥 유카기르: 사냥, 채집, 강 어업, 순록 목축
추코트카 자치관구	축치: 해양 포유류 사냥, 순록 목축 케렉: 어업, 해양 포유류 사냥, 모피 무역 에스키모/이뉴이트: 해양 포유류 사냥

출처: 배규성, "러시아 북방 토착 소수 민족의 법적 권리: 법적 규범과 현실", 『한국시베리아연구』, 제24권 1호, 2020, p. 125.

3. 개발로 인한 손실에 대한 이익 공유(Benefit Sharing)

　과학 및 생명공학적 혁신으로부터의 이익공유를 위해 WIPO는 이 정의를 다음과 같이 제한적으로 적용했다. "자연적이든 인공적이든, 생명공학적 혁신과 관련이 있으며, 모든 사람이 알지는 못 할지라도 일부 사람들이 알고 있는 제품이나 공정(프로세스)에 대한 지식". 이 정의는 전통 지식을 이익공유와 명시적으로 연결 지은 생물다양성협약(CBD, Convention on Biological Diversity)과 일치한다.

　생물다양성협약(CBD) 제 1조는 다음과 같이 규정하고 있다.

　"관련 규정에 따라 추구되는 이 협약의 목적은 생물학적 다양성의 보존, 그 구성 요소의 지속가능한 이용, 유전 자원의 이용으로 발생하는 이익의 공정하고 공평한 분배이다. 유전 자원의 이용으로 발생하는 이익의 공정하고 공평한 분배에는 이들 자원 및 기술에 대한 모든 권리를 고려한 유전 자원에 대한 적절한 접근과 관련 기술의 적절한 이전, 그리고 적절한 자금 지원을 포함한다."

　생물다양성협약(CBD) 제 8조(j)는 다음과 같이 규정하고 있다.

　"소속국의 입법에 따라, 생물 다양성의 보존 및 지속 가능한 이용과 관련된 전통적 생활방식을 구현하는 토착 지역 공동체의 지식, 혁신 및 관행을 존중, 보존 및 유지하며, 그러한 지식, 혁신 및 관행을 보유한 사람들에 대한 인정과 참여를 통해 그 범위를 더 넓히고, 그러한 지식, 혁신 및 관행의 이용으로 발생하는 이익의 공평한 분배를 장려한다."

위에서 언급한 두 가지 유형의 전통 지식의 이용에서 파생된 이익 공유에 대한 요구는 종종 다음과 같은 잘못된 오용 시나리오에 따라 모델링된다. 원주민 집단은 전통 지식을 가지고 있다. 일반적으로 선진국의 일원일 필요는 없는 다른 그룹은 지식의 잠재적 유용성을 인식하고 이를 활용한다. 이들 다른 그룹이 지식을 이용하여 얻은 이익에 대한 접근과 통제력을 확보하고, 토착민 그룹을 배제할 수 있게 된다. 결과적으로 이것이 불공평한 결과라는 반대 의견이 제기된다. 최소한 모든 사람들이 지식의 이용에서 혜택을 입고 그것에 대한 동등한 접근 권을 갖는 것이 바람직하다고 여겨진다. 산업계가 개발도상국 소비자들에게 이용된 지식을 포함한 상품과 서비스에 대한 보상을 요구할 때 상황은 더욱 심각해진다. 이러한 가능성은 강탈과 유사하다.

적어도 1992년 CBD 협상 이후, 국제사회는 잘못된 착취(Wrongful Exploitation)를 인정하고, 전통 지식에 대한 접근과 그것에서 파생된 이익을 모두 할당하는 방법을 고안하려고 노력했다. 협약 제 8조(j)는 필요한 보호 형태의 실질적인 내용을 제공하지 않고, 이 지식을 어떤 형태로든 보호하고자 한다. 그 이후의 연구는 유전 자원의 접근에 관한 자발적 가이드라인을 확립한 '유전 자원에 대한 접근과 그 이용으로부터 결과된 이익의 공평 공정한 분배에 대한 본 가이드라인(Bonn Guidelines on Access to Genetic Resources and Fair and Equitable Sharing of the Benefits Arising Out of their Utilization)'(생물다양성 협약 사무국 Secretariat of the Convention on Biological Diversity, 2004)의 개발로 이끌었다.

이 가이드라인에는 다음과 같이 규정되어 있다. "일반적으로 합의된 조건은 공유할 이익의 조건, 의무, 절차, 유형, 시기, 분배 및 메커니즘을 포괄할 수 있다."

'전통적인(Traditional)'의 의미는 종종 지식이 이용된 장소와 이용한 사람에 따라 일련의 역사적 및 지리적 우발상황(Contingencies)에서 단순히 지식의

위치를 찾아내는 것이다. 그러나 인식론적 관점에서 이러한 우발적인 상황이
아주 평범하게 보일 수 있지만, 그것들은 전통적인 지식의 잘못된 착취에 대
한 가장 강력한 증거가 된다. 예를 들어, 개발도상국의 자원을 활용한 선진국
의 현대적 종자 은행 집단은 생물-지리적 착취에 대한 전통적인 식민지적 관
행의 현대적 파생물로 볼 수 있다[15]. 장소와 관행 또한 마찬가지로 오늘날 우
선 사람들의 지역적 지식에 대한 연구와 다음으로 그러한 지식의 효용성에 대
한 관심사를 설명하는 데 사용되는 '민족생물학(Ethnobiology)' 및 '생물자원
탐사(Bioprospecting)'[16]와 암시적으로 같은 용어이다.

보상적 정의(Compensatory Justice)로서의 이익 공유(Benefit Sharing)는
전통 지식이 특별한 재산권을 발생시킨다는 신념을 전제로 한다. 전통 지식
(Traditional Knowledge)을 재산(Property)으로 취급하는 것을 정당화하는 두
가지 주요 주장이 있다. 첫째, 전통 지식은 반드시 모든 사람들에 의해서가 아
니라 특정 집단에 의해 알 수 있고, 따라서 전통 지식은 '앎의 방법(a way of
knowing)'을 구별하는 것이라는 자주 채택되는 입장이 있다. 이 독특한 지식습
득(앎)의 방법은 오용할 경우 그것에 대해 보상해야 하는 재산권 주장을 발생시
킨다. 예를 들어, 반다나 쉬바(Vandana Shiva)는 개발도상국(그녀의 경우 인도)
사람들이 서구 사람들과는 다른 방식으로 자연을 이해한다고 주장한다[17]. 그녀
는 생물학적 해적행위(Biopiracy)[18]에 대한 동양 문화의 취약성에서 서로 다른

---

15) Calestous Juma, (1989), *The Gene Hunter: biotechnology and the scramble for seeds.* (Princeton: Princeton University Press, 1989).
16) 상업화나 의료를 목적으로 잠재적인 경제적 가치를 지닌 유전자원이나 생화학적 자원을 탐색하고 연구하는 것.
17) V. Shiva, *Stolen Harvest: the hijacking of the global food supply.* (Cambridge, MA: South End Press, 2000).
18) 상업화나 의료를 목적으로 잠재적인 경제적 가치를 지닌 개발도상국의 동식물을 불

인식론적 견해에 대한 증거를 발견했다. 이러한 문화권의 사람들은 자연이 기술적 추출의 자원이자 지적 재산권 보호의 대상이라고 생각하지 않기 때문에 착취를 당한다[19]. 쉬바는 서구의 생명공학적 혁신에서 개도국 유전 자원의 사용에 대항한 금지명령을 활용하는 동서양의 방법 사이에 강한 대조를 보여주었다. 또한, 그녀는 동양에서 독특한 지식습득(앎)의 방법은 전통적인 지식에 대한 독점권을 야기한다고 주장한다. 전통 지식을 재산권의 형태로 취급함으로써 우리는 동양적 맥락에서 서구 생명공학의 침입을 억제할 수 있다. 이러한 방식으로 인식론적 입장의 차이는 동양의 독점적 지식의 보호로 이어진다.

전통 지식을 재산(권)으로 취급하는 것을 정당화하기 위해 제시된 두 번째 접근법은 '전통 지식을 알고 있는 자(Knower)'에게 특별한 지위를 부여하는 '전통적인' 지식의 특별한 본질을 식별하는 것이다. '전통적인' 지식의 특별한 지위는 '전통-적'이라는 생각이 지식이나 '그것을 알고 있는 자(Knower)'에게 특정한 지위를 부여할 수 있는지, 따라서 재산권을 발생시키는지 아닌지에 초점을 맞춘다. 이 접근법은 전통 지식에 대한 독점적 이해관계를 보호하려는 노력과 아직 이 지식을 '소유'하거나 이용할 수 없는 기저 문화 사이의 명백한 긴장을 목표로 한다.

산드라 하딩(Sandra Harding)에 의해 발전된 인식론적 견해는 독특한 사회-경제적 상황을 가진 사람들의 집단에 기인하는 앎(Knowing)의 또 다른 방법들이 있다는 견해를 가지고 있다[20](Harding, 1986). 사람이 어떻게 자신의 세계와 관계를 맺는가는 장소와 문화에 의해 미묘하게 해석될 수 있다. 나아

법적으로 탐사하는 생물자원탐사(bioprospecting)

19) Ibid.

20) Sandra G. Harding, *Science questions in feminism*. (Ithica, Cornell University Press. 1986).

가 현지화된 지식은 다른 지식의 세트(Set of Knowledge)가 아니라 다른 앎의 방법(way of knowing)을 구성한다고 주장할 수 있다. 이것은 왜 '전통적인' 지식이 특별한지를 설명하기 위한 좋은 출발점이 될 수 있다. 불행히도, 이것은 전통적인 지식의 경우에는 우리를 크게 멀리 보내지 못한다.

한 그룹이 다른 그룹과 다르게 알고 있는가 아닌가가 문제가 되었을 경우, 인식론적 견해가 훌륭할 수 있지만, 그것이 이익 공유에 관한 관심의 중심은 아니다. 정의에 따르면, 이익 공유 요청은 지식의 근원이 되는 공동체 외부에서도 알고 있는 지식과 관련이 있다. 만약 지식이 공동체 외부의 다른 사람들에 의해 진정으로 이해될 수 없는 것이었다면, 재산권에 대한 필요성도 없을 것이다. 왜냐하면 공동체는 지식을 이해하는 자신의 독특한 능력에 의해 나머지 다른 사람들이 그 지식을 이용하지 못하도록 효과적으로 배제할 수 있기 때문이다. 지식이 다른 사람들에 의해 이해되고 평가될 수 있는 지역에서만 인위적으로 누가 타인을 배제할 수 있어야만 하는가를 결정하는 재산권 레짐이 필요한 곳이다. 따라서 자신의 자연 환경을 이해하는 다른 방법이 있다는 주장은 '전통적인' 지식이 재산권을 통해 보호되어야 하는지 여부를 결정하는 데 결정적인 것은 아니다. 대신 그 주장은 전통 지식이 독특하고, 따라서 그 지식을 서구 과학에서 배제할 수 있는 고유의 권리를 제공한다는 생각에 대해 전통 지식과 관련하여 부여될 수 있는 종류의 재산권에 대한 논의에서 쟁점을 이탈시키려는 시도로 보여 질 수 있다. 사실, 전통 지식을 구체화하려는 움직임은 그것(지식)이 서로 다른 그리고 근본적으로 전달 불가능한(non-translatable) 개념적 체계의 일부라고 주장함으로써 특정 지식을 보호하려는 시도이다[21]. 사실, 실질적 쟁점이 누가 지식을 가지고 있고, 그 지식이 어떤 우

---

21) D. Davidson, *On the very idea of a conceptual scheme. In Inquiries Into Truth*

선순위에 있는지에 대해서일 때, 이것은 지식에 대한 적나라한 주장이지만, 타당하지 않다. 결국, 전통 지식을 소중하고 보존할 가치가 있는 것으로 만드는 것은 그 지식이 이미 유용한 것으로 밝혀졌을 때이다(예를 들면, 님나무 또는 심황의 의학적 재산권). 이것은 그 지식이 이미 이용되었음을 의미한다. 따라서 지식이 이용되어야 하는지의 여부와 이용될 수 있는지에 대한 질문은 궁극적으로 핵심을 빗나가 있다. 대신, 누가 지식에 접근할 수 있어야 하고 누가 그 지식을 이용할 수 있는가가 문제이다.

결론을 내리면, 전통 지식을 구체화하려는 움직임은 소유권 문제를 해결하지 못하는 인식론적 긴장을 불러일으킨다. 오히려, 이 접근법은 단지 사람들과 장소에 국한된 지식이 전통적이라고 말할 수 있는 근거를 혼란스럽게 할 뿐이다. 그럼에도 불구하고, 전통 지식과 관련된 지금까지의 보상적 정의 (Compensatory Justice)로서의 이익공유(Benefit Sharing)에 대한 논의들은 분배적 정의(Distributive Justice)에 따른 이익공유 모델에 대한 논의로 발전할 가능성이 충분히 있다.

Ⅲ. 전통 지식, 토지 및 경제(생존) 활동과 개발로 인한 손실의 보상으로서 이익 공유

1. 전통 지식과 토지 및 경제(생존) 활동

「러시아 북방 시베리아 극동 소수 원주민」의 지속 가능한 발전에 대한 러시

---

and Interpretation. (Oxford: OUP. 1984).

아 연방정부의 개념」(2009)은 원주민의 전통적 토지와 '전통적 자연 이용 구역'(TTNU)을 개발하고 보존하기 위해 채택되었다. 1999년 4월 30일자 "러시아연방 토착(원주) 소수 민족의 권리 보장에 관한" 연방법(No.82-FZ)이 토착 소수 민족들의 최초의 사회-경제적 및 문화적 발전에 대한 권리, 전통적 토지와 전통적 생활방식의 보호, 경영관리 및 목초지 등에 대한 법적 권리의 기초를 구축했지만, 현재의 입법은 전통적인 토지에서의 비즈니스 경제 활동으로 인해 발생한 손실에 대한 보상 절차를 규정하지 않았다[22]. 본 논문에서는 모든 유형의 비즈니스 조직 활동에 의해 토착민과 그 토지 및 지역 사회에 발생하는 손실에 대해 연방 수준에서의 보상 방법 개발 및 적용을 논의하고자 한다. 이러한 조건에서 중요한 과학적이고 실용적인 과제는 북극권의 산업 발전 과정에서 비즈니스 기업과 원주민 간의 관계를 규제하고 조화시키기 위한 효과적인 관리 도구와 메커니즘을 개발하는 것이다.

예를 들어, 사하 공화국(야쿠티아)는 광업을 주요 산업으로 하는 원자재 지역으로, 부정적인 환경적, 사회적 결과를 동반하고 있다. 북방 원주민들은 방해받지 않은 최소한도로 산업 개발에 의해 교란된 지역에서만 경제 활동에 참여할 수 있다. 환경의 악화와 재생 가능한 자원의 감소는 전통적인 유형의 환경관리뿐만 아니라 원주민들의 정신, 문화 및 전통에도 치명적인 영향을 미친다. 이러한 관점에서 원주민들에게 가장 심각한 문제 중 하나는 산업체가 '전통적 자연 이용 구역'에 끼친 피해와 이로 인해 토착민 공동체에 끼친 손실에 대한 공정한 보상 문제이다. 이 문제를 해결하기 위해서는 북극권의 투자 프로젝트와 관련하여 토지 소유자의 손실을 추정하고, 전통적인 환경관리 분야의 지

---

22) A.N. Sleptsov, "Arctic vector of development", *Higher Education of Russia*, 2014, pp. 115-122. https://cyberleninka.ru/article/n/arkticheskiy-vektor-razvitiya.pdf(검색일, 2019.11.15.)

속 가능한 개발을 위한 경제 메커니즘을 만드는 방법론을 개발해야 한다. 다른 한편으로, 앞서 말한 바와 같이, 현재의 러시아 입법은 전통적인 거주지와 원주민의 전통적인 경제 활동에서 조직들의 경제 활동으로 인한 손실에 대한 보상 절차를 규정하지 않고 있다. '원주민 및 부족민 협약(Indigenous and Tribal Peoples Convention, or ILO-convention 169, or C169)'(1989)[23]에 따르면, 관련 원주민 및 부족민들의 수공예, 농촌 및 지역 사회 기반 산업, 생존 경제 및 사냥, 어업, 덫 사냥 및 채집과 같은 전통적 활동은 그들의 문화 유지와 경제적 자립과 발전의 중요한 요소로 인식되어야 한다. 정부는 이들의 참여와 적절한 시기에 이러한 활동이 강화되고 촉진되도록 보장해야 한다. 보상은 원주민에게 산업체가 야기한 손해에 대한 지불로 간주된다. 하층토 사용자로부터의 보상은 금전적인 것(원주민 공동체 일원 또는 부족 커뮤니티에 대한 지불)과 비금전적인 것(사회적 또는 운송 인프라 구축, 문화유산 보존을 위한 프로젝트 구현 등)이 있을 수 있다. 협약의 이행을 보장하기 위해 국가는 원주민 공동체가 그들의 전통 경제(수공예)를 유지하고, 그들의 권리에 대한 경제적 보장의 형태로 보상을 받을 수 있도록 하는 메커니즘을 개선할 의무가 있다. 러시아에서 원주민의 경제적 권리는 여전히 입법의 실패로 인해 발전 과정에 있다.

예를 들어, 2018년 러시아에서는 2개의 연방 법률, 즉 "러시아연방 토착 소수민족의 권리 보장에 관한" 법률과 러시아연방 토지법이 충돌했다. 한편으로, 연방법은 소수 민족과 그 협회가 전통적 거주지와 전통적 경제 활동의 장소에서 다양한 범주의 토지를 자유롭게 사용할 수 있도록 보장한다. 그러나 러시아연

---

23) C169 - Indigenous and Tribal Peoples Convention, 1989 (No. 169)(1991년 12월 5일 발효) adapted in 76th ILC session(제네바)
https://www.ilo.org/dyn/normlex/en/f?p=NORMLEXPUB:12100:0::NO::P12100_ILO_CODE:C169(검색일: 2020.4.5.)

방 토지법에 따라, 북방 원주민과 그 공동체에 속한 사람들에게 전통적인 생활 양식, 전통적 비즈니스 및 전통공예의 보존 및 개발에 필요한 건물과 구조물을 수용하기 위해서만 토지 사용이 무료로 제공된다. 슬랩초프(A. Sleptsov) 교수 는 다음과 같이 설명한다. "국영 또는 지방자치단체 소유의 농지의 일부 토지는 농업 생산, 원주민의 전통적인 생활방식, 경영관리 및 공예의 보존 및 개발을 위해 원주민 공동체로 이전될 수 있다. 그러나 동시에 임대된 토지를 사유지로 구매하는 것은 허용되지 않는다"[24]. 2018년 1월 1일자 연방 토지법에 따르면, 원주민 공동체는 임대료를 지불해야 한다. 이것은 그들의 토지를 연방 토지 등 기소(Cadaster)에 무료사용 등록을 하지 않은 농장들의 염려를 자아냈고, 새로 형성된 원주민 농장뿐만 아니라 임대를 위한 순록 목축지와 사냥터를 정리할 수밖에 없게 만들었다. 북극권에서 순록 목초지와 사냥터가 거대한 지역을 차 지하기 때문에 이러한 임대료는 수백만 루블에 이른다. 러시아 법률에서의 이 러한 충돌은 빠른 해결을 필요로 한다. 현재 연방 의회에서는 연방 토지법 개정 이 고려되고 있다. 따라서, 원주민 공동체의 토지권 문제와 산업개발로 '전통적 자연 이용 구역'의 영토에 끼친 피해에 대한 보상 문제는 서로 관련되어 있다.

북극권 산업개발의 맥락에서 원주민의 손실을 추정하고 보상하기 위한 방 법론을 개발하기 어려운 이유는 이 문제를 해결하는 이론적 접근 방법과 개념 적 장치가 결여 때문이다. 예를 들어, 순록 목축 지역에서 전통적인 경제 활동 의 손실에 대한 연구[25]와 석유, 가스 및 기타 천연자원의 개발 과정에서 발생

---

24) A.N. Sleptsov, "Региональные аспекты развития Российской Арктики на примере Республики Саха (Якутия)", *Арктика и Север*, 2015, No. 2, pp. 115-133. https://narfu.ru/university/library/books/2048.pdf(검색일: 2020. 3. 25.)

25) E.V. Zander, Y.I. Pazheva, A.I. Pyzhev, "Механизмы компенсации ущерба, наносимого компаниями-недропользователями коренным малочисленным народам (The Mechanisms for Compensation of Damage Caused by the

하는 북극 생태계의 피해 또는 전통적 환경관리에 발생한 피해에 대한 경제적인 평가에 대한 연구가 있다.[26] 러시아의 과학 문헌에는 러시아 북극권의 광물 채취 중 토지 사용자와 토지 소유자의 손실에 대한 개념 정의가 있지만, 원주민 공동체의 손실에 대한 개념정의는 없다.[27] 따라서 북극 지역에서 지속가능한 환경관리를 위한 방법론과 메커니즘을 개발하는 과정에서, 특정 산업 프로젝트의 이행의 결과로 야기된 북방 원주민, 북방 원주민 협회 및 원주민 부족 공동체의 상실된 이익과 손실의 보상에 대해 논의할 필요가 있다.

2. 손실의 계산

러시아에서 입법상의 충돌과 원주민의 토지 소유권 시스템의 불완전성으로 인해 주주(지분소유자) 시스템의 구현이 어려우나, 계약 시스템과 파트너십뿐만 아니라 사회적 책임의 실행은 잘 발달되어 있다. 그러나, 열거된 각각 경우

Companies Subsoil Users to the Indigenous Peoples)" *Региональная экономика: теория и практика*. 2014, 7, pp. 29-36.
https://cyberleninka.ru/article/n/mehanizmy-kompensatsii-uscherba-nanosimogo-kompaniyami-nedropolzovatelyami-korennym-malochislennym-narodam/viewer(검색일: 2020. 3. 25.)

26) E. V. Kaduk, "Рыночный обмен и практики дележа в Анабарском районе Республики Саха (Якутия), Traditional Nature Use in Anabarskiy Ulus of the Republic Sakha (Yakutia) in the Context of Market Interaction" // *Этнографическое обозрение*. 2017. No. 6. pp. 111-127. (검색일: 2020. 3. 25.)

27) Н. И. Новикова, Д. А. Функ(Ответственные редакторы), СЕВЕР И СЕВЕРЯНЕ, Современное положение коренных малочисленных народов Севера, Сибири и Дальнего Востока России (North and Northerners. The Current Situation of the Indigenous Peoples of the North, Siberia and the Far East of Russia) (Moscow, 2012) http://static.iea.ras.ru/books/Sever_i_severyane.pdf(검색일: 2020. 3. 25.)

에, 지역 주민을 지원하기 위한 조치에 대한 협상의 근거와 지역 공동체의 잠재적 손실, 손해 및 위험을 명확하게 설명해야 한다. 현재 보상을 위한 손실의 계산은 원주민과 투자자 간의 공정한 협상 과정의 주요 메커니즘이다.

'전통적 자연 이용(TNU)'은 기후 조건에 의해 결정된 영토의 천연자원 기반에 달려 있다. 주요 기준은 식생 분포의 특성에 따른 영토의 자연-생태학적 분화(Natural-ecological differentiation)이다.

가시(Violetta Gassiy)와 포트라브니(Ivan Potravny)는 사하 공화국(야쿠티아) 아나바르 강 유역 돌간-에벤 민족구[28]의 산업개발로 인한 원주민의 손실에 대한 보상 문제를 연구했다.[29] 이들은 2011년부터 2018년까지 사하공화국(야쿠티아)에서 산업개발로 인한 민족지학적 영향평가를 수행하는 프레임 워크에서 원주민의 손실을 추정하기 위한 접근법을 요약하고 개발했다. 러시아의 전문용어(Terminological Apparatus)로, 산업개발 프로젝트의 민족지학적 영향평가(Ethnological Expertise, этнологическая экспертиза)는 원주민의 토착 토지 변화의 충격과 민족집단의 사회-문화적 발전에 대한 과학적 연구이다. 현재 사하공화국은 민족지학적 영향평가에 관한 법률이 채택된 러시아의 한 지역이다. 이 법(Law of the Republic of Sakha(Yakutia) "On Ethnological Expertise")[30]은 2010년 4월 14일에 채택되었다. 프로젝트의 민족지학적 영향

---

28) 이 지역은 북위 71°에서 76° 사이의 사하 공화국(야쿠 티아)의 북서쪽 끝에 위치하고 있다. 이곳은 55,600㎢의 광대한 지역을 차지하고 있으며, 북쪽에 랍체프해 접해있다. 아나바르 강 유역에는 3,400명 이상의 사람들이 살고 있고, 이 지역의 인구 중 원주민의 비율은 37%이다.

29) Violetta Gassiy, Ivan Potravny, "The Compensation for Losses to Indigenous Peoples Due to the Arctic Industrial Development in Benefit Sharing Paradigm", *Resources* 2019, 8, 71; doi:10.3390/resources8020071

30) Закон Республики Саха (Якутия) "Об этнологической экспертизе в местах традиционного проживания и традиционной хозяйственной деятельности

평가는 원주민의 거주지와 전통적 경제 활동에 영향을 미치는 영토 내 프로젝트의 허용 정도를 결정해야 한다. 또한 원주민의 잠재적 손실을 결정해야 한다. 이러한 접근 방식은 북극권 영토 개발의 이익 분배 개념의 틀 내 요소 중 하나로 간주될 수 있다.

토착민의 손실을 계산하는 이들의 개념은 첫째, 영토의 물리-지리학적 특징에 대한 통합 지표, 둘째, 인위적 영향에 대한 자연경관의 지속 가능성(예를 들어, 야쿠티아에는 59개의 전통적 자연 이용 구역(TTNU)가 있다[31])이라는 개념을 사용하여 영토의 자원 평가에 대한 체계적인 접근방식에 근거했다. 이는 가용가능한 천연물(순록 목초지, 물, 낚시를 위한 강, 사냥 지역, 장과 채집을 위한 초목, 버섯, 약용 식물 등)을 사용하여 지역 인구의 잠재적 소득을 계산한다. 본질적으로, 이 영역이 원주민에 의해 경제 순환에 포함될 경우(비록 이 영역이 연구 시점에 이용되지 않을 수도 있지만), 잠재적 소득과 손실을 결정하도록 제안된다. 이 방법은 산업개발 프로젝트의 진행을 위해 이들 지역으로부터 원주민의 경제활동이 일시적으로 철수하는 경우에 사용될 수 있다.

들은 이 지역의 자원 생산성(Resource Productivity) 지표를 사용하여 야

коренных малочисленных народов Севера Республики Саха (Якутия)(с изменениями на 30 января 2019 года)". Принят постановлением Государственного Собрания (Ил Тумэн) Республики Саха (Якутия) от 14.04.2010 З N 538-IV. http://docs.cntd.ru/document/895252453(접속일: 2020.3.30.)

31) S.A. Tulaeva, M.S. Tysyachnyuk, "Между нефтью и оленями. О распределении благ между нефтяниками и коренными народами в российской Арктике и Субарктике (Between Oil and Deer. On the Distribution of Goods between Oilmen and Indigenous Peoples in the Russian Arctic and Subarctic)" *Экономическая социология*. Т. 18. № 3. Май 2017, pp. 70-96.
https://ecsoc.hse.ru/data/2017/05/31/1172172613/ecsoc_t18_n3.pdf#page=70(검색일: 2020.3.25.)

쿠티아 원주민들의 손실을 결정했다. 민족지학적 영향평가를 분석한 결과 많은 천연 물품이 시장 가치가 없다는 것이 밝혀졌다. 지역 인구는 이 천연 물품들을 자체 소비에 사용한다. 전통적인 제품(육류, 생선, 야생 식물, 장과 및 버섯)에 대한 확립된 시장 가격도 없으며, 다른 북극권에서 토지의 생물학적 생산성(1ha 당 사냥 자원의 밀도, 1ha 당 물고기의 생산성 등)을 특성화하기 위한 표준도 개발되지 않았다. 이 방법론과 다른 방법론적 질문은 손실을 계산하기 위한 더 나은 방법론적 접근법의 개발 필요성을 제기한다. 방법론 개발의 다른 이슈에는 산업개발 프로젝트의 이행으로 인해 경제활동이 배제된 구역(Exclusion Zones)과 스트레스 구역(Stress Zones)(간접적으로 그리고 수동적으로 영향을 받는 구역)의 할당을 고려한 영토의 지식물학적 구역화(Geobotanical Zoning)를 위한 도구도 포함된다[32].

전통 경제의 기본 부문 중에서, 가축화된 순록 목축은 전통문화를 보존하는 주요 유형의 경제 활동으로 간주된다. 이 산업의 특징은 목동들이 연중 내내 동물을 방목하는 것인데, 이는 그들로 하여금 매일 그들의 언어, 관습 및 전통을 사용하도록 강요한다. 문자 그대로의 순록은 원주민들을 먹여 살린다. 순록은 원주민들에게 주요 음식(고기)을 제공하고, 차량으로 사용되며, 전통적인 겨울 옷이나 신발을 제공하며, 유르트 건설에 없어서는 안 될 도구가 된다. 순록 방목에서만 원주민들은 지배적인 사회와의 경쟁에 직면하지 않는다. 사냥과 낚시 또한 원주민과 그들의 공동체에 중요한 역할을 수행한다. 예를 들어, 야쿠티아의 우스트-얀스키(Ust-Yansky) 지역 출신의 사냥꾼-어부 원주민 가족인 "유카기르" 부족 공동체는 1,914,000 헥타르의 면적을 가지고 있다. 공

---

32) Official Information Portal of the Republic of Sakha (Yakutia).
   https://www.sakha.gov.ru/news/front/view/id/2849120(검색일: 2020. 3. 25.)

동체 구성원은 17명, 그중 15명은 남자이다. 그들은 사냥하고, 낚시하고, 매머드 엄니를 채굴한다. 이 공동체의 주요 수입원은 총 52톤에 달하는 상업용 물고기(연어과의 물고기들인 브로드 화이트 피쉬/Broad Whitefish/Coregonus Nasus, 백송어속/Coregonus, 흰송어/Coregonus Albula)로 그 가치는 5백만 루블 이상이다[33].

아나바르 강 유역의 투자 프로젝트로 인한 토착 지역 공동체의 손실 계산 사례를 고려할 필요가 있다. 이 프로젝트는 폴로빈나야 강에서 충적광상 다이아몬드의 탐사 및 추출을 목표로 한다. 이 프로젝트는 Arctic Capital LLC에 의해 개발되고 있다. 이 지역은 전통적 자연 이용 구역(TTNU)와 관련이 있다[34]. 원주민 공동체는 거기에서 순록 목축을 하고, 사냥하고, 낚시를 한다. 라이센스(허가) 지역은 폴로빈나야 강바닥과 지류에 있다. 연구 지역의 총 길이는 75.4km이다. 이 프로젝트는 부분적이고 일시적인 전통 토지와 토지에 기초한 경제활동의 철수(Withdrawal)를 의미한다. 따라서 순록 방목, 사냥, 낚시 및 야생 식물(딸기, 허브, 버섯 등)의 손실이 주요 지표이며, 전통적인 토지의 생산성 감소에 따라 정의된다. 광산 부지는 배제 구역과 스트레스 구역으로 나누어져 있다. 허가기간 동안, 배제 구역에서 생물자원은 전통적 자연 이용 용도로 접근할 수 없기 때문에, 그들의 경제적 비축량(Reserves)은 손실에 대한

---

33) A.A. Sirina, *Родовые общины малочисленных народов Севера в Республике Саха (Якутия): шаг к самоопределению? (General Communities of Little Numbers People of the North in the Republic of Sakha (Yakutia): Step to Self-Determination?)* In Series "Studies in Applied and Urgent Ethnology" (Institute of Ethnology and Anthropology of the Russian Academy of Sciences: Moscow, Russia, 1999) p. 26. http://static.iea.ras.ru/neotlozhka/126-Sirina.pdf(검색일: 2020.3.25.)

34) I. Potravny, V. Gassiy, S. Afanasiev, "Territories of traditional nature: Development limits or economic growth factors?" *Арктика: экология и экономика*, 2017, 2, pp. 4-16.

보상의 대상이 된다.

원주민의 손실은 상실된 이익이다. 그것은 토지 1헥타르로부터의 총 연간 수입이다. 연간 총 수입(Gross Annual Income)은 모든 전통적 경제 활동의 총 생산량(Gross Output)과 재료 및 기술적 비용 간의 차액으로 정의된다.

가시(Violetta Gassiy)와 포트라브니(Ivan Potravny)의 연구 결과, 북방 원주민의 전통적 경제활동 부문별 손실은 다음과 같이 나타났다.

첫째, 순록 목축(Reindeer Herding). 순록 목축의 손실 계산은 지식물학적 멥핑에 기초하여 수행되었다[35]. 모든 계산은 이들에 의해 이루어졌다. 지도상에서 각 지식물학적 지형에 따라 순록 수용 능력 값이 결정되었다. 광산 지역의 경제적-지식물학적 지도를 기반으로 전자 버전이 만들어졌다. 순록 목축 생산의 비용은 산업 발전으로 인해 줄어든 목초지의 순록 수용 능력에 따라 감소한다[36]. 배제 구역의 전통적 토지는 순록 수용 능력을 완전히 상실한다고 가정했다. 스트레스 구역에서는 이 지표가 부분적으로 감소한다. 일반적으로 손실은 1년 단위로 계산되었다[37]. 경제적-지식물학적 지도는 순록 수용 능력,

---

35) Ibid.

36) E. I. Burtseva, I. M. Potravny, V. V. Gassiy, A. N. Sleptsov, V. V. Velichenko, "Questions of estimation and compensation of losses of indigenous peoples in the conditions of industrial development of the Arctic" *Арктика: экология и экономика*, 2019, 1, pp. 21-34.

37) 2009년 12월 9일자, "러시아 원주민의 전통 거주지 및 전통 경제 활동에서 모든 형태의 소유권 조직 및 개인의 경제 및 기타 활동의 결과로 러시아연방 북방, 시베리아 및 극동 지역 원주민 협회에 끼친 손해의 크기를 계산하는 방법론의 승인에 관한" 러시아 연방 지역 개발부(Ministry of Regional Development) 명령. No. 565. Приказ Министерства регионального развития РФ от 9 декабря 2009 г. № 565 "Об утверждении методики исчисления размера убытков, причиненных объединениям коренных малочисленных народов Севера, Сибири и Дальнего Востока Российской Федерации в результате хозяйственной и иной деятельности

즉 하루에 1 헥타르의 초지에 몇 마리의 사슴을 방목할 수 있는지 보여준다.

둘째, 사냥(Hunting). 사냥은 원주민의 두 번째로 중요한 전통적 경제 활동이다[38]. 지역 인구는 자신의 소비를 위해서 사냥한다. 이 지표는 낚시와 마찬가지로 공식 통계 데이터에는 거의 없다. 실제 가격 결정을 위한 한 가지 방법은 지역 인구를 조사하는 것이다. 연구 기간 동안 배제 구역의 토지는 사냥터로서의 가치를 잃는 것으로 가정되었다. 스트레스 구역에서는 교란 효과로 인해 사냥터의 생산성이 50% 감소한 것으로 가정되었다.

셋째, 어업(Fishing). 폴로빈나야 강과 그 지류는 아나바르 강 유역에 속한다. 여기서 정기적인 낚시는 특별하지 않다. 낚시 할당량은 정해지지 않았다. 어류학자들에 따르면, 일반적으로 북극권 강들의 생산 능력은 수면 1ha 당 3kg의 어획 생산량이다. 어획량은 주로 상대적으로 가치가 낮은 (쿼타가 없는) 어종이 지배하기 때문에 계산 시 평균 가격은 300루블/kg이다. 지방정부가 제공하는 예산 보조금은 1kg에 30루블이다. 보조금이 있는 물고기의 가격은 1kg에 대해 330루블이다. 어획량의 전체적 감소는 라이센스 영역 내 전체 수면 영역에 대한 수면 1ha 당 물고기 생산성 지수의 곱과 같다.

넷째, 야생 식물(Wild Plants) 채집. 야생 식물은 원주민이 자신들의 소비를 위해 수확한다. 제한된 판매 조건 하에서 가격은 존재하지 않는다. 인구조사에 따라 야생 식물의 주요 종(월귤/lingonberries, 월귤/Blueberries, 야생 나

организаций всех форм собственности и физических лиц в местах традиционного проживания и традиционной хозяйственной деятельности коренных малочисленных народов Российской Федерации" http://www.garant.ru/products/ipo/prime/doc/97228/#ixzz5c1c30wYn(검색일: 2020. 3. 25.)

38) V. V. Balashenko, M. N. Ignatieva, V. G. Loginov, "Natural resource potential of the Northern Territories: methodological features of integrated assessment" *Econ. Reg.* 2015, 4, pp. 84-94.

무딸기/Cloudberries 및 버섯/Mushrooms)의 평균 가격이 결정되었다. 야생 식물의 수확 감소는 배제 구역에서만 발생하며, 스트레스 구역에는 적용되지 않는다. 야생 식물의 경제적 비축량 가치는 야생 식물의 가격(루블/kg)에 대한 윤곽에서 경제적인 비축량(kg)의 곱과 같다.

한편, 손실 계산을 위한 특별한 방법론이 Giprozem Research Institute에 의해 개발되었다. 이 방법은 2009년 러시아연방 지역개발부(Department of Regional Development)에 의해 승인되었다. 불행히도, 방법론 개발과정에서의 실수가 추가 적용에서 부정적인 결과를 초래했다. 그것은 산업개발을 위한 전통적 토지로부터의 철수의 결과로 주주들(지분소유자들)의 연간 총 총소득 손실을 계산하는 소득 계산 방법에 근거한 것이었다. 이러한 손실 계산 문제는 법적 규제의 외부에 버려졌고, 새로운 토지의 제공은 철회되었으며, 영토의 산업발전에 의해 간접적으로 영향을 받은 지위 문제(Status Issues)는 무시되었다. 따라서 현재 국가 두마에서 활발히 논의되고 있는 민족지학적 영향평가에 관한 연방법은 야쿠티아의 경험을 다른 지역으로 확대하기 위해 필요하다. 이것은 러시아의 원주민의 권리를 보호하는 데 도움이 될 것이다[39].

3. 손실의 보상으로서 이익 공유(Benefit Sharing)의 방법 및 형태

다른 북극권 국가들의 북극권 산업개발 기간 동안 발생한 원주민들의 손

---

39) E. Guy, F. Lasserre, "Commercial Shipping in the Arctic: New Perspectives, Challenges and Regulations" *Polar Record, Volume* 52, Issue 3. May 2016, pp. 294-304.
https://www.cambridge.org/core/journals/polar-record/article/commercial-shipping-in-the-arctic-new-perspectives-challenges-and-regulations/24D92421C2024E93D8C48EF29FBAFCEA (검색일: 2020. 3. 25.)

해에 대한 보상으로서 이익 공유 메커니즘의 특성은 원주민들이 광업회사의 이익 분배에 참여하는 것이다. 예를 들어, 미국과 캐나다에서 기업체와 원주민 간의 상호작용에서 이익 분배 메커니즘은 일반적으로 지역 공동체가 참여하는 재정적 혜택(이익)의 공유 문제로 축소된다. 러시아에서는 비즈니스 기업과 지역 공동체가 보상 지급 및 해당 지역의 사회-경제적 개발에 대한 계약을 기반으로 상호작용한다. 학자들은 이익 분배 시스템과 원주민 공동체의 하위토양 이용자와의 합의(계약)를 긴급한 것으로 생각한다. 오페어칠라이 (Ciaran O'Faircheallaigh)는 특히, 지역 공동체가 산업체의 직접적인 영향(환경오염, 사회적 위험 등)을 받는 광업 기업의 경우, 지역 공동체의 개발 계약을 이행하는 것을 매우 중요한 도구로 제안했다. 일반적으로, 환경 및 사회적 비용은 기업이 개발한 영역에서 발생하지만, 이익은 다른 곳에 집중된다. 이로 인해 지역 공동체와 비즈니스 사이에 갈등이 발생한다.[40]

캐나다에서는 현재 광물자원의 탐사 및 추출이 상당히 증가하고 있으며, 이로 인해 정부 및 퍼스트 네이션(First Nation) 공동체들은 기업이 경제활동을 조약(Treaty)[41] 영토와 원주민 영토로 확장함에 따라 광업회사의 책임에 더욱 주의를 기울인다. 대부분의 국가들에서 일반적으로 이익 공유 계약(합의)은 기밀이며, 광업기업과 원주민 공동체 간에 체결된다. 계약은 특정 프로젝트에 특화되어 있으며, 사회-경제적, 환경적 이익과 책임의 목록을 포함한다. 그러한 협상의 내용 중 부족 공동체의 지역적 필요를 명확히 하는 방법과 개입 메

---

40) C. O'Faircheallaigh, "Community development agreements in the mining industry: An emerging global phenomenon", *Community Development*, Volume 44, 2013 - Issue 2. pp. 222-238. https://www.tandfonline.com/doi/abs/10.1080/15575330.2012.705872(검색일: 2020.3.25.)

41) 조약(Treaty)은 캐나다 정부, 원주민 그룹, 주 및 준주 간에 체결된 계약으로 이것은 모든 당자자들의 지속적인 권리와 의무를 정의하고 있다.

커니즘이 많은 연구자들의 연구의 초점이다[42]. 브래드 길모어(Brad Gilmour)와 브루스 멜렛(Bruce Mellett)은 계약에 앞서 투자 프로젝트에 의해 악영향을 받을 수 있는 잠재적인 지역 공동체 생활 영역에 대한 심층분석이 선행되어야 한다고 믿었다. 또한, 이익 공유 협약은 프로젝트 실현 중에 발생할 수 있는 미래의 기회를 언급해야 한다[43].

티샤크뉵(Tysiachniouk)과 툴라에바(Tulaeva)는 러시아 지역에서 이익 공유 계약을 체결하는 다양한 관행이 있다고 생각했다. 석유 및 가스 기업들과 원주민들 사이의 이익 분배에 대한 다양한 계약(합의) 모델의 형성 특성이 식별되어야 한다. 지역적 구체성, 국제적 행위자에 대한 의존성, 기업 정책의 특징, 지역 공동체의 자기 조직화 수준 등과 같이 계약 형성 과정에서 중요한 것이 무엇인지 이해하는 것은 중요하다. [44] 그러나 하층 토양 사용자와 원주민 공동체 사이의 파트너십 계약은 토지 사용에 대한 보상으로서 그리고 전통 토지의 사회-경제적 발전에 대한 직접적 참여로서 제공되어야 한다. 또한 하층

42) A. Chrétien, B. Murphy, 'Duty to Consult', Environmental Impacts, and Métis Indigenous Knowledge. https://iog.ca/docs/April2009_DutytoConsult-Chretien_Murphy.pdf (검색일: 2020.3.25.)

43) B. Gilmour, B. Mellett, "The Role of Impact and Benefits Agreements in the Resolution of Project Issues with First Nations" Alberta Law Review: Vol 51, No 2: Energy Law Edition, 2013, p. 385.
https://www.albertalawreview.com/index.php/ALR/article/view/71 (검색일: 2020.3.25.)

44) S.A. Tulaeva, M.S. Tysyachnyuk, "Между нефтью и оленями. О распределении благ между нефтяниками и коренными народами в российской Арктике и Субарктике (Between Oil and Deer. On the Distribution of Goods between Oilmen and Indigenous Peoples in the Russian Arctic and Subarctic)" Экономическая социология. Т. 18. № 3. Май 2017, pp. 70-96.
https://ecsoc.hse.ru/data/2017/05/31/1172172613/ecsoc_t18_n3.pdf#page=70 (검색일: 2020.3.25.)

토양 사용 기업과 관련하여 지방 당국의 임무 중 하나는 토지와 그 거주민의 이익을 보장하는 것 외에도 받은 보상 지불을 사용하여 인구가 경제 활동에 참여하도록 동기를 부여하고 자극하는 것이다[45].

북극 지역의 서지적 자료와 경제 관행에 대한 분석을 통해, 토지의 산업개발 기간 동안 다음과 같은 부의 분배, 또는 이익 공유의 영역을 확인할 수 있다.

첫째, 보상(Compensation). 개발 프로젝트로 인해 활동이 감소한 북방 원주민과 지역 공동체에 대한 손실 보상(Indemnification).

둘째, 고용(Employment). 계획된 프로젝트를 포함하여 북방 원주민 대표들의 직업 훈련 및 개인적 고용.

셋째, 파트너십 및 협력(Partnership and Cooperation). 전통적 자연 이용 제품과 전통 공예품의 정부조달을 통해 기업과 원주민 공동체의 상호 이익을 위한 협력.

넷째, 공동 관리(Co-management). 해당 지역의 산업개발 프로젝트와 모든 이해 관계자 및 기타 영역의 상호작용을 공동관리하는 위원회(협의회)에 원주민 공동체 대표들의 포함하는 것.

이러한 형태의 이익 공유는 전통 제품의 가공, 농업 생산을 위한 기술의 자금 조달 및 이전, 지역 공동체의 전통 경제 개발을 위한 보조금 제공 등에서

---

45) I.M. Potravny, V.V. Gassiy, V.N. Chernogradsky, A.V. Postnikov, "Социальная ответственность компанийнедропользователей на территории традиционного природопользования как основа партнерства власти, бизнеса и коренных малочисленных народов Севера (Social Responsibility of Companies - Subsoil Users on the Territory of Traditional Nature Use as the Basis for the Partnership of Government, Business and Indigenous Peoples)" *Арктика: экология и экономика.* 2016, 2, pp. 56-63. http://en.ibrae.ac.ru/docs/2(22)2016_Арктика/056_063_ARCTICA_2_2016.pdf(검색일: 2020.3.25.)

비즈니스(기업)의 지원으로 보완 될 수 있다[46]. 전통적 경제는 환경 지향적인 노동 시장 개발, 즉 환경친화적 생산(육류, 생선, 장과, 허브 등)의 녹색 일자리를 제공한다[47].

러시아에서 이익 공유 계약은 개발 프로젝트의 부정적인 영향을 완화하기 위한 프로그램(이하 프로그램)으로 실현될 수 있다. 부정적인 영향은 원주민의 전통적인 생활 방식의 변화, 프로젝트 기간 중 발생하는 변화의 맥락에서 지역 주민의 적응 필요성 및 지속 가능한 사회-경제적 개발의 필요성을 가정한다. 이러한 프로그램에는 다음의 것들이 포함될 수 있다.

첫째, 원주민과 전통 토지에 대한 손해 배상 계약, 둘째, 프로젝트 개발에 원주민이 참여하기 위한 고용 계약, 셋째, 전통적인 제품의 조달(구매), 넷째, 전통 문화 및 환경 보전(전통 휴일의 재정 지원 등).

예를 들어, 야쿠티아에서 Almazy Anabara JSC(Alrosa)와 Arctic Capital LLC에 의해 이런 프로그램이 실현되었다. 이 프로그램에는 토착 지역 공동체 및 개별 기업가들과 농산물(생선, 육류 등)의 조달, 건설 및 사회 운송 인프라에 대한 계약이 포함되어 있다[48]. 이러한 경험은 북극권에서 프로젝트를 수행

---

46) C. O'Faircheallaigh, "Community development agreements in the mining industry: An emerging global phenomenon", *Community Development*, Volume 44, 2013 - Issue 2. pp. 222-238. https://www.tandfonline.com/doi/abs/10.1080/15575330.2012.705872(검색일: 2020.3.25.)

47) A.N. Sleptsov, "Региональные аспекты развития Российской Арктики на примере Республики Саха (Якутия)", *Арктика и Север*, 2015, No.2, pp. 115-133. https://narfu.ru/university/library/books/2048.pdf(검색일: 2020.3.25.)

48) C. O'Faircheallaigh, "Community development agreements in the mining industry: An emerging global phenomenon", *Community Development*, Volume 44, 2013 - Issue 2. pp. 222-238. https://www.tandfonline.com/doi/abs/10.1080/15575330.2012.705872(검색일: 2020.3.25.)

하는 모든 기업들에 의해 러시아에서 실행되어야 한다.

원주민의 경제적 권리를 보호하는 문제는 러시아연방 토지법(Land Code)에서 원주민 공동체가 법의 주체가 아니라는 사실과 관련이 있다. 따라서 법에 의해 그들에게 토지를 양도할 수 없다. 원주민 공동체는 법인으로 등록한 다음에, 토지에 대한 권리를 증명해야 한다. 그러나 만약 예를 들어 원주민이 숲에 살더라도, 숲이 러시아 법에 따라 연방 재산이기 때문에 토지의 양도는 제외된다. 토지법의 이러한 충돌 및 기타 충돌은 경제적 권리의 보호 및 산업 프로젝트의 부정적인 영향으로 인한 토착 지역 공동체의 손실 평가 및 보상과 관련된 문제를 일으킨다. 2005-2006년 많은 토착민들, 코략(Koryaks)과 에벤크(Evenks)와 네네츠(Nenets)와 돌간(Dolgans)은 자신의 민족적 영토와 민족 자치구를 잃었고, 러시아연방의 다른 지역과 통합되었다. 이 시기는 통합으로 인해 영토가 확대된 시기였다. 그 결과, 전통적인 환경관리에 대한 공식적 권리 등록과 관련된 어려움을 포함하여 원주민의 권리가 훼손되었다.

러시아에서 이익 분배를 포함하여 원주민의 경제적 권리 보호를 위한 입법 시스템의 저개발 또는 미개발은 특정 지역에서 원주민 공동체와 비즈니스(기업) 사이의 상호작용의 관행이 다르다는 사실을 의미한다. 예를 들어 크라스노야르스크 지역에서 전통적 토지에 대한 피해는 협상의 결과이다. 지방정부는 원주민 공동체 및 전통적 자연 이용의 객관적인 손실을 계산하기 위해 어떤 방법론도 이용하지 않는다. 야말로-네네츠 자치구에서는 손실을 추정하고 원주민에게 보상하기 위해 프로젝트의 영향권 영역에 거주하는 원주민 대표자의 일인당 평균 소득에서부터 시작하도록 제안되었다. 이러한 접근법은 지역 인구의 실질소득이 낮기 때문에 천연자원에 끼친 실제 피해와 관련이 없다.

러시아 원주민의 전통적 생계를 지원하는 메커니즘 중에서도 기업에 의한 제품(생선, 야생 순록 고기, 장과 등)의 조달과 전통 공예 및 민족 발전을 지원하기 위한 목표 보조금의 할당이 있다. 오늘날 대부분의 이익 공유 사례에서 보상금 지불이 압도적이다. 소비에트 시기의 북극 개발 기간 동안, 국가는 원주민 영토의 사회-경제적 발전에 대한 책임과 비용을 부담했다.

러시아와 해외에서의 연구는 북극권 산업개발에 따른 손실에 대해 다음과 같은 유형의 이익 공유 형태를 확인했다.

첫째, 온정적 간섭주의(Paternalism). 국가는 이익 분배를 책임지며, 영토 개발을 위한 주요 기능을 담당한다. 이러한 유형의 환경관리 규정은 예를 들어 미국 알래스카에서 개발되었다.

둘째, 기업의 사회적 책임(Social Responsibility). 광업 기업은 '전통적 자연 이용 구역(TTNU)'의 개발에 중요한 역할을 하며, 상품의 주요 운송자의 역할을 하고, 상품을 배포한다. 그러한 기업의 예로는 야쿠티아의 Arctic Capital LLC 또는 Almazy Anabara JSC가 있다. 그들은 북극권에서 플레이서 다이아몬드(Placer Diamonds)와 금 채굴에 관여한다[49].

셋째, 파트너십(Partnership). 이 유형의 상호작용은 사할린에서 개발되었다. 기업과 지역 공동체 간에 실현된 공공-민간 파트너십은 대륙붕에서 천연가스를 생산하는 동안 이익을 분배하는 것을 목표로 한다. 이것은 캐나다의 이익 공유 시스템에도 적용된다.

넷째, 이익 분배 및 전통 공예품 지원을 위한 계약 시스템(Contract System). 이 경우, 이익 공유의 주요 역할은 원주민, 원주민 가족, 부족 공동체 및 기타 그룹을 위해 경제적 및 비물질적 지원을 수행하는 비정부 조직(NGO)

---

49) C. O'Faircheallaigh, "Community development agreements in the mining industry: An emerging global phenomenon", *Community Development*, Volume 44, 2013 - Issue 2. pp. 222-238. https://www.tandfonline.com/doi/abs/10.1080/15575330.2012.705872(검색일: 2020.3.25.)

에 속한다.

다섯째, 주주 모델(Shareholder Model). 이 시스템은 원주민이 지분(주식) 소유자로서의 권리를 실현한다고 가정한다. 원주민과 투자자 간의 이러한 상호작용 형태는 해외(오스트레일리아, 미국 및 캐나다)에서 개발되었다. 예를 들어, 러시아의 야쿠티아 북방 지역에서 일부 원주민 공동체들은 주주 모델을 구현하는 데 관심을 나타낸다.

IV. 결론

손실 계산을 위한 기존의 접근방식은 산업개발 프로젝트가 영향을 미치는 사회적 측면을 고려하지 않는다. 또한 '전통적 자연 이용 구역(TTNU)'에서 활동하는 산업 기업들은 원주민들의 사회적 손실을 보상하는 차원에서 토착 공동체의 삶의 질(사회적 시설의 건설, 민족문화 행사 자금지원, 고용)을 개선해야 한다[50]. 앞서 언급된 관행들에서 알 수 있듯이, 원주민의 손실을 계산하는 것은 방법론 상의 불완전성으로 인해 크게 달라질 수 있다. 현재 사용 중인 방법론에 따르면, 산업개발로 토지와 경제활동이 교란된 지역의 회복 기간을 고려하여, 연간 총 소득의 손실을 이익의 손실로 전환하는 계수(Coefficient)를 사용하여, 원주민의 잠재적 손실을 계산해야 한다. 그러나 교란된 천연자원(토지, 산림, 식물 등)이 복구되지 않으면, 전통적인 생산, 경제활동은 복구

---

50) K. Keil, "The Arctic: A new Region of Conflict? The Case of Oil and Gas" *Cooperation and Conflict*, 2014, 49, pp. 162-190.
https://journals.sagepub.com/doi/10.1177/0010836713482555(검색일: 2020. 3. 25.)

될 수 없다[51]. 기존의 방법론들은 보상 수혜자(원주민 공동체, 지방정부 및 공공 기관)에 관한 질문을 반영하지 않는다. 또한 이런 문제들은 원주민들이 산업 시설에서 멀어질 때, 개발 프로젝트가 스트레스의 영향을 미치는 영역을 결정하기 위해 조정되어야 한다. 법적인 차이로 인해 원주민들에 대한 공정한 보상을 결정할 수 없기 때문에, 방법론적 불완전성의 이러한 중요한 측면들이 해결되어야 한다[52].

결국, 전통적 토지의 자원 생산성을 기반으로 한 접근방식을 통해 원주민에게 야기된 손실을 계산하는 것이 바람직할 수 있다. 사회-경제적 및 환경적 문제 해결에 보상 기금이 사용되어야 한다는 권장 사항도 포함되어야 한다.

산업개발로 인한 토지 및 전통적 경제활동에 대한 손실을 계산하려면, 상실된 이익의 측면에서 소득 접근법을 적용하는 것이 좋다. 토지 사용자의 손실된 이익은 주로 기술적(Technogenic) 영향의 영역에 달려 있다. 기술적 영향은 생태계 파괴를 일으킬 수 있는 산업 기술, 운송 및 통신의 영향이다. 그것은 지속성(단기, 장기 및 주기적), 강도(최약, 약, 강, 초강), 허용성(허용과 불용) 및 제어 가능성(제어와 제어 불가) 등에서 다양하게 변화한다. 자연 자원(Natural Complexes)에 대한 산업적 영향의 강도를 평가하기 위해, 프로젝트의 위험 등급, 침해의 성격(지역적-채석장과 기타 산업 시설; 선형-파이프 라인, 고속도로 등)을 고려하는 것이 좋다. 위험 등급(Hazard Class)은 독성학적 특성에 대한 데이터를 기반으로 잠재적으로 유해한 물질을 간단하게 분류

---

51) B. Kristoffersen, O. Langhelle, "Sustainable development as a global-Arctic matter: Imaginaries and controversies" in K. Keil, S. Knecht (Eds), *Governing Arctic Change*: Global Perspectives (Palgrave Macmillan: London, UK, 2017) pp. 21-42.

52) Gassiy, V. "Indigenous Communities in the Arctic Change in Socio-Economic and Environmental Perspective" in Kanao, M., Ed. *Arctic Studies - A Proxy for Climate Change*, (IntechOpen: London, UK, 2018), p. 18.

하기 위한 일반적인 값이다. 산업 영향평가(Impact Assessment)에는 광업 및 가공에 사용되는 기술 및 화학 물질에 대한 자세한 정의가 포함된다. 전통적 자연 이용(TNU)의 손실을 계산하는 방법은 전통적인 활동의 소득 감소 지표에 근거해야 한다. 이들 방법들은 원주민의 생계(직업 창출, 교육 지출, 라이프 스타일 변화 등)를 개선하기 위해 하층토 사용자(개발기업)가 추가로 부담하는 환경적 사회-경제적 비용으로 보완되어야 한다. 전통적 토지의 경제적 개발 프로젝트의 주요 특징 중 하나는 다중기준(Multi-criteria) 특성이다. 서로 다른 많은 사회-경제적 단체, 지방정부, 기업, NGO 및 원주민들이 천연자원의 탐사 및 추출 과정에 참여하고 있다. 동시에, 일반적으로 프로젝트의 사회적 영향을 지배하는 상업적 효율성은 대체 프로젝트의 이점을 평가하는 데 항상 사용할 수는 없다. 개발 프로젝트에서 이행의 결과가 사회적, 환경적, 민족적, 문화적 영향과 원주민 생계의 다른 측면에 영향을 미칠 수 있을 때, 그러한 기준(Criteria)은 중요하다. 전통적 토지의 경제 개발을 위한 다중기준 전략의 맥락에서, 프로젝트에 의해 영향을 받는 각 이해당사자에 대한 개별 기준의 중요성의 차이, 그러한 영역의 개발을 위한 합리적인 옵션의 구체화(Substantiation)는 상당히 복잡하다.

전통적 토지의 경제적 개발을 위한 전략을 평가할 때 분명한 원칙은 프로젝트의 이익 가능성(Profitability)과 주요 당사자들의 이해관계의 일관성(Consistency of Interests)이다. 이 경우, 이익 가능성은 프로젝트의 이행과 관련된 경제적 결과와 비용의 비율에 의해서만 명확하게 결정될 수 없다. 이 개념에는 그러한 전략의 이행에 의존하는 다양한 당사자들의 이익에 대한 만족도가 포함되어야 한다. 또한 개발 전략의 이행 결과가 그들의 목표와 이익이 일치하지 않을 수 있는 모든 당사자들에 대해 "이익"인 경우에만 이해관계의 일관성을 달성할 수 있다. 전통적 토지와 원주민 공동체의 경제활동에서 산업 개발의 부정적인 사회적 결과를 완화하기 위해서는 지속 가능한 개발을 촉진하기 위한 특정 프로그램의 협력과 자금조달에 관한 3자간 협약이 체결되어야 한다. 이러한 합의는 투자자(Investors), 지방당국(Local Authorities) 및 원주민(Indigenous Peoples) 간에 체결될 수 있다. 개발에 의한 토착민의 손실에 대한 배상을 위해, 이익 공유 및 손실 보상 절차에 관한 연방 차원의 법률 초안 작성 시, 러시아 최대의 광업기업이 실현한 협력 및 파트너십에 관한 협약의 성공적인 사례가 이미 존재하는 야쿠티아의 경험을 고려해야 한다. 공정한 보상은 지속 가능한 개발을 제공하고, 모든 이해 관계자가 충돌을 피하고, 북방 토착 원주민의 고유한 민족 학적 유산을 보존하도록 돕는다.

결국, 러시아 북방의 산업개발 프로젝트의 이행으로 인해 발생한 원주민의 자연(토지) 및 전통적 경제활동의 손실에 대한 보상문제는 상실된 이익, 또는 손실에 대한 종합적 평가와 더불어 다양한 수준(러시아 연방정부/지방정부-민간기업-원주민 공동체)에서 다중기준(Multi-criteria)에 의해 이익 공유에 대한 다자간 협상과 협정을 거쳐야 한다는 것이다.

〈참고문헌〉

“러시아연방 북극권 사회 경제 발전 계획 Social and Economic Development of the Arctic Zone of the Russian Federation”. 2017년 8월 31일자 러시아 연방정부의 결정 No. 1064.

http://government.ru/docs/29164/(검색일: 2019. 5. 25.)

러시아연방 원주 소수 민족 통일 목록 утверждён постановлением Правительства Российской Федерации от 24 марта 2000 года № 255, а также изменён согласно постановлениям от 13 октября 2008 г. № 760, от 18 мая 2010 г. № 352, 17 июня 2010 г. № 453, 2 сентября 2010 г. № 669, 26 декабря 2011 г. № 1145, 25 августа 2015 г. № 880)

http://docs.cntd.ru/document/901757631(검색일: 2020. 1. 8.)

“러시아연방 원주민의 전통 거주지 및 전통 경제 활동에서 모든 형태의 소유권 조직 및 개인의 경제 및 기타 활동의 결과로 러시아연방 북방, 시베리아 및 극동 지역 원주민 협회에 끼친 손해의 크기를 계산하는 방법론의 승인에 관한” 2009년 12월 9일자, 러시아 연방 지역 개발부(Ministry of Regional Development) 명령. No. 565. Приказ Министерства регионального развития РФ от 9 декабря 2009 г. № 565 “Об утверждении методики исчисления размера убытков, причиненных объединениям коренных малочисленных народов Севера, Сибири и Дальнего Востока Российской Федерации в результате хозяйственной и иной деятельности организаций всех форм собственности и физических лиц в местах традиционного проживания и традиционной хозяйственной деятельности коренных малочисленных народов Российской Федерации”

http://www.garant.ru/products/ipo/prime/doc/97228/#ixzz5c1c30wYn(검색일: 2020. 3. 25.)

배규성, “러시아 북방 토착 소수 민족의 법적 권리: 법적 규범과 현실”, 『한국 시베리아연구』, 제24권 1호, 2020.

Balashenko, V. V., Ignatieva, M. N., Loginov, V. G., “Natural resource potential of the Northern Territories: methodological features of integrated assessment” Econ. Reg. 2015, 4.

Burtseva, E. I., Potravny, I. M., Gassiy, V. V., Sleptsov, A. N., Velichenko, V. V.,

"Questions of estimation and compensation of losses of indigenous peoples in the conditions of industrial development of the Arctic" Арктика: экология и экономика, 2019, 1.

C169 - Indigenous and Tribal Peoples Convention, 1989 (No. 169)(1991년 12월 5일 발효) adapted in 76th ILC session(제네바).

https://www.ilo.org/dyn/normlex/en/f?p=NORMLEXPUB:12100:0::NO::P12100_ILO_CODE:C169(검색일: 2020.4.5.)

Chrétien, A., Murphy, B., 'Duty to Consult', *Environmental Impacts, and Métis Indigenous Knowledge.*

https://iog.ca/docs/April2009_DutytoConsult-Chretien_Murphy.pdf(검색일: 2020.3.25.)

Davidson, D., "On the very idea of a conceptual scheme", *In Inquiries Into Truth and Interpretation.* (Oxford: OUP. 1984).

Gassiy, V. "Indigenous Communities in the Arctic Change in Socio-Economic and Environmental Perspective" in Kanao, M., Ed. *Arctic Studies - A Proxy for Climate Change,* (IntechOpen: London, UK, 2018).

Gassiy Violetta, Potravny Ivan, "The Compensation for Losses to Indigenous Peoples Due to the Arctic Industrial Development in Benefit Sharing Paradigm", *Resources* 2019, 8, 71.

https://www.mdpi.com/2079-9276/8/2/71 (검색일: 2020.4.7.) 참조.

Gilmour, B., Mellett,B., "The Role of Impact and Benefits Agreements in the Resolution of Project Issues with First Nations" *Alberta Law Review*: Vol 51, No 2: Energy Law Edition, 2013.

https://www.albertalawreview.com/index.php/ALR/article/view/71(검색일: 2020.3.25.)

Guy, E., Lasserre, F., "Commercial Shipping in the Arctic: New Perspectives, Challenges and Regulations" *Polar Record*, Volume 52, Issue 3. May 2016.

https://www.cambridge.org/core/journals/polar-record/article/commercial-shipping-in-the-arctic-new-perspectives-challenges-and-regulations/24D92421C2024E93D8C48EF29FBAFCEA(검색일: 2020.3.25.)

Harding, Sandra G., *Science questions in feminism.* (Ithica, Cornell University Press. 1986).

Juma, Calestous, *The Gene Hunter: biotechnology and the scramble for seeds.*

(Princeton:Princeton University Press, 1989)

Kaduk, E.V., "РЫНОЧНЫЙ ОБМЕН И ПРАКТИКИ ДЕЛЕЖА В АНАБАРСКОМ РАЙОНЕ РЕСПУБЛИКИ САХА (ЯКУТИЯ) Traditional Nature Use in Anabarskiy Ulus of the Republic Sakha (Yakutia) in the Context of Market Interaction" // Этнографическое обозрение. 2017. № 6. (검색일: 2020.3.25.)

Keil, K., "The Arctic: A new Region of Conflict? The Case of Oil and Gas" *Cooperation and Conflict*, 2014, 49, pp. 162-190.

https://journals.sagepub.com/doi/10.1177/0010836713482555(검색일: 2020.3.25.)

Kristoffersen, B., Langhelle, O., "Sustainable development as a global-Arctic matter: Imaginaries and controversies" in K. Keil, S. Knecht (Eds), *Governing Arctic Change: Global Perspectives* (Palgrave Macmillan: London, UK, 2017).

Novoselov, A., Potravnii, I. , Novoselova, I., Gassiy, V., "Conflicts Management in Natural Resources Use and Environment Protection on the Regional Level", *Journal of Environ. Manag. Tour.* 2016, 7.

Official Information Portal of the Republic of Sakha (Yakutia). https://www.sakha.gov.ru/news/front/view/id/2849120(검색일: 2020.3.25.)

O'Faircheallaigh, C. "Community development agreements in the mining industry: An emerging global phenomenon", *Community Development*, Volume 44, 2013 - Issue 2.

https://www.tandfonline.com/doi/abs/10.1080/15575330.2012.705872(검색일: 2020.3.25.)

Potravny, I., Gassiy, V., Afanasiev, S., "Territories of traditional nature: Development limits or economic growth factors?" *Арктика: экология и экономика*, 2017, 2.

Potravny, I.M., Gassiy, V.V., Chernogradsky, V.N., Postnikov, A.V., "Социальная ответственность компанийнедропользователей на территории традиционного природопользования как основа партнерства власти, бизнеса и коренных малочисленных народов Севера (Social Responsibility of Companies - Subsoil Users on the Territory of Traditional Nature Use as the Basis for the Partnership of Government, Business and Indigenous Peoples)" *Арктика: экология и экономика*. 2016, 2.

http://en.ibrae.ac.ru/docs/2(22)2016_Арктика/056_063_ARCTICA_2_2016.pdf(검색

일: 2020.3.25.)

Shiva, V., *Stolen Harvest: the hijacking of the global food supply*. (Cambridge, MA: South End Press, 2000)

Sirina, A.A. Родовые общины малочисленных народов Севера в Республике Саха (Якутия): шаг к самоопределению? (General Communities of Little Numbers People of the North in the Republic of Sakha (Yakutia): Step to Self-Determination?) In Series "Studies in Applied and Urgent Ethnology" (Institute of Ethnology and Anthropology of the Russian Academy of Sciences: Moscow, Russia, 1999), http://static.iea.ras.ru/neotlozhka/126-Sirina.pdf(검색일: 2020.3.25.)

Sleptsov, A.N., "Arctic vector of development" Higher Education of Russia. 2014. https://cyberleninka.ru/article/n/arkticheskiy-vektor-razvitiya.pdf(검색일: 2019.11.15.)

Sleptsov, A.N., "Региональные аспекты развития Российской Арктики на примере Республики Саха (Якутия)", *Арктика и Север*, 2015, №2. https://narfu.ru/university/library/books/2048.pdf(검색일: 2020.3.25.)

"Traditional Knowledge and Benefit Sharing: From Compensation to Transaction", https://www.researchgate.net/publication/226410852_Traditional_Knowledge_and_Benefit_Sharing_From_Compensation_to_Transaction

Tulaeva, S.A., Tysyachnyuk, M.S. "Между нефтью и оленями. О распределении благ между нефтяниками и коренными народами в российской Арктике и Субарктике (Between Oil and Deer. On the Distribution of Goods between Oilmen and Indigenous Peoples in the Russian Arctic and Subarctic)" *Экономическая социология*. Т. 18. № 3. Май 2017. https://ecsoc.hse.ru/data/2017/05/31/1172172613/ecsoc_t18_n3.pdf#page=70 (검색일: 2020.3.25.)

WIPO, Intergovernmental Committee on Intellectual Property and Genetic Resources, *Traditional Knowledge and Folklore*, 2002.

Zander, E.V., Pazheva, Y.I., Pyzhev, A.I., "Механизмы компенсации ущерба, наносимого компаниями-недропользователями коренным малочисленным народам (The Mechanisms for Compensation of Damage Caused by the Companies Subsoil Users to the Indigenous Peoples)" *Региональная экономика: теория и практика*. 2014, 7.

https://cyberleninka.ru/article/n/mehanizmy-kompensatsii-uscherba-nanosimogo-kompaniyami-nedropolzovatelyami-korennym-malochislennym-narodam/viewer(검색일: 2020.3.25.)

Закон Республики Саха (Якутия) "Об этнологической экспертизе в местах традиционного проживания и традиционной хозяйственной деятельности коренных малочисленных народов Севера Республики Саха (Якутия)(с изменениями на 30 января 2019 года)". Принят постановлением Государственного Собрания (Ил Тумэн) Республики Саха (Якутия) от 14.04.2010 3 N 538-IV. http://docs.cntd.ru/document/895252453(접속일: 2020.3.30.)

Новикова, Н.И., Функ Д.А. (Ответственные редакторы), СЕВЕР И СЕВЕРЯНЕ, Современное положение коренных малочисленных народов Севера, Сибири и Дальнего Востока России (North and Northerners. The Current Situation of the Indigenous Peoples of the North, Siberia and the Far East of Russia) (Moscow, 2012) http://static.iea.ras.ru/books/Sever_i_severyane.pdf(검색일: 2020.3.25.)

시베리아 소수민족어의 문어화(文語化):
돌간어(Dolgan)와 산림 에네츠어(Forest Enets)를 중심으로

서승현*

Ⅰ. 들어가는 말

　본 논문은 절멸 위기에 처한 두 시베리아 소수민족 언어에 대한 문어화(文語化)의 진화 과정에 대해 설명하고 있다. 구소련과 러시아연방 소수 민족의 언어 표준화와 활성화에 대한 사례를 시베리아 중북부의 북극해 부근에 위치한 타이미르반도의 돌간어(Dolgan, 튀르크어족)와 산림 에네츠어(Forest Enets, 우랄어족)의 연구를 통하여 설명하고 있다. 구체적으로 본 연구는 돌간어와 산림 에네츠에 대한 문맹 퇴치 작업의 시발과 진전에 대한 비교 견해를 제공하고 있다. 돌간어와 산림 에네츠어에 대한 문자화 작업은 지리적 및 정치적 배경이 서로 다르기 때문에 시간적으로나 실질적으로 다른 개발 결과를 낳았다. 그러나 이 두 언어의 표준화가 언어 생존에 미치는 영향은 매우 유사하다. 그럼에도 불구하고 이 언어들에서 표준화나 진화한 문자화가 러시아어로의 전환을 억제하지 못하는 것도 사실이다.

　구소련의 소위 '시베리아 및 극동의 소수 민족'에 대한 문자 표기의 표준은 비교적 짧은 역사를 갖고 있으며 1세기도 채 되지 않는다. 많은 시베리아 원주민 언어가 알려지지 않았기 때문에, 문자 표기와 문맹 퇴치의 도입은 1920

※ 이 논문은 『한국 시베리아연구』 23권 2호에 게재된 것임
 * 동덕여자대학교 교수

년대 후반에 주로 언어적 과제로 시작되었다. 그러나 문어화 작업의 계획과 연구는 소련 통치에 대한 전반적인 소개와 함께 소련 전역에서 진행되었다. 1920년대 소련 중앙 및 슬라브어를 사용하는 지역에서 공산주의 도입이 선언 되었지만 러시아 북부, 시베리아 전체, 러시아 극동 지역과 같은 외진 지역은 뒤쳐져 1920년대 중반부터 공산주의 선동을 강요받았다(Slezkine, 1994. 재인용). 이러한 점에서 문맹 퇴치와 문자화된 표준 언어의 생성 및 도입은 초기 레닌주의 민족 정치의 핵심 구성 요소였다. 시민들 사이의 문맹 퇴치는 교육을 통해 공산주의를 소련의 외곽지역으로 전파시키는 데 일조했다. 교과서 및 기타 교재의 출판은 국가 및 당국이 해당 언어를 공식 인정한다는 것을 의미한다.

사실, 초기 소련의 북부 러시아 원주민에 대한 공식 정책은 강제적인 동화보다는 원주민 학자를 훈련시키고 모국어로 학교 교육을 통해 문맹 퇴치를 도입하기 위한 중앙 집중식 소수민족 언어 정책에 기반을 두고 있다. 소수민족 언어 보존의 관점에서 볼 때, 국가 공식 정책에 대한 이러한 과정은 세계사에서 유래가 없다(Trosterud, 1995, 1997). 그러나 공식 정책은 소련의 후기 역사에서 근본적으로 바뀌었다. 오늘날 많은 북부 러시아 원주민 언어가 세계에서 가장 위험에 처한 언어중 하나이다. 본 논문의 목적은 시베리아 북부의 원주민 소수 민족 집단이 사용하는 돌간어와 산림 에네츠어의 공시적, 통시적 발달과정과 문자표기 방법의 변화 과정을 비교 · 설명하고 문어화가 그 사회의 교육 · 언어학적 환경에 미치는 영향을 살펴봄으로써 돌간어와 산림 에네츠어의 보존을 바탕으로 언어 보존의 중요성과 소중함을 일깨우고자 한다.

Ⅱ. 돌간어와 산림 에네츠어의 언어 상황

1. 언어 상황의 개관

예니세이 북부에는 공식적으로 5개의 원주민이 있다. 돌간어와 에네츠어를 제외하고 네네츠어, 예벤키어, 응가나산어가 있다. 인근 사하(Sakha, Yakut) 공화국에 작은 돌간족 디아스포라 지역이 있지만, 에네츠어는 전적으로 타이미르 지역의 경계 내에서 사용된다.

언어의 계통적 연관성에 대하여 말하자면, 돌간어는 튀르크 어족에 속한다. 돌간어의 가장 가까운 친척어는 야쿠트어이다. 돌간어가 실제로 단일 언어인지 또는 야쿠트의 방언인지는 결정되지 않았다. 서유럽의 튀르크학 (Turcology)에서 돌간어는 일반적으로 야쿠트어의 방언으로 분류된다. 그러나 정치적 이유로 러시아에서 돌간어와 야쿠트어는 두 가지 다른 언어로 인식된다. 인구 통계의 경우, 타이미르 반도에는 약 5,500명의 돌간인이 살고 있지만, 그들 가운데 원어민 비율에 대한 신뢰할 수 있는 숫자는 없다. 타이미르 지역의 경계 내에서 돌간족의 집중적인 거주 지역은 하탄가 지역 (Khatanga Rajon)으로, 돌간어는 여전히 젊은 세대에게 전달되며 한두 세대 동안 비교적 안전하다고 볼 수 있다(Siegl & Rießler, 2015. 재인용). 그러나 유네스코 위기에 처한 세계언어지도(UNESCO Atlas of the World's Languages in Danger[1])에 따르면 얘기는 달라진다. 유네스코는 돌간어를 4,865명의 언어사용자(2002년 센서스)를 가진 '명백히 위기에 처한' 언어로 분류하고 있다.

---

[1] http://www.unesco.org/ languages-atlas/ index.php(검색일: 2019. 10. 11)

한편, 동부의 핵심 정착지 외각에는 돌간어가 러시아어에 동화되는 명백한 경향이 있다. 비록 돌간어와 야쿠트어가 구별 되더라도, 서로 이해할 수 있고 의사소통에 문제가 되지 않는다.

에네츠어(Enets)는 러시아의 크라스노야르스크 지방(Krasnoyarsk Kraj) 의 이전의 타이미르(Taimyr) 자치구 경계 내에 있는 남부 예니세이(Lower Yenisei)지역에서 사용된 북부 시베리아의 소멸해 가는 언어이다. 에네츠어는 사모예드(Samoyedic) 언어의 북부 부류에 속하며, 우랄(Uralic)어족의 어파(語派)에 속한다. 에네츠어에는 산림(Forest) 에네츠어와 툰드라(Tundra, Madu 또는 Somatu) 에네츠어라는 두 개의 방언이 있다. 이 방언들은 별개의 언어로 간주 될 수 있다. 산림 에네츠어는 두 에네츠 방언 중 그나마 큰 규모의 언어이다. 에네츠어는 현재 절멸의 과정을 밟고 있다. 약 10명의 유창한 언어 구사자만이 남아 있으며, 잠재적인 언어 사용자의 총수는 40명 이하이다. 모든 언어 사용자는 50세 이상 세대에서 발견된다. 최근 지역 통계에 따르면 에네츠 출신 민족은 약 260명에 이른다. 그러나 사회, 경제적인 이유 등으로 젊은 세대들은 모국어 사용을 기피하는 실정이다(Siegl, 2013).

한편, 유네스코 위기에 처한 세계언어지도(http://www.unesco.org/ languages- atlas/ index.php)에 따르면, 산림 에네츠어는 치명적으로 위험에 처한 상태이고, 2005년 구세프(Гусев)는 20명에서 30명 사이의 언어사용자 만이 존재한다고 예상했다. 그에 따르면, 2006과 2007년 겨울의 조사를 기준으로 약 35명의 언어 사용자가 있으며, 두딘카(Dudinka)에 6명이 거주하고, 포타포보(Potapova)에 20명, 투크하르드(Tukhard)에 10명이 살고 있다. 가장 어린 언어사용자는 1962년에 태어났으며, 가장 늙은 사람은 1945년생이다. 이 언어사용자 중 많은 수는 삼중언어자로서 산림 에네츠어, 툰드라 네네츠어 및 러시아어에 능통하며, 그들은 일반적으로 툰드라 네네

츠어를 선호한다.[2]

두 에네츠 방언은 음운론과 어휘 모두에서 다르다. 추가적인 언어 변이형태가 17세기에서 19세기에 이른 에네츠 기록에서 발견되었지만, 이 모든 변이형태들은 툰드라 에네츠어와 산림 에네츠어에서 발견된다(Helimskij, 1985. 재인용).

[그림 3-1] 20세기 돌간과 산림 에네츠 영토(Василев, 1963)

---

2) https://en.wikipedia.org/wiki/Enets_language(검색일: 2019. 10. 12)

2. 돌간(Dolgan)어의 현재 상황

하탄카 지역(Khatanga Rajon)[3] 동부의 돌간어는 상대적으로 안전하지만, 학교 교육에서 돌간어 교재를 사용하는지 여부와 교재 사용 방법에 대한 직접적인 데이터는 없다. 하탄카 지역의 중심인 하탄카는 돌간인의 지역 행정 및 문화 센터 역할을 하며 중등학교가 그곳에 위치하고 있다. 대조적으로, 현재 돌간 이주민이 많이 거주하는 두딘카 지역에서는 지난 20년 동안 여러 번 독자적으로 시도했음에도 불구하고 정기적으로 민족어를 가르치지 않았다. 더 높은 고등 교육 수준에서, 돌간어는 두딘카대학교에서 가르쳐 지지만 선택과목으로 만 수강할 수 있다.

언어 상황의 관점에서 돌간어의 지위는 불안하다. 우리가 알고 있는 지역 수도의 유일한 돌간어 표시는 카페의 이름뿐이다. 1990년 1월 27일에 시작된 현지 공식 신문 타이미르에 한 달에 한 번씩 한쪽짜리 돌간어 뉴스가 게시되지만, 하탄카 지역 자체에 돌간어 신문은 없다. 다른 영역의 미디어에 관해서도 돌간어의 상황은 역시 불안하다. 돌간어는 평일에 여러 라디오 방송에 사용된다. 이러한 라디오 방송은 일주일에 약 3번 진행되며 약 30분간 지속된다. 2006년 가을, 지역 TV 방송국에서 돌간어로 주간 뉴스를 방송하려는 시도가 시작되었지만, 아나운서가 직장을 그만 두자 불과 몇 주 만에 중지되었다. 2008년에는 동일한 아나운서가 다시 채용되었으며 현재 서비스가 다시 운영 중이다(Siegl & Rießler, 2015. 재인용).

---

3) 하탄가(Khatanga, Хатанга)는 타이미르 반도의 하탄가 강에 위치한 러시아 크라스노 야르스크 변강주(Krasnoyarsk Krai)의 타이미르 돌간-네네츠 지역(Taymyrsky Dolgano-Nenetsky District)에 있는 시골 마을이다. 러시아에서 가장 북쪽에 거주하는 지역 중 하나이며, 해발 고도는 해발 30m이다. 2002년 인구 통계로 인구는 3,450명이었다.

3. 산림 에네츠어의 현재 상황

에네츠어는 우랄어족(Uralic Family) 계열의 북 사모예드어파(Northern Samoyedic)의 하위 집단에 속한다. 돌간인은 타이미르 지역(Tajmyr Rajon)에 거주하는 가장 다수의 원주민인 반면, 에네츠인은 5개 원주민 중 가장 소수의 집단이다. 2002년의 러시아 인구조사(ФСГС, 2004)에 의하면 에네츠인이 237명이라고 주장하지만 2008년 지역통계는 167명으로 나타난다. 에네츠어는 서로 이해할 수 없기 때문에 독립적인 언어로 간주 될 수 있는 두 가지 언어로 나누어진다. 툰드라 에네츠어(Tundra Enets)는 보론코보(Voroncovo) 마을과 투차르드스카야(Tuchardskaja) 툰드라 마을 주변의 우스찌-예니세이스키 지역(Ust'-Jeniseijskij Rajon)에서 사용되었다. 산림 에네츠어는 현재 두딘스키 지역(Dudinskij Rajon)의 포타포보(Potapovo) 마을에서 사용된다. 안타깝게도 툰드라 에네츠어의 사용자 수에 대한 정확한 데이터는 없다. 산림 에네츠어에 대한 시글(Siegl)의 현장 조사 자료에 따르면 8명의 유창한 언어 사용자가 남아 있다. 또한, 10-15명의 제한적 언어사용자 및 더 이상 언어를 사용하지 않는 20명의 과거 사용자도 등록되었다. 에네츠어에 비하여 돌간어는 상대적으로 그나마 안전하지만 두 에네츠어는 모두 사라져 가고 기능적으로 멸종되었으며 10년이나 20년 후에는 절멸할 것이다.

그들의 주요 정착지 외에 돌간인과 에네츠인은 수도인 두딘카(Dudinka)에 살고 있다. 2005년에 786명의 돌간인과 24명의 에네츠인이 두딘카에 등록되었다. 그러나 두딘카나 포타포보에서는 에네츠어로 된 어떤 표지판도 발견 할 수 없다.

언론과 관련하여 지역 신문인 '타이미르'에 산림 에네츠어로 매월 발행되는 뉴스 페이지가 현지 언론 매체에 있는 에네츠와 관련된 유일한 시각적 자료로 남아 있다. 대략 10년 동안, 1991년부터 산림 에네츠어가 지역 라디오 방송에 사용되었다. 그러나 이 서비스는 2002년에 중단되었다. 공식적으로 서비스의 중단은 방송사 기자가 방송을 그만두겠다고 결정한 것에 기인한 것처럼 보이지만, 사실은 잠재적인 언어 사용자 수가 줄어들어 방송 중단이 촉발 된 것이다. 한 쪽짜리 뉴스도 비슷한 상황이지만, 누군가가 에네츠어로 문서를 편집하는 데 동의하는 한 이 서비스는 제공될 수 있을 것이다. 교육면에서 산림 에네츠어는 포타포보 지역 학교에서 독일어와 함께 외국어 교과목으로 강의가 이루어진다. 러시아 연방 전역의 대학 과정 공부를 하기 위한 지역 학생들을 준비시키는 중등 교육을 제공하는 두딘카대학교에서는 몇 년 동안 에네츠어를 선택 과목으로 제공했다. 그러나 이 수업은 민족 역사에 중점을 두었고 언어에 대한 강의는 적었다. 2009년에 교수가 돌아가셔서 수업이 중단되었고 그 후로 수업은 이루어지지 않고 있다(Siegl & Rießler, 2015. 재인용).

마지막으로 에네츠어가 두 언어로 이루어져 있지만 양적 측면에서 볼 때 에네츠어와 관련한 대부분의 자료는 산림 에네츠에 대한 것이고, 툰드라 에네츠어에 대한 자료는 사실상 거의 없는 상태이다.

III. 어떻게 돌간어와 산림 에네츠어가 문어(文語)가 되었는가?

1. 비교연구를 통한 개관

에니세이 북부의 돌간어와 산림 에네츠어에 대한 문자화 작업 과정에 대해서 말하자면, 어느 언어도 북부 러시아와 시베리아의 초기 표준화 언어 작업에는 속하지 않았다. 돌간어의 문자화 작업은 1970년대에 시작되어 1980년대 중반 페레스트로이카(개혁) 시기에 단호한 조치가 취해졌다. 산림 에네츠어에 대한 문맹 퇴치를 위한 첫 번째 시도는 페레스트로이카의 후기 단계에서 시작되었고 소련 붕괴 이후에도 계속되었다. 즉, 두 언어의 문맹 퇴치의 역사는 후기 소비에트 시대와 연관 될 수 있으며, 이는 소비에트 시대 이후에도 지속되어 왔고 국내 및 국제적인 수준에서 문자화 활동이 진화하고 있음을 보여준다.

돌간어와 에네츠어에 대한 문어화(文語化) 과정과 결과는 서로 크게 다르지만 시작 상황은 몇 가지 공통점을 공유한다. 첫째, 돌간어와 에네츠어는 1930년대에 정해진 소비에트 표준 언어에 포함되지 않는다. 둘째, 돌간과 에네츠라는 두 민족은 1930년대 초부터 시작된 소비에트 혁신의 결과로, 그 기간 동안 만연했던 초기 소비에트 민족정치의 특징적인 산물이다(Anderson, 2000; Siegl, 2005, 2007b). 실재로, 과거에 두 민족의 이름이 구별되어 사용되지 않았기 때문에, 1960년대까지 두 언어 공동체의 구성원들은 자신들의 새로운 민족명을 쉽게 받아들이지 않았다.

대조적으로, 돌간어와 에네츠어의 주요 차이점은 사회·역사적 배경에 있다. 이미 언급했듯이 돌간어는 하탄가 지역의 타이미르 반도 동부의 매우 좁은 지역과 타이미르 반도의 서쪽 지역에서 소수 사용되는 정도이다. 역사적인 관점에서 볼 때 요즘 돌간족이라고 불리는 사람들이 이 지역의 예전 에벤키족을 동화시킨 것으로 알려져 있다(Убрятова, 1985; Стаховский, 2002). 돌간족의 서쪽 끝 부분은 우스트-아밤(Ust-Avam)과 볼로찬카(Voločanka) 마을로 이루어져 있으며, 이 지역들에서는 돌간어 외에 응가나산어(Nganasan)도 여전히 사용된다. 그렇지만 러시아인이 도착하기 전까지 돌간어는 이 지역에서 최소 200년 동안 지배적인 언어였다. 이와는 대조적으로, 포타포보에서 보론코보(Voroncovo)까지 거의 400km에 걸쳐 한때 사용되었던 에네츠어는 지난 2세기 동안 소수 언어였으며, 툰드라 네네츠어에 동화되었고, 보다 낮은 정도로 응가나산어에도 동화되었다. 1940년대 후반 이후, 다른 민족들이 주로 포타포보로 유입되면서 러시아어로 최종적인 언어 이동이 이루어졌다(Siegl, 2007a). 그렇다면, 돌간어와 산림 에네츠어의 문어화 과정을 구체적으로 살펴보도록 하자.

2. 돌간어의 문어화 과정

돌간어의 첫 번째 문어화 시도는 1960년에 시작되었다. 젊은 돌간인 기자 니콜라이 포포프(Nikolaj Popov)는 한 개인이 사용하는 철자법 (Idiolectal Orthography)에 근거하여 지역신문 '소베트스키 타이미르(Sovetskij Tajmyr)'에 돌간어로 짧은 뉴스를 게재했다(Anderson, 2000). 그러나 이러한 시도는 문어화에 아무런 영향도 미치지 못했으며 곧 포기되었다. 마침내 돌간어의 문어화 작업을 이끈 첫 번째 업적은 돌간 작가 오그도 예브도키야 악세노바(Аксенова, O. E.)에 의해서 이루어졌다. 악세노바는 다음과 같은 전기적(傳記的)인 기록이 보여주는 것처럼 소련의 원주민 수용 노력의 산물이었다. 악세노바는 볼로찬카(Voločanka) 가까이에 있는 툰드라 지역에서 태어났으며 지역 기숙학교에 다녔다. 나중에 그녀는 이르쿠츠크 대학교(Irkutsk University)에 입학했다. 그러나 그녀는 평생 동안 그녀를 괴롭힌 건강 문제로 어려움을 겪으면서 학업을 포기하기로 결정했다. 대신, 그녀는 돌간인들 사이의 'Red Chum'에서 정치 선동가로 수년 동안 일했으며 나중에는 교사이자 사서로도 활동했다. 1960년대 후반 이후로 악세노바는 때때로 자신의 모국어로 시를 출판했다. 이 시들이 1970년대에 돌간어와 러시아어로 된 소책자로 처음 편집되었다. 많은 인쇄 부수를 발간한 첫 번째 소책자는 바락산(Baraksan)이라고 불리며 1973년에 발행되었다. 1976년 소련 작가협회의 전문회원으로 받아들여지면서 그녀는 1977년부터 1979년까지 모스크바에서 여러 가지 문학교육 세션에 참석할 수 있었다.

교육 기간 동안 그녀는 시베리아의 다양한 원주민 출신의 다른 작가들과 친분을 맺게 되었다. 이시기에 그녀는 돌간인을 위한 입문서를 작성하기로 결심했다. 이때가 발레리 크라베츠(Valerij Kravec)와의 서신에서 처음으로 입문서에 관하여 언급된 1978년이었다. 악세노바는 언어학에 관한 고등교육을 받지못했지만 돌간어의 다양한 음소들은 전통적인 키릴문자로 표현 될 수 없다는 것을 알고 있었다. 이 때문에 그녀는 다른 튀르크어족 언어(주로 야쿠트어)에서 비슷한 문제가 어떻게 해결되었는지 조사하기 시작했다. 크라베츠에게 보낸 편지에서 그녀는 돌간어에 관한 미래의 자료들이 기술적인 장애 없이 출판될 수 있도록 이러한 과정이 필요하다고 지적했다. 크라베츠에게 보낸 또 다른 편지에서 그녀는 돌간어를 문어(文語)로 바꾸는 것에 대한 그녀의 아이디어를 지지한 공산당 지방 대표와의 첫 만남에 관해 썼다. 그녀는 레닌의 연설문을 돌간어로 번역하는 작업을 허가받기 위해 지방 당국에 문의했다. 그러나그들의 반응은 부정적이었다. 그녀의 편지에는 선동과 선전을 담당하는 공산당원의 인용문이 담겨있었다(Siegl & Rießler, 2015. 재인용):

"네", 그런데 지코바(Zykova)는 저에게 외쳤습니다. "뭐라고요? 당신의 언어는 겨우 2,000단어 밖에 없는데, 레닌의 연설문을 당신네 언어로 번역하고 싶다고 요?" (1978년 11월 3일) (Аксенова, 2001: 98)

그러나 마침내 1979년 11월 타이미르 지방 소비에트연방은 돌간어 문자로 문서 작성하는 것을 승인했다.

특히, 돌간 기자인 니콜라이 포포프는 아동용 성경의 일부와 푸슈킨 동화를 돌간어로 번역했다(Siegl & Rießler, 2015. 재인용). 문어화의 관점에서 볼 때, 십대와 젊은 성인을 위한 포포프의 소설은 아마도 가장 중요한 문어화 업적일 것이다. 입문서, 민속 수집품, 사전으로 구성된 시베리아 토착 문맹의 전형적인 개념과는 별개로 니콜라이 포포프는 한 걸음 더 나아가려는 적극적인 시도를 했다.

3. 산림 에네츠어의 문어화 과정

20세기의 대부분 동안, 에네츠어는 덩치 큰 이웃인 툰드라 네네츠어와 응가나산어의 그림자에 가려져있었다. 에네츠어가 다양한 연구자들의 관심을 끌었지만, 그 관심은 학문적 연구 대상으로서 언어에 대한 호기심이었다(Siegl, 2013). 소비에트시기에 에네츠어에 대한 문맹 탈피를 위한 어떠한 조치도 취해지지 않았으며 소비에트 시대에 출판된 모든 에네츠어 텍스트는 언어학자를 위한 것이었다. 다양한 전사(轉寫, Transcription) 시스템이 사용되었기 때문에 원어민들은 전부는 아니지만 대부분의 전사를 이해할 수 없었다.

1987년에 에네츠어 정자법의 가능한 모양에 대한 첫 번째 제안은 나탈리야 테레즈첸코(Natal'ja Terežčenko)에 의해 제시되었다. 그녀가 제시한 정자법의 중심적인 원리는 툰드라 네네츠어 정자법 원칙에 기반을 두었다. 문어화 작업에 관한 첫 번째 단계가 마침내 이루어졌지만 즉각적인 조치는 취해지지 않았다. 두 번째 제안은 산림 에네츠어의 정자법에 대한 지역 청원으로, 1990년 6월 타이미르(Tajmyrian) 소비에트는 이를 승인하였다. 그리고 에네츠어에 관한 자료 준비는 일곱개의 에네츠 그룹에게 위임되었다. 두 개의 정자법을 비교해보면, 지역적으로 승인 된 정자법이 나탈리야 테레즈첸코의 정자법보다 여러 측면에서 적합하지 않다고 판단되었다. 다행히 지역 청원으로 승인된 정자법은 사용되지 않았다(Siegl & Rießler, 2015. 재인용).

1995년, 누가복음의 일부분에 대한 시험 번역본이 산림 에네츠어로 출판되었다(Bolina, 1995). 그 번역은 테레즈첸코의 정자법을 따랐다. 이 시도는 에네츠어 문맹 퇴치의 탄생을 의미했으며 지역 신문인 '타이미르'도 이를 축하했다.

> 누가복음의 일부는 에네츠어로 된 최초의 책일 뿐 아니라 첫 번째 에네츠어 입문서이다. ('타이미르' 1996년 3월 14일 자)

역사적인 관점과 종교에 대한 공산주의적 사상을 고려할 때, 이 번역은 러시아의 공산주의 이후에 나타난 특징적인 사례 중에 하나이다. 그럼에도 불구하고 성경 번역은 종교나 언어 생존력에 아무런 영향을 끼치지 못했으며 상당수의 원어민들은 성경이 번역되었다는 사실을 알지도 못했다.

1996년 4월, 타이미르 신문은 민속축제 프로그램의 일환으로 에네츠어로 짧은 글을 발표했다. 에네츠어로 된 텍스트가 지역 신문에 발표된 것은 그것이 처음이었다. 1998년 3월부터 산림 에네츠어로 된 뉴스와 민속자료가 정기적으로 출판되었다. 뉴스와 원어민이 수집한 짧은 민속자료는 대략 한 달에 한 번 발간되었다. 처음에는 테레즈첸코의 철자법을 따랐지만 완전히 일관성이 있는 것은 아니었다. 처음에 이 글들은 누가복음 번역을 맡은 다리야 볼리나(Дарья Болина)에 의해 편집되었다.

2001년에는 언어학자인 이리나 소로키나(Сорокина, И. П.)와 다리야 볼리나의 합작 투자로 작은 산림 에네츠어-러시아어 학교용 사전이 출판되었다(Сорокина & Болина, 2001). 2003년에는 다리야 볼리나가 다시 엮은 산림 에네츠어-러시아어 대화 가이드가 출판되었다(Болина, 2003). 그러나 두 출판물은 성문 폐쇄음(Glottal stop)[4]을 더 이상 일관성 있게 표시하지 않았고 새로운 정자법을 도입하려는 이전의 시도와는 달랐다. 마지막 출판물은 로드노예 슬로보(Native Word)라는 제목의 단행본이다(Лабанаускас, 2002). 이 책에는 언어와 문화 활성화에 사용되는 에네츠어의 문서, 노래 및 문법이 포함되어 있다. 비록 지방에서 편집되었지만, 이 책은 테레즈첸코의 정자법을 일관되게 따랐다. 라바나우스카스(Лабанаускас)의 작업은 획기적인 사건이었으며 가장 최근에 출판 된 산림 에네츠어 책으로 남아 있다.

몇 년 동안 다리야 볼리나는 지역 정치에 몰두했으며 산림 에네츠어에 관여하지 않았다. 한편, 누구도 에네츠어 정자법이 기초로 하고 있는 툰드라 네네츠어 정자법의 원리에 익숙하지 않았기 때문에 신문 기사 쓰는 일을 떠맡은 사람들은 새로운 정자법을 도입하기도 했다. 이러한 이유로 모든 사람들은 일관성 없이 자신들만의 개별적인 정자법을 사용했다.

따라서 산림 에네츠 공동체는 문어화를 시도했지만, 그 시도는 실패했다고 할 수 있다. 첫째, 산림 에네츠어 입문서에 대한 언급은 1990년대 초반 이후 지방 신문의 구형 판에서 발견 될 수 있지만, 저자인 다리야 볼리나는 그녀의 입문서를 편집해서 발간하지는 못했다. 그 후 적절한 교과서가 없고 관련 자료가 부족했기 때문에 2003년 대화 가이드가 대부분의 수업에서 언어를 가르치기 위한 자료로 사용되었다. 둘째, 산림 에네츠어는 성공적으로 가르쳐지지 않았으며 교습 역사도 다소 짧다. 또한 포타포보의 지역 기숙 학교에서 산림 에네츠어를 가르치려는 첫 번째 시도는 1992년에 시작되었지만 모든 시도는 실패했다. 또한 두딘카의 대학에서 산림 에네츠어를 가르치는 유사한 프로그

---

4) 성문폐쇄음(聲門閉鎖音, Glottal stop)은 자음의 하나로 성문의 일시적 완전 폐쇄 또는 그 개방에 의해 생기는 소리로 bottle, water 따위의 [t]의 다른 소리로서 나타난다.

램이 새로운 제2언어 사용자를 배출하지 못했다. 2009년 교사가 사망하자 해당 강의는 폐강되었으며 잠재적 강사 후보자가 없어서 강의가 지속되기 어려웠다. 셋째, 다양한 단계의 문학 프로그램 창작을 도울 수 있는 여러 연구원이 있는 돌간어와 달리, 러시아 연구자인 이리나 소로키나만이 에네츠어에 대해서 계속 연구했다. 다른 연구원인, 현지 민속학자이자 언어학자인 카지스 라바나우스크스는 때때로 산림 에네츠어 연구를 도왔다. 그러나 라바나우스크스는 네네츠어와 느가나산어의 비슷한 연구에 몰입되어 있기도 했다.

에네츠어는 고등 교육 기관에서 가르치지 않았으므로 역량이 구축될 수 없었다. 누가복음 일부분을 이중 언어로 번역한 다리야 볼리나를 제외하고 다른 어떤 에네츠인도 언어학에 대한 전문 교육을 받지 못했다(Siegl & Rießler, 2015. 재인용).

4. 산림 에네츠어 관련 문법서의 필요성

시글(Siegl, 2010)은 다른 사모예드(Samoyedic) 언어와 비교했을 때 에네츠어는 비교적 알려지지 않았기 때문에, 처음에는 두 에네츠어를 다룰 생각이었지만 타이미르 반도의 상황이 복잡해짐에 따라 두 개의 에네츠어 중에서 산림 에네츠어의 문법 기술에 집중했다. 동일 언어 또는 인접 언어로 작업한 러시아 연구자들과 접촉하려는 시도가 2008년 말까지 이루어지지 않았기 때문에 시글(Siegl)은 언어 문서의 관점에서 산림 에네츠어에 대한 연구를 했다 (Gippert et al 2006; Himmelmann 1998). 이와 관련하여 시글(Siegl)의 연구는 초기 연구자들이 수집한 기존 데이터를 분석하는 사모예드 언어에 대한 전통적, 문헌학적 접근과는 근본적인 차이가 있다. 첫째, 산림 에네츠어가 문서화되지 않은 채로 남아 있고 20-40년 전에 발표 된 바 있는 데이터가 거의 없어 졌기 때문에 처음부터 언어학적 설명을 하는 작업이 필요한 실정이다. 그리고 언어가 여전히 언어 사용자에 의해 기억되어있는 한, 그 언어에 대한 일관된 설명이 필수적이다. 산림 에네츠어가 기능적으로 멸종되어 있기 때문에, 마지막 언어사용자 세대의 문법이 이미 약간의 변화를 겪었을 가능성이 높다. 문법이 바뀌면 이전 연구의 설명을 평가하기 전에 자세한 설명이 필요하다.

결과적으로, 산림 에네츠어의 핵심 문법에 대한 문법적 설명은 기본적인 언어학적 이론을 바탕으로 한 음운론, 형태학 및 통사론 측면에서 개요를 제공하려는 시도가 필요하다. 둘째, 이 연구는 일반 언어학에서 아직 잘 알려지지 않은 지역의 자료를 제시하며, 실제로 사모예드어 관련 분야에서도 거의 알려지지 않았다. 따라서 이 설명은 사모예드어 전문가(Samoyedologists)로 구성된 대상층을 목표로 할 뿐 아니라 유라시아 북부의 언어 또는 일반 언어의 구조에 관심이 있는 더 많은 대중에게도 유효하다(Siegl, 2013). 또한 산림 에네츠어의 문법에 기초적인 이론으로 접근 하려고 시도하만, 전문 용어 없이 문법적 설명을 하는 것은 불가능하며 때로는 문법에 대한 기능적 접근법에 사용되는 용어를 채택하는 것이 필요하다. 문법서의 후반 부분에는 산림 에네츠와 관련한 언어 분류, 언어 접촉 상황, 민족학 및 언어의 사회적 기능에 대한 주제의 요약본을 제공하고 에네츠어 연구의 간략한 역사를 제공하는 것도 요구된다.

IV. 문어화의 영향

돌간어와 산림 에네츠어의 사회·정치적 출발 위치는 다소 비슷했지만, 그들의 문어화로의 길은 크게 다르게 발전했다. 그러한 결과에 큰 영향을 미친 가장 분명한 차이는 아마도 매우 단순한 사실에서 촉발된 것으로 추정된다.

돌간어는 산림 에네츠어 보다 훨씬 더 많은 언어 사용자를 가지고 있고, 따라서 돌간어가 잠재적으로 훨씬 더 많은 문어 사용자들을 가지고 있다는 것이다. 게다가 (비록 언어 전달에 있어 지역적 변화가 나타남에도 불구하고) 돌간어의 문어화를 위한 결정적인 진전은 언어가 여전히 합리적 수준에서 필수적이며 거의 모든 세대에 의해 사용되는 때에 시도되었다는 사실이다. 역사적 관점에서 볼 때, 돌간어에 대한 문어화 작업의 시작은 언어 사용자 집단 중 악세노바와 같은 한 사람에 의해서 촉발되었다는 점에서 이례적이었다. 앞에서 언급한 것처럼 일반적으로 강요된 언어 정책과는 대조적으로, 돌간어 문어화에 대한 상향식 방식의 성공은 구소련 시대 북러시아 원주민들을 위한 문어화 운동의 역사에서 매우 독특한 사례이다. 돌간어의 사례는 사실 작은 성공이라고 할 수 있다. 마침내 구소련의 붕괴와 함께 문어화 작업과 입문서의 내용에 관한 사상적 통제는 사라졌다. 1990년대부터 21세기까지 10-11학년까지의 추가 교재 및 성인을 대상으로 하는 다른 작품이 출간되었다. 돌간어로 진행하는 라디오 프로그램의 존재는 확실히 유익하다. 그리고 언어 유지를 위한 TV와 인쇄 매체의 역할은 매우 상징적인 의미를 가지고 있다.

　돌간어 문어화의 초기 단계는 실제로 성공적이었지만, 언어 유지에 있어서 당면한 미래 또한 매우 중요하다. 첫째, 최근 몇 년간 초기 교육 자료의 편집자 세 명이 사망했고 한 명은 은퇴했다. 현재 젊은 세대의 후계자가 한 명뿐이며, 이 사람만으로는 세 명의 노련한 편집자가 만들어낸 교육 자료의 산출물을 대체할 수 없다는 것은 아주 명백하다. 둘째, 러시아 튀르크학에서 돌간어에 대한 관심은 현재 매우 낮고 복잡한 초청 절차를 거치게 되는 타이미르 반도의 법적 규제로 인해 외국 연구자들의 연구 지원(志願)이 문제가 되고 있다. 일부 문법적 서술이 존재하기는 하지만 돌간어 사전의 부족은 젊은 언어사용자들에게 점점 더 문제가 되고 있다. 예를 들어 일부 학교에서 제작한 사전은 어떠한 종류의 관련 문법 정보도 싣지 않고 사실상 돌간어-러시아어 단어 목록에 지나지 않기 때문에 오늘날에는 유용하지 않다. 이러한 사전은 돌간어를 알고 있는 아이들에게 러시아어를 배우는 데 도움이 되지만, 자신의 민족어를 전혀 모르는 돌간 아이들에게는 전혀 쓸모가 없다. 이 점은 우리에게 당장 당면한 세 번째 주요 과제, 즉 대안 교재 편찬에 직접적인 도움을 준다. 돌간어 맞춤법은 1984년 입문서를 개정한 이후 변화가 없었으나, 그 사이 언어 상황은 크게 바뀌었다. 러시아어 선호도가 뚜렷하거나 아예 돌간어를 모르고 학교에 입학하는 아이들이 늘어나는 상황에서 학교에서 돌간어 교육의 중요성을 고려해 봐야 한다. 마지막으로, 성인 학습자를 위한 자료도 고려해야 한다 (Siegl & Rießler, 2015. 재인용).

돌간어의 문어화 작업이 비교적 성공적인 반면, 산림 에네츠가 문어화로 가는 과정은 비교적 늦게 시작되었고 덜 성공적이었다. 문어화의 중요한 주역이 원어민이었던 돌간어와는 대조적으로, 에네츠어를 문어화 하려는 시도와 충동은 먼 곳[그 당시 레닌그라드에서 온 나탈리야 테레즈첸코(Natal'ja Terežčenko)]과 그 지역(두딘카 출신의 카지스 라바나우스카스) 출신의 연구자들로부터 유래되었다. 구소련이 붕괴된 후에야 산림 에네츠 지역 공동체가 활발해졌다. 돌간어와 또 다른 점은 1990년대 중반에 산림 에네츠어의 식자율을 높이기 위한 결정적인 시도는 이미 적어도 20년 동안 어린이들에게 러시아어 교육이 진행된 시점에 이루어졌다는 사실이다. 이러한 노력은 수가 줄어들기 시작한 그 당시 중년과 젊은 성인 언어사용자를 대상으로 한 것이었다. 사실 중년의 언어사용자 세대(요즘 조부모 세대)만이 실제로 산림 에네츠로 글을 쓰기 시작했다. 입문서와 책 형태의 인쇄물 제작이 전혀 인기를 끌지 못함에 따라, 지역 신문에 산림 에네츠어로 쓰인 뉴스 페이지가 오늘날 산림 에네츠로 쓰고 읽을 수 있는 유일하고 가장 중요한 매체로 남아 있다. 실제로 잠재적인 독자 수는 십여 명의 언어학자를 넘지 않는다. 돌간어와 대조적으로 산림 에네츠어의 다소 복잡한 음운체계 때문에 툰드라 네네츠 정자법의 원리에 기초하여 제안된 산림 에네츠 정자법은 원주민이기는 하지만 언어적으로 훈련이 되지 않은 언어사용자들에게는 너무 복잡한 것으로 드러났다. 장모음 표시의 빈번한 불일치와 어떤 개인 특유의 언어적 성향을 포함한 성문 폐쇄음(Glottal stop) 표시의 누락과 글쓰기에서 툰드라 네네츠어로부터 불필요한 차용이 많은 것은 활동이 왕성한 작가들의 수만큼이나 많은 산림 에네츠어의 정자법을 낳게 하였다(Siegl & Rießler, 2015. 재인용).

다음으로, 산림 에네츠어는 소련과 러시아 언어학자들 사이에서 관심을 끌지 못했고, 따라서 문어화 작업을 하기 위한 중요한 기간 동안에 필요한 지원이 부족했다. 이것은 또한 성경을 산림 에네츠어로 번역하는 것에 영향을 주었다. 1995년에 출판된 누가복음(Luke) 일부의 시험판을 후원한 성경번역연구소는 이 사업을 더 이상 지원하지 않았는데, 사업을 계속 했더라면 분명 산림 에네츠 성경을 만들었을 것이다. 성경번역연구소가 사업을 중단한 원인에 대한 그들의 공식 입장은 시험판을 평가하기에 적합한 언어학자를 찾을 수 없었다는 것이었다(Siegl, 2013).

산림 에네츠어 사례를 종합해 보면, 비록 문어화의 과정이 돌간어 경우만큼 성공적이지는 못했지만, 산림 에네츠어의 문어화는 돌간어와는 뚜렷한 차이를 보인다. 돌간어 문어화는 '일상생활을 위한 쓰기'로 이해되어야 하는 반면에, 남아 있는 몇 안 되는 산림 에네츠 문어화의 창안자들은 멸종의 길을 걷기 시작한 언어의 생존을 위하여 문서화하는 것을 적극적으로 돕고 있다. 많은 문서화된 산림 에네츠어의 사례에 언어학적 및 정자법상의 결점이 있을지라도, 모든 문서의 페이지들은 문서화되지 못할 뻔한 언어에 대한 지식에 더 많은 주요 자료를 추가해준다.

V. 맺음말

하나의 언어는 세 가지 방식으로 사라질 수 있는 것으로 보인다. 첫 번째 방식은 변형이다. 이를테면 언어는 오랜 세월에 걸쳐 전개되는 과정을 거치면서, 어느 시점에는 새로운 언어가 나타났다고 말할 수 있을 정도로 상당히 심한 변형을 겪는다. 다양한 로망스 언어들로 변형된 라틴어의 역사를 보기로 들 수 있다. 두 번째는 한 사회에서 유일하게 인정받던 언어가 외부에서 들어온 새로운 언어는 기존언어를 대체한다고 말할 수 있다. 이는 점진적 융합과정으로 이 과정이 끝날 무렵에는 원래 언어의 구조나 단어들은 일반적으로 사용되지 않게 되며, 기껏해야 아주 적은 수의 용법에만 남아있게 된다. 마지막 세 번째 방식은 절멸이다. 절멸은 후손 없이 마지막 사용자들이 사라지는 것과 동시에 일어나는 현상이다. 따라서 한 언어의 절멸은 아직 그 언어를 더듬더듬 말하던 마지막 노인들이 소멸하거나, 때로는 나이야 어떻든 그 언어를 사용하던 공동체 전부가 소멸하는 것으로 비롯된다. 이때, 후속 세대들은 문제의 언어를 완전히 버리고 다른 언어를 택하게 되는 대체로 마무리된다(클로드 아제주, 2011: 119-120).

본 논문은 위의 세 번째 방식인 절멸의 위기에 있는 돌간어와 산림 에네츠의 문어화 과정에 있어서 주요 차이점과 문어화의 영향에 대해 논했다, 돌간어와 산림 에네츠어 모두 이웃 언어와 빈번하게 접촉해왔지만, 이러한 접촉이 언어 계획과 활성화의 영역에서 활용되지 않았기 때문에 더 많은 언어사용자를 가지고 있는 언어학상의 친척인 야쿠트어(돌간어의 경우)와 툰드라 네네츠어(산림 에네츠어의 경우)의 존재가 문어화 과정의 결정적인 단계에서 긍정적이고 직접적인 영향을 미치지 않은 것으로 보인다. 1930년대에 야쿠트어와 툰드라 네네츠어는 라틴어 기반 기간을 포함하여 문맹 퇴치 및 언어 계획의 일관된 역사를 공유했기 때문에 이러한 현상은 아마도 다소 예기치 않은 것이다.

지난 2백 년 동안 언어의 절멸을 초래하는 과정이 가속화되고 있는 데, 언어의 절멸은 생태계에서 종의 다양성에 대한 소멸 위협과 마찬가지로 인류가 당면한 매우 심각한 문제라고 할 수 있다. 일반적으로 생물 종의 다양성이 감소하는 것은 생태계 위기의 한 징후가 된다고 한다. 생명체의 생존이 안정성을 확보하기 해서는 종의 다양성이 보장될 때만 가능한 것이다. 종의 다양성은 생물학적 생태의 지속과 상속이 가능해지기 위한 필수적인 요인이다, 이러한 관점에서 생물학적 다양성은 대체 불가능한 천연자원과도 같은 것이다. 마찬가지로, 언어 다양성의 소멸 현상도 인류의 지적 문명의 재앙이자 다가올 불행을 예고하는 신호라고 할 수 있다. 언어의 다양성이 줄어든다는 것은 우리가 언젠가 끌어와 쓸 수 있는 잠재적인 지적 기반이 낮아진 다는 것을 의미하며, 이는 결과적으로 인류의 환경 적응력이 현저히 감소되는 위기로 이어질 수 있기 때문이다(서승현, 2015: 284).

센굽타(Sengupta, 2009: 17)는 언어는 사고하고, 이해하고, 심지어 꿈꾸는 것과 같은 인간의 기초적인 정신적 활동에 매우 중요하다고 강조하며 언어를 세보호하고 활성화시키고 언어에 대한 권리를 제공하기 위한 관점에서 언어적 다양성을 보존하기 위한 논의는 정체성의 관점, 공평성의 관점, 다양성의 관점이라는 세 가지 넓은 분야로 분류해서 진행되어야 한다고 주장하고 있다. 그러므로 언어의 다양성은 인간의 독특한 문화적, 역사적 지혜를 구현하는 인류 유산에 필수적인 요소이다. 어떤 언어를 잃는 다는 것은 모든 인류에게 돌이킬 수 없는 손실이다(Reaume, 2000: 250). 따라서 소수민족의 언어는 그 민족들이 구축해온 그들의 영혼의 사원이자 나아가 인류의 작품이라 할 수 있다. 그러므로 이미 절멸의 과정을 밟고 있는 돌간어와 산림 에네츠어의 위기 상황은 인류 지적 상속의 위기를 초래할 수 있는 요인이 된다.

혜리슨(Harrison)이 주장한 것처럼, 말하지 않은 언어는 멸종 될 것이다. 운이 좋다면 사라진 나비의 건조 표본이 박물관 표본실에 남아있는 것처럼, 전문 사전 편집자의 사전에 보존 될 수 있다. 특히, 돌간어와 산림 에네츠어와 같은 언어의 문어화(文語化)작업은 문자를 매개로 한 언어형식 작업이다. 문어화(文語化)작업은 해당 언어에 고정된 문법 체계를 부여하므로 구어에 비해 변화가 적고 시공을 초월해 전달될 수 있는 있는 소중한 장점이 있다. 그러나 문어화작업이 제대로 이루어지지 않는 불행한 경우에는, 그 언어는 기록되지 않은 역사의 기억 속으로 영원히 사라질 것이다. 언어의 소멸은 우리 문화의 다양성을 인정하는 사람들에 의해 애도된다. 그러므로 문서화되지 않고 사라지는 각 언어는 인간의 정신세계가 만들어 낼 수 있는 여러 복잡한 구조 중 일부에 대한 우리의 이해에 엄청난 손실을 가져온다(Harrison, 2005).

환경론자나 동물학자들이 종의 다양성의 상실을 비난하듯이, 사회과학자와 언어학자들은 우리 세계문화의 풍요로움에 반하는 언어의 상실을 한탄한다. 한 민족이 언어를 잃는다는 것은 단순히 모국어 자체를 상실하는 그 이상이다. 그 민족이 조상으로 전수 받아왔던 약용 식물, 동물의 행동, 기상 신호 및 사냥과 수집 기술에 대한 고도의 전문 지식 또한 위협 받고 있다. 종교적 신념, 전래 동화, 노래 등 풍부한 사전 지식을 갖춘 구전의 전통은 곧 그 민족과 과학계에서 완전히 없어지게 될 것이다. 또한, 자신의 일, 가족 관계, 뿌리 깊은 믿음을 반영하는 자신의 문화를 표현하는 사람들의 정체성은 언어의 사멸로 인해 심각한 영향을 받을 수 있다. 결과적으로, '우리 행성의 이질적 특성은 동질성을 향한 지속적인 경향에 의해 도전받고, 우리 문화의 다양성은 소수 언어들의 소멸에 의해 도전 받는다'는 헤일(Hale)의 말을 되 씹어볼 필요가 있다(Hale, 1992).

〈참고문헌〉

서승현. "러시아 북극권의 절멸 위기에 처한 소수민족어 -코미어와 네네츠어를 중심으로." 『인문과학연구논총』, 제36권 3호, 2015.

클로드 아제주. 『언어들의 죽음에 맞서라』, 김병욱 옮김. 서울: 나남. 2011.

Anderson, G. David. *Identity and ecology in Arctic Siberia: The number one Reindeer Brigade.* Oxford: Oxford University Press, 2000.

Bolina, S. Dar'ja. *Luka pazduj äde baza: nob loz äza pereä* (Trans.). Stokgol'm: Institut perevoda biblii, 1995.

Gippert, Jost, Nikolaus P. Himmelmann & Ulrike Mosel (eds). *Essentials of Language Documentation. Trends in Linguistics.* Studies and Monographs 178. Berlin & New York: Mouton de Gruyter, 2006.

Hale, Kenneth. "Language Endangerment and the Human Value of Linguistic Diversity." *Language*, Vol. 68, No. 1, 1992.

Harrison, K. David. "Ethnographically informed language documentation." *Language documentation and description* Vol. 3, 2005.

_____. "Preserving rare languages: Embracing the future." *The Economist.* Vol.402. Feb. 25, 2012, p. 95, 2012.

Helimskij, Eugen. "Die Feststellung der dialektalen Zugehörigkeit der encischen Materialen". *Dialectologia Uralica: Materialien des ersten Internationalen Symposions zur Dialektologie der uralischen Sprachen.* 4. 7. September 1984 in Hamburg. Veröffentlichungen der Societas Uralo-Altaica, 1985.

Himmelmann, P. Nikolaus. "Documentary and Descriptive Linguistics." *Linguistics.* Vol. 36: pp. 161-195, 1998.

Reaume, Denise. "Official Language Rights: Intrinsic Value and the Protection of Difference." in Will Kymlicka and Wayne Norman (ed.), *Citizenship in Diverse Societies*, Oxford: Oxford University Press, 2000.

Sengupta, Papia. "Endangered Languages: Some Concerns." *Economic and Political Weekly.* Vol. 44, No. 32, 2009.

Siegl, Florian. "Where have all the Enetses gone? The Northern peoples and states: Changing relationships." *Studies in Folk Culture.* Vol 5, pp. 235-253, 2005.

_____. "*Contemporary forest Enets: A report from recent fieldwork.*" Études finnougriennes, Vol. 39, pp. 21-50, 2007a.

_____. "Forest Enets as a written language." In S. Walton (Ed.), Språk og identitet: spritt österut (pp. 110-130). Skrifter fråIvar-Aasen- instituttet Vol. 26. Volda: Høgskulen i Volda, 2007b.

_____. "*How to prepare for fieldwork - a Forest Enets based retrospective.*" Paula Kokkonen & Anna Kurvinen (eds): Kenttäretkistä tutkimustiedoksi. UH 4. pp. 213-240, 2010.

_____. *Materials on Forest Enets, an Indigenous Language of Northern Siberia. Suomalais-Ugrilaisen Seuran Toimituksia 267.* Helsinki: Suomalais-Ugrilainen Seura, 2013.

Siegl, Florian & Rießler Michael. "Uneven Steps to Literacy." *Cultural and Linguistic Minorities in the Russian Federation and the European Union.* Heidelberg, New York, Dordrecht, London: Springer, 2015.

Slezkine, Yuri. *Arctic mirrors: Russia and the small peoples of the North.* Ithaca, London: Cornell University Press, 1994.

Trosterud, Trond. "Sovjetisk språkpolitikk: Finsk-ugriske språk i Russland I eit historisk-politisk perspektiv." *Nordisk Østforum*, Vol. 3, pp. 40-45, 1995.

_____. "Sovjetisk språkpolitikk og dei små minoritetane." *Nordisk Østforum*, Vol. 3, pp. 71-78. 1997.

Аксенова, О. Е. "*Я пишу вам больше от радости ...*": *Письма Огдо Аксеновой.* Москва: Творческая студия "Полярная звезда." 2001.

Болина, С. Дарья. Русско-энецкийразговорник. Санкт-Петербург: Просвещение, 2003.

Василев, В. И. *Лесные энцы - очерк истории, хозяйства и культуры.* Сибирский этнографический сборник V. Труды Института Этнологии: Новая серия 84. 1963, с. 33-70.

Гусев, В. Ю. *Энецкий язык.* http://lingsib.unesco.ru/ru/languages/enets.shtml.htm

Лабанаускас, К. И. *Родное слово: Энецкие песни, сказки, исторические предания, традиционные рассказы, мифы.* Санкт-Петербург: Просвещение, 2002.

Сорокина, И. П. & Болина, Д. С. *Словарь энецко-русский и русско-энецкий.* Санкт-Петербург: Просвещение, 2001.

Сорокина, И. П. & Болина, Д. С. *Энецкий словарь с кратким грамматическим очерком*. Санкт-Петербург: Просвещение, 2009.

Стаховский, М. *К вопросу о времени возникновения долганского языка*. В. А. Плунгян & А. Й. Урманчиева (Изм.), *Языки мира*: *Типология. Памяти Т. Ждановой* (С. 565-572). Москва: Индрик, 2002.

Убрятова, Е. И. *Язык норильскх долган*. Новосибирск: Наука, 1985. ФСГС(Федеральная служба государственной статистики.) *Итоги всероссийской переписи населения 2002* года. http://www.perepis2002.ru

http://www.unesco.org/languages-atlas/index.php(검색일: 2019. 10. 11)

https://en.wikipedia.org/wiki/Enets_language(검색일: 2019. 10. 12)

러시아연방의 언어정책 및
러시아 북부지역 소수민족어의 생존개황

김자영*

I. 러시아 북부지역 소수민족 및 소수민족어 현황

    지구온난화의 영향으로 지구촌의 환경과 생활문화, 사회 · 경제적 지표의 변화가 점차 가속화되고 있고 이는 영원한 동토의 땅으로 불리던 러시아 북부지역 역시 예외가 아니다. 러시아 북부지역은 북극권을 포함하여 북위 45도

출처: (http://dl.nanet.go.kr/SearchList.do#pd 검색일: 2020.1.12.)

※ 이 논문은 『북극연구』 20호에 게재된 것임
 * 원광대학교 초빙교수

이상의 지역이고, 북극지방은 북위 66° 33′ 44″(66.5622°)을 지나는 지점을 가리킨다. 본고에서 살펴 볼 러시아 토착소수민족 및 소수민족어는 러시아 북부지역 즉, 시베리아와 러시아 북극권을 포함하고 있는 개념이다.

러시아에는 대략 190여 개의 다민족이 분포되어 있는 것으로 알려져 있다. 2000년 3월에 선포된 러시아 연방법 No. 255는 소수민족을 '하나의 영토에서 오랜 전통적 생활양식을 지키고 살아가며 그 수가 5만 명을 넘지 않는 독립적인 집단'으로 정의하고 있다.[1] 기본적으로 전통적 가치체계를 존중하고 주로 사냥, 어업, 사슴목축, 수렵 등의 경제활동을 하는 집단을 가리키는 것이다.

상기 기준에 의하면 러시아 연방에는 45개의 토착소수민족이 공식적으로 인정되며, 이 중 40개의 민족이 시베리아, 북극권을 터전으로 살아가고 있는 것이다.

이를 정리해보면 아래의 〈표 3-3〉과 같다.

〈표 3-3〉 러시아 시베리아, 북부지역 토착소수민족 인구수 및 분포지역 (2010년)[2]

러시아 북부지역의 토착소수민족	전통적 거주지역	2002년 기준 인구수
1. 알류트Алунты	캄차트카 변강주	482
2. 알료토르 Алюторы	캄차트카 변강주	12
3. 벱스 Вепсы	카렐리야 공화국, 레닌그라드주, 볼로고츠크 주	5,936
4. 돌간 Долганы	크라스노야르스크 변강주, 사하공화국	7,885
5. 이텔멘 Ительмены	캄차트카 변강주, 마가단 주	3,193
6. 캄차달 Камчадалы	캄차트카 변강주, 마가단 주	1,927
7. 케레키 Креки	추코트카 자치구	4
8. 케트 Кеты	크라스노야르스크 변강주	1,291
9. 코랴키 Коряки	캄차트카 변강주, 추코트카 자치구, 마가단 주	7,953

---

1) 배규성, "러시아 북방 토착소수민족의 법적 권리: 법적 규범과 현실", 『한국시베리아연구』 제24권1호, pp. 109-149, 2020.

2) Данные всероссийской переписи 2010.

10. 쿠만진Кумандинцы	알타이 변강주, 알타이공화국, 케메로프 주	2,900
11. 만시 Манси	한티-만시 자치구, 튜멘 주, 스베르들로프 주, 코미공화국	12,269
12. 나나이 Нанайцы	하바로프스크 변강주, 프리모르스크 변강주, 사할린 주	11,671
13. 응가나산Нганасаны	크라스노야르크스 변강주	862
14. 네기달 Негидаьцы	하바로프스크 변강주	522
15. 네네츠 Ненцы	야말로-네네츠 자치구, 네네츠 자치구, 아르항겔스크 주, 크라스노야르스크 변강주, 한티-만시 자치구, 코미공화국	44,640
16. 니브히 Нивхи	하바로프스크 변강주, 사할린 주	4,463
17. 오로키 Ороки	사할린 주	295
18. 오로치 Орочи	하바로프스크 변강주	596
19. 사미 Саами	무르만스크 주	1,771
20. 셀쿠프 Селькупы	야말로-네네츠 자치구, 튜멘 주, 톰스크 주, 크라스노야르스크 주	3,649
21. 소요트 Сойоты	부랴트 공화국	3,608
22. 타즈 Тазы	프리모르스크 변강주	274
23. 텔렝기트Теленгиты	알타이 공화국	3,712
24. 텔류트 Телеуты	케메로프스크 주	2,643
25. 토팔라르 Тофалары	알타이공화국	761
26. 투불라르 Тубалары	알타이공화국	1,565
27. 투빈-토진 Тувинцы-тоджинцы	투바공화국	4,442
28. 우데게이 Удэгейцы	프리모르스크 변강주, 하바로프스크 변강주	1,657
29. 울치 Ульчи	하바로프스크 변강주	2,765
30. 한티 Ханты	한티-만시 자치구, 야말로네네츠자치구, 튜멘주, 톰스크주	30,943
31. 첼칸 Челканцы	알타이공화국	1,181
32. 추바네츠 Чуванцы	추코트카자치구, 마가단주	1,002
33. 축치 Чукчи	추코트카자치구(캄차트카 변강주), 사하공화국	15,908
34. 출름 Чулымцы	톰스크주, 크라스노야르스크변강주	355
35. 쇼르 Шорцы	케메로프스크주, 하카시야공화국, 알타이공화국	12,888
36. 에벤키 Эвенки	사하공화국, 아무르주, 부랴트공화국, 이르쿠츠크주, 자바이칼변강주, 크라스노야르스크변강주. 하바로프스크 변강주	37,131
37. 에벤 Эвены	사하공화국, 하바로프스크변강주, 마가단주, 추코트카자치구, 캄차트카변강주	21,830
38. 에네츠 Энцы	크라스노야르스크변강주	227
39. 에스키모 Эскимосы	추코트카자치구, 캄차트카변강주	1,738
40. 유카기르 Юкагиры	사하공화국, 마가단변강주	1,603
합계	러시아연방 28개연방주체	252,222

이들은 바흐찐(Вахтин)의 분류표에 따라 다음의 7개 친족 언어집단으로 나눌 수 있다:

투르크어계	쿠만진, 텔렌기트, 텔류트, 토팔라르, 투발라르 투빈, 투빈스코-토진, 첼칸, 출름, 쇼르, 야쿠트
몽골어계	부라트, 소요트
우랄어계	- 핀노-우그르어: 프리발틱-핀 분파; 볼가 분파; 페름분파 우그르분파; 사미분파 - 사모예드어: 네네츠, 응가나산, 에네츠, 셀쿠프
퉁구스-마주르어계	만주어, 나나이, 네기달, 오로치, 오로키, 울치, 우데게이 에벤크, 에벤
추코트코-캄차트어계	케레크, 코랴크, 추코트, 이텔멘
알류트어계	베링, 메드노프
고립어	케트어, 니브흐어, 유카기르어

〈표 3-3〉에서 볼 수 있는 것처럼 러시아 시베리아, 북부지역의 소수민족의 인구수는 러시아 정부가 기준으로 삼고 있는 5만 명에도 미치지 못하는 경우가 대다수이다. 바흐찐의 자료에 따르면 소수민족의 인구수에 포함되었다 할지라도 실제 민족어(모국어)를 사용할 줄 아는 인구는 더 적다. 예를 들어, 2010년 조사 결과 오로치족은 인구수는 5백여 명이나 모국어를 아는 사람의 숫자는 겨우 8명으로 조사되었다.[3] 투빈-토진어의 경우 그 상황은 더욱 좋지 않다. 인구수는 오로치족보다 많지만 실제 모국어사용자의 숫자는 통계조사에서 전혀 알 수 없었다.[4]

러시아 북부 및 시베리아 지역에 오랜 세월 거주하고 있는 토착민족과 그 언어의 생존문제는 역사적으로 러시아 정부의 관점의 변화와 그에 따른 정책의 변화에 민감하게 연관되어 있다고 볼 수 있다. 따라서 다음 장에서는 토착

---

3) Вахтин Н. Языки Сибири и Севера, Европейский уни-т, СПб., 2016.
4) там же.

소수민족에 대한 국가정책의 변화과정을 살펴보고자 한다.

Ⅱ. 소수민족어에 대한 러시아 정책의 역사

러시아 역사에서 최초로 언급된 '북부지방 이민족'은 제정러시아 시절 12만 명으로 러 정부는 이들에게 우선적으로 종교를 전파하고 세금을 부과하기 위해 1822년 〈이민족 관리를 위한 법〉을 선포하였다. 19세기 말 러시아 정부는 북부지역에 초등교육기관과 병원 등을 세우면서 러시아어 교육을 시작한다.

소련시절 언어정책은 다음의 세 단계로 나뉜다:

1. 1920-1930년대: 적극적으로 토착소수민족들의 언어발전을 지원하던 시기

1926년 〈북부원주민에 관한〉법령을 마련하고 언어 및 생활제반에 걸쳐 원주민들의 발전을 지원. 러시아어는 국가 유일의 공용어 지위를 내려놓고 소련 내에 거주하는 제민족은 민족어와 러시아어 중에 자유롭게 선택하여 교육받을 수 있었다. 공교육에서 러시아어는 반드시 필수과목으로 지정되지는 않았으며, 종교교육이 금지되고 남녀가 함께 무상교육을 받기 시작했다. 이때를 '형태적으로는 민족주의를, 내용적으로는 사회주의에 따라' 문화교육을 받기 시작한 시기로 본다.

독일, 우크라이나, 아르메니아, 조지아, 폴란드 인 등 러시아어와 함께 자국어 문자교육을 받을 수 있었던 민족들 외에 문자가 없었던 50여 개의 소수민족들은 라틴문자를 기반으로 교육되었다. 소련 정부가 라틴문자로 소수민족 문자를 지원한 것은 소련혁명의 뒤를 이어 다른 나라에서도 사회주의 혁명이 연쇄적으로 일어나 전세계 프롤레타리아 연합국의 탄생을 기대했기 때문이다. 또한 이는 제정러시아 시절의 지배를 떠올리게 하는 키릴문자보다 소수민족들에게 보다 덜 부정적일 것이라고 생각한 점이 작용했다고 할 수 있다. 이후 1932년이 되면 소련 초중등학교의 정규과정에 편성된 언어만 거의 100개에 이르게 된다.

2. 1950- 1980년대 중반 :

적극적인 러시아동화정책으로 소수민족언어 교육이 위축되거나 금지되던 시기.

1950년대 이후 러시아어를 공용어로 정착시키고 소수민족어를 점차 배제하여 제민족의 러시아 동화정책을 꾀하기 위한 관련 법령이 소련 장관협의회를 통해 연달아 4개 발표되었다. 1989년이 되면 민족어를 구사하고 민족어를 통해 정체성을 확립하는 비율이 52.5%에 불과해졌고 나머지는 러시아어를 모국어로 사용한다고 답했다.

3. 1980년대 후반-소련해체 전까지: 북부지역 토착소수민족언어에 대한 지원정책으로의 회귀.

1991년 〈러시아 연방 제민족의 언어들에 관한〉 법령안이 발표되었고 1998년7월에 정식으로 제정되었다. 동 법령은 러시아인이라면(Россияне) 러시아어를 공용어로 하되 민족어를 자유롭게 배우고 사용할 수 있는 권리 및 각 공화국들이 자체권한을 통해 공화국 공용어를 지정할 권한을 보장하고 있다. 이후 시베리아와 러시아 북부지역의 소수민족들은 공식지위를 얻게 된

다. (벱스어, 만시어, 돌간어, 네네츠어, 셀쿠프어, 추코트어, 한시어, 에벤크어, 에벤어, 유카기르어)

1996년 6월에 선포된 〈민족-문화 자치에 관한〉 법령 No. 74Φ3에 '민족어의 보존, 발전 및 사용에 관한 권리 보장' 조항이 포함된다. 시베리아, 북부지역 자치정부들은 민족어로 공교육을 실시하고 책 출판, 미디어 등에서 러시아어 외에 민족어를 자유롭게 활용할 수 있게 되었다. 이후 추가적으로 2008년 대통령령 〈러시아연방의 주요 북극정책 2020〉 이 발표되면서 이러한 추세는 더욱 공고해지고 있다.

그러나 I장에서 기술한 바와 같이, 중앙정부의 국가 소수민족언어 정책의 자율화와 지원강화에도 불구하고 비교적 사용집단이 큰 몇 개의 소수민족을 제외하면 시베리아 / 북부지역 토착어들의 절멸위기 상황은 개선되지 않고 있다고 보는 것이 맞을 것이다. 다음 장에서 북극지방의 토착어 상황을 중심으로 절멸위기의 소수민족어의 근본적 원인을 함께 살펴보고자 한다.

Ⅲ. 20c 후반~ 21c 초반 북극지방 토착소수민족어와 러시아의 이중적 시각

러시아 북부 지역 중 특히 북극지방으로 연구지역을 축소했을 때 포함되는 언어는 코미공화국, 사하공화국, 크라스노야르스크 변강주, 축치 자치구, 야말로-네네츠자치구 등에 분포하고 있는 언어들이다.

시베리아를 포함한 러시아 북부지역의 전반적인 상황과 마찬가지로 1990년대 이후 러시아 북극지방의 토착소수민족어에 대한 러시아 중앙정부의 정책들이 활성화되었다. 언어정책을 내놓고 이를 현실화하기 위한 다양한 규정들이 새롭게 완성되었고, 언어의 대중화와 교육의 형식이 다양화 되었다. 그리고 이러한 정책들은 어느 정도는 실효성이 있었다.[5] 러시아의 소수민족 전문가들은 여러 정책들에도 불구하고 소수민족들 사이에서 모국어의 필요성은 갈수록 낮아진다고 평하고 있다. 1989년-2010년 북극지방 원주민들 사이에서 고유민족어의 필요성은 57.2%에서 41.4%로 낮게 조사되었다. 러시아 학술재단의 〈Российская Арктика: 북극지방의 안정적 발전을 위한 새로운 전략연구〉에 참여하고 있는 학자들은, 북극지방에 대한 언어정책은 이제 조금 다른 방향으로의 전환이 필요하다고 주장한다. 물론 언어적 다양성은 보존되고 진흥되어야 하지만 이것은 다양한 문화의 한 파편으로써 이지 특정 민족들의 정체성확립을 위한 요소로써는 큰 의미가 없다고 말한다. "러시아는 다민족, 다문화 국가로써 다양한 제민족의 문화들을 보존해야 하지만 동시에 하나의 통일된 정신적, 정치적 통합 속에서 조화롭게 유지될 수 있는 정책에 더 많이 집중해야 한다." 고 학자들은 말하고 있다. 특히 한 국가의 통합을 위한 소통의 근본은 언어이므로 소수민족들 스스로가 '시장성', '사회에서 종합적 의사소통에 있어서의 불필요성'에 따라 소비하지 않고 있는 소수민족어들을, 20c 후반에서 21c초반에 그러했던 것처럼 큰 예산을 들여 지원정책을 펼 필요가 있는지에 대한 의문을 표시한다. 따라서 러시아에 존재하면서 또한 절멸위기를 겪고 있는 다양한 소수민족어를 유지 보존하는데 지속적인 관심을 쏟을 것인가, 아니면 공통의 사회통합을 위한 수단으로써 러시아어에 대한 교육과 사용을 보다 강화, 확대할 것인가에 대한 논의가 필요하다고 주장하고 있다. 이것

---

5) Ф. Соколова, Языковая политика Арктических регионов РФ в конце XX – начале XI века//《Российская Арктика: от концептуализации к эффективной модели государственной этнацио-нальной политики в условиях стабильного развития регионов》 Научный Фонд РФ, 2017.

은 언어학자 О.И. Артеменко나 А.Н. Шефелев 등의 학자들이 "소련시절에는 민족의 다양성과 정체성을 대변할 수 있는 소수민족언어들의 분해시기이다.", "소련 초기 소수민족어에 대한 강력한 후원이 러시아의 언어적 다양성 보존에 큰 힘이 되었다. 그러나 현대에 와서 사회문화적으로 지역민들이 동기부여는 빠진 채 형식적인 법령에 따른 지원정책의 진행은 오히려 기초학문의 약화를 불러온다." 고 주장하는 것과는 대치된다.

〈Российская Арктика: 북극지방의 안정적 발전을 위한 새로운 전략연구〉 에 참여하는 학자들은, 북극지역의 토착민족들 중 코미공화국과 사하공화국을 앞으로 러시아 언어정책이 나아가야 할 긍정적 예로 들고 있다. 이들 공화국은 러시아어 공용어 정책에 매우 호의적이다. 코미공화국의 경우 17개의 소수민족 집단이 존재하지만 코미어와 러시아어를 공용어로 선포하고 이후에도 러시아어 공용어 정책을 약화시키지 않고 있다고 평가한다. 사하공화국은 야쿠트어, 에벤크어, 에벤어, 러시아어, 유카기르어, 돌간어, 추코트어를 모두 공용어의 지위로 채택했다.

야말로네네츠, 네네츠 자치주의의 경우 러시아어와 민족어 사이의 공용어 지위에 대한 논의가 아직 명확하게 이루어지지 않고 있다.

러시아 정부는 지난 2005년 북극지방 자치지역들의 민족어교육정책과 중앙정부의 자율권 부여로 점차 러시아어 및 러시아문화와의 연계성이 떨어지는 것을 보완하고 중심언어로써 러시아어 보호를 위해 연방법 〈러시아연방 국가언어에 관한〉 법령을 제정한 바 있다. 2012년에는 〈러시아 연방 교육에 관한〉 법률을 제정하고 '국가공식언어를 손실하지 않은 채 제민족의 민족적 발전과 통일러시아민족의 강화'를 목적으로 한다고 밝혔다. 2005년의 법령은 '러시아의정신적, 문화적, 교육적 통일성을 보존하면서 제민족의 교육적 목적에 따른 언어요구를 충족시키고, 하나의 정치적인 민족으로서의 러시아를 구현하며, 소수민족 어린이들의 교육품질을 향상시키기 위한 차세대 교재 및 전문가 확보'를 위한 것이라는 설명이 붙어있다. 그러나 시대적 흐름에 따라 다민족국가로써 여러 다양한 소수민족들의 요구와 권리, 자율권에 대한 인지와 동시에 러시아인(Русский Народ)의 러시아어, 러시아문화를 중심으로 라는 과거의 근본적 관점 사이에서의 충돌과 모순이 보이는 부분이 아닐 수 없다.

그렇다고 실제적인 소수민족어의 절멸위기가 러시아 중앙정부와 Русский Народ, 공식언어정책에 의해서만 영향을 받는 것은 아니다. 코미, 사하공화국을 제외하고 대부분의 러시아북부지역 토착어들의 위기상황은 개선의 여지가 별로 보이지 않고 있는 것으로 미루어 볼 때, 소수민족어의 절멸위기를 극복하는 것은 결국 해당 언어의 사용이 의사소통의 주요수단이 될 수 있는 인구수, 인구수에 따른 사회문화적 제반조건이 갖추어졌을 때 가능한 것이 아닌가라고 생각한다. 문자가 없이 오로지 생존인구의 구두적 사용에만 의존하여 계승되는 언어의 경우 그 생존가능성은 더욱 희박해질 수 밖에 없다. 러시아 중앙정부의 소수민족언어정책이 과거 소련의 초기시대의 정책을 이어받아 현재 활성화되고 있지 않은 대부분의 소수민족언어의 문자화를 국가적으로 추진하고 생존한 원어민의 지식을 최대한 보존할 수 있는 지원정책을 펼치는데 더 주목하는 것이 좋지 않을까 판단된다.

〈참고문헌〉

김자영, "러시아 소수민족 언어연구", 한국시베리아연구, 2008.

배규성, "러시아 북방 토착소수민족의 법적 권리: 법적 규범과 현실", 『한국시베리아연구』 제24권1호, 2020.

서승현, "러시아 북극권의 절멸위기에 처한 소수민족어: 코미어와 네네츠어를 중심으로", 인문과학논총 36(3), 2015. 8.

Арефьев А., *ЯЗЫКИ КОРЕННЫХ МАЛОЧИСЛЕННЫХ НАРОДОВ СЕВЕРА, СИБИРИ И ДАЛЬНЕГО ВОСТОКА В СИСТЕМЕ ОБРАЗОВАНИЯ: ИСТОРИЯ И СОВРЕМЕННОСТЬ*, «Центр социологических исследований», М., 2014.

Бурыкин А.А. *Языки малочисленных народов Севера, Сибири и Дальнего Востока в динамике изменений образовательной языковой среды*, http://www.lingsib.iea.ras.ru/ru/round_table/papers/burykin.shtml

Вахтин Н. 「Языки Сибири и Севера, Европейский уни-т」, СПб., 2016.

Соколова Ф.Х. *Языковая политика Арктических регионов РФ в конце XX – начале XI века*//«Российская Арктика: от концептуализации к эффективной модели государственной этнонацио-нальной политики в условиях стабильного развития регионов» Научный Фонд РФ, 2017.

Данные всероссийской переписи 2010, raipon.info

http://www.raipon.info/peoples/data-census-2010/data-census-2010.php

ПЕРЕПИСЬ КОРЕННЫХ МАЛОЧИСЛЕННЫХ НАРОДОВ СЕВЕРА НАЧНЕТСЯ В 2019 ГОДУ,

https://nazaccent.ru/content/26863-perepis-korennyh-malochislennyh-narodov-severa-nachnetsya.html

Языки малых народов Крайнего Севера, Сибири и ДВ, https://studme.org/243591/literatura/yazyki_malyh_narodov_kraynego_severa_sibiri_dalnego_vostoka

part 4. 생태, 환경

기후변화 거버넌스와 북극권의 국제협력

라미경*

I. 서론

세계 도처의 기후변화 현상은 더 이상 인류가 안일하게 머물러 있어서는 안 된다는 경고 메시지를 주고 있다. 미국의 대기 연구소 버클리 어스(Berkeley Earth)[1]의 보고서에 따르면, 2018년 1~10월 지구 평균기온은 산업화 이전 시기(1850~1900년)보다 1℃가량 높아 역대 네 번째로 더운 한 해로 나타났다고 한다. 이 때문에 북극 해빙(海氷) 면적도 2018년 내내 평년보다 적은 상태를 보였으며 지난 1~2월에도 상당히 적은 수준으로 조사됐다.[2]

기후변화의 주요 원인은 지구환경의 파괴와 오염으로 인한 지구온난화가

※ 이 논문은『한국 시베리아연구』제24권 1호에 게재된 것임

* 배재대학교 한국-시베리아센터 연구교수

1) 미국의 대기 연구소 버클리 어스(Berkeley Earth)에서 수행한 자료에 의하면, 2019 년 북반구에서 약 400차례 사상 최고 기온이 기록되었다. 세계기상기구(World Meteorological Organization: WMO)는 2018년 11월 말 '2018 지구기후특성에 대한 잠정 보고서'를 내놓고 2015~2018년까지 4년 동안 지구평균기온이 가장 높았다고 밝혔다.

2) 세계기상기구(World Meteorological Organization, WMO) 페트리 탈라스 사무총장은 "온실가스 농도는 다시 기록적 수준으로 상승했으며 현재 같은 추세가 계속된다면 세기말까지 지구 평균온도는 3~5도까지 상승해 절망적 상황이 될 것"이라며 우려를 표하기도 했다.

가장 큰 것으로 보고 있다. 지구온난화는 대양보다는 대륙에서 더 높게 나타나는데 특히 북반구 고위도 지역에서 높은 수치를 보인다. 최근 연구에 의하면 발트해, 북해, 남중국해 등 대양에서의 기온상승이 불과 몇 년 전에 예상했던 것보다 몇 배나 빠른 속도로 진행되고 있다고 한다.

지구의 평균기온이 상승함으로써 해수면 상승을 초래해 전 세계인구 밀집지역의 상당 부분이 물에 잠기고, 홍수와 가뭄, 한파가 되풀이되어 식량 생산에 막대한 피해가 예상되며, 열대성 질병이 온대까지 퍼지고, 영구동토층이 녹으면서 인류가 새로운 전염병에 시달릴 수 있다. 이렇듯 지금 세계는 기든스의 역설(Giddens's Paradox)에 빠져있다. 그 역설이란 지구온난화의 위험은 직접 손으로 만져지는 것이 아니고 우리 일상생활에서 거의 감지할 수 없기에 아무리 무시무시한 위험이 다가온다 한들 우리 대부분은 그저 가만히 앉아서 기다릴 뿐이라는 것이다. 그렇게 기다리다가 중요한 대응조치를 취하기도 전에 위기가 눈앞에 닥친다면 이미 때는 늦는 것이다.[3]

우리는 어떻게 해야 기든스의 역설을 풀 수 있을까. 기든스가 제시하는 주된 관점은 기후변화에 대한 대응은 그것이 국내적인 것이든 국제적인 사안이든 언제나 '정치적 문제' 내지 '정치적 행위'로 취급해야 한다는 것이다. 무엇보다도 기후변화의 위험은 불확실성과 모호함, 복잡성이 내재 되어 과거의 교훈과 미래의 잠재적인 영향에 대한 탄력적인 대응이 필요하다.

기존 선행연구를 보면, 지난 30년 동안 기후변화는 다소 모호한 과학적 연구의 주제에서 전 세계적 정치적 어젠다의 핵심 항목으로 발전했다. 또한 기후변화는 사회과학을 포함한 많은 과학연구 분야에서 주목을 받고 있다. 기후

---

3) Anthony Giddens, *The Politics of Climate Change* (Cambridge: Polity Press, 2011), p. 11.

변화의 문제를 과학적 측면, 이해당사자(Stakeholder)의 요인들에 대한 고려 등에 따라 기후변화를 풀어가는 사회적 측면이 중요하다는 인식을 하고 있다 (Thomas Bernauer, Lena M. Schaffer, 2010; IPCC Working Group 2 2007; S. Fred Singer and Dennis T. Aery 2007). 특히 '기후변화에 관한 정부 간 협의체'(IPCC: Intergovernmental Panel on Climate Change)[4]가 수차례 발간한 보고서에는 기후변화에 관한 과학적 근거, 환경이나 사회에의 영향, 그리고 대응을 강조하고 있다. 2019년 IPCC가 발간한 해양 및 빙권에 관한 특별 보고서(Special Report on Climate Change and oceans and the cryosphere, SROCC)에서는 기후온난화로 인해 바다와 빙하지역에서 일어나는 환경변화는 멈출 수가 없으며 이런 추세로 지속되면 해양과 극지방, 산악에 거주하는 10억 명의 생존이 위협받게 될 것이라고 한다.

기후변화로 북극해의 해빙으로, 러시아 북쪽과 북대서양, 북태평양을 잇는 항로를 이용할 수 있게 되자 세계 강대국들 특히 미국, 중국 등 G2 국가가 큰 관심을 두고 있다. 기후변화 문제는 에너지 안보문제와 직결되고 기후변화에 대한 대응과 에너지 안보를 확보하는 일은 동전의 양면과 같다. 2050년경 북극에서 얼음 없는 여름이 도래할 것이라는 예측(미국해양대기청, NOAA, 2018년)에 따르면 12개월 상시 북극항로 운항이 가능해질 것이므로 그 가치는 더욱 커질 것이다. 지하자원의 고갈이 세계경제의 불황을 극대화시킬 수 있는데, 북극해에 매장되어 있는 다양한 에너지, 식량, 광물과 같은 천연자원에 대한 접근성의 향상과 북극항로의 활용 가능성에 대한 기대감으로 인해 북

---

4) IPCC는 1988년 지구환경 가운데 특히 온실화에 관한 종합적인 대책을 검토한 목적으로 UN 산하 각국 국제 연합 환경 계획(UNEP)과 세계 기상 기구(WMO)전문가로 구성된 조직이다.

극을 선점하기 위한 국제적 노력들이 나타나고 있다.[5]

현재 북극지역의 현안을 논의하고 있는 것은 1996년 창설된 북극이사회 (Arctic Council)[6]이다. 북극이사회는 거버넌스 형태로 북극 지역 간 국제기구로서 북극의 환경보호를 담보하며 국제적 영향력을 수행하고 있다. 북극이사회는 기후변화를 그들만의 이슈라기보다는 지구촌의 공동이슈이고 기후변화 자체보다는 그로 인한 환경변화 및 악화 양상 등을 공동으로 대응하고 오염원의 북극권 이동, 북극해 변화, 북극 원주민 등 주로 그들의 이슈에 우선순위를 설정하고 있다.

북극권의 해빙이 북극권 인접국 더 나아가 인류사회의 분쟁과 갈등을 안겨줄지 또는 행복과 축복의 통로가 될지, 국제사회의 관심이 집중되고 있다. 기든스의 역설을 풀기 위한 열쇠로 북극이사회 거버넌스체제가 적합한지, 잘 작동하는지를 거버넌스 경로에 적용하여 점검할 필요가 있다. 따라서 본 논문은 북극해를 둘러싼 현재 기후변화의 쟁점과 글로벌 거버넌스 구축을 통한 국제협력 방안을 모색하고자 한다.

---

5) 한종만, "러시아 북극권의 잠재력: 가능성과 문제점," 『한국과 국제정치』 제27권 2호(경남대 극동문제연구소, 2011), pp. 183-187; 배규성, 성기중, "북극지역의 안보적 도전," 『국제정치연구』 제14집 2호(동아시아국제정치학회, 2011), pp. 307-322.

6) 북극이사회는 캐나다, 덴마크, 핀란드, 아이슬란드, 노르웨이, 러시아, 스웨덴, 미국의 8개 회원국으로 구성된다. 이사회 의장은 국가들이 순번으로 2년씩 하는데, 의장국이 실질적인 결정권은 없지만 의사결정기구라 할 수 있는 각료회의와 고위실무회의(Senior Arctic Officials: SAO)를 주최하고 회원국들 상호 간 의사를 조정하는 중요한 역할을 담당한다. 상시참여그룹: 북극지역에 거주하는 약 400만 명의 주민 중 약 50만 명이 원주민이며, 이들 원주민들이 여러 단체를 형성하여 상시 참여그룹(permanent participants)으로 북극이사회에 참가하고 있다.

II. 기후변화 거버넌스의 이론적 고찰

1. 거버넌스의 개념

거버넌스 패러다임이 출현하게 된 배경을 살펴보면 다음과 같다. 첫째, 국가와 사회의 경계는 모호해지고 있다. 둘째, 개방체제로 인하여 정부 외부에 존재하는 다양한 행위자들이 정부정책에 관여하고 있다. 셋째, 정부가 다루어야 할 사회쟁점이 복잡하게 노정되어 공공정책결정이 증가하고 있다. 넷째, 많은 거버넌스가 다루어야 할 사회쟁점은 상호의존적이고 상호연결 되어 있다. 다섯째, 정부는 주요한 사회쟁점을 다루는 유일한 행위자가 아니라는 인식이 확산되었다. 여섯째, 정부와 사회 상호작용의 전통적인 또는 새로운 모형은 이들 사회쟁점을 다루는데 필요하다. 일곱째, 거버넌스의 배열과 기제는 사회수준이나 부문마다 다르다.[7]

거버넌스 개념은 사람마다, 학문영역에 따라[8], 그리고 주제에 따라 다양한 입장에서 다른 수준으로 정의되고 있다. 개념 정의의 수준에 따라 글로벌 거버넌스는 협의의 정의와 광의의 정의로 구분할 수 있다(Jessop 1999: 351). 로즈노우(Rosenau 1995), 글로벌거버넌스위원회(1995), 로즈(Rhodes 1997),

---

7) Kennis, P&V. Schneider, "Political Networks and Policy Analysis: Scrutinizing a New Analytical Analysis." In B. Marin & R. Mayntz(eds.), *Policy Networks: Empirical Evidence and Theoretical Considerations*. Campus Verlag; Westview Press 1991, pp. 33-37; Kooiman, J., "Governance: A Social-Political Perspective." In Jurgen R. Grote & Bernard Gbikpe(eds.), *Participatory Governance: Political and Societal Impliction*, Opladen, 2002, p. 75.

8) 임성학은 거버넌스에 대한 다양한 학문적 접근의 목적을 크게 두 가지로 구분한다. 경제, 경영, 행정학은 효율성, 효과성을 중심으로 기관, 네트워크, 제도를 분석하고 정치, 사회학은 참여, 평등을 목적으로 관계, 네트워크, 제도를 주요 분석 대상으로 삼는다.

코헨과 나이(Keohane and Nye 2000), 피레와 피터(Pierre and Peters 2000) 등이 정의한 협의의 거버넌스 의미는 최근 새롭게 등장한 것이라기보다는 오래전부터 국가나 시장기제와는 별도로 존재해 왔던 자연스러운 조정양식의 원형으로써 기존의 국가 중심의 위계적 조정양식이 한계를 드러내는 국면에서 다시 주목받고 있는 것이라고 볼 수 있다.[9] 즉, '공식적 권위 없이도 다양한 행위자들이 자율적으로 호혜적인 상호의존성에 기반을 두어 협력하도록 하는 제도 및 조종형태'라고 정의하고 있다(Kooiman and Vliet 1993: 64). 이러한 협의의 거버넌스는 논의의 초점을 시민사회에 두고 있는 것이 특징이라 할 수 있다. 광의의 거버넌스 개념은 정부중심의 공적조직과 사적조직의 경계가 무너지면서 나타나 새로운 상호협력적인 조정양식을 의미하는 것으로 여기에는 국제사회의 다양한 행위자들이 포함되어 있다. 이러한 광의의 거버넌스 개념은 주로 파트너십을 강조하면서 다양한 행위자들 간의 새로운 협력 형태를 의미한다. 따라서 이러한 의미로 정의되는 거버넌스는 전례 없는 새로운 현상으로 이해될 수 있을 것이다.

2. 거버넌스의 범위와 수준

거버넌스의 범위와 수준을 논의하는데 해결해야 할 문제들이 8개의 북극이사회 회원국가 차원을 넘어서 전 인류를 포함하는 것으로부터 소집단을 포함하는 것에 이르기까지 매우 광범위하며 다차원적으로 산재해 있다. 한 가지 이유가 여러 가지 차원에서 각각 중요성이 있고 해결되어야 할 몫을 가질 수 있으며 각 차원에서 다소 다른 성취 목표와 접근방법을 가지고 다른 행위 주

---

9) 라미경, "거버넌스의 현재적 쟁점," 『한국거버넌스학회보』 제16권 3호, 2009, p. 93.

체들이 관련될 수 있다.[10]

첫째, 기후변화, 난민, 환경, 인권, 노동 등의 세계적 차원(global governance)에서의 이슈들은 전 세계적인 수준의 국가 간 협력, 초국가적 행위자간의 협력과 상호작용에 의한 해결을 지향한다. 초국경적 이슈들로서 단일주권에 기반을 둔 통치 권위 없이 초국가적 이슈에 대한 공동 대응을 목적으로 한다. 이러한 이슈들은 국제기구, 국가 간 협력기구에서 출발하여 국가 이외의 다양한 초국가적 행위자들의 참여 수준과 폭을 넓히고 있다.

둘째, 지역 공동체 차원(regional governance)이다. 최근의 세계적 차원의 이슈들은 국가의 범주를 넘어 다양한 행위 주체들이 다양한 차원을 넘나들며 상호 협조하고 조정하는 방식에 의하지 않고서는 해결되기 어려운 것들이다. 전 세계 주요 지역들이 '운명적인 지역 공동체'의 중첩 속에서 상호 영향을 주고받는 양태가 전개되고 있다.[11] 유럽공동체, 아시아공동체, 아프리카 공동체 등과 같이 인접 국가간 지역공동체를 중심으로 하는 지역적 거버넌스의 차원에서는 무엇보다도 경제적인 이슈가 중요한 문제가 된다. 구조적인 세계 경제의 발전은 지역 간의 동맹 내지는 협력체제를 구축하게 하였다. 또한 지역적 거버넌스의 주요한 이슈 중 하나는 안보문제가 된다.

셋째, 국가적 차원(national governance)이다. 개별 주권국가 단위에서 전국적 규모의 문제해결을 도모하는 국가차원에서의 거버넌스는 세계적 차원과 지역적 차원의 문제를 해결하는 하나의 중요한 부분의 기능도 포함하지만, 그보다는 국내의 이슈에 대하여 세계적 시각과 신축성을 가지고 효율적으로 대응하는 국가운영의 부분을 의미한다. 우선 개발, 인권, 환경, 여성, 정치적 이

---

10) 라미경, 상계서, p. 94.

11) Norris, Pippa, "Global Governance and Cosmopolitan Citizens." in Nye, J. S. Jr. and E Kamarck (eds.), *Globalization and Governance*, 2000.

슈, 경제적 이슈는 국가적 차원에서도 중요한 쟁점이 된다.

넷째, 지방적 차원(local governance)이다. 지방정부와 지역사회에서의 시민 참여와 지역발전을 도모하는 지방적 거버넌스는 세계화와 지방화의 흐름으로 논의되고 있다. 지방적 차원에서는 지방정부의 통치가 아닌 시민, 시민단체, 정부, 시장 등이 지역사회의 공동문제에 대해 의사결정권을 공유하며, 지역시민의 참여의식을 고양하고, 이를 통해 공공재를 개발하는 일련의 과정을 제공하는 방식의 거버넌스 방식이 작동한다.

3. 북극기후 협력거버넌스 모델

지구온난화로 인한 북극해의 빙하 용해와 기후변환는 해수면 상승, 한파, 폭설, 홍수, 가뭄 등 이상기후의 다양한 형태를 보이고 이에 거대한 피해가 속출하고 있다. 게다가 지금까지 외부와 거의 접촉되지 않았던 북극 생태계와 북극 원주민을 포함한 생물종 다양성의 보호문제, 해양 동식물 먹이사슬 체계를 위험에 처하게 했다. 북극기후 변화에 따른 피해나 문제는 더 이상 개별국가의 문제가 아니다. 기후협력에 관한 거버넌스 범위와 수준은 세계적(global) 수준과 범위에서 다루어야 한다.

국가 위에 어떠한 권위체도 존재하지 않는 아나키(anarchy) 상태에서 자국의 안보와 번영을 확보하는 방법은 두 가지로 나타날 수 있다.[12] 첫째, 세력균형체제는 국가 간에 힘의 균형을 이룸으로써 어느 한 국가가 지배적 위치를 점하는 것을 막아 현 상태를 유지하면서 안정을 보장한다. 반면 위계질서

---

12) 임성학, "동서양 거버넌스: 수렴과 분화," 거버넌스학회 편저, 『동아시아 거버넌스』 (서울: 대경출판사, 2009), pp. 40-42.

가 없는 국제사회는 여러 주권국가가 병존하고 어떤 국가가 우월적 주도권을 잡는 것을 막음으로써 서로 공격할 수 없는 상황을 만드는 것이다. 둘째, 국가 간 협력을 통해 안보와 이익을 도모할 수 있는 제도를 만들고 국제질서의 아나키적 문제를 제도를 통해 해결하는 것이다.

[그림 4-1]은 국제사회의 운영 혹은 조정방식을 위계질서와 아나키를 중심으로 글로벌 거버넌스체제로 전환한 경로를 나타낸 것이다. 크게 영역별로 아나키체제, 위계질서체제, 네트워크 중심의 글로벌 거버넌스체제로 구분한다. 글로벌 거버넌스 체제로 전환하는 방법은 네 가지로 설명할 수 있다. 먼저 위계질서체제에서 바로 글로벌 거버넌스로 전환하는 경우(D경로의 경우), 두 번째는 아나키체제에서 글로벌 거버넌스로 전환하는 경우(C경로의 경우), 세 번째는 아나키체제로 전환한 후 글로벌 거버넌스로 전환하는 경우(A경로로 전환후 C경로의 경우), 넷째 위계질서체제로 전환한 후 글로벌 거버넌스로 전환하는 경우(B경로로 전환후 D경로의 경우)이다.

글로벌 거버넌스는 패권 중심의 위계질서적 조정방식도 거부하고 권위체가 부재한 시장 혹은 아나키체제도 맞지 않는다. 보다 다자주의적이며 수평적 네트워크를 통한 다양한 행위자의 자율성과 참여가 보장되는 형태의 기재를 의

[그림 4-1] 글로벌 거버넌스체제 전환 경로

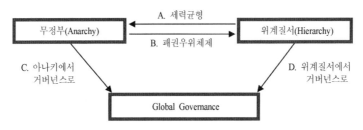

출처: 임성학, "동서양 거버넌스: 수렴과 분화," 거버넌스학회 편저, 『동아시아 거버넌스』 (서울: 대경출판사, 2009), p. 41.

미한다.

현재 북극을 둘러싼 기후변화는 아나키에서 글로벌 거버넌스로 가는 C경로를 통해 글로벌 거버넌스 전환되었다. 하지만 B에서 D의 경로를 통한 변환의 가능성도 상정해 볼 수 있다.

Ⅲ. 북극 기후변화 현황과 선언 및 협약

1. 북극지역 기후변화 특성

북극지역은 기후변화에 대해 가장 민감하게 반응하고 환경파괴에 따른 영향이 가장 심각하게 나타나는 지역이다. 산업혁명 이후 전지구의 평균온도가 약 1℃ 상승함에 반해 북극 온도는 2.5℃ 이상 상승하고 이 증가폭은 지구 평균의 2배 이상이다. 대기 중 온실 가스 농도가 증가하는 것이 주요 원인이다. 온실가스에 의해 갇힌 열은 일련의 피드백을 유발하여 종합적으로 북극 온난화를 증폭시켰다. 향후 100년간 연간 평균기온이 육상의 경우 3~5℃, 해상의 경우 최대 7℃까지 상승할 전망이다.

[그림 4-2]에 나타나듯이 북극의 환경변화는 북극에 존재하는 다양한 요소들간 피드백 메커니즘을 통해 급격하게 진행된다. 출발점은 세계인구와 1인당 평균 인간영향(human impact)[13], 즉 한 사람이 평균적으로 세계에 미치는 영향이다. 한 사람이 소비하는 평균자원량과 생산하는 평균 폐기물을 뜻한다.

---

13) 제러미 다이아몬드, 『대변동: 위기, 선택, 변화』, 강주헌 옮김(서울: 김영사, 2019), p. 486.

인간수, 자원소비량, 폐기물 생산은 꾸준히 증가한다. 북극지역의 기후변화의 특성을 다음과 같다.

첫째, 북극 기후변화의 영향은 눈 덮인 기간 및 면적을 감소시키고, 북극 여름의 해빙(海氷) 면적이 빠른 속도로 감소하고 있다. 러시아 서부 동토층의 남측 한계선이 북쪽으로 30~80km 이동하면서 지역 생태계 전반에 변화를 일으키고 있다. 북극 기후 변화는 북극의 해빙(解氷)으로 해수면 상승이 연간 지속해서 오르고 있으며, 전지구적 기상 이변을 초래하고 있다.

[그림 4-2] 북극 지역의 다양한 기후 피드백 메커니즘

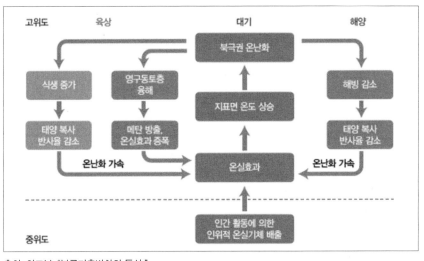

출처: 외교부, "북극기후변화의 특성,"
http://www.mofa.go.kr/www/brd/m_4048/view.do?seq=361707&srchFr=&srchTo=&amp
(검색일: 2019. 10. 1)

둘째, 북극 해빙(海氷)의 감소는 북극 상공에 존재하는 거대 소용돌이(Polar Vortex)의 강도를 약화하고 이에 따라 극 소용돌이 안에 갇혀있던 북극의 냉기가 중위도 지역까지 내려와 겨울철 잦은 한파를 일게 한다. 또한 북극해를

덮고 있던 북극 해빙(海氷) 감소로 인해 바다에서 열과 수증기가 방출되고 이로 인한 북극해상 수증기량 증가는 유라시아 폭설 증가로 이어지고 있다. 한편, 북극 온도 상승은 찬 냉기를 감싼 제트기류의 약화로 이어지고, 이에 따라 중위도에서 움직이는 이동성 저기압 세력도 약해져서 대기 순환이 잘 안 되게 되며, 이는 여름철 가뭄 및 폭염으로 이어진다. 지구온난화로 인해 영구동토대 속에 포함된 막대한 양의 메탄이 방출되고 이런 이유로 지구온난화는 다시 가속화되고 있다.

셋째, 북극 지역 온난화가 급속하게 증가한 현상을 '북극 증폭(Arctic amplification)'이라고 한다. 북극 증폭이란 개념은 오래전에 나왔지만 원인에 대해서는 명확하게 밝혀지지 않던 상태였다. 북극 증폭 개념이 제시된 초창기인 1970년대에는 북극 지역 내부에서 발생하는 지역적 메커니즘 때문이라는 의견이 제시됐다. 이산화탄소, 메탄가스 같은 온실가스가 대기 중 열을 가둬 지표면의 온도 상승을 유발하는데 이것은 북극지역에서 더 치명적이라는 것이다. 일명 아이스 알베도 피드백 효과(ice albedo feedback effect)[14], 갓 내린 눈은 태양 복사에너지의 80% 이상을 반사하는데, 온난화에 따라서 눈과 얼음이 녹게 되면 태양 복사에너지의 반사율이 10% 정도밖에 되지 않는 해양으로 표면이 바뀐다. 즉 눈과 빙하는 햇빛을 반사하는 역할을 하지만 온도 상승으로 사라질 경우, 햇빛이 그대로 토양과 해수표면에 도달해 온난화를 가속할 수 있다는 것이다. 극지방은 지표면 대기와 상층부 대기 사이에 열에너지 교환이 적어 냉각효율이 떨어지기 때문에 북극증폭을 유발한다는 것인데 특히 표면반사율 하락이 그 핵심이다.[15]

---

14) 멕켄지 펑크 지음, 『온난화 비즈니스』, 한성희 옮김, (서울: 처음북스, 2018), p. 31.
15) 유용하, "현실로 닥친 기후 재앙, 북극이 사라지다," 기초과학연구원.
   https://post.naver.com/viewer/(검색일: 2019. 10. 11); 김성중, "극지역의 기후변화

마지막으로 북극은 지구 전체의 기후변화를 조절하는 역할도 하고 있다.[16] 북극에서 한번 기후변화가 일어나면 대기 중의 온실가스 농도가 안정될 때까지 수 세기 동안 지속하게 된다. 북극의 장기적인 기후 변화는 대륙의 빙하를 녹아내리게 하고 지구 전체의 해류 순환 시스템뿐만 아니라 해수면 상승에도 영향을 미친다.

북극에서 전 지구 평균보다 두세 배 빠르게 온난화가 진행되고 있다. 그 결과 일년생 해빙은 물론 수년간 단단하게 다져진 다년빙도 급속히 감소하고 있다. 그 어떤 기후 모델이 예측했던 것보다 빠른 속도다. 이상기후의 원인이 되는 지구온난화에 대한 과학적 근거를 두고 논란은 있으나, 북극 및 남극지대 기온상승, 빙하감소, 홍수, 가뭄 및 해수면 상승 등 이상기후 현상에 의한 자연재해가 현실로 나타나고 있다.[17]

2. 지속가능한 환경보호 선언 및 협약

앞서 살펴본 바와 같이 지구온난화로 인한 북극지역 기후변화는 전 지구적 재앙을 일으키는 원인이 되고 있다. 전 지구적 자연환경과 생태계 파괴가 심각한 문제로 등장하면서 범세계적인 환경보전대책에 대한 국제협약들이 체결되고 있다.[18] 특히 북극해 연안국 정부와 환경단체들은 지구온난화에 따른 기

가 한반도 연근해에 미치는 영향과 우리의 대처방안," 『현대해양』 2018년 3월 7일.

16) 남승일, "지구의 기후를 조절하는 바다, 북극해," 극지연구소 북극지식센터. http://www.arctic.or.kr/?c=1/3&cate=1&idx=10(검색일: 2019. 11. 1)

17) "기후변화 영향," https://www.gihoo.or.kr/portal/kr/change/effect.do(검색일: 2019. 11. 2)

18) 김종순, 강황선, 『환경거버넌스: 지속가능한 발전을 위한 환경관리 네트워크의 구축』 (서울: 집문당, 2004), p. 187.

후변화와 자원개발에 따른 환경오염을 경계하고 있다. 〈표 4-1〉에 나타나듯이 북극 관련 기후변화 선언 및 협약은 북극지역 기후변화와 환경보호에 관한 것으로 세계적(global), 지역적(regional) 수준으로 나누어 볼 수 있다.

우선, 세계적 수준의 거버넌스로는 유엔기후변화 협약, 교토의정서, 파리협정 등이 있다. 유엔기후변화협약(UN Framework Convention on Climate Change)은 1992년 이산화탄소를 비롯한 온실가스의 배출을 제한해 지구온난화를 방지하기 위해 세계 각국이 동의한 협약이다. 정식 명칭은 '기후변화에 대한 국제연합 기본협약(United Nations Framework Convention on Climate Change)'이며 이 협약이 채택된 브라질 리우의 지명을 따 리우환경협약이라 부르기도 한다. 이 협약이 체결되면서, 이산화탄소를 비롯해 탄산, 프레온가스 같은 온실가스의 배출량을 줄이기 위해 체결에 동의한 당사국은 노력을 기울여야 했다.

교토의정서(Kyoto Protocol)는 1997년 지구온난화 규제 및 방지를 위한 국제협약인 기후변화협약의 구체적 이행 방안으로, 선진국의 온실가스 감축 목표치를 규정하였다. 의무 이행 당사국은 캐나다, 미국, 일본, 오스트레일리아, 유럽 연합 회원국 등 총 38개국이며, 각 당사국은 제1차 의무 이행 기간에 속하는 2008년~2012년 사이에 온실가스 총 배출량을 1990년도 수준에 비해 평균적으로 최소한 5.2% 감축해야 한다. 경제 협력 개발 기구(OECD) 회원국들은 이 기간에 1990년 대비 5% 이상의 온실가스를 감축하도록 하였다. 그밖에 2차 의무 이행 대상국은 2013년~2017년까지 온실가스의 배출량을 감축하게 되어 있다.

〈표 4-1〉 북극 관련 기후변화 선언 및 협약

분류	선언 및 협약	년도	내용
세계적 수준	유엔기후변화협약 (UN Framework Convention on Climate Change)	1992	선진국과 개도국이 공동의 그러나 차별화된 책임에 따라 각자의 능력에 맞게 온실가스를 감축할 것을 약속
	교토의정서 (Kyoto Protocol)	1997	기후변화의 주범인 6가지 온실가스(이산화탄소, 메탄 이산화질소, 수소불화탄소, 과불화탄소, 육불화항)를 정의. 부속서1 국가들에 제1차 공약기간(2008-2012년) 동안 온실가스 배출량을 1990년 수준 대비 평균 5.2% 감축하는 의무
	파리협정 (Paris Agreement)	2015	지구 평균기온 상승을 산업화 이전 대비 2℃보다 상당히 낮은 수준으로 유지하고, 1.5℃로 제한하기 위해 노력한다는 전 지구적 장기목표 하에 모든 국가가 2020년부터 기후행동에 참여
지역적 수준	무르만스크 선언 (Murmansk Declaration	1987	북극의 비핵지대화, 자원이용의 평화적 협력, 과학조사와 환경보호의 공동 노력, 북극항로 개발 등
	로바니에미 선언 (Rovaniemi Declaration)	1991	북극권 환경보호선언. 생물다양성 유지(북극 지역 환경 및 거주민 건강생태계 보호
	누크 선언 (Nuuk Declaration)	1993	북극 환경보호를 위한 북극협력 제시 북극 자연 자원의 지속가능한 발전
	이누비크 선언 (Inuvik Declaration)	1996	북극 지역 지속가능한 발전(경제, 사회, 문화)
	오타와 선언 (Ottawa Declaration)	1996	북극이사회 설립 북극권 환경보호 및 지속가능한 발전 논의
	이콸루트 선언 (Iqaluit Declaration)	1998	북극의 지속가능개발 추구, 북극공동체의 경제, 사회 환경 조건 개선(북극이사회 지속가능개발워킹그룹)
	살레하르트 선언 (Salekhard Declaration)	2006	국지적, 지역적 오염 물질의 배출을 감소시키고, 이를 위한 국제협력을 도모하고자(북극이사회워킹그룹)
	트롬쇠 선언 (Tromsø Declaration)	2009	북극의 해양보호와 관련된 정책, 오염방지 및 규제조치, 국제적 규범 필요
	키루나 선언 (Kiruna Declaration)	2013	북극 유류오염대비대응협약 선언 북극 해양 및 항공 교통 기반사업과 계획 비교분석
	이콸루트 선언 (Iqaluit Declaration)	2015	원주민들의 경제복지, 문화,영양과 건강에 대한 인식 북극 해양, 해안 생태계 보호와 지속가능개발
	페어뱅크스 선언 (Fairbsnks Declaration)	2017	북극이 2배 이상으로 온난화 되고 있음 주목 북극해에서의 중유수송선 사용 대한 IMO 논의
	로바니에미 장관 성명	2019	북극의 사회, 문화 경제의 다양성 안정, 북극원주민 권리와 북극이사회의 고유한 역할 인식

파리협정(Paris Agreement)은 2015년 12월 '제21차 유엔기후변화협약 당사국총회(파리)'에서 기존 교토의정서 체제를 대체하는 새로운 기후체제가 출범하였다. 기존 주요 선진국 중심의 비교적 느슨한 대응 체제에서, 선진국은 물론 개도국까지 의무적 온실가스 배출량 감축 내용을 포함하는 강력한 대응 체제로 변화한 것이다. 북극권 주요국 중 미국, 러시아, 캐나다가 새로운 기후체제에 어떠한 정책 방향을 수립하고 추진하는지를 보면 다음과 같다.

미국은 국제탄소거래 시장을 활용하지 않으면서 상대적으로 공격적인 감축량(26~28%)를 제시하였으나 트럼프 행정부 출범으로 인해 추진 동력에는 의문점이 생겼다. 러시아는 산림관리와 국토 이용에 주안점을 둔 감축 목표를 제시하였으나 국내 정치·경제적 환경으로 비준이 늦어지고 있다. 마지막으로 캐나다는 신기후체제 출범 이전부터 탄소배출량이 감소세로 돌아서고 있으며 정책 추진 측면에서도 가장 공격적이고 적극적인 대응을 이어가고 있다.

지역적 수준의 거버넌스로는 무르만스크 선언, 로바니에미 선언, 누크선언, 이누비크 선언, 오타와 선언, 이칼루크 선언, 살레하르트 선언, 트롬쇠 선언, 키루나 선언, 페어뱅크스 선언 등이 있다. 무르만스크 선언(Murmansk Declaration)은 1987년 고르바초프(M. Gorbachev)가 북극의 비핵지대화, 자원이용의 평화적 협력, 과학조사와 환경보호의 공동 노력, 북극항로 개발 등 북극 환경보호를 위한 북극협력을 발표한 것이다. 러시아 북극원 개방이 시작된 이후로 북극의 환경보호는 북극권 국가들[19]의 최대 이슈가 되었다.[20]

1991년 로바니에미 선언(Rovaniemi Declaration)은 북극권 환경보호

---

19) 북극권 국가: 캐나다, 덴마크, 핀란드, 아이슬란드, 러시아, 노르웨이, 스웨덴, 미국 등 8개국.
20) 김예동, 서원상, "북극권 석유자원 현황 및 개발 전망,"『Petroleum Journal』제29권 (한국석유공사, 2013), p. 76.

선언을 채택하였다. 이 선언은 북극환경보호전략(Arctic Environmental Protection Strategy: AEPS)개념을 최초로 정립하였다.[21] 이어 8개국은 1993년 그린란드 누크에서 북극권 환경보호 11개 행동강령을 구체화한 누크선언(Nuuk Declaration) 발표했다. 이 선언문은 AEPS 실행지지, UN기후변화기본협약 규정에 대한 인정, 북극의 지속가능한 발전을 포함한다. 1996년 3월 이 누비크 선언에서는 8개국 정부간 모임인 북극이사회를 결성하기 위한 내용 등을 발표했다.

마침내 1996년 9월 캐나다 오타와에서 북극이사회를 설립하고 북극권 환경보호와 원주민 보호, 지속가능발전을 위한 오타와 선언(Ottawa Declaration)을 발표했다. 이어 1998년 캐나다 이퀄루트에서 북극이사회 장관회의에서 워킹그룹의 하나인 지속가능워킹그룹(Sustainable Development Working Gruop: SDWG)이 출범하면서 이콸루트 선언(Iqaluit Declaration)을 채택했다. 2006년 북극이사회는 러시아 살레하르트(Salekhard)에서 국지적, 지역적 오염 물질의 배출을 감소시키고, 이를 위한 국제협력을 도모하고자 북극오염조치프로그램(AC Contaminants Action Program) 워킹그룹을 출범시켰다. 북극해양환경보호(The Protection of the Arctic Marine Environment: PAME)는 북극의 해양보호와 관련된 정책, 오염방지 및 규제조치를 제시하고 있는데, 지난 2009년 북극연안 기름 및 가스지침을 발표하여 북극연안국이 연안의 석유와 가스를 개발하는 과정에서 고려해야 할 권고 관행과 전략적인 조치 등을 트롬쇠 선언(Tromsø Declaration)에서 제시하고 있다. 이후 2013년 북극

---

21) 진동민, 서현교, 최선웅, "북극의 관리체제와 국제기구," 『Ocean and Polar Research』 Vol. 32(1), 2010. p. 86. 북극환경보호전략은 1989년 알래스카의 프린스 윌리엄스 해협에서 발생한 엑스 발데스(Exxon Valdez)호의 원유가 유출되어 주변 원주민과 야생 동물들이 삶의 터전을 잃게 된 계기로 북극권 8개국이 1991년 채택하였다.

유류오염대비대응협약을 선언한 키루나 선언(Kiruna Declaration), 2015년 이콸루트 선언에 이어 2017년 페어뱅크스 선언(Fairbsnks Declaration)은 북극이 지구평균 2배 이상으로 온난화되고 있다는 사실에 주목했다. 2019년은 핀란드 로바니에미에서 공동 선언문을 채택하는 데 실패했다. 2017년 기후변화가 포함된 페어뱅크스 선언 채택을 반대했던 미국을 어렵게 설득한 바 있으나 이번 설득에는 어려웠고 북극이사회 창설된 이후 처음으로 공동선언문을 채택하는 데 실패한 채 종료되었다.[22]

IV. 기후변화 거버넌스와 북극권의 기후협력

1. 북극이사회를 넘어서: 거버넌스의 한계

앞서 살펴본 바와 같이 북극이사회로 대변되는 북극권 거버넌스체제는 북극의 환경보호를 담보하기 위한 복수국간 협의체라 해도 과언이 아니다. 북극이사회는 북극의 환경보호와 지속적발전을 목표로 6개 분과를 중심으로 북극의 연구협력, 조정, 자료교환, 교육활동을 촉진하는 것을 주요사업으로 하고 있다.[23] 하지만 북극 기후변화에 따른 거버넌스의 변화에 대한 압력은 계

---

22) 김민수 외 다수, "새로운 도전에 직면한 북극이사회와 우리나라 북극협력 방향," 『KMI 동향분석』 Vol. 120, 2019(5), pp. 5-6.

23) 북극이사회 내 상시 참여그룹은 이사회의 교섭 및 결정과 관련해서 '완전한 협의권' (full consultation rights)을 가진다. 원주민 단체는 북극해의 자원개발과 환경보호 등 자신들의 이해관계에 영향을 미치는 사안들에 대해 북극이사회 내에서 이사회 국가들과의 '협의'를 통해 자신들의 의사를 반영시킬 수 있다. 북극이사회 내에는 기후변화에서부터 위기대응에 이르기까지 6개의 워킹그룹이 구성되어 있다. 이들 워킹그룹

속 증가하고 있으며, 현실에서는 초국가적 협력보다는 경쟁과 분쟁의 양상으로 치닫고 있다.[24] 2019년 5월 로바니에미 북극이사회 각료회의에서 공동선언문 채택 실패 후, 미국의 기후변화에 대한 입장 변화가 없는 한 북극이사회 각료회의에서 기후변화에 대한 논의나 이에 대한 대응책이 채택되는 것은 어려울 것으로 판단된다. 몇 가지로 경로로 거버넌스의 한계를 살펴보면 다음과 같다.

1) 지역적(regional) 수준의 거버넌스 한계(C경로, A->C 경로)

2장 [그림 4-1]에 나타나듯이 8개 회원국을 중심으로 이루어지는 북극이사회는 국제사회의 운영 혹은 조정방식을 글로벌 거버넌스체제로 전환한 경로 중에서 아나키체제에서 글로벌 거버넌스로 전환하는 경우(C경로의 경우), 세력균형 후 아나키체제로 전환한 후 글로벌 거버넌스로 전환하는 경우(A경로로 전환 후 C경로의 경우)에 해당한다. 두 경우 모두 특별한 권위체 없이 북극에 관한 현안에 대해 논의할 수 있는 느슨한 형태의 거버넌스체제이다. 즉 북극해를 둘러싼 국가들이 기후변화에 대비한다는 것은 곧 국제협력에 동참한다는 의미다.[25]

고르바초프의 무르만스크 선언 이후 1996년 오타와 선언에 이르기까지 북

은 각 이사국의 전문가 수준의 대표들, 정부 공무원들 그리고 전문 연구자들로 구성된다. 각 워킹그룹들은 각료회의 및 고위실무회의로부터 구체적인 업무를 위임받으며, 의장과 운영위원회 또는 조정위원회를 두고, 이사회 사무국의 지원을 받는다. 옵서버 국가와 옵서버 기구들은 워킹그룹 회의와 개별 프로젝트에 참여할 수가 있다.

24) 우양호외 2인, "북극해를 둘러싼 초국경 경쟁과 지역협력의 거버넌스,"『지방정부연구』제21권 1호, 2017, p. 86.

25) Peter Halden, *The Geopolitics of Climate Change*(Stockholm: Swedish Defence Research agency, 2007), p. 44.

극해가 빙하로 덮여있었을 때는 대부분 과학연구에 국한되기는 했어도 그곳에서 많은 협력이 진행되었다. 하지만 북극해 해빙이 빠르게 진행되면서 그간의 협력은 각국의 이해관계가 상충되면서 경쟁과 갈등양상이 보이기 시작했다. 북극이사회를 창설한 북극 연안 8개 회원국은 지역적 수준의 거버넌스를 유지하며 오타와 선언 이후 지속적인 노력을 보이며, 최근 '2019년 북극기후변화 업데이트', '북극담수생물다양성현황보고서', '북극미세플라스틱 포함 해양쓰레기 보고서' 등의 성과보고서를 내고 있다.

하지만 아나키체제에서 글로벌 거버넌스체제로 전환한 두 경로 모두 한계점이 나타났다. 첫째, 지역적 거버넌스 수준의 북극관련 기후변화 선언문은 강제성이나 법적 구속력이 없는 선언문에 불과하고[26] 회원국 및 구성원의 자발적인 참여와 협력에 기반을 두기에 효과적이지 못하다. 둘째, 지역적 차원에서 북극거버넌스는 북극 연안국들을 중심으로 상당히 배타적이고 폐쇄적으로 운영되고 있다. 북극 기후변화로 인한 피해는 전 세계지역에 영향을 미치기에 지구적 참여의 노력이 있어야 할 것이다.

이러한 한계를 극복하기 위해 북극이사회는 옵서버 국가(13개), 비정부기구 옵서버(12개), 잠정 옵서버(1개)[27] 등 지리적으로 북극 연안을 벗어나 다양

---

26) 임유진, 이연호, "북극의 정치학과 북극정책의 새로운 길,"『동서연구』제26권 4호, 2014, p. 178.

27) 북극이사회의 옵서버 지위는 비북극 국가들, 글로벌 및 지역의 정부 간 및 의회 간 기구, 비정부기구에게 개방되어 있다. 2019년 10월 현재, 옵서버국(13개): 한국, 영국, 프랑스, 독일, 네덜란드, 폴란드, 스페인, 중국, 이탈리아, 일본, 인도, 싱가포르, 스위스, 국제기구 옵서버(14개) : 국제적십자연맹, 북대서양해양포유류위원회, 유엔환경계획 등 비정부기구 옵서버(12개): 해양보호자문위원회, 환극지보전연합, 국제북극과학위원회 등. 잠정 옵서버(1개): EU현재 북극이사회 내에는 13개 비북극해 국가와 13개 정부 간 및 의회 간 기구, 그리고 13개 비정부기구가 상시 옵서버 지위를 가지고 있다.

한 행위자를 포함하고 있다. 이것은 북극권 국가들만의 폐쇄적 클럽으로 운영하는 것이 답이 아니라는 것을 인정한 것이고 구속력 있는 협약을 만들어 영향력을 발휘하겠다는 의지를 실천한 것이라 할 수 있다.

2) 세계적(global) 수준의 거버넌스 한계(D경로, B->D경로)

다른 경로를 상정해보면, 위계질서체제에서 바로 글로벌 거버넌스로 전환하는 경우(D경로의 경우), 위계질서체제로 전환한 후 글로벌 거버넌스로 전환하는 경우(B경로로 전환후 D경로의 경우)이다. 두 경우도 특별한 권위체 없이 기후변화에 대한 현안을 논의할 수 있는 거버넌스체제이다. 다만 형식은 글로벌 거버넌스체제이지만 운용에 있어서 위계질서의 상위에 있는 국가가 자국의 이익과 상충할 경우, 기후변화협정에서 탈퇴하거나 강한 반대를 하곤 한다.

기후협력에 관한 세계적 수준의 협력은 유엔기후변화 협약, 교토의정서, 파리협정 등이 있다. 이는 북극 기후변화에 관한 지역적 수준의 협력을 넘어선 세계적 수준의 거버넌스 형태이다. 이 체제는 이산화탄소를 비롯한 온실가스 감축에 대한 전지구적 협약이기는 하나 현실에서는 협력보다 분열을 조장하거나 이해관계에 얽매이는 일이 더 많다. 2015년 파리협정은 기존의 주요 선진국 중심의 비교적 느슨한 대응 체제에서, 선진국은 물론 개도국까지 의무적 온실가스 배출량 감축 내용을 포함하는 강력한 대응 체제로 변화한 것이다. 하지만 미국 트럼프 대통령은 기후변화의 실체를 적극 부인하며 2017년 6월 파리 기후변화협정 탈퇴를 결정했다. 이런 상황에서 미국이 기후변화를 지지하는 선언문에 서명하는 것은 정치적 모순으로 예상할 수 있는 결과였다.[28]

---

28) 김민수 외 다수, "새로운 도전에 직면한 북극이사회와 우리나라 북극협력 방향,"

미국은 '기후변화'라는 용어를 완전히 배제하고 대신 북극의 기후손상, 환경변형(environmental transformation) 등의 완곡한 표현으로 대체하였다. 이런 이유로 2019년 5월 '로바니에미 공동선언문'은 북극이사회 창설된 이후 처음으로 채택되지 않았다.

게다가 북극해 해빙이 진행되면서 북극해를 통과하는 해상수송의 가능성이 점점 커지고 새로운 석유, 천연가스, 광물자원 등 채굴의 가능성 커지면서 각국의 이해관계가 엇갈리고 이에 따라 국제적 긴장감이 고조되고 있다. 기후변화 문제는 특히 에너지 부족문제와 겹쳐지기라도 하면 국가안보 사안이 되어 군사문제로 비화되기 일수이다. 그러면 국제협력이 파탄으로 이어지면서 분열은 가중된다. 자원을 둘러싼 치열한 다툼과 기존에 존재하던 긴장의 격화 앞에서 온실가스 감축이라는 시급한 목표는 희생물로 전락할 수 있다.

위의 사례에서 보았듯이, 세계적 수준의 거버넌스에서 미국을 포함한 강대국이 보이는 경로는 패권우위체제에서 위계질서체제로 다시 글로벌거버넌스로 전환하지 못하고 위계질서체제의 전환점에 머뭇거리고 있는 상태이다. 따라서 북극이사회가 현재의 비구속적 정부간 조직에서 점차 실행력과 법적 지배력을 갖는 체제로 변모되어야 할 것이다. 또한 북극권 국가들의 주권이나 국익을 위한 배타적 움직임에 강력 대응해야 할 것이다. 북극이사회 회원국들과의 협력을 위해 북극이사회체제 내에서의 워킹그룹의 활동 중 기후변화와 환경문제는 더 이상 시간이 기다려 주지 않음을 상기시켜야 할 것이다. 북극 기후변화는 현실이며 기후변화에 대한 의제 없이 다른 의제를 다루는 것은 북극이사회의 큰 결함이다.

『KMI 동향분석』Vol. 120, 2019(5), p. 11.

2. 다양한 행위자로의 확대

북극지역을 둘러싼 세계적 수준의 거버넌스는 정부 간 중심으로 만들어진 협의체 이외 다양한 행위자로 확대해 나갔다. 북극해의 연안국가간 대표적인 협력기제인 북극이사회 이외에도 현재 많은 제도와 기구들이 존재하고 있다. 이런 현상은 북극이사회가 개방성과 효율성이 낮은 특성으로 기인한다. 대표적으로 북극서클(Arctic Circle), 북방포럼(Northrn Forum), 북극프론티어(Arctic, Frontiers), 북극과학최고회의(Arctic Science Submit Week: ASSW), 북극대학네트워크(University of Arctic) 등이 있다.

이 중 북극서클은 2013년 아이슬랜드에서 창설된 북극관련 세계적 수준의 거버넌스로 북극권에 관심있는 각 국의 산, 학, 연, NGO, 정부관계자의 공식 협의체이다.[29] 북극서클의 주된 책무는 국제사회의 다양한 이해관계자그룹과 회의를 연례적으로 갖게 하고, 북극권의 도전과제에 대해 관계를 구축하고 이해관계사간의 대화를 촉진시키는 것을 정의하고 있다. 북극이사회가 강대국간 경쟁과 폐쇄적인 거버넌스의 한계를 안고 있을 때, 북극서클은 북극해의 기존 독점적 거버넌스 구조에 확대를 가져오게 했다. 이는 배타적이었던 북극이사회의 연안 8개국이 다른 지역의 회원을 옵저버로 전격 받아들이게 한 것으로 평가되고 있다.

이렇듯 거버넌스 구조의 중요한 개선방법 중의 하나는 양자, 지역, 다자간의 협력이 유기적으로 연계되어 단기적 현안해결을 도모하는 동시에 궁극적으로 국제협력을 통한 여러 방식의 기여로 북극해 논의구조가 확장되어야 한다는 규범에 따르는 것이다.

---

29) Arctic Circle, http://www.arcticcircle.org. (검색일: 2019.11.12.)

거버넌스 체제에 개별 NGO 역할도 활발하다. '지구적으로 생각하고 지역적으로 행동하라'라는 NGO들의 활동은 정부나 기구에서 하지 못했던 부분을 세세하게 다루고 있다. 예를 들면, 세계야생동물기금(World Wildlife Fund: WWF)과 민간 환경단체들은 북극지역의 자연환경 보존을 강하게 주장하고 있다. 세계야생동물기금은 북극지역의 일정구역을 자연보존을 위한 '국제공동관리구역'으로 지정하여 전 지구적으로 관리하고 환경에 대한 충분한 조치가 이루어질 때까지 현재의 북국지역에 대한 개발 논의를 유보하자고 주장했다.[30] WWF는 2019년 신규 옵저버로 승인된 국제해사기구(International Maritime Organization: IMO)에 대해 현행 UN해양협약이 북극의 환경보전에 미흡함을 호소하였다. 하지만 북극지역 자원개발의 필요성을 강하게 요구하고 있는 석유업체들은 그들이 보유한 첨단시추 기술을 기반으로 친환경적인 석유탐사와 개발을 할 수 있을 뿐만 아니라, 북극지역 원주민 자치지역의 경제개발, 고용증대, 세수증대에 기여할 것이라고 주장하고 있다.[31]

3. 기후변화로부터 인류를 보호하는 행동강령

기후변화를 야기하는 온실가스의 대부분은 그동안 서구선진국, 개도국의 산업화과정에서 발생했다. 그런데도 세계의 가장 빈곤한 지역에서 사는 사람들이 그 영향을 가장 심각하게 받았다. 기본적인 사회정의의 입장에서 보더라도 우리는 그런 악영향이 최소화하도록 도울 의무가 있다. 2019년 IPCC가 발간한 '해양 및 빙권에 관한 특별보고서(Special Report on Climate Change

---

30) 김경신. "북극의 상업적 이용 전망과 정책 시사점," 『월간해양수산』 통권 285호. 2008, p. 34.
31) 이성규. 『북극지역 자원개발 현황 및 전망』 (서울: 에너지경제연구원, 2010), p. 75.

and oceans and the cryosphere, SROCC)'에 따르면, 기후 위기 대응에 실패한다는 것은 연안도시, 북극 공동체, 소규모 도서 국가들의 파괴와 붕괴를 의미하는 것으로 결국은 지구상 생명체의 종말로 볼 수 있다. 이러한 문제를 해결하기 위해서 보고서는 사회적 취약성, 형평, 참여를 다루는 사회 자체의 변화를 제안하고 있다.[32]

지구온난화를 2℃로만 억제하더라도 인류가 기후변화의 효과에 적응할 수 있는 기회를 급격하게 제고할 수 있다. 그러나 지구 온난화가 2℃를 넘게 되면, 지구변화가 미치는 영향은 기하급수적으로 증가하고 재앙을 초래하게 될 것이다. 지구 온난화를 통제하기 위해서는 에너지, 토지, 생태계, 도시화, 인프라, 산업 등을 포함한 사회의 모든 영역에 있어 전례 없는 전환과 변화가 필요하다. 전 지구적으로 생각하고 개인적으로 행동해야 할 시점이다.

기후변화로부터 우리 자신의 건강, 인류의 건강을 지키려면 다음 몇 가지를 행동으로 실천해야 한다.[33]

첫째, 이해당사자들의 다차원적 협력이 전제되어야 한다. 수자원과 산림을 연구하는 전문가, 보건 전문가, 정책 당국자들과 기상과 기후변화 자체를 연구하는 전문가들이 서로 정보를 나누고 협력해야 한다. 지역별로도, 국가 간에도 긴밀한 협력이 필요하다. 기후변화 예방을 위해서도, 기후변화로 인해 확산하는 감염병을 막기 위해서도 절실하다.

둘째, 기후변화가 인류의 건강 문제와 복잡하게 얽혀 있음을 인식해야 한

---

32) "유엔보고서, 기후위기와 해수면 상승에 맞서 싸우기 위한 사회의 변화를 촉구하다" https://www.pressenza.com/2019/09/change-society-to-fight-climate-crisis-or-drown-in-rising-sea-level-warns-un-report/(검색일: 2019. 11. 3)
33) 강찬수, "북극 빙하 속 잠든 바이러스 … 지구온난화로 깨어난다", 『중앙일보』 2018년 12월 22일.

다. 기후변화로 한 가지 문제가 발생하면, 그것이 다시 폭포수(cascade)처럼 여러 가지 문제를 연쇄적으로 야기한다. 상승효과도 주목해야 한다. 같은 화학물질이라도 기온상승이 상승할수록 독성이 더 강해질 수 있다. 대기오염도 증가하고 피해도 커진다.

셋째, 기후변화는 단순히 지역적 차원의 문제가 아니라 전 세계의 문제이기에 정책의 우선순위에 있어야 한다. 기후변화로 인한 질병이 가져올 경제적 비용은 결코 무시할 수 없다. 기후 문제해결을 위한 정책 마련과 예산 투입이 정치·경제·사회 등 다른 분야에 못지않게 중요하게 다뤄져야 하고, 거기에 우선순위를 부여해야 한다.

넷째, 기후변화로 야기되는 여러 가지 중 원주민을 비롯한 생물다양성보존이 이루어져야 한다. 민감계층이나 빈곤계층일수록 기후변화에 취약하고 대기오염에 더 많이 노출될 수 있다. 숲을 파괴하고 무분별한 개발을 강행하면 결국 새로운 질병이 사람의 건강을 위협한다. 생태계를 보호하고 다른 생물종을 배려하는 것 자체가 길게 보면 사람의 건강을 지키는 일이 된다.

V. 결론

이상과 같이 북극해를 둘러싼 현재 기후변화의 쟁점과 글로벌 거버넌스 구축을 통한 국제협력 방안을 모색해 보았다. 지금 북극해의 급속한 해빙과 기후변화는 위기와 기회를 동시에 주고 있다. 하나는 지구온난화로 인한 해수면 상승, 한파, 폭설, 홍수 등 이상기후의 다양한 형태를 보이고 이에 거대한 피해가 속출하고 있다. 게다가 지금까지 외부와 거의 접촉되지 않았던 북극 생태계와 북극 원주민을 포함한 생물종 다양성의 보호문제, 해양 동식물 먹이사슬

체계를 위험에 처하게 했다. 다른 하나는 북극해에 매장되어 있는 다양한 에너지, 식량, 광물과 같은 천연자원에 대한 접근성의 용이와 북극항로의 활용 가능성에 대한 기대감으로 인해 북극을 선점하기 위한 국제사회의 노력이 치열하다. 하지만 '기회'의 열매를 따기까지 기후변화로 인한 '위기'가 기다려줄지 의문이다.

이러한 공통의 북극 문제들, 특히 북극의 지속 가능한 개발과 환경보호 문제에 대해 북극해 연안국가들, 북극지역 원주민 공동체 기타 북극지역 주민들 간의 협력, 조정 및 상호 교류의 증진을 위한 고위급 정부 간 포럼으로 1996년 오타와 선언을 통해 북극이사회가 설립되었다.

북극관련 기후변화 선언문은 강제성이나 법적 구속력이 없고 북극 연안국들을 중심으로 상당히 배타적이고 폐쇄적으로 운영되고 있으나 여전히 북극이사회는 가장 영향력 있는 장치다. 북극이사회가 갖는 한계점을 극복하여 북극이사회 틀 안에서 공동협력체제가 양립해 나가는 양상을 보여야 할 것이다. 비북극권 국가들은 북극이사회의 옵서버 활동을 통해 북극권 안에서 활동영역과 비중을 넓혀 나가야 한다.

북극서클과 같은 다양한 행위자의 증가는 특히 NGO, 북극이사회의 독주를 견제할 수 있다. 즉 거버넌스 구조의 중요한 개선방법으로 양자, 지역, 다자간의 협력이 유기적으로 연계되어 단기적 현안해결을 도모하는 동시에 궁극적으로 국제협력을 통한 여러 방식의 기여로 북극해 논의구조가 확장되어야 할 것이다. '지구적으로 생각하고 지역적으로 행동하라'라는 NGO들의 활동은 정부나 기구에서 하지 못했던 부분을 세세하게 다루고 있고 북극지역의 기후변화에 대한 실천적 책무, 옹호, 교육 등을 전 세계에서 실천하고 있기도 하다.

기든스의 역설은 오늘날 기후변화에 대한 사람들의 대응 양상 전반에 퍼져 있다. 대부분의 사람들에게 기후변화 문제가 가장 중요한 관심사가 되지 못하고 있는 것도 기든스의 역설 때문이다. 북극은 넓어진 개발의 여지만큼이나 환경을 어떻게 잘 보전해서 다음 세대에 물려줄 것인지 인류의 지혜에 대한 시험장이기도 하다. 북극은 지구온난화의 영향이 가장 빠르게 나타나는 지역이며, 과학연구를 통해 북극 기후변화 자체가 전세계적 기후변화에 핵심적 역할을 한다는 점이 밝혀지면서 앞으로도 북극권 국가의 기후변화에 대한 정책적 대응에 관심을 기울일 필요가 있다.

지금 북극해 거버넌스는 북극항로가 열리는 시대에 미리 대비해야 한다는 규범뿐만 아니라 우리나라 미래의 운명을 좌우할 수 있는 생존전략을 동시에 강요하고 있다. 북극환경 모니터링과 평가, 생물다양성 보존, 지속 가능한 개발, 오염물질 방지와 관리 등 실질적 현안에 연구성과로 참여하고 자리매김해야 한다.

지구 온난화와 이상기온으로 북극해 지정학적·지경학적 중요성이 증대하고 있다. 시베리아·북극권은 교통로(육·해·공)는 물론 석유와 천연가스 등을 비롯한 다양한 천연자원(연료·원료)과 농림자원, 한류성 수산자원의 보고지역이다. 북극해는 21세기 한반도의 잠재적인 미래 성장공간이기도 하다. 북극지역의 전략적·경제적 가치가 확대됨에 따라 북극외교의 강화를 위해 북극이사회에서 한국의 역할과 향후 방향 모색해야 한다.

〈참고문헌〉

김경신, "북극의 상업적 이용 전망과 정책 시사점," 『월간해양수산』 통권 285호, 2008.

김민수외 다수, "새로운 도전에 직면한 북극이사회와 우리나라 북극협력 방향," 『KMI 동향분석』 Vol. 120, 2019(5).

김예동, 서원상, "북극권 석유자원 현황 및 개발 전망," 『Petroleum Journal』 제29권, 한국석유공사, 2013.

김종순, 강황선, 『환경거버넌스: 지속가능한 발전을 위한 환경관리 네트워크의 구축』, 서울: 집문당, 2004.

라미경, "거버넌스의 현재적 쟁점," 『한국거버넌스학회보』 제16권 3호, 한국거버넌스학회, 2009.

멕켄지 펑크 지음, 『온난화 비즈니스』, 한성희 옮김, 서울: 처음북스, 2018.

배규성, 성기중, "북극지역의 안보적 도전," 『국제정치연구』 제14집 2호, 동아시아국제정치학회, 2011.

우양호외 2인, "북극해를 둘러싼 초국경 경쟁과 지역협력의 거버넌스," 『지방정부연구』 제21권 1호, 2017.

이성규, 『북극지역 자원개발 현황 및 전망』, 서울: 에너지경제연구원, 2010.

임성학, "동서양 거버넌스: 수렴과 분화," 거버넌스학회 편저, 『동아시아 거버넌스』, 서울: 대경출판사, 2009.

임유진, 이연호, "북극의 정치학과 북극정책의 새로운 길," 『동서연구』 제26권 4호, 2014.

제러미 다이아몬드, 『대변동: 위기, 선택, 변화』, 강주헌 옮김, 서울: 김영사, 2019.

진동민, 서현고, 최선웅, "북극의 관리체제와 국제기구," 『Ocean and Polar Research』 Vol. 32(1), 2010.

한우석, "기후변화에 따른 폭설 취약지역 증가와 대응방향," 『국토정책 Brief』 제450호, 국토연구원, 2014.

한종만, "러시아 북극권의 잠재력: 가능성과 문제점," 『한국과 국제정치』 제27권 2호, 경남대 극동문제연구소, 2011.

Bernauer Thomas , Lena M. Schaffer, "Climate Change Governance" *CIS Working Paper*, No. 60, 2010. https://www.researchgate.net/publication/228157815_Climate

Giddens Anthony, *The Politics of Climate Change*, Cambridge: Polity Press, 2011.

Halden Peter, *The Geopolitics of Climate Change*, Stockholm: Swedish Defence Research agency, 2007.

IPCC Working Group 2, *Climate Change Impacts, Adaptation and Vulnerability*, Cambridge: Cambridge University Pess, 2007.

Kennis, P&V. Schneider, "Political Networks and Policy Analysis: Scrutinizing a New Analytical Analysis." In B. Marin & R. Mayntz(eds.), *Policy Networks: Empirical Evidence and Theoretical Considerations*, Campus Verlag; Westview Press, 1991.

Kooiman, J., "Governance: A Social-Political Perspective." In Jurgen R. Grote & Bernard Gbikpe(eds.), *Participatory Governance: Political and Societal Implictions*, Opladen, 2002.

Kooiman J. and Van M. Vliet., "Governance and Public Management." in K. A. Eliassen and J. Kooiman(eds.), *Managing Public Organization*, London: Sage Publisher, 1993.

Singer S. Fred and Dennis T. Aery, *Unstoppable Global Warmming*, New York: Rowman and Littlefield, 2007.

인터넷 자료

"기후변화 영향," https://www.gihoo.or.kr/portal/kr/change/effect.do

남승일, "지구의 기후를 조절하는 바다, 북극해,"

http://www.arctic.or.kr/?c=1/3&cate=1&idx=10(검색일: 2019.11.1)

유용하, "현실로 닥친 기후 재앙, 북극이 사라지다," 기초과학연구원

https://post.naver.com/viewer/postView.nhn?volumeNo=23047088&memberNo=37571784

외교부, "북극기후변화의 특성,"

http://www.mofa.go.kr/www/brd/m_4048/view.do?seq=361707&srchFr=&ampsrchTo=&amp

Arctic Circle, http://www.arcticcircle.org.

신문자료

강찬수, "북극 빙하 속 잠든 바이러스 … 지구온난화로 깨어난다", 『중앙일보』 2018년 12월 22일.

김성중, "극지역의 기후변화가 한반도 연근해에 미치는 영향과 우리의 대처방안," 『현대해양』 2018년 3월 7일.

러시아 북극권의 생태관광 활성화를 위한 한 · 러 협력

이재혁*

I. 서론

　지구상에 마지막 남은 환경보전지역의 하나인 북극해 지역은 경제적 개발과 함께 보전이라는 중요한 문제를 내포하고 있다. 최근의 지구적 기후변화에 따른 북극해의 해빙으로 북극권 관광이 활발히 이루어질 것이다. 러시아의 북극지역은 관광지로서 잠재력이 높다. 독특한 자연 및 문화자원이 관광의 다양한 형태 구성을 가능하게 한다. 러시아는 북극해 국립공원을 확장하거나 추가로 지정할 가능성이 높으며, 아시아에서 출발하는 북동항로 시작점인 베링 해 지역이 관광루트로 유력하다. 아직 관광객을 위한 인프라 구축이 미흡한 북극해 지역에서는 해상 연계를 통한 크루즈 관광이 효율적인 방법이 될 수 있다. 동해와 오호츠크 해를 통하여 한국과 러시아 극동지역, 일본을 연결하는 크루즈 노선을 개발하고 북극권으로 연결한다면, 러시아 극동지역의 관광산업 활성화와 함께 북극권 관광을 보다 효율적인 관광산업으로 발전시킬 수 있을 것이다. 최근 러시아 크라스노야르스크 주에서 대규모 기름 유출 사건이 발생하였다. 저유탱크의 균열에 의한 사고로서, 하나의 원인으로 영구동토층의 해동

※ 이 논문은『한국 시베리아연구』제24권 2호에 게재된 것임
　* 북극학회 회장/한국연안협회 사무국장

에 대한 우려가 현실화한 현상이라고 할 수 있다. 북극권의 이용에는 환경오염이 심각한 문제이며, 북극권 관광에도 조심스런 접근이 절대적으로 필요하다.

Ⅱ. 러시아 북극권의 개관

북극권은 북위 66.5도 이북 지역으로 면적은 약 2,100만㎢에 이른다. 북극권의 범위는 산림성장의 한계선, 북극 유빙 남하 한계선, 영구 동토 층 한계선 등을 들 수 있다. 또한 기후학적으로는 7월 평균 기온이 영상 10도 이하인 지역을 포함하며 유라시아 대륙, 북미 대륙, 그린란드에 둘러싸여 있다. 북극해는 2~3m의 해빙(Sea Ice)로 둘러싸인 거대한 바다로 면적은 1,400만㎢로 지구 해양의 3%에 해당하고, 전 세계 미 발견 채굴 가능 매장량의 20%에 상당하는 석유 · 천연가스가 부존하고 러시아, 미국, 캐나다, 핀란드, 노르웨이, 스웨덴, 덴마크, 아이슬란드 등 8개 국가가 인접한다.

러시아는 북극해와 인접하고 있으며, 해안선의 절반 이상이 북위 70° 이북에 위치하고, 전체 영토의 5분의 4 정도가 북위 60° 북쪽에 위치한 고위도 국가이다. 러시아 영토 가운데 가장 북쪽에 위치한 땅은 북위 82°에 위치한 제믈랴 프란차 요시파 제도(Zemlya Frantsa Josifa Island)에 있는 루돌프 섬(Rudolf Island)이다. 러시아 본토에서 가장 북쪽 육지 끝은 북위 77° 41′ 타이미르(Taimyr)반도의 체류스킨(Chelyuskin)이다. 러시아 북극지역은 여름과 겨울 기온가 차이가 크고, 고지는 만년설로 덮여있고, 낮은 곳에는 툰드라 · 초원 · 관목림이 발달한다. 낮은 기온 때문에 일년 중 대부분 기간 동안 지표가 얼어 있는 영구동토층이 널리 발달하지만, 여름에는 일시적으로 영구동토층의 표토가 녹으면서 저평한 곳에서는 물이 빠지지 않아 침수되면서 통

[그림 4-3] 북극권 개관

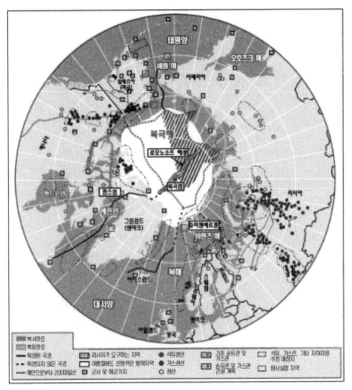

출처: 한종만, 러시아 북극권의 잠재력: 가능성과 문제점, 『한국과 국제정치』, 27권 2호, 경남대학교 극동문제연구소, 2011, p.189.

행이 곤란하고 모기가 번성하여 인간 활동에도 많은 어려움을 준다.

지형적으로 북극권에는 콜라-카렐리야지역 · 서시베리아저지 · 중앙시베리아고원 · 동부산악지대가 포함되며, 오브 강, 이르티슈 강, 예니세이 강과 레나 강 등이 북극해로 흘러든다.

러시아는 자국의 북극지대(Russian Arctic Zone)를 자체적으로 설정하고 있다. 러시아에서 행정구역에 따라 북극지대에 속하는 지역으로는 무르만스크 주, 카렐리야 공화국의 로우히(Лоухи), 켐(Кемь), 벨로모르스크(Беломорск)시 단위 행정구, 아르한겔스크 주의 오네가(Онега), 프리모르스키, 메젠(Мезень) 시 단위 행정구; 아르한겔스크, 세베로드빈스크, 노보드빈스크 시와 부속도서, - 코미 공화국의 보르쿠타(Воркута) 시, 네네츠 자치구, 야말-네네츠 자치구, 타이미르(돌간-네네츠) 시 단위 행정구; 노릴스크 시, 투루한 시 단위행정구의 이가르카 시, 사하 공화국(야쿠티야)의 아브이(Абый), 알라이하(Аллаиха), 불룬(Булун), 니즈네콜리마(Нижнеколыма), 올레뇩(Оленёк), 스레드네콜리마(Среднеколыма), 우스트-야나(Усть-Яна), 에벤-비탄타이(Эвено-Бытантай), 베르흐네콜리마(Верхнеколыма) 행정구, 추코트카 자치구[1] 등이 포함된다.

[그림 4-4] 러시아의 북극지대

출처: http://www.b-port.com/news/item/96124.html(검색일: 2019.11.25. 필자 재구성)

---

1) 제성훈 · 민지영, 『러시아의 북극개발전략과 한 · 러 협력의 새로운 가능성』, 대외경제정책연구원, 2013, pp. 24-27.

Ⅲ. 러시아의 북극권 개발과 관광

2015년 9월 4일 블라디보스톡에서 개최된 제1차 동방경제포럼에서 블라디미르 푸틴 러시아 대통령 연설 주요 이슈는 러시아경제 현황 및 투자대상 지역으로서의 극동지역의 매력 등이었다. 이 연설에서 푸틴은 극동지역의 투자대상 분야의 하나로 관광 분야의 투자를 강조하였다.[2] 이미 러시아는 2014년 5월 '2020 러시아 연방 관광 개발 전략'[3]을 수립하고, 관광산업 육성을 주요 정책으로 진행하고 있다. 최근 2015년 12월 3일 푸틴 대통령의 연말교서에서는 북극항로의 개척과 극동 연안과 북극권의 개발을 강조하고 있다. 이는 러시아 태평양 연안에서 비즈니스 활동 및 북극 지역의 개발을 촉진하기 위해 효율적인 교통로로 사용될 경쟁력 있는 북방항로의 개발을 위한 포괄적인 프로젝트의 필요성을 강조하고 있다.[4]

세계적 관광국의 공통점은 과거 중심 국가의 경험을 가진 나라이거나 현재 세계 정치경제문화의 중심 국가 역할을 하는 나라로서 세계인의 인지도가 높은 나라이거나, 역사상 문화의 전통이 깊고 풍부하여 세계문화유산 등 볼거리

---

2) "...... 극동지역에서 이미 활동 중인 또는 활동하려고 하는 국내외 투자자들에게 다음과 같이 말씀드리고 싶습니다. 우리는 조선, 철강산업, 목재가공산업, 바이오자원, 교통, 에너지, 의료보건 분야, 관광 등 극동지역의 모든 분야에 대한 투자가 이루어지기를 바라고 있습니다. 여러분이 하는 사업 관련해서는 사업 진행하는 내내 협조와 지원을 해 줄 것입니다. 발생하는 모든 문제에 대해서는 해당 문제를 담당하는 직원들에게 직접 또는 부총리이자 극동연방구 대통령 전권대표인 트루트네프에게 문의하셔도 좋습니다. 트루트네프는 해당 권한이 있습니다....."

3) ПРАВИТЕЛЬСТВО РОССИЙСКОЙ ФЕДЕРАЦИИ РАСПОРЯЖЕНИЕ от 31 мая 2014 г. № 941-р МОСКВА 'Об утверждении Стратегии развития туризма в Российской Федерации на период до 2020 года'.

4) http://minvostokrazvitia.ru/press-center/news_minvostok/?ELEMENT_ID=2752&sphrase_id=24799(검색일: 2015.12.27.)

를 많이 가진 나라, 자연경관이 빼어난 볼거리를 제공하는 나라 등이라는 점이다.

러시아의 북극지역은 역사적, 문화적 요소가 약하지만 자연경관을 포함한 관광자원 요소를 풍부하게 갖추고 있는 지역이다. 특히 유라시아 대륙의 북부 지역의 대부분을 포함하는 러시아 북극권과 이에 연결된 태평양권은 유럽과 아시아적인 지리적 환경을 함께 갖고 문화의 혼합지역으로서뿐만 아니라, 다양한 자연환경을 볼 수 있는 지역으로서 생태관광을 만족시킬 수 있어 미래의 관광산업을 발전시킬 수 있는 잠재력이 풍부한 곳이다.

IV. 러시아의 북극권 관광자원

1. 인문적 관광자원

관광자원은 크게 인문적 자원과 자연적 자원으로 구분할 수 있다. 인문적 관광자원에는 그 지역의 문화적 관광자원, 산업적 관광자원, 레크레이션 자원 등을 들 수 있다.

러시아에는 200여 개의 민족이 살고 있다. 세계 영토의 1/8이라는 거대한 영토를 차지하는 러시아는 우랄산맥을 기점으로 아시아러시아와 유럽러시아로 구분되며, 아시아러시아 지역인 시베리아에는 다양한 민족들이 존재한다.

대표적 시베리아 민족으로는 사하공화국을 중심으로 한 야쿠트족(якуты), 동시베리아의 툰드라지역, 부랴티아 공화국 북부, 아무르 주, 자바이칼변강주 등 광활한 지역에서 거주하고 있는 에벤키족(эвенки), 야쿠티아와 하바롭스크 변강주, 마가단 주, 추코트카 자치구까지 분포되어 있는 에벤족, 전통적으로 하바롭스크 변강주 남쪽에 거주했고, 일부는 아무르강과 타타르 해협에 이르는 지역에 사는 오로치족, 사할린의 원주민이었던 오로크족, 캄차트카 변강주, 야쿠티아의 북동부, 마가단주에서 거주하고 있는 축치족 등이 있다. 이들의 생활의 모습은 인류의 무형문화유산이라고 할 수 있다. 특히 북극권 개발로 인해 소수민족들의 생활은 급속히 변화하고 있다. 이들의 전통적인 문화는 러시아의 중요한 무형문화유산이며, 이들의 생활상을 보존하고 전통의식 등을 공연하는 방법들은 통하여 중요한 인문적 관광자원이 될 수 있다.

극동지역의 최대 면적을 차지하는 사하공화국은 북극권 거주민인 야쿠트인들의 자치공화국으로서 북방민족의 유무형의 문화적 자원이 풍부한 지역이다. 사하공화국의 2010년의 민족별 구성을 살펴보면 야쿠트인들이 466,492명으로 전체 인구의 절반 정도로(49.9%) 가장 많은 수를 차지하고 있고, 러시아인 353,649명(37.8%), 우크라이나인 20,341명(2.2%), 에벤키인 21,080명(2.2%), 에벤인 15,071(1.6%), 타타르인 8,122(0.9%) 순으로 나타난다.

[그림 4-5] 북극지역 원주민 분포도

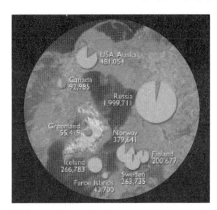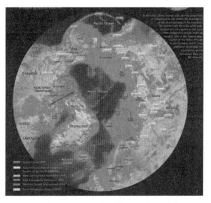

출처: ACIA(Arctic Climate Impact Assessment), Impacts of a Warming Arctic, Cambridge University Press, 2004, p.7.

인구 사회적 측면에서 러시아는 다른 국가의 북극지대보다 많은 인구가 거주하고 있다. 러시아의 북극지대에는 러시아 전체 인구의 1.5%에 불과한 약 200만 명이 거주하며, 이는 북극지역 전체 인구(약 420만 명)의 약 1/2에 해당한다. 그중 87%는 도시에 거주하고 있는데, 러시아의 북극지대에는 인구 5,000명 이상이 거주하는 46개의 도시가 있으며, 10만 명 이상 거주하는 도시도 4개(무르만스크, 노릴스크, 노비 우렌고이, 노야브리스크)나 된다.

또한, 러시아의 북극지역에는 소련 시절 국가의 지원으로 석유·가스 콤플렉스, 수송관, 발전소, 광산, 철도, 비행장, 항구 등의 인프라가 조성되어 있다. 특히 서시베리아, 티만-페초라, 동시베리아 지역에는 대규모 석유·가스 매장지들도 있다. 2007년 기준 러시아 북극지대는 국내총생산의 약 20%, 수출의 약 22%를 담당할 정도로 전략적으로 중요한 지역이다. 그러나 소련 해체 이후 경제 인프라의 낙후, 저렴한 여객교통 서비스의 부재, 주택 부족 등이 발전을 저해하고 있으며, 주택보조금을 기다리는 주민이 65만 명에 달하는 등 열악한 사회경제적 상황이 심각한 문제로 대두되고 있다.

2. 자연적 관광자원과 생태관광

자연적 관광자원은 관광자원 가운데 가장 원천적인 것으로서 사람의 손을 거치지 않은 자연현상이 관광효과에 기여할 수 있는 모든 것을 의미한다. 러시아 북극지역은 광대한 공간적인 규모를 바탕으로 인간의 접근성이 제한되는 자연적 장애요소가 많은 지역으로 천연의 자연경관을 보존하고 있다. 러시아는 전체적으로 102개의 국가 자연 보호 구역, 47개의 국립공원과 69개의 주 자연 보호구역을 지정하고 있다.

[그림 4-6] 러시아의 국립공원과 자연보호구역 분포

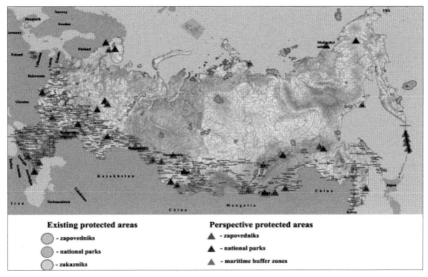

출처: https://wwf.panda.org/?194088/Russia-to-create-new-national-parks-and-reserves-nearly-size-
of-Switzerland(검색일: 2019.11.24.)

러시아는 동쪽에서 서쪽까지 많은 유네스코 세계 자연문화유산들이 산재해
있다. 유네스코(UNESCO, 유엔 교육문화기구)는 국제 협력을 통해 평화와 안
보를 증진하고자 하는 유엔(UN)의 특별 기구다. 유네스코 세계유산 프로그램
은 세계적으로 중요하다고 생각되는 자연문화 랜드마크들을 보존하려고 노력
하고 있다. 극동지역의 대표적 자연문화유산들로는 캄차카 화산(1996년 등재),
시호테-알린(Сихотэ-Алинь) 산맥 (2001년 등재), 브란겔섬 (Остров Врангеля,
2004년 등재), 레나 석주 (Ленские столбы, 2012년 등재) 등을 들 수 있다.

2013년 연말 러시아의 로스투어리즘(Rostourism)사는 2014년부터 러시아
북극지역에 외국인 관광 추진하겠다고 밝혔다.[5] 또한, 러시아관광청은 2014

_____

5) http://www.itar-tass.com/spb-news/813070(검색일: 2015.10.17.)

년부터 외국인을 대상으로 하는 러시아 북극지역 관광 프로그램을 진행하기로 하였다.

이미 시베리아지역의 최대 관광지인 바이칼호와 레나강 북극해를 연결하는 관광루트를 개발한다면 세계적인 자연 생태관광지의 역할을 할 수 있을 것이다. 주요한 자연경관 생태관광지로는 북극해 지역의 영구동토대에 위치하며 마지막 빙하시대의 생태환경을 볼 수 있는 홍적세 공원(플라이스토센 공원, Плейстоценовый парк)과 레나강(4,310km) 하구의 레나강-삼각주(Lena-delta)를 들 수 있다. 레나강-삼각주는 자체 면적만 30,000㎢로 세계의 가장 큰 삼각주 중 하나이다. 레나강-삼각주를 포함하여 61,000㎢의 면적이 러시아에서 가장 큰 야생동물보호구역(Zapovednik, 자연보호구역)으로 지정되어 있다. 이 지역은 북극해의 자연환경과 관광산업의 연계를 통하여 북극해 생태관광지역으로 활용할 수 있다. 지구상에 마지막 남은 환경보전지역의 하나인 북극해 지역은 경제적 개발과 함께 보전이라는 중요한 문제를 내포하고 있다.

생태관광(Ecotourism)은 대중관광의 대체물로서, 보통 외부의 영향을 거의 받지 않은 파괴되기 쉬운 원시 상태의 보호지역 또는 소규모 지역을 책임 있

[그림 4-7] 캄차트카 화산과 레나-삼각주

출처: https://en.wikipedia.org/wiki/Volcanoes_of_Kamchatka;
https://en.wikipedia.org/wiki/Lena_River(검색일: 2020.1.25.)

게 여행하는 것을 말하며, 세계 각국은 환경의 보전과 관광행위의 적합점으로 생태관광의 지지와 개발을 가속화하고 있다.

세계자연기금(World Wide Fund for Nature, 약칭 WWF)에서는 북극 전역의 관광 사업자, 정부, 연구원, 보존 단체 및 지역 사회와 협력하여 관광에 대한 최초의 북극 특정 지침을 작성했다. 이를 바탕으로 세계자연기금-북극 프로그램(WWF-Arctic Programme)은 '북극 관광을 위한 10대 원칙'을[6] 제시하고 있다.

3. 러시아 북극국립공원

러시아 북극국립공원은 지리적으로 노바야제믈랴 북부, 프란츠 요제프 제도, 두 섬 사이의 북극해에 위치한다. 면적은 14,260㎢(육지 6,320㎢, 바다 7,940㎢)이며, 러시아에서 3번째로 큰 국립공원(2009년 기준 국립공원은 41개)이다. 프란츠 요제프로부터 북극점까지의 거리는 869㎞이다.

1994년 4월에 Franz Joseph Land가 보호지역으로 지정된 후 러시아 대통령 푸틴은 2008년 러시아 북극국립공원(Russia Arctic National Park)의 구상을 발표하고, 2009년 6월에 국립공원 설립 법령에 서명하였다. 2011년 4월에 국립공원으로 개장하였고, 2012년에 UN은 국립공원 내 자연보전 기금으로 5백만 루블을 제공하였다. 2012년에는 Franz Josef Land 내 폐기물 처리를 위해 15억 루블(530억 원) 규모의 정화 사업을 하였다.

---

6) 북극 관광을 위한 10가지 원칙(Ten Principles for Arctic tourism): 1. 관광과 보존의 공존 2. 야생과 생물 다양성의 보전을 지원 3. 지속 가능한 방식으로 천연자원 사용 4. 소비, 폐기물 및 오염을 최소화 5. 지역 문화 존중 6. 역사적, 과학적 장소 존중 7. 북극 지역 사회는 관광의 혜택을 받아야 한다. 8. 숙련된 직원에 의한 책임감 있는 관광 9. 북극에 대해 배울 수 있는 여행 10. 안전 수칙 준수
(http://arcticwwf.org/work/people/tourism/, 검색일: 2019. 12. 13.)

[그림 4-8] 러시아 북극국립공원

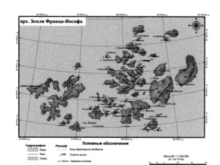

출처: http://rus-arc.ru/ru/Tourism(검색일: 2015.10.27.)

　2018년 여름에는 41개국에서 온 1,079명의 관광객이 러시아 북극국립공원을 방문했다. 중국에서 온 관광객의 비율은 총방문자 수의 33%(354명)였으며, 독일인(144명)과 스위스인(143명) 관광객이 각각 13%에 해당하였다. 미국인(136명) 러시아인(89명), 일본인, 영국인, 호주인, 캐나다인 및 뉴질랜드인 방문자가 있었다.

　성별 방문자 비율에서 2018년 여름 여성 방문자 비율은 2014년 46%보다 많은 48%였다. 북극 관광객들의 연령별 분석에서 50~70세의 비율이 가장 높아 절반에 육박했고, 70세 이상의 그룹이 21%, 30~50세 여행자가 21% 비중을 차지하였다. 이는 상대적으로 젊은 사람들에 비해 많은 시간과 비용을 투자할 수 있는 사람들이 방문하는 것으로 해석할 수 있다.

[그림 4-9] 러시아 북극국립공원 관광객 현황

[연도별]　　　　　　　　　　　　　[국적별]

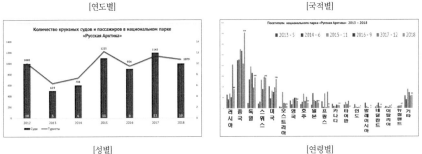

[성별]　　　　　　　　　　　　　　[연령별]

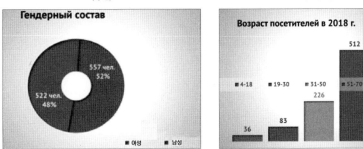

자료: http://rus-arc.ru/ru/Tourism/Statistics(검색일: 2019.11.25.)

V. 북극권의 환경변화

러시아 북극지역에서는 기후변화에 따른 지구온난화로 북극해의 바다 빙하가 녹고 북극권 육지의 영구동토층 표층이 녹는 등 환경변화가 계속되면서 혜택과 피해가 교차하고 있다. 지구온난화에 따라 바다에서는 북극해를 가로질러 유럽과 아시아 그리고 북아메리카를 연결하는 새로운 항로인 서북항로가 여름에 열렸다. 북극지역 육상에서는 기후가 온난해지면서 지금까지 경작하지 못하던 불모지가 농경지로 전환되고 천연자원의 개발이 가능해지는 등 사회경제적으로 긍정적인 혜택이 발생하고 있다.

반면 지구온난화에 따른 자연생태계의 부작용이 적지 않다. 북극해의 빙산이 녹으면서 해수면이 상승하고 해안 가까운 저지가 침수된다는 우려의 목소리가 크다. 북극지역 영구동토층이 녹으면서 땅속에 매장되어 있던 메탄가스가 대기 중으로 흡수되면서 지구온난화가 가속화된다는 주장이 설득력을 얻고 있다. 영구동토층이 녹으면서 송유관, 천연가스 수송관, 도로 등 사회간접자본뿐만 아니라 건축물 등에 구조적인 피해가 발생하고 있다.

북극지역 남부의 산악빙하와 영구동토가 봄에 녹으면서 유출된 강물이 하구를 통해 북극해로 빠져나가야 하지만 북쪽에 있는 하구가 미처 녹지 않아 배수가 되지 않으면서 침수 등 사회경제적인 피해가 발생하게 된다. 배수가 잘되지 않아 습지 면적이 넓어지면서 모기가 번성하면서 생활이 불편해지고 질병이 확산하는 등 보건상 문제가 발생한다. 아울러 지구온난화에 따라 한랭한 기후환경에 적응한 동·식물들이 온난한 환경에 적응하지 못하고 분포역이 축소되거나 심한 경우 멸종할 위험성도 커지고 있다. 2020년 전 지구적인 전염병의 감염은 북극권의 환경변화에도 관심을 끌게 된다. 북극권의 해빙은 오랫동안 영구동토층에 머물던 각종 세균이 대기에 노출하는 상황이 예측되고 있다.

최근 2020년 6월에 러시아 크라스노야르스크 주의 노릴르크 니켈(Norilsk Nickel) 제련소에서 대규모의 기름 유출 사고가 발생하였다. 알래스카의 엑손 발데즈 유조선 사고 이후 디젤 연료 누출이 북극지역에서 가장 큰 환경재앙이 되었다. 알래스카에서 1989년에 바다로 36만 톤의 기름이 흘러 들어갔고, 그 기름찌꺼기는 여전히 해안에서 발견된다. 환경전문가들은 디젤연료가 자연에 훨씬 더 나쁘다고 말한다. 일부 성분은 물에 잘 녹아 모든 생물을 중독시킨다. 생태학자에 따르면 지역 호수와 강의 생태계 복원에는 수십 년이 걸릴 것이라고 한다. [7] 북극권의 환경오염에 대한 지대한 관심과 방지의 노력이 필요하다.

[그림 4-10] 북극권의 환경변화: 북극해의 해빙

1989년 9월

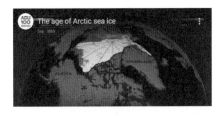

1999년 9월

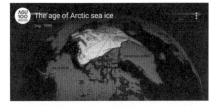

2009년 9월

2019년 9월

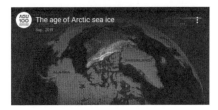

자료: https://news.agu.org/press-release/last-arctic-ice-refuge-is-disappearing/
(검색일: 2019.11.26.)에서 편집

VI. 한국과 러시아 북극지역의 관광 활성화를 위한 제언

관광산업은 단일산업으로서는 세계 최대의 산업이며 세계 최고의 고용산업
으로 평가되고 있다. 2015년 현재 전 세계의 2억 7,700만 개의 일자리를 창출
하고 있고, 전 세계 GDP의 9.8%에 이를 만큼 세계 경제에 미치는 영향이 큰

---

7) Экологическая катастрофа: как в Норильске устраняют последствия разлива топлива
(https://mir24.tv/articles/16412949/ekologicheskaya-katastrofa-kak-v-norilske-
ustranyayut-posledstviya-razliva-topliva)(검색일: 2020.6.8.)

산업이다.[8] 따라서 세계 각국은 관광산업을 21세기 국가 전략산업으로 육성하고자 다양한 관광 상품 개발과 관광인프라 확충 등 관광 진흥정책을 수립하여 추진하고 있다.[9] 관광산업은 고용효과 이외에도 간접효과 및 유발효과를 통하여 지역의 경제발전을 견인하고 있다. 이 때문에 세계의 많은 국가와 지역들이 지역의 유·무형 관광자원을 활용한 다양한 형태의 관광 개발사업을 추진하고 있다.

러시아 북극지역을 찾는 관광객이 증가하는 추세이나, 일반인의 러시아 북극지역의 관광에는 몇 가지 어려움이 따른다. 교통인프라의 부족과, 지역의 사회적 여건의 불안정을 들 수 있고, 대부분 지역이 여름철에 한정되어 여행해야 하며, 비교적 관광수요가 적은 데 따른 높은 관광경비를 축소해야 하는 어려움이 있다.

러시아 북극지역의 관광인프라 개발과 관광산업의 합리적인 발달은 현재 한국에서도 급격한 관심을 두는 자연생태경관(숲, 강, 호수 시스템, 독특한 풍경과 자연, 야생 동물과 어업의 관광물)을 위한 관광 상품의 개발을 촉진할 것이며, 북미의 캐나다와 알래스카 및 북유럽의 북극권 지역을 선호하는 백야(화이트 나이트)와 극광(오로라) 관광의 대상지를 러시아지역으로 대체할 수도 있다. 러시아에서 극동지역을 제외하고 서유럽 지역의 러시아 관광객을 유치하는 것은 원거리성 등으로 어려움이 있다. 현재 강원도 동해안 지역의 속초와 동해에서 러시아 극동지역 간의 항로가 개설되어 있으므로 이를 통한 관광산업의 발전에 적극적으로 활용할 시점이다. 한국에서 러시아로의 관광뿐만 아니라 러시아에서 한국으로의 관광산업의 상호적으로 발전하는 것이 필

---

8) http://www.wttc.org/Welcome to World Travel & Tourism Council(검색일: 2015. 10.20.)
9) 김성귀, 『해양관광론』(서울: 현학사, 2007), p. 15.

요하며, 한국에서는 러시아 관광객 유치 확대를 위해 매력적인 상품개발 필요하다. 상대적으로 한국과 근거리에 광대한 생태관광자원이 있는 러시아 극동지역의 자연적 관광자원을 개발하고 활용하는 연구도 필요하다.

북극지역의 동부지역에서 생태 및 크루즈관광의 발전을 위한 가장 큰 잠재력이 있는 지역은 캄차트카 변강주의 '크로노츠(Кроноцкий) 국가자연보호구역'과 '코만도르(Командорский) 국가자연보호구역,' 추코트카 자치구의 '브란겔섬(Остров Врангеля)과 '베링기아(Берингия)'지역이다.

[그림 4-11] 북극권의 극광과 NOAA의 예보시스템

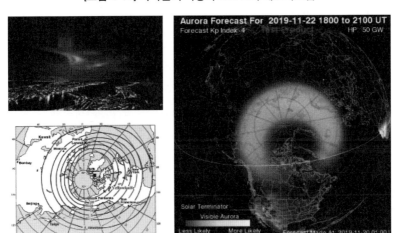

자료: http://www.swpc.noaa.gov/products/aurora-3-day-forecast(검색일: 2019.11.25.)

한국의 러시아 관광에는 러시아 여행업체와 제휴를 통해 한국 관광을 적극적으로 홍보하는 것도 중요한 일이며, 러시아 극동지역과 북극지역의 자연이 제공하는 순수의 동식물상, 경관과 탐험 역사 등을 관광상품으로 기획하여 기존의 관광형태와 다른 차별화된 콘텐츠 개발해야 하고, 관광객 안전 구호기반도 확충해야 한다.

최근의 지구적 기후변화에 따른 북극해의 해빙으로 인해 북극해를 중심으로 한 '북극권 관광'이 활발히 이루어지고 있다. 캐나다의 북극해 관광을 살펴볼 때 캐나다 북극을 방문하는 크루즈 선박의 수는 지속적으로 증가하여 2006에는 1984년에 비해 22배에 해당하는 크루즈 선박의 관광이 이루어졌다.[10] 해양 환경의 변화와 함께 북극해 관광은 세계 관광산업에서 가장 빠르게 성장하는 분야 중 하나가 되고 있다.

북극권 관광은 세계의 인구 밀집 지역인 아시아 지역의 경제성장과 함께 앞으로는 캐나다, 미국, 유럽 중심에서 아시아 지역의 수요 증대가 예상된다. 러시아는 북극해 국립공원을 확장하거나 추가로 지정할 가능성이 크며, 아시아에서 출발하는 북동항로 시작점인 베링해 지역이 관광루트로 유력하다. 크루즈관광은 숙박, 식음료, 위락시설 등의 각종 시설을 갖춰 관광객에게 수준 높은 선내 서비스를 제공하고, 여러 관광지를 기항하면서 관광자원을 접하는 선박관광이다. 즉 단순히 지역을 이동하는 일반 여객선(페리선)과 달리 전체 여정 자체가 위락을 목적으로 하는 해상여행으로 관광객을 위한 각종 편의시설을 갖춰 놓고 수준 높은 서비스를 제공하면서 승객들이 안전하게 관광하게 하는 여행이다.[11] 장기적으로는 북극해 해빙이 가속화될 경우 북극해 전역을 관통하는 크루즈 운항도 가능하다. 아직 관광객을 위한 인프라 구축이 미흡한 극동지역에서는 해상 연계를 통한 크루즈관광이 효율적인 방법이 될 수 있다. 러시아에서는 매년 300만 명의 관광객이 러시아 극동지역을 거쳐 알래스카

---

10) STEWART, E.J., HOWELL, S.E.L., DRAPER, D., YACKEL, J., TIVY, A., "Sea Ice in Canada's Arctic: Implications for Cruise Tourism," *ARCTIC*, VOL. 60, NO. 4 (DECEMBER 2007), p. 370.
11) 김성귀,『해양관광론』(서울: 현학사, 2007), pp. 145-146.

관광에 나서고 있다. 러시아는 북극해에 이미 3대의 크루즈를 띄웠다.[12]

한국에서는 그동안 제주와 부산, 인천항에만 들어오던 크루즈선이 2016년 1월 7일에는 동해항에도 기항하기로 하는 등 한국의 동해안이 국제 크루즈선의 기항지로 확대되고 있으며,[13] 속초항 등에도 기항하고 있다. 또한, 2020년 8월 포항 영일만항 국제여객부두 준공이 예정되어 있다.[14] 앞으로 동해와 오호츠크해를 통하여 한국과 러시아 극동지역, 일본을 연결하는 크루즈 노선을 개발하고 북극권으로 연결한다면, 러시아 극동지역의 관광산업 활성화와 함께 북극권 관광의 효율적인 관광산업으로 발전시킬 수 있을 것이다.

[그림 4-12] 한국-극동-북극해 크루즈관광 노선 안

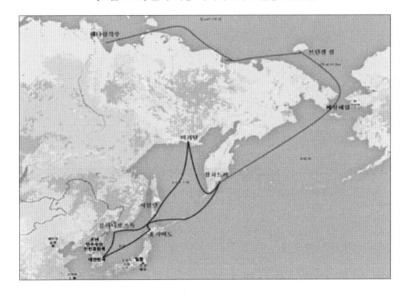

12) http://kr.sputniknews.com/society/20150819/525136.html#ixzz3p1miIHgx(검색일: 2015.11.15.)
13) 강원일보, 2015년 10월 19일, 1면.
14) http://tk.newdaily.co.kr/site/data/html/2019/07/27/2019072700023.html.

러시아 극동지역과 북극권으로의 일반인들의 관광에는 여러 가지 제한적인 조건을 갖고 있다. 자연조건의 불리함과 함께 지역개발의 지연으로 지역의 교통인프라가 잘 구축되지 않았으며, 기후적으로 여름철 중심의 한정된 여행이 가능하다. 이러한 접근성의 어려움과 한정된 관광기간은 상대적으로 높은 관광경비가 필요하다. 한국과 연계된 관광산업의 개발을 위해서는, 이에 대한 합리적 해결방안이 마련되어야 한다. 또한, 천혜의 자연상을 유지하고 있는 이 지역에 빈번한 관광객 출입이 일으킬 환경오염 문제의 해결방안이 마련되어야 하고, 관광객의 안전과 긴급한 상황 발생에 대비한 구호기반을 갖춰야 한다. 최근 러시아에서 제작되고, 올해 말에 시험 운전될 예정인 대형 비상 구조 항공기 ≪차이카(Чайка)≫ A-050을 북극을 개발하는데 사용될 수 있고, 이 기술은 흑해와 카스피해를 순찰하고 북극항로를 보호하는 데 필요할 것으로 본다.[15]

[그림 4-13] 러시아 북극권 관광산업의 발전 가능성

러시아 북극권 관광산업의 발전 가능성

북극권 관광

- 북극권 지역의 풍부한 자연 생태 관광자원"
- 러시아의 적극적 관광 개발 사업 추진
- 관광 컨설팅, 시설 투자, 과학 연구 협력, 환경 정화 사업
- 북극해 전역을 관통하는 크루즈 운항도 가능; 아시아 출발 북동항로 러시아 극동지역

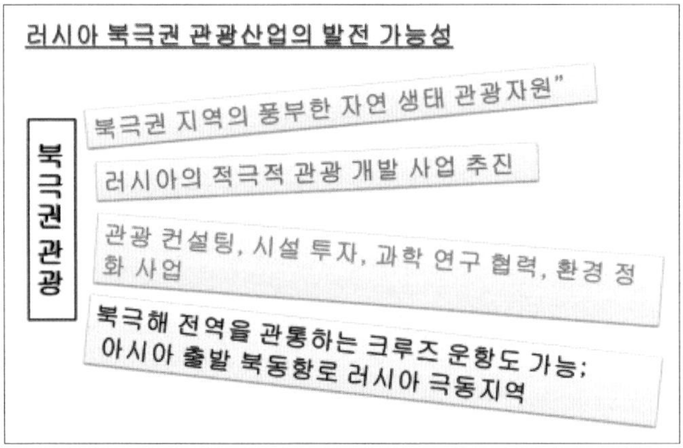

15) https://www.gazeta.ru/army/2020/05/18/13087003.shtml(검색일: 2020. 5. 18.)

북극권과 연계된 러시아 극동지역의 관광개발을 위해서는 동식물상 및 경관과 탐험, 역사 등 차별화된 콘텐츠가 개발되어야 하며, 관광 컨설팅과 시설 투자, 과학 연구 협력, 환경 정화 사업 등에 한 · 러 간의 적극적인 협력이 필요하다.

Ⅶ. 맺음말

세계 학계는 온난화로 북극해가 점차로 해빙되어 2020년에는 6개월, 2030년에 1년 내내 일반 항해가 가능해질 것으로 전망하고 있다. 이에 대비하여 한국은 이미 북극항로의 얼음분포 정보를 선박에 제공하는 기술을 개발하고 있다.[16] 북극해 안전항로 선정에 필요한 얼음상태, 얼음경계 정보 및 해양과 대기수치 예측자료 등을 수집해 제공하는 기술을 개발한다는 것이다. 이는 한국뿐만 아니라 한 · 러 간의 과학기술 협력에 이바지하는 사업이 될 것이고, 북극해로 나아가는 한국의 역할의 하나가 될 것이다.

기후변화는 북극권과 전 지구의 환경 영향을 미치고 있다. 지구의 기후변화를 일으키는 온실가스 배출량은 세계적으로 중요한 문제이다. 관광산업은 어떤 식으로든 오염을 발생시키며 지구 기후변화 현상에 작용한다. 특히, 북극권 관광은 지난 10년 동안 점점 인기를 얻고 있다. 더 많은 관광객이 독특한 환경과 기후변화로 인한 환경변화를 보기 위해 북극권으로 몰려들고 있다. 그러나 현재 북극권에는 고유한 환경 보호를 통제하기 위한 구속력 있는 지역

---

16) http://www.yonhapnews.co.kr/bulletin/2015/10/17/0200000000AKR20151017059
300003.HTML?input=1179m(검색일: 2015.11.18.)

규정이 없다. 관광행위가 기후변화에 영향을 미치지 않도록 관광객의 행동을 통제하는 구속력 있는 규정이 없다. 환경변화에 민감한 북극권의 관광에는 여행자와 조직기구의 책임 있는 관광행위가 필요하다. 북극권지역의 탐방에는 방문할 수 있는 기반이 갖추어진 각 지역에 소수의 인원이 참여하는 탐방예약제가 필요할 것이다. 비교적 많은 탐방객이 참여하기 위해서는 크루즈선의 운항이 효과적일 것인데, 이 경우에는 선박이나 여행객이 발생하는 모든 오염 배출물이 북극해 내부에 버려지는 것을 차단하는 기술적인 수단을 취해야만 한다.

〈참고문헌〉

국토해양부, 『북극해 항로 활성화 대응전략 연구』, 국토해양부, 2010년 12월.

김민수, 『러시아연방 소수민족 극동편』, 서울: 참글, 2012.

김성귀, 『해양관광론』 현학사, 2007.

박병권·박상범, 『북극연구의 국제적 동향과 우리나라 북극연구의 미래전략에 관한 연구』, 한국과학기술한림원, 2011.

배재대학교 한국시베리아센터, 『러시아 북극권의 이해』, 서울: 신아사, 2010.

엄선희, "북극해에 대한 국제 동향과 우리의 대응 방향," 『계간해양수산』, 한국해양수산개발원, 2011.5.

원학희, 한종만, 공우석, 『러시아지리』, 서울: 아카넷, 2002.

이재혁, "러시아 극동지역의 관광자원과 한국 관광산업 개발 방안," 『한국 시베리아연구』, 제19권 2호, 배재대학교 한국-시베리아센터, 2015.

이재혁, "러시아 북극권의 생태관광," 『2019 북극협력주간 학술세미나: 북극권 자연/인문 자원 발표논문자료집』, 2019.

이재혁, "러시아의 북극해 항로 개발 계획 동향." 『북극연구』, No. 5 Spring, 배재대학교 한국-시베리아센터/북극학회, 2016.

제성훈·민지영, 『러시아의 북극개발전략과 한·러 협력의 새로운 가능성』, 대외경제정책연구원, 2013.

한국해양수산개발원, 『기후변화에 따른 북극해 변화와 대응방안』, 한국해양수산개발원, 2009년 6월.

한국해양수산개발원·극지연구소, 『북극해를 말하다』, 한국해양수산개발원, 서울, 2012.

한종만 외, 『러시아 북극권의 이해』, 서울: 신아사, 2010.

한종만, "러시아 북극권의 잠재력: 가능성과 문제점," 『한국과 국제정치』, 경남대학교 극동문제연구소, 제27권 제2호, 2011.

한종만·이재혁 외, 『북극의 눈물과 미소 - 지정, 지경, 지문화 및 환경생태 연구』, 서울: 학연문화사, 2016.

황진회·엄선희·허소영, 『북극해 활용전략 연구』, 한국해양수산개발원, 2010년 2월.

ACIA(Arctic Climate Impact Assessment), *Impacts of a Warming Arctic*, Cambridge University Press, 2004.

Alexandrov, Oleg, "Labyrinths of the Arctic Policy: Russia Needs to Solve an Equation with Many Unknown," *Russian in Global Affairs*, Vol.7, No.3 (July- September) 2009.

Arctic Climate Impact Assessment (ACIA), (Cambridge: Cambridge University Press, 2005).

Dierks, Jan, *Tourismuskonzept für die Republik Sakha(Jakutien) unter besonderer Berücksichtigung der ethischen und ökologischen Aspekte des Jagdtourismus*, Ernst-Moritz-Arndt-Universität Greifswald, Botanisches Institut Fachrichtung Diplom-Landschaftsökologie und Natutschutz, 13 Juni, 2002.

Dieter K. Müller · Linda Lundmark · Raynald H. Lemelin(Ed.), *New Issues in Polar Tourism -Communities, Environments, Politics*(Springer Dordrecht Heidelberg New York London, 2013).

Edes, Mary E., "Ecotourism in the Arctic Circle: Regional Regulation Is Necessary to Prevent Concerned Environmentalists from Further Contributing to Climate Change," *Global Business & Development Law Journal*, vol 21, Article 9, 2008.

Ellenberg, E. Scholz, M., Beier, B., *Oekotourismus*(Heidelberg · Berlin · Ocford: Spektrum Akademischer Verlag, 1997).

Engberding, Hans und Bodo Thöns, *Transsib-Handbuch: Unterwegs mit der Transsibirischen Eisenbahn* (Berlin: Trescher-Reihe, 2003).

James Forsyth (정재겸 옮김), 『시베리아 원주민의 역사』, 서울: 솔, 2009.

Lundberg, Ulla-Lena, *Sibirien* (München: National Geographic, 2006).

Seelmann, Katrin, Der völkerrechtliche Status der Arktis: der neue Wettlauf zum Nordpol (Wien: Neuer Wissenschaftlicher Verlag, 2012).

Seidler, Christoph, *Aktisches Monoploy: Der Kampf um die Rohstoffe der Polarregion* (München: Deutsch Verlag-Anstalt, 2009)(크리스토프 자이들러 지음/박미화 옮김. 『북극해 쟁탈전 - 북극해를 차지할 최종 승자는 누구인가』도서출판 숲, 2010).

STEWART, E.J., HOWELL, S.E.L., DRAPER, D., YACKEL, J., TIVY, A., "Sea Ice in Canada's Arctic: Implications for Cruise Tourism," *ARCTIC*, VOL. 60, NO. 4(DECEMBER 2007).

Лукичев А.Б., "Экотуристские исследования", *Российского Журнала Экотуризма* №4, 2012.

Матвеевская, Анна Сергеевна, Безуглы, ДмитрийСергеевич, "Инновационные технологии в продвижении "Русской Арктики" как туристской дестинации", *Научный вестник Ямало-Ненецкого Автономного округ*, 3 (100), 2018.

ПРАВИТЕЛЬСТВО РОССИЙСКОЙ ФЕДЕРАЦИИ РАСПОРЯЖЕНИЕ от 31 мая 2014 г. № 941-р МОСКВА 'Об утверждении Стратегии развития туризма в Российской Федерации на период до 2020 года.

Стратегии социально-экономического развития Дальнего Востока и Байкальского региона на период до 2025 года.

UNEP 홈페이지 http://www.unep.org/regionalseas/

국제대륙붕관리국(ISA) 홈페이지 http://www.isa.org.jm

국제해사기구(IMO) 홈페이지 http://www.imo.org.

미국지리학회(American Geophysical Union) 홈페이지 https://www.agu.org/

북극위원회(the Arctic Council) 홈페이지 http://www.arctic-council.org.

세계자연기금(World Wide Fund for Nature) https://arcticwwf.org/work/people/tourism/

NOAA(http://www.swpc.noaa.gov/products/aurora-3-day-forecast)

http://rus-arc.ru/ru

http://russiafocus.co.kr/multimedia/video/2015/09/30/443879

http://www.itar-tass.com/spb-news/813070

http://www.scienceforum.ru/2015/discus/794/11260

http://www.wttc.org/Welcome to World Travel & Tourism Council.